P9-DBP-793

Le Grand Livre de la Mémoire

Le Grand Livre de la Mémoire

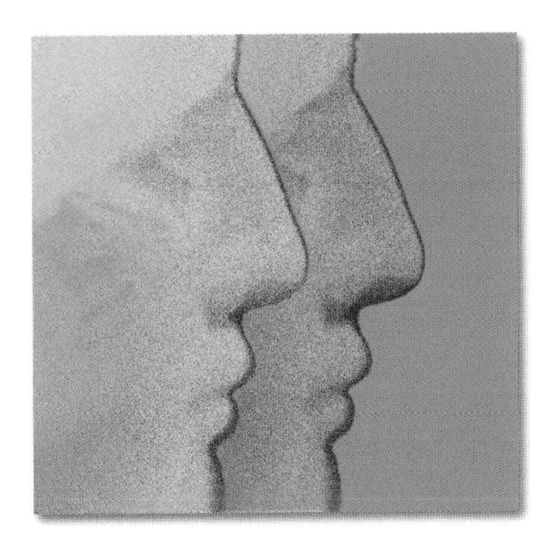

PARIS • BRUXELLES • MONTRÉAL • ZURICH

Le Grand Livre de la Mémoire

est une création de Sélection du Reader's Digest

Nous remercions tous ceux qui ont contribué à la préparation et à la réalisation de cet ouvrage.

L'association **MÉMOIRE ET VIE, et en particulier**
Martine Soudani, *médecin gériatre,*
Yves Ledanseurs, *psychologue.*

LES CHAPITRES
ont été réalisés sous la direction de :
Marie-Christelle Fiorino, *psychologue clinicienne spécialisée en psycho-gérontologie et en psychologie médicale.*

Conseillers de la rédaction :
Bénédicte Dieudonné, *psychologue clinicienne spécialisée en neuropsychologie*
Elsa Galan-Kouznetsov, *psychologue clinicienne et gérontologue*
Sophie Martineau, *gérontopsychologue et psychothérapeute*

Nous remercions également pour leur concours dans l'élaboration des jeux **Régine Nuriec, Monique Tartreau et Anne-Sophie Vuillemin.**

LIVRETS JEUX
Suivi éditorial : **Agence Media**
Création des jeux : **Fabrice Bouvier, Colman Cohen, Philippe Fassier, Aurélien Kermarrec, Fabrice Malbert, Bernard Myers, Claude Quiec**

ILLUSTRATIONS
Laurent Audouin, Emmanuel Batisse, Philippe Bucamp, Jacqueline Caulet, Marc Donon, Philippe Fassier, William Fraschini, Sylvie Guerraz, Nicolas Jarreau, Jean-Pierre Lamérand, Patrick Lestienne, Claude Quiec, Carine Sanson

EFFETS GRAPHIQUES : **Colman Cohen**

INDEX : **Marie-Thérèse Ménager**

Nous remercions également **Mathias Durvie, Sylvie Guerraz, Évelyne Stive, Véronique Zonca** (maquette) **et Céline de Quéral** (secrétariat de rédaction).

Code projet : UK 1544/IC-FR

ÉQUIPE DE SÉLECTION DU READER'S DIGEST
Direction éditoriale : **Gérard Chenuet**
Direction artistique : **Dominique Charliat**
Secrétariat général : **Elizabeth Glachant**

Réalisation de l'ouvrage
Responsables du projet : **Camille Duvigneau et Anne Grégoire**
Maquette : **Didier Pavois**
Correction : **Béatrice Argentier, Catherine Decayeux, Emmanuelle Dunoyer**
Iconographie : **Danielle Burnichon**
Fabrication : **Marie-Pierre de Clinchamp et Damien Noirot**
Prépresse : **Philippe Petour**

PREMIÈRE ÉDITION

Pour nous communiquer vos suggestions ou remarques sur ce livre, utilisez notre adresse e-mail :
editolivre@readersdigest.tm.fr

ISBN 2-7098-1571-0

Préface

Vous allez prendre ce livre. Vous allez le parcourir rapidement, découvrant les titres, regardant les dessins, vous réjouissant des couleurs…

Vous vous direz : ce livre est fait pour moi. Il parle de mes soucis : cette mémoire qui flanche, qui oublie le nom de cette personne que je connais pourtant si bien, qui ne sait plus retrouver le nom de cette ville où je suis passé l'été dernier, qui tout bêtement a perdu la trace de mes clefs de voiture…

La mémoire, c'est vraiment toute la vie. Du matin jusqu'au soir, je vis avec elle sans même m'en apercevoir, tout comme je me sers constamment de mes bras, de mes jambes sans y prêter attention – jusqu'au jour où surgit un accident de parcours… Que l'un de ces membres vienne à me manquer et je deviens infirme ! Que la mémoire me manque et c'est un peu ma vie qui bascule.

Ma mémoire est un bien trop précieux pour que je la laisse mal vieillir. Sans doute va-t-elle changer avec l'âge : certains souvenirs deviendront plus présents qu'autrefois, des réalités de la vie quotidienne pourront m'échapper. Ainsi va la vie, on n'a pas tous les jours vingt ans. Mais il s'agit là d'une mémoire qui change, non d'une mémoire qui diminue.

C'est à moi qu'il appartient de tout faire pour que cette mémoire ne cesse de grandir. Il n'y a pas de limite d'âge pour la mémoire. Un peu comme mon cœur, elle est bâtie pour m'accompagner jusqu'à mon dernier soupir. Encore faut-il que je m'occupe d'elle, que je l'utilise à chaque instant. La mémoire ne souffre que de ne pas servir.

Alors n'hésitez plus. Prenez ce livre par où vous voudrez. Commencez par ce qui vous intéresse, vous attire. De proche en proche, allez vers les domaines qui vous sont plus étrangers. Vous y gagnerez en vitalité, en jeunesse, en bien-vivre.

Yves Ledanseurs

Sommaire

Améliorer sa mémoire

Livret jeux 3

Ma mémoire et ma vie

Livret pratique

Comment utiliser ce livre

La mémoire, comment ça marche ?
Des chapitres pour comprendre les mécanismes de la mémoire avec…

1. Des explications sur les étapes du processus de mémorisation

2. Des exercices d'application avec l'interprétation des résultats et des conseils pour s'améliorer

Pictogramme signalant un exercice d'application

L'oubli

Paradoxalement, le fait de mémoriser consiste pour une part à… oublier. Il est en effet inutile de vouloir conserver en mémoire toutes les informations … dans la journée, sous peine de saturation. Ce qui n'empêche pas de veiller au b… mémoire en utilisant de bonnes « béquilles » et en évitant de faire plusieurs cho… de nous souvenir est cependant parfois prise en défaut par notre inconscient, … ulées restent toujours présentes.

Oublier pour ne pas saturer

Je deviendrais fou si je retenais tout!

Quel pourrait être l'intérêt de retenir le nombre de feux rouges sur notre parcours domicile-travail? Pourtant, nous les avons bien vus, mémorisés, mais uniquement pour utiliser cette information momentanément et l'effacer ensuite.

Une mémoire dite normale efface 90 à 95 % des informations perçues dans une journée. Ce travail d'oubli actif, souvent appelé mémoire sélective, est en fait une organisation permettant de retenir l'essentiel dans le flot quotidien d'informations. Sans cela, notre capacité à mémoriser pourrait être saturée.

Ce mécanisme d'inhibition active ne fonctionne pas pour tous de la même manière. Certaines personnes sont capables de se souvenir de très …breux détails et, par exemple, …s décriront par le menu la …ière dont vous étiez habillé et …lles vous ont rencontré. …morisation n'est pas …mémoire prodigieuse, …ifier que la relation que …retient avec le monde … des informations …son énergie se canalisant …nce, il est alors moins … pour retenir des …ons telles que la teneur de la conversation ou la qualité de la relation…

Pour d'autres personnes, c'est l'inverse : elles oublient l'environnement concret des situations qu'elles vivent et se voient qualifiées de têtes en l'air ! Leur rapport au monde est sans doute …ntré sur le ressenti, le vécu … s'attachent moins

Les monnaies d'Europe
En 2002, tous les pays d'Europe se sont dotés d'une monnaie unique commune, à l'exception de trois. Retrouvez les monnaies nationales de ces pays et précisez ceux qui n'ont pas adopté l'euro.

1. Allemagne ....
2. Autriche ....
3. Belgique ....
4. Danemark ....
5. Espagne ....
6. Finlande ....
7. France ....
8. Grande-Bretagne ....
9. Grèce ....
10. Irlande ....
11. Italie ....
12. Luxembourg ....
13. Pays-Bas ....
14. Portugal ....
15. Suède ....

Avec l'arrivée de l'euro, peut-être avez-vous commencé à oublier ces monnaies. C'est normal. Le processus de l'oubli est à l'œuvre car ces informations ne vous seront plus utiles. Dans une vingtaine d'années, bon nombre d'entre nous les auront en partie oubliées, sauf si nous réactivons ces souvenirs par intérêt pour l'histoire.

Solution p. 337

Les grands fleuves du monde
Classez ces 8 fleuves selon leur longueur, par ordre décroissant.
Solution p. 337

a. Gange
b. Mississippi-Missouri
c. Amazone
d. Ob
e. Amour
f. Nil
g. Yangzi Jiang
h. Saint-Laurent

1. ……
2. ……
3. ……
4. ……
5. ……
6. ……
7. ……
8. ……

Vous connaissez sans doute les noms de ces fleuves et vous avez certainement appris leur longueur à un moment de votre scolarité. Mais, ces détails ne vous étant pas indispensables, vous ne les aurez retenus sur le long terme que si vraiment ils vous sont utiles – pour des raisons professionnelles, par exemple – ou si vous êtes un passionné de géographie.

S'entraîner en s'amusant

Trois livrets (de difficulté croissante) regroupant des jeux variés pour exercer sa logique, ses facultés d'observation ou de concentration…

MOTS CACHÉS

STRUCTURATION

Les noms d'animaux cachés dans cette grille peuvent y figurer en tous sens : horizontalement ou verticalement, en diagonale, de haut en bas ou de bas en haut, de droite à gauche ou l'inverse. Les mots se croisent et une même lettre peut être utilisée plusieurs fois. Avec les lettres restantes, vous formerez le nom de l'animal caché.

Liste des animaux à biffer

ALPAGA, BÉLUGA, CAMÉLÉON, CHENILLE, CHIEN, CLAM, COATI, COCHON, COULEUVRE, DAPHNIE, ÉPERVIER, GIRAFE, GRIVE, GUÊPE, HANNETON, HARENG, HASE, HYÈNE, LION, LYNX, MACAREUX, MITE, MOUCHE, MOUFLON, OKAPI, ORVET, PINGOUIN, PIPIT, PONEY, PUNAISE, RAMIER, RENARD, RENNE, TAPIR, VIPÈRE

Une liste facile à consulter répertoriant tous les jeux des chapitres et des livrets par types et par thèmes

3. Des tests pour évaluer ses capacités et identifier ses points forts et ses points faibles

4. Des encadrés pratiques avec des trucs et astuces pour mieux mémoriser au quotidien

Test Identifiez vos béquilles

Répondez par **OUI** ou par **NON** aux questions suivantes.

	OUI	NON
1. J'utilise les numéros enregistrés sur mon portable sans apprendre ceux que j'appelle quotidiennement.	☐	☐
2. J'utilise systématiquement mon carnet d'adresses pour envoyer des cartes postales à mes proches.	☐	☐
3. Je fais une liste pour acheter moins de 7 produits au supermarché.	☐	☐
4. J'ai besoin de noter mes différents codes – porte d'entrée, carte bleue, boîte vocale, portable…	☐	☐
5. Je dois noter mes idées pour ne pas les oublier.	☐	☐
6. Comme je claque souvent ma porte en laissant mes clefs à l'intérieur, j'ai installé une poignée ouvrante à l'extérieur.	☐	☐
7. Je regarde régulièrement mon agenda pour connaître mon emploi du temps.	☐	☐
8. Je consulte mon calendrier plus de deux fois par jour pour savoir la date exacte.	☐	☐
9. Avant chaque coup de téléphone, je note ce que je veux dire.	☐	☐
10. Je fais régulièrement des nœuds à mon mouchoir.	☐	☐
11. Je note sur ma main tout ce que j'ai peur d'oublier.	☐	☐
12. Un tableau blanc se trouve en bonne place dans ma cuisine.	☐	☐

Si vous avez une majorité de OUI, ne culpabilisez pas. Nous utilisons des béquilles très régulièrement dans notre vie quotidienne et ce ne sont pas forcément des traits de paresse mentale. Vous avez peu confiance en votre mémoire et vous avez pris l'habitude de l'aider. Elle n'a pas diminué pour autant et cela ne signifie nullement qu'elle fonctionne mal. Il vous faut surtout lui redonner le temps d'enregistrer les informations.

Si vous avez une majorité de NON, vous faites confiance à votre mémoire et elle vous satisfait. Continuez !

Ma mémoire et… ma liste de courses

Faire une liste de courses n'est pas un signe de paresse mnésique si vous ne gardez pas le nez dessus une fois dans le magasin. C'est avant tout faire l'inventaire de ce que l'on veut. Ordonner sa liste en fonction du chemin emprunté dans les rayons du magasin est un bon moyen de la mémoriser. N'hésitez pas à la lire à haute voix plusieurs fois, et, au fil des semaines, vous pourrez acheter ainsi plus de trente produits sans y avoir systématiquement recours. Rien ne vous empêche de toute façon de la garder dans votre poche et de la sortir juste avant de passer en caisse pour vérifier que vous n'avez rien oublié.

Test Bonne ou mauvaise

Un certain nombre d'habitudes, de comportements ou d'attitudes quotidiennes peuvent être le signe de petits problèmes de mémoire. Ce questionnaire, auquel vous devez répondre le plus sincèrement possible, est destiné à vous aider à les identifier.
Cochez la case correspondant à votre réponse en prenant en compte le dernier mois écoulé.

	JAMAIS	PARFOIS	SOUVENT
1. Je ne reste pas longtemps concentré sur ma lecture.	■	■	■
2. Je retiens mal les noms des personnes qui me sont présentées.	■	■	■
3. J'ai des difficultés à mettre des noms sur des visages que je connais bien.	■	■	■
4. Je ne retrouve pas facilement le nom de personnes célèbres.	■	■	■
5. Je suis en retard à mes rendez-vous.	■	■	■
6. Je dois recourir à mon agenda pour me souvenir de mes rendez-vous.	■	■	■
7. J'ai besoin d'une liste lorsque je fais des courses.	■	■	■
8. J'oublie ce que je dois faire en passant d'une pièce à l'autre.	■	■	■
9. J'ai des difficultés à retenir les numéros de téléphone usuels.	■	■	■
10. J'oublie la date du jour.	■	■	■
11. J'ai des difficultés à rester concentré sur une tâche.	■	■	■
12. Quand je pose mes clefs ou mes lunettes, j'ai du mal à les retrouver.	■	■	■
13. Il me faut du temps pour m'adapter aux changements.	■	■	■
14. J'oublie les dates d'anniversaire de mes proches.	■	■	■
15. Je me laisse facilement distraire par des préoccupations passagères.	■	■	■
16. Dans une conversation, j'ai du mal à trouver le mot juste.	■	■	■
17. J'ai des difficultés à m'orienter dans mon quartier.	■	■	■
18. Je crois volontiers que ma mémoire peut me jouer des tours.	■	■	■
19. Je ne peux facilement parler d'un film que j'ai vu la veille.	■	■	■
20. Je refais plusieurs fois les mêmes choses.	■	■	■
21. J'oublie les événements dont je ne parle pas régulièrement.	■	■	■
22. Je retiens des choses qui ne servent à rien.	■	■	■
23. J'ai du mal à me rappeler le code de ma carte bancaire.	■	■	■

mémoire ? Faites le point

	JAMAIS	PARFOIS	SOUVENT
24. J'ai du mal à retenir ce qui ne m'intéresse pas directement.	■	■	■
25. Je retiens difficilement le prix des choses que j'achète.	■	■	■
26. J'oublie vite le titre des livres que je viens de lire.	■	■	■
27. Je ne retiens aucun chiffre, quel qu'il soit.	■	■	■
28. Je mets beaucoup plus de temps qu'avant pour apprendre par cœur.	■	■	■
29. J'oublie immédiatement ce que je viens de voir à la télévision.	■	■	■
30. J'ai du mal à faire des mots croisés.	■	■	■

Comptez votre nombre de points par colonne selon le barème suivant :
JAMAIS : 0 point, PARFOIS : 1 point, SOUVENT : 2 points.

Faites maintenant le total de vos points.

Résultats du test

Vous totalisez de 0 à 15 points
Vous semblez être en pleine possession de vos capacités de concentration – à moins que vous n'ayez quelque peu sous-estimé vos difficultés. Cependant, ne vous relâchez pas : un entretien régulier de votre forme physique et mentale est le meilleur garant de votre mémoire.

Vous totalisez de 16 à 35 points
Votre mémoire présente de petites défaillances qui ne devraient pas vous inquiéter outre mesure. Vous faites sans doute partie des personnes qui ont du mal à fixer leur attention. Pour éviter que ces difficultés perturbantes ne deviennent handicapantes, ralentissez votre rythme : prenez le temps nécessaire à chaque tâche et efforcez-vous de l'effectuer en restant dans l'instant présent, sans anticiper sur la suite. Parallèlement, cherchez ce qui chez vous favorise la détente, car il ne peut y avoir d'attention soutenue en état de stress.

Vous totalisez plus de 35 points
Vous avez peut-être tendance à évaluer vos difficultés avec trop de sévérité, voire de pessimisme. Par précaution, cependant, pourquoi ne pas vous rendre à une consultation mémoire pour un bilan plus précis de l'état de vos fonctions intellectuelles ? Des médecins et psychologues spécialisés analyseront vos résultats et vous indiqueront la meilleure stratégie à adopter pour résoudre vos problèmes.

À la découverte de la mémoire

Cerveau et mémoire

Près de 1,5 kg de matière, des neurones en quantité astronomique, des milliards de connexions… Qu'il s'agisse de lever le petit doigt, de résoudre une équation ou de se souvenir des jours heureux, notre cerveau, élément principal du système nerveux central, est aux commandes. Mais quels sont les liens entre cerveau et mémoire ? Justement, le cerveau est le lieu privilégié de la mémoire, et l'essentiel de nos activités la mettent en jeu. La mémoire participe à notre identité, à notre intelligence, à notre affectivité. Mais où loge-t-elle exactement ?

Le cerveau, cet inconnu

Testez vos connaissances sur la structure du cerveau et sur son fonctionnement.

	VRAI	FAUX
1. Le cerveau est composé de quelques milliers de cellules.	☐	☐
2. Le nombre de neurones est définitif à la naissance.	☐	☐
3. Les deux hémisphères du cerveau se divisent en un très grand nombre de lobes.	☐	☐
4. Nous sollicitons la totalité de nos capacités neuronales dans la vie quotidienne.	☐	☐
5. La principale source d'énergie du cerveau est le glucose.	☐	☐
6. La mémoire est moins performante avec l'âge.	☐	☐
7. L'activité cérébrale continue pendant le sommeil.	☐	☐
8. Le stress, l'anxiété et la fatigue affectent le bon fonctionnement du cerveau.	☐	☐
9. Certaines pathologies affectant le cerveau sont irréversibles.	☐	☐
10. Les souvenirs sont localisés dans une partie bien spécifique du cerveau.	☐	☐

1. FAUX.
Le cerveau est composé de près de 100 milliards de cellules, les neurones. Et chaque neurone peut entrer extrêmement rapidement en contact avec 10 000 autres.

2. VRAI.
Le stock initial n'est pas renouvelable. Toutefois, à l'âge de 80 ans, la perte des neurones est de 10 %. Les 90 % restant disponibles ne dégénèrent pas et peuvent établir de nouveaux contacts avec d'autres neurones.

3. FAUX.
Chaque hémisphère du cerveau se divise en quatre zones, les lobes cérébraux, chacun gérant des activités spécifiques. Des connexions permettent à ces lobes de rester en relation les uns avec les autres.

4. FAUX.
Nous ne sollicitons que 30 à 40 % de nos neurones car nous répétons en général les mêmes activités. Si le cerveau est moins sollicité ou si ses capacités sont sous-utilisées ou sous-stimulées, des troubles de la mémoire ou des difficultés à trouver les mots exacts risquent d'apparaître. Il est donc souhaitable d'avoir des activités aussi variées que possible – lecture, écriture, jardinage, sport… –, qui font travailler le cerveau de façon diversifiée.

5. VRAI.
Le cerveau consomme 5 g de glucose (ou sucre) par heure. Pour qu'il soit approvisionné correctement, la libération de glucose dans le sang doit être continue. Il ne faut donc pas supprimer de son alimentation les sucres rapides et les sucres lents.

6. FAUX.
Une personne sur deux se plaint de troubles de la mémoire après 50 ans. S'il est vrai que le traitement de l'information est moins rapide et l'accès aux souvenirs plus difficile, il n'en demeure pas moins que l'aptitude à engranger de nouvelles connaissances n'est en rien altérée.

7. VRAI.
On sait maintenant que l'activité cérébrale est intense pendant le sommeil. Au cours des phases de rêve (sommeil paradoxal), le cerveau fixe et consolide les informations enregistrées la veille.

8. VRAI.
Dans des états de stress ou de fatigue, nous éprouvons beaucoup plus de difficultés à nous concentrer et à rester attentifs. De ce fait, les informations qui nous parviennent seront moins bien enregistrées, et donc plus facilement oubliées.

9. VRAI.
La pathologie la plus répandue touchant le cerveau est la maladie d'Alzheimer. Elle se caractérise par une diminution progressive, continue et irréversible des facultés intellectuelles et débute par des troubles spécifiques de la mémoire. Les traitements médicaux disponibles aujourd'hui parviennent à ralentir sa progression mais ne peuvent l'arrêter.

10. FAUX.
Les souvenirs ne sont pas localisés dans un endroit précis du cerveau, même si l'on sait qu'une partie comme l'hippocampe joue un rôle clef dans l'évocation des souvenirs. Le fonctionnement de la mémoire fait intervenir différentes zones du cerveau.

La mémoire éparpillée

Contrairement à ce que l'on a longtemps cru, la mémoire n'est pas localisée dans une région déterminée du cerveau. Son fonctionnement dépend de réseaux neuronaux qui traitent et conservent différents types d'informations, elles-mêmes réparties dans plusieurs zones du cerveau. À partir du moment où ces informations doivent être mémorisées, de nombreuses connexions sont activées en même temps, et **une grande partie du cerveau participe à l'élaboration des souvenirs.** Il est donc erroné de parler d'un centre de la mémoire. La mémorisation et le rappel des informations dépendent de différents systèmes mnésiques et de différentes modalités sensorielles (auditives, visuelles, etc.). Il est donc également erroné de croire que la mémoire est localisée dans une région déterminée du cerveau. On peut dire qu'elle est « éparpillée ».

● Où siègent nos différentes mémoires ?
On commence à savoir aujourd'hui, grâce aux expériences scientifiques et à l'imagerie cérébrale, quelles zones sont impliquées dans les processus de mémorisation. En simplifiant les choses, on pourrait dire que :
– la mémoire à court terme ou mémoire immédiate (voir p. 132) mettrait en jeu des systèmes neuronaux corticaux (néocortex [**4**] et cortex préfrontal [**1**]), et plus particulièrement les connexions corticothalamiques ;
– la mémoire sémantique (voir p. 122) fait intervenir le néocortex [**4**], composé des deux hémisphères cérébraux que recouvre le cortex ;
– la mémoire procédurale (voir p. 118) implique des structures situées sous le cortex, comme le cervelet [**6**] et les noyaux gris [**5**] ;
– la mémoire épisodique (voir p. 128) sollicite fortement le cortex préfrontal [**1**], ainsi que l'hippocampe [**3**] et le thalamus [**2**], qui appartiennent au système limbique…

Selon les neurobiologistes, le rôle de l'hippocampe dans les processus mnésiques est essentiel. Situé dans des régions profondes du cerveau – dans le système limbique –, au niveau du lobe temporal, il assure la mise en relation des informations stockées dans différentes zones cérébrales. L'intervention de l'hippocampe est indispensable pour faire passer les souvenirs de la mémoire à court terme vers la mémoire à long terme, c'est-à-dire vers la consolidation des souvenirs, qui sollicite différentes régions du cerveau, et l'on sait maintenant que sa destruction provoque l'incapacité quasi totale de mémoriser des informations nouvelles, qu'il s'agisse de mots, de visages ou d'images.

Ma mémoire et…
mon intelligence

L'intelligence n'est pas héréditaire. Que signifie être intelligent ? Des tests du quotient intellectuel (QI) peuvent aider à évaluer l'intelligence, mais se référer uniquement aux résultats de ces tests ne signifie pas grand-chose. L'important est de trouver un équilibre entre ses capacités personnelles et son environnement. Un bon équilibre psychique, une bonne mémoire, le fait d'être futé et débrouillard n'ont aucun rapport avec un bon QI.

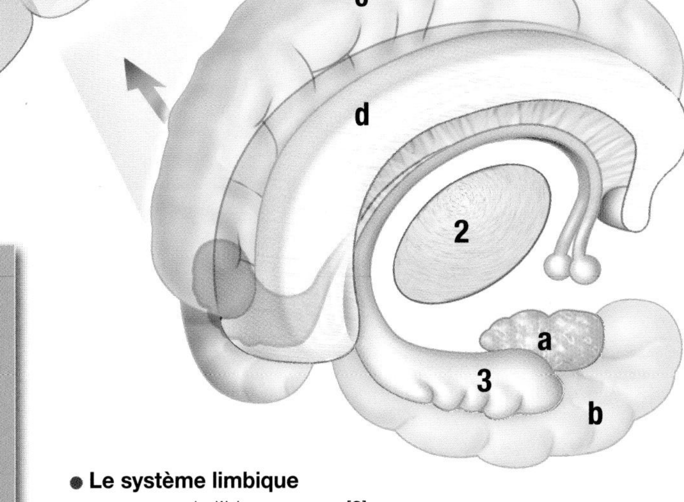

● Le système limbique se compose de l'hippocampe [**3**], de l'amygdale [**a**], de la circonvolution parahippocampale [**b**] et de la circonvolution du cingulum [**c**] ; quant au corps calleux [**d**], c'est un élément du cerveau.

• L'exemple du parcours d'un souvenir visuel
Tout d'abord, les informations visuelles vont se fixer sur la rétine et être transformées en influx nerveux. Elles vont cheminer (en quelques millièmes de seconde) jusqu'aux aires de projection visuelle situées dans le cortex occipital. Ces informations seront ensuite traitées séparément selon leurs attributs (forme, couleur et mouvement).
Elles seront maintenues temporairement dans l'hippocampe afin d'être comparées aux connaissances antérieures par le biais de différentes régions du néocortex. Enfin, elles seront soit oubliées, soit stockées ou consolidées en fonction de leur importance. La valeur émotionnelle positive ou négative de ces informations déterminera la façon dont nous les enregistrerons et les stockerons.

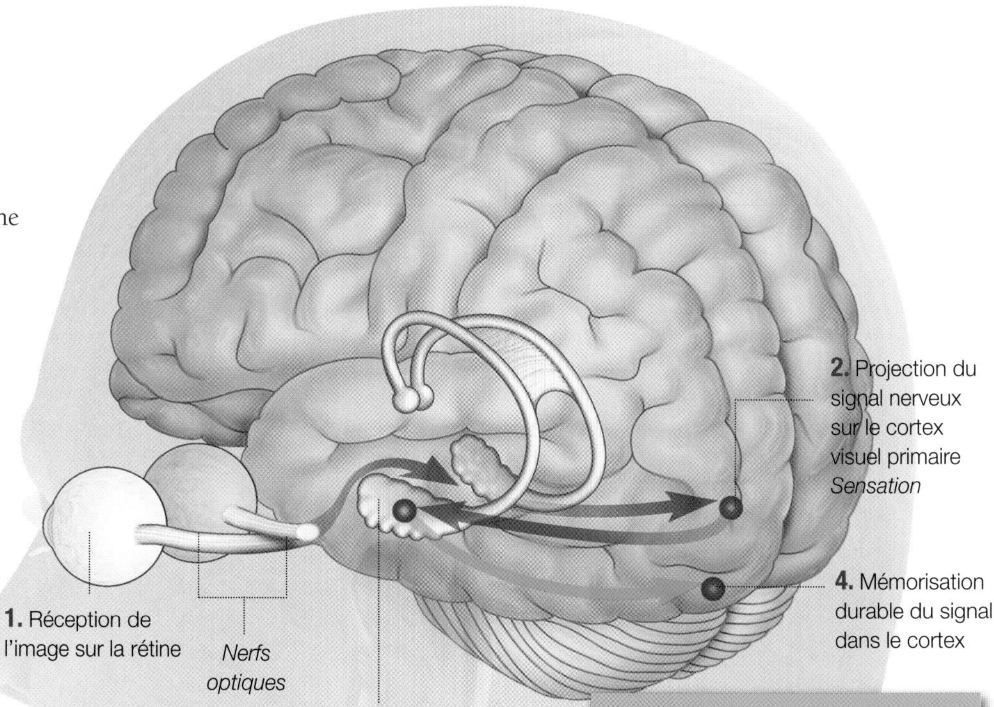

Ma mémoire et... mes parents

La mémoire n'est pas un patrimoine génétique transmissible de parents à enfants. La maladie d'Alzheimer non plus ! Bon nombre de personnes sont inquiètes et consultent après 50 ans car un de leurs proches a développé une maladie de la mémoire. Ce type de pathologie ne se transmet pas d'une génération à l'autre. Si, malgré tout, vous souhaitez être rassuré, parlez-en à un spécialiste ou contactez une association, qui vous informera.

Les mots du cerveau sens dessus dessous
Remettez les lettres dans l'ordre pour faire apparaître des mots du vocabulaire du cerveau.

TEDERNID ....

GIMENNE ....

OXOTRENCE ....

YSSAPEN ....

MADLYGEA ....

PAPEMOCIPH ....

CALICOTIP ....

EROUNNE ....

IMEBULIQ ....

OBEL ....

SHERHEPEMI ....

EPTARILA ....

Solution p. 332

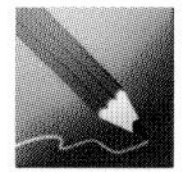

Rébus
Identifiez ce dont notre matière grise a besoin pour fonctionner.

...bla bla bla
bla bla bla bla bla
bla bla bla bla
bla bla...

Solution p. 332

Les troubles de la mémoire

Les troubles de la mémoire se caractérisent principalement par les amnésies, mais on observe aussi des troubles moins fréquents comme l'hypermnésie, la paramnésie et l'ecmnésie.

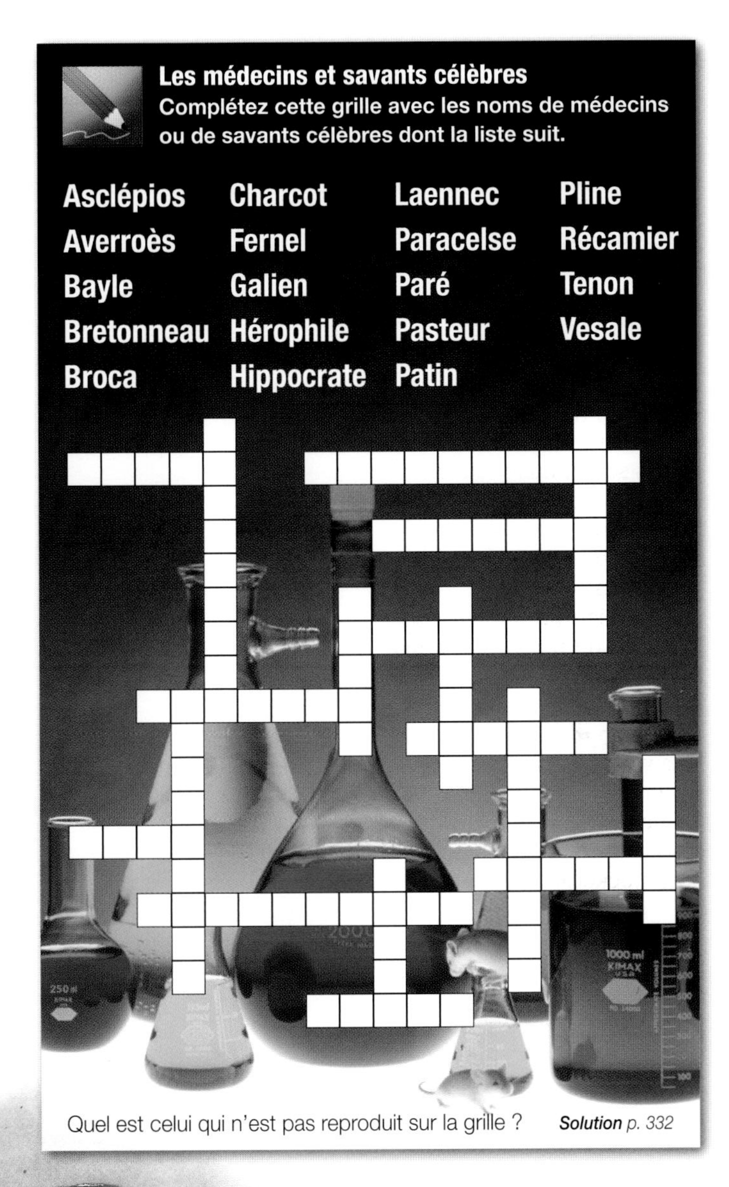

Solution p. 332

- **Le syndrome amnésique** désigne l'impossibilité de tout nouvel apprentissage et se manifeste par une incapacité à se remémorer les événements de la vie quotidienne. L'intelligence est préservée ainsi que la capacité d'acquérir de nouvelles habiletés perceptivomotrices et cognitives. Les amnésies hippocampiques, par lésion bilatérale du circuit de Papez (circuit qui relie l'hippocampe et l'amygdale à l'hypothalamus), en sont l'exemple type. Elles peuvent être provoquées par des lésions vasculaires, des maladies (maladie d'Alzheimer), des traumatismes crâniens, des interventions neurochirurgicales ou un arrêt cardiaque, et sont généralement irréversibles.

- **L'amnésie rétrograde** se manifeste par l'impossibilité d'évoquer des événements antérieurs à la maladie. Elle est souvent liée à **l'amnésie antérograde**, qui aggrave les troubles en empêchant la consolidation des souvenirs anciens. L'étendue du déficit rétrograde varie de quelques jours à quelques années. Dans la plupart des cas, le stock des souvenirs n'est pas effacé mais inaccessible par défaut de rappel. Ces amnésies surviennent à la suite d'électrochocs ou de traumatismes, et dans le syndrome de Korsakoff ou la maladie d'Alzheimer à un stade modéré.

- **L'amnésie antérorétrograde** ou amnésie globale associe l'impossibilité d'apprendre de nouvelles données à l'incapacité d'accéder à des connaissances antérieures à l'apparition de la maladie. Elle peut être liée à des lésions étendues du cortex et s'intègre dans un contexte démentiel, tel celui de la maladie d'Alzheimer.

- **L'ictus amnésique ou trou noir** est une amnésie de brève durée qui survient brutalement entre 50 et 70 ans. Souvent précédé d'une émotion forte, il entraîne un oubli de toute nouvelle donnée, auquel s'ajoute une amnésie rétrograde de quelques heures à quelques jours. L'épisode dure de quatre à six heures et doit régresser dans les vingt-quatre heures. Une amnésie lacunaire des instants précédant l'épisode et de l'épisode lui-même persiste. L'hypothèse d'un vasospasme accompagnant une migraine semble la plus probable. Le trou noir serait d'origine hippocampique (trouble de l'encodage et de la consolidation). En cas de récidive (de 15 à 25 % des cas), il faut rechercher une éventuelle cause vasculaire ou épileptogène.

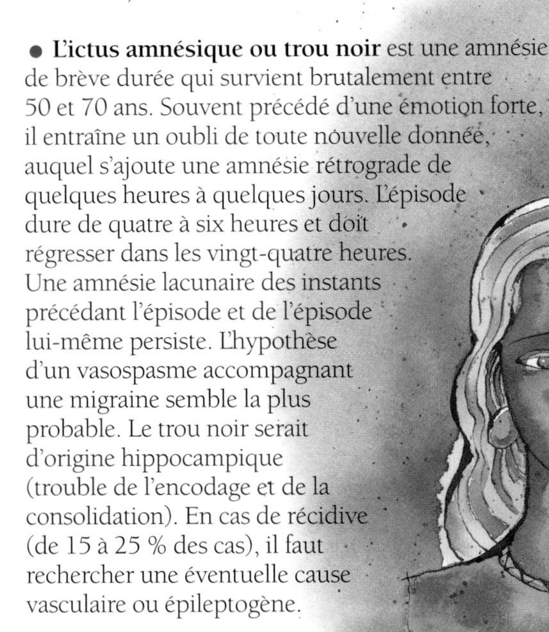

- **Les hypermnésies** désignent des capacités mnésiques prodigieuses dans un domaine (mémorisation de pages d'annuaire, de listes de noms conséquentes...). Elles n'ont aucun lien avec le niveau intellectuel et peuvent être permanentes ou brèves. Dans ce dernier cas, elles surviennent au cours de crises d'épilepsie ou au moment d'émotions intenses et entraînent un phénomène de reviviscence d'événements passés.

- **Les paramnésies** sont des illusions de la mémoire : impression de déjà-vu, de déjà-vécu, ou au contraire d'étrangeté de l'environnement. Des phénomènes paramnésiques brefs peuvent se présenter au cours de crises d'épilepsie du lobe temporal.

- **Dans les ecmnésies,** des tranches du passé sont revécues comme étant actuelles. On peut les observer dans la maladie d'Alzheimer.

Mémoire et maladies

• **La maladie d'Alzheimer,** la plus fréquente des affections du système nerveux central, se caractérise par une diminution progressive et irréversible des capacités intellectuelles. C'est aussi une maladie de la mémoire, son premier signe étant une incapacité à mémoriser de nouvelles informations et donc à les rappeler : on parle d'atteinte hippocampique car les deux parties de l'hippocampe (gauche et droite) sont touchées. L'incapacité s'étend ensuite aux autres fonctions intellectuelles, rendant le patient totalement dépendant de son entourage, et l'on parle alors de processus démentiel. De nombreux neurones disparaissent dans des régions spécifiques du cerveau, à commencer par l'hippocampe, et cette perte s'accompagne d'une diminution du taux d'acétylcholine, un neuromédiateur impliqué dans les processus de mémorisation. Les thérapeutiques visant à combattre cette réduction seront d'autant plus efficaces qu'elles auront été prescrites à un stade peu avancé de la maladie.

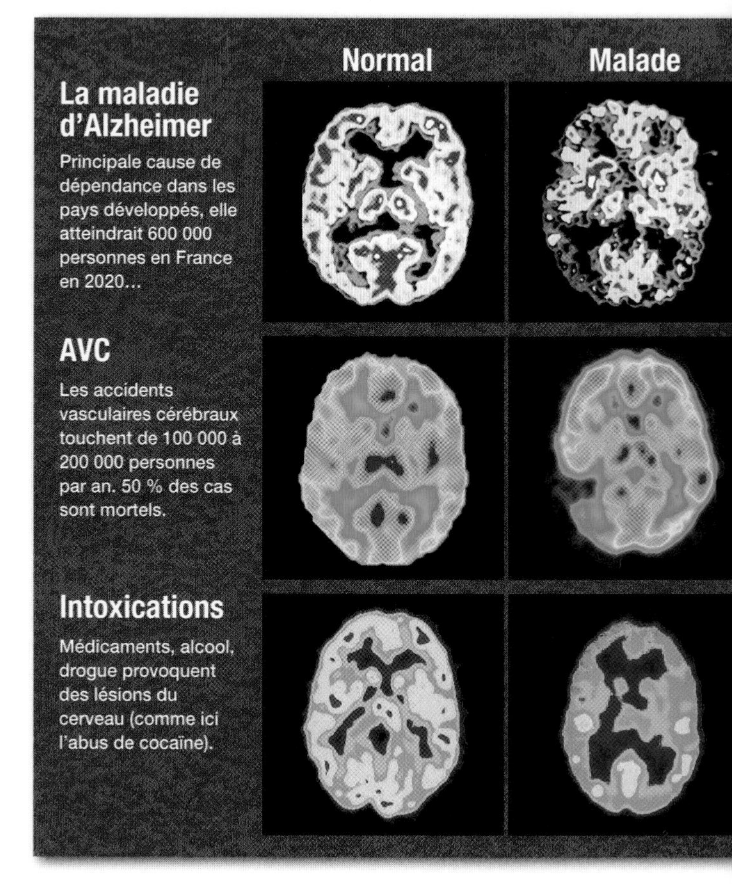

• **L'athérosclérose** est une affection cérébrale fréquente qui touche les vaisseaux sanguins irriguant le cœur, les reins, les membres et le cerveau. Elle entraîne un rétrécissement du calibre des vaisseaux par accumulation des graisses dans la paroi artérielle et peut aboutir à une diminution progressive ou brutale de l'irrigation du cerveau risquant d'entraîner une lésion cérébrale. La paroi des vaisseaux peut aussi se rompre, provoquant une hémorragie cérébrale (accident vasculaire). Les symptômes, très variables, dépendent de l'étendue et de la localisation des lésions. Ils peuvent se traduire par la perte de certaines fonctions, comme la marche ou le langage, de façon temporaire ou définitive.

La moindre lésion d'une artère cérébrale peut avoir des effets irréversibles. Une lésion bilatérale de l'artère communicante postérieure entraînera une amnésie antérograde s'accompagnant de troubles du langage et partiellement d'une amnésie rétrograde. Tabac, alcool, sédentarité, excès de cholestérol, hypertension et diabète sont des facteurs de risque reconnus dans cette pathologie. La prévention passe par une bonne hygiène de vie, impliquant la diminution du tabac et de l'alcool, un contrôle régulier des triglycérides et du cholestérol, ainsi qu'une activité physique adaptée.

Rébus

Retrouvez une vérité scientifique concernant le fonctionnement du cerveau.

Solution *p. 332*

• **La maladie de Parkinson** provient de la mort neuronale des noyaux gris centraux, responsables du contrôle de la motricité des mouvements et de la fabrication d'un neuromédiateur, la dopamine. C'est une diminution du taux de ce dernier qui va entraîner l'apparition de tremblements, d'une rigidité musculaire et d'une lenteur intellectuelle et motrice. Une altération des capacités intellectuelles peut survenir au cours de la maladie dans 30 à 40 % des cas. Les informations et les événements étant bien conservés, mais vraisemblablement mal ou lentement rappelés, il serait erroné de parler d'amnésie. La thérapeutique actuelle est la dopathérapie, qui permet de minimiser les conséquences des pertes neuronales en restaurant la synthèse en dopamine.

Dans les méandres du cerveau

Trouver l'unique chemin qui traverse ce labyrinthe et relie les deux flèches rouges.

Solution p. 332

Ma mémoire et... ses stimulants

Les pharmacies et les boutiques du bien-être sont les plus grands fournisseurs de pilules ou de potions miracles pour la mémoire. Que dire de ces médicaments délivrés sans ordonnance dont on vous affirme qu'ils peuvent améliorer votre mémoire ou même prévenir toute pathologie dans ce domaine ? Sachez que la pilule de la mémoire n'existe pas. Ce ne sont que poudres de perlimpinpin, généralement composées d'une certaine quantité de vitamines, dont la C – censée dynamiser l'organisme et aider à la circulation sanguine –, et de minéraux, fréquemment associés à une plante exotique aux pouvoirs réputés magiques (jujuba, ginseng, soja, papaye...). Ne gaspillez pas votre argent dans ce genre d'arnaques.

• **Le syndrome de Korsakoff** se rencontre chez de gros buveurs de vodka et des éthyliques chroniques. Il débute vers l'âge de 55 ans et comporte une amnésie antérograde, une désorientation temporo-spatiale, des fabulations et fausses reconnaissances. Une lacune rétrograde allant de quelques mois à plusieurs années peut précéder le début de la maladie. Peuvent s'y ajouter des confusions, des troubles de l'équilibre et de la marche, une paralysie occulo-motrice.
Le début est parfois insidieux, ayant comme seul signe une neuropathie périphérique. Le raisonnement est préservé. L'origine de ce trouble amnésique, rare, provient d'une carence en thiamine liée à l'alcoolisme, qui perturbe l'apport, l'absorption et l'utilisation de vitamine B1, avec chute du taux de vitamine PP et d'acide folique. Les lésions touchent essentiellement le lobe frontal. On le traite par un apport conséquent en vitamine B1, mais les résultats sont peu probants.

Mémoire et dépression

Bien que les personnes déprimées depuis longtemps ne présentent pas les déficits mnésiques observés chez celles qui souffrent de détérioration cognitive pathologique, elles ont des difficultés à se souvenir d'événements récents. Leur manque de motivation et d'énergie, dû à leur état dépressif, les rend en effet moins aptes à fournir les efforts nécessaires à l'encodage de nouvelles données. Et, ne les enregistrant pas correctement, elles sont dans l'incapacité de les récupérer. La dépression tend ainsi à diminuer le niveau de performance globale, en réduisant les capacités d'enregistrement et de traitement (créant un rappel sélectif en accord avec l'humeur négative des sujets).

On sait aujourd'hui différencier les effets de la dépression sur la mémoire des effets de processus pathologiques comme dans la maladie d'Alzheimer. La dépression se caractérise par une baisse de la motivation globale, qui provoque des troubles majeurs de l'attention, tandis que la maladie d'Alzheimer est une maladie de la mémoire en tant que telle, qui provoque une altération pathologique de l'encodage, du stockage et de la récupération des informations. Lorsque la dépression cesse, la personne retrouve ses capacités.

Dépression

Elle toucherait 4,5 millions de personnes en France, qui détient le record du monde de consommation des drogues psychotropes.

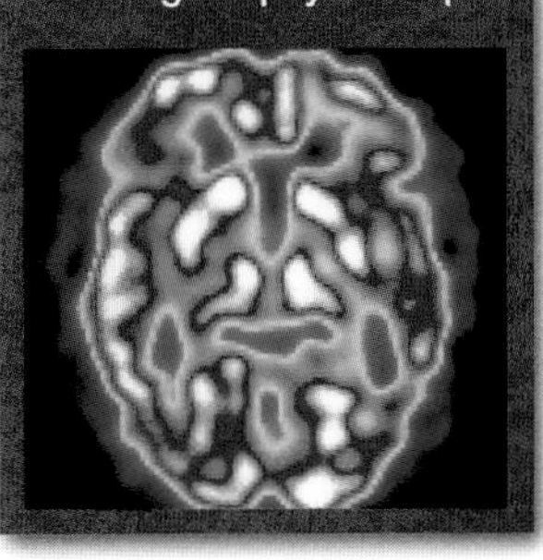

Les cinq sens

L'ouïe, la vue, l'odorat, le goût, le toucher : les cinq sens sont les canaux par lesquels les informations extérieures affluent à notre cerveau. C'est par eux que passent toutes les données qui, enregistrées, constituent petit à petit le terreau de notre mémoire. Ils sont ces « portes d'entrée privilégiées » qui ouvrent sur les diverses chambres du « palais de la mémoire », selon les mots de saint Augustin.

Test Quel sens utilisez-vous le plus ?

Grâce à ces 30 questions, repérez quels sens vous sollicitez le plus dans la vie quotidienne. Mettez une croix dans la colonne correspondante en répondant aussi spontanément que possible. À chaque fois que vous répondrez OUI, entourez la lettre correspondante de la première colonne.

		OUI	NON
C	Je me souviens du goût des plats de mon enfance.		
D	Je prends plaisir à manger avec les doigts.		
A	Je connais la couleur des cheveux et des yeux de mes amis.		
B	Je connais la sonnerie de mon réveil.		
E	Je change de parfum selon les jours.		
B	Je peux reconnaître les gens au son de leur voix.		
D	J'éprouve le besoin de toucher une statue quand je la vois.		
A	Je suis sensible aux décors dans les films.		
D	Quand je cuisine, j'aime me servir de mes mains.		
B	Je peux facilement associer un morceau de musique à son auteur.		
B	Je reconnais la voix des chanteurs ou des acteurs.		
E	Je peux être gêné par des odeurs.		
A	Je retrouve facilement mon chemin.		
D	Je peux reconnaître des objets rien qu'en les touchant.		
C	Je lis volontiers des livres de cuisine ou les guides des vins.		
A	Je mémorise facilement un trajet après l'avoir emprunté une fois.		
B	J'écoute souvent de la musique à la maison.		
A	Je peux décrire mon salon en détail.		
C	J'identifie les principaux ingrédients des plats.		
D	J'ai besoin de toucher les vêtements avant de les acheter.		
C	Je suis sensible à la cuisine épicée.		
B	Je suis gêné par le bruit des voitures.		
E	Certains parfums sont associés pour moi à des souvenirs précis.		
D	J'aimerais m'offrir des séances de massage.		
E	J'achète souvent des fleurs odorantes.		
C	J'éprouve du plaisir à goûter différentes sortes d'alcools.		
C	Je vais souvent au restaurant.		
E	Je suis sensible aux odeurs de cuisine.		
A	Je me souviens facilement du visage des acteurs principaux après un film.		
E	Je préfère l'odeur de certains mets à leur goût.		

Vous avez une nette majorité de OUI
Vous ne méconnaissez pas vos sens et les utilisez dans différents domaines de la vie. De ce fait, vous aurez facilement recours à la majorité d'entre eux pour mémoriser les choses.

Vous avez une nette majorité de NON
Vous avez développé certains sens au détriment des autres et retenez donc préférentiellement par leur intermédiaire. Cela n'implique pas que l'enregistrement est de mauvaise qualité, mais il est peut-être plus fragile car vous ne traitez qu'une partie de l'information.

Vous avez un nombre à peu près équivalent de A, B, C, D et E
Vos sens ne s'excluent pas les uns les autres mais travaillent ensemble. Sachez qu'à tout âge les sens s'éduquent et que c'est en se connaissant mieux qu'on repère ses points forts et qu'on peut améliorer ses points faibles. Plus une information à retenir est traitée en profondeur, à la fois par la vue, l'ouïe, le cas échéant le toucher, le goût ou l'odorat, mieux elle sera retenue.

Vous avez au moins 5 A
Vous avez certainement tendance à solliciter plus facilement votre vue pour mémoriser des informations.

Vous avez au moins 5 B
Votre mémoire auditive prédomine, peut-être d'ailleurs à votre insu. Vous faites sans doute partie des personnes qui sont marquées par les musiques de films, par exemple, et qui y prêtent plus attention que d'autres.

Vous avez au moins 4 C
Vous êtes plutôt du côté des gourmets, qui prennent plaisir à déguster les mets fins. Le souvenir d'un repas ou d'un mets particulier vous permet sans doute de retrouver un contexte et par là même de réactiver de nombreux autres souvenirs. C'est le processus qu'a immortalisé Marcel Proust : le goût de la madeleine trempée dans du thé fait resurgir de nombreux souvenirs enfouis.

Vous avez au moins 4 D
Vous privilégiez le toucher, qui permet la réactivation de nombreux souvenirs ; il est souvent aussi associé à la vie intime. C'est un des sens qui restent le plus longtemps aiguisés au cours de la vie. Ainsi de l'enfant qui s'endort tranquillement grâce aux caresses qu'on lui prodigue aux grands vieillards qui ne peuvent plus communiquer avec l'extérieur autrement que par ce sens.

Vous avez au moins 4 E
Vous sollicitez beaucoup votre odorat, sens souvent associé au goût. Pour vous, les odeurs favorisent le rappel de nombreux souvenirs de la vie quotidienne.

Biologie des cinq sens

Au centre de notre corps existe un grand filin nerveux dont les prolongements ont pour mission de saisir les messages qui circulent en permanence autour de nous. Et c'est par les sens que se fait cette « capture ».

Chaque sens est adapté à une longueur d'onde. Selon le cas, les ondes seront captées par les organes de la vue, de l'ouïe, du goût et de l'odorat. Elles peuvent également être recueillies par un organe qui couvre la totalité du corps et qui mobilise le sens tactile : la peau. **Les informations véhiculées par nos sens sont reconnues, analysées en permanence et traitées par des aires spécialisées de notre cerveau.** Elles sont dites extéroceptives lorsqu'elles proviennent de l'extérieur. Mais nous pouvons également capter des informations qui nous viennent de l'intérieur du corps, comme une douleur ou un plaisir. Celles-ci sont dites intéroceptives.

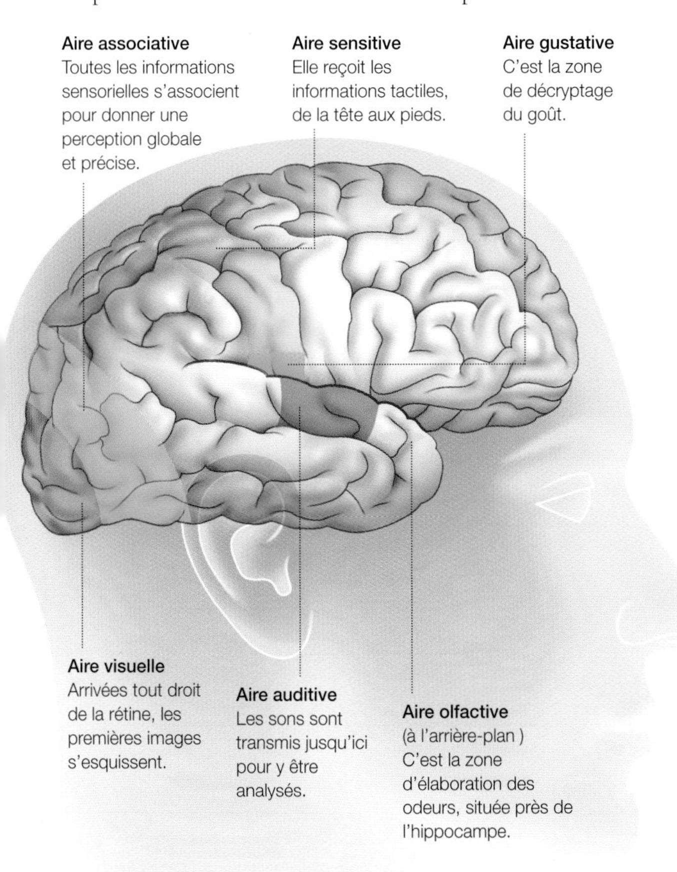

Le toucher

C'est le tout premier sens à être sollicité : c'est par le contact avec les parois du ventre maternel que le fœtus perçoit ce qui l'entoure. Ce sens est aussi le tout premier moyen de communication avec l'extérieur.

Le toucher utilise une grande diversité de récepteurs (corpuscules de Meissner, de Pacini, de Merkel) répartis sur l'ensemble de la peau. Ces récepteurs réagissent aux stimulations, aux changements ou à des pressions répétées. Ils sont en moyenne 50 par millimètre carré de peau, mais inégalement répartis. Le bout des doigts, par exemple, qui permet une perception tactile fine, en concentre une grande partie.

L'ouïe

L'ouïe est le deuxième sens à s'éveiller chez le fœtus, qui, in utero, entend des bruits et reconnaît quelques sons graves. Transmis par les vibrations de l'air, le son est d'abord une onde qui traverse l'oreille externe et va faire vibrer le tympan comme la peau d'un tambour. Cette vibration met en mouvement les osselets de l'oreille moyenne qui vont, à leur tour, animer les cils vibratiles de l'oreille interne et transformer la vibration en impulsions électriques envoyées au cerveau.

L'odorat

C'est, chronologiquement, le troisième sens à intervenir dans notre vie. À la naissance, le bébé est déjà capable de reconnaître l'odeur de sa mère. L'adulte pourra distinguer en moyenne plus de 10 000 odeurs différentes – sans pour autant les identifier vraiment. Ce sens est totalement lié à la respiration, car c'est en inspirant que nous sentons. Les molécules volatiles des parfums imprègnent les fosses nasales, derrière l'arête du nez. Elles sont alors absorbées par les quelque 5 millions de cils (sortes de poils microscopiques) des cellules réceptrices. Celles-ci envoient des signaux au bulbe olfactif, qui les rattache à des familles d'odeurs – florales, musquées, résineuses, fétides, aigres, acides, etc.

Le goût

C'est le sens qui participe le plus à l'ensemble des activités humaines. Tout au long de la vie, les grands moments donnent inévitablement lieu à un repas. Le goût utilise les quelque 10 000 papilles gustatives de notre bouche, ces détecteurs de saveurs relayés par l'odorat. Ces papilles se renouvellent tous les dix jours jusqu'à la fin de la vie. Chacune d'elles contient une cinquantaine de cellules qui transmettent aux neurones des informations correspondant à des catégories bien précises : le salé, l'aigre, le doux, l'amer.

La vue

C'est elle qui envoie à notre cerveau 80 % des informations, alors que c'est le sens le moins développé chez un bébé. Ce sens prend généralement le pas sur les autres, parfois à leur détriment. L'œil d'un adulte enregistre quotidiennement des millions d'informations, sous forme de rayons lumineux diffusés par les objets extérieurs et qui pénètrent dans l'œil jusqu'à la rétine. Le rayon traverse (à la vitesse de 300 000 km/s) d'abord la cornée, principale lentille de l'œil, protégée par la conjonctive et qui recouvre l'iris. Puis il passe dans l'ouverture centrale de l'iris, la pupille, pour traverser ensuite le cristallin, sorte de lentille qui peut modifier sa courbure sous l'action du muscle ciliaire. Enfin, il traverse l'humeur vitrée (80 % du volume de l'œil) pour finir son trajet au fond du globe oculaire constitué par la rétine. Le rayon lumineux parvient alors au cerveau par la voie du nerf en une fraction de seconde. Les 800 000 fibres du nerf optique transmettent un tel flux d'informations au cerveau qu'elles sont considérées comme le canal de communication le plus dense de l'Univers.

L'acuité de chacun de nos sens n'est jamais définitive. **Les sens se travaillent, les sens s'affinent** dès lors que l'on développe une conscience aiguë de ses perceptions et de ses sensations.

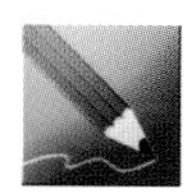

Ces sons qui nous entourent

Classez ces sons en fonction de leur intensité sur une échelle de 1 à 8.

a. **La sonnerie d'un portable**

b. **Le vrombissement d'une mobylette**

c. **Le bruit d'un moulin à café**

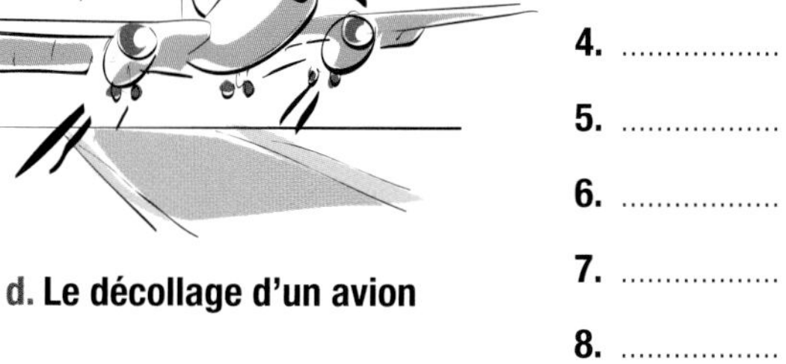

d. **Le décollage d'un avion**

e. **Un bris de verre**

f. **Un claquement de porte**

g. **Une sonnette de vélo**

h. **Le chant des oiseaux**

1. ....
2. ....
3. ....
4. ....
5. ....
6. ....
7. ....
8. ....

Solution p. 332

L'audition et la sensibilité aux sons varient d'une personne à l'autre. Ainsi, les mélomanes ont tous une appréciation différente du volume idéal pour écouter de la musique. Le classement proposé dans les pages de solutions peut donc différer du vôtre.

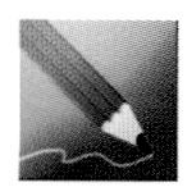

Jeu des 7 erreurs

Il existe 7 différences entre ces deux photos. Pouvez-vous les retrouver ?

Solution p. 332

Associer les odeurs
Creusez-vous la mémoire pour associer ces types d'odeurs à des sensations ou des événements vécus.

Odeur de chlore

Odeur fruitée

Odeur musquée

Odeur de brûlé

Odeur corporelle

Odeur iodée

Odeur de soufre

Odeur de propre

Odeur d'ammoniac

Odeur de fleurs

Odeur de caramel

Odeur de moisi

Odeur de pourri

Les odeurs mettent tous les sens en alerte. Plus l'odorat est développé, plus les sens seront en éveil. À l'image de l'animal qui a conservé un très bon odorat, essayez d'aller au-delà de la simple appréhension visuelle et/ou auditive pour pouvoir apprécier toutes les informations. Pour choisir un melon, par exemple, vous ne vous contentez pas de le regarder, vous le sentez.

Le monde des saveurs
Retrouvez dans quelle spécialité culinaire domine le goût des épices, herbes ou condiments suivants.

1. Cannelle	**A. Bretzel**	1.........
2. Safran	**B. Choucroute**	2.........
3. Basilic	**C. Goulasch**	3.........
4. Ail	**D. Paella**	4.........
5. Noix muscade	**E. Pain d'épice**	5.........
6. Cumin	**F. Pizza**	6.........
7. Ciboulette	**G. Sauce béarnaise**	7.........
8. Genièvre	**H. Sauce Béchamel**	8.........
9. Paprika	**I. Sauce chien**	9.........
10. Estragon	**J. Soupe au pistou**	10.........
11. Origan	**K. Tomates à la provençale**	11.........

Solution p. 332

Le goût est aussi un accélérateur d'appétit. Plus le plat est goûteux, plus il sera apprécié. Mettez en application cette remarque pour tous vos plats et vous constaterez que les plus petits appétits en redemanderont.

Sensations et toucher
Le toucher procure des sensations différentes selon les matières rencontrées.
Amusez-vous à identifier ce qui peut provoquer les types de sensations suivantes, qu'il s'agisse d'êtres ou d'objets (4 au minimum).
Exemple : sensation de matière molle = **pâte à tarte**

Doux..................................
....

Visqueux..........................
....

Râpeux.............................
....

Granuleux........................
....

Lisse..................................
....

Solution p. 332

La mémoire sensorielle : une mémoire émotionnelle

L'activité sensorielle est à l'origine de notre mémoire, qui n'existerait pas sans elle. **Ce que nous appelons nos goûts – nos préférences – est le produit d'une longue histoire sensorielle personnelle, oubliée** mais qui forme une trame de sensations primitives et d'émotions associées, à partir desquelles nous nous sommes construits et qui viennent colorer nos sensations et nos émotions d'aujourd'hui. **Notre corps tout entier est mémoire** des sensations aimées et recherchées, ou au contraire détestées, redoutées et évitées.

Le goût

Nos préférences gustatives ne nous viennent pas à la naissance. Les choix faits pour nous par notre entourage au cours de l'enfance, mêlés à nos propres expériences, vont marquer notre histoire sensorielle et donc les préférences qui en découlent. Si nous n'aimons pas le poisson, par exemple, n'est-ce pas parce qu'il est associé dans notre mémoire au repas du vendredi de notre enfance, où il fallait faire maigre, donc pénitence ? Et tout événement se gravera d'autant plus dans la mémoire qu'il sera marqué par un repas, au cours duquel le sens du goût aura été sollicité. Bref, le goût est culturel.

Le toucher

Avec le toucher, nous remontons aux **débuts de la vie et aux sources de la mémoire.** Notre façon de vivre le toucher et la rencontre du corps de l'autre trouve dans les premières sensations de la vie utérine, puis dans la relation physique avec la mère, les racines qui expliquent bien des comportements d'adulte, s'agissant de la sexualité en particulier.

L'absence de toucher, c'est-à-dire l'absence de relation à l'autre, est la solitude la plus profonde. Un manque de stimulation par le toucher peut avoir de graves conséquences, de la perte du plaisir de vivre à la dépression.

L'odorat

L'odorat, moyen de communication très primitif, est tout aussi lié aux émotions. Les odeurs ont **toujours une dimension affective** : on les aime ou on ne les aime pas et, comme le goût, elles éveillent les souvenirs. On évoquera ici certaines odeurs qui, immanquablement, entrouvrent la boîte aux souvenirs, agréables ou désagréables – odeur du chocolat chaud, du rôti en cours de cuisson, ou encore… celle du cabinet du dentiste. Même si, dans nos sociétés modernes, on a tendance à leur faire la chasse, les odeurs, c'est le cas de le dire, nous mènent par le bout du nez et resurgissent à l'improviste. Les commerçants l'ont bien compris, qui utilisent des senteurs artificielles de pain, ou encore de fleurs, pour inciter à l'achat.

La vue

La vue nourrit la relation au monde extérieur. Elle permet d'enregistrer des milliers de données. Le souvenir des visages, des couleurs, des objets qui nous entourent est un exemple des capacités de la mémoire visuelle. Chacun de nous a besoin de voir pour retenir et se souvenir –, mais certains utilisent plus fréquemment ce moyen pour mémoriser. Cependant, même cette mémoire spécifique est sélective, liée aux centres d'intérêt de chacun. Les uns retiendront plus facilement les visages, d'autres les couleurs ou encore les paysages… En même temps, la vue se porte de préférence vers ce qui est source de plaisir, de curiosité, de nouveauté, de peur : une image chargée d'émotion va se retenir plus facilement qu'une image banale et répétitive.

L'ouïe

L'ouïe est le sens de la communication par excellence. Pouvoir écouter une conversation, de la musique ou le chant des oiseaux est essentiel. La mémoire auditive est elle aussi chargée d'émotion : le souvenir d'une musique de film lié à une scène particulièrement dramatique, ou encore celui de la voix paternelle pleine de de tendresse – lié à des moments-clefs de l'enfance. Et lorsqu'on chantonne sous la douche, par exemple, c'est encore la mémoire auditive qui est à l'œuvre : elle a enregistré un ensemble de sons qu'elle nous restitue, souvent à notre insu. Pour un musicien, la mémoire auditive est déterminante. Sans elle, il ne pourrait enchaîner les notes justes et accumulerait les erreurs.

Touché, c'est gagné !

Le sens du toucher est réparti sur toute la peau, et, d'ailleurs, le langage exprime bien son importance. Ainsi dit-on volontiers qu'on est « bien dans sa peau ». De même qu'on dit d'une personne qu'elle nous « touche ». Trouvez 10 expressions dans lesquelles figurent le mot peau et/ou le mot toucher (ou ses variantes).

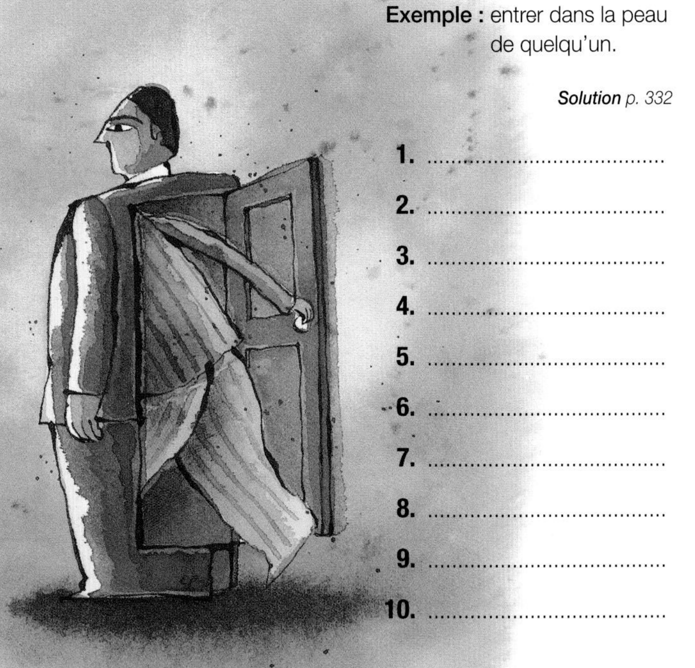

Exemple : entrer dans la peau de quelqu'un.

Solution p. 332

1. ....

2. ....

3. ....

4. ....

5. ....

6. ....

7. ....

8. ....

9. ....

10. ....

Souvenir de vacances

Retrouvez, pour chacun de vos cinq sens, un souvenir lié à un voyage fait en France ou à l'étranger.
Exemple : le goût du comté dans une fromagerie jurassienne, la vue du souk de Marrakech avec ses étals de marchandises colorées, l'odeur du marché aux épices à Istanbul…

	France	**Étranger**
Vue	....	....
	....	....
Ouïe	....	....
	....	....
Goût	....	....
	....	....
Odorat	....	....
	....	....
Toucher	....	....
	....	....

La garde-robe idéale

Observez ces vêtements pendant une minute puis cachez l'image et essayez de retrouver le maximum de détails. Un conseil : classez-les dans un premier temps par catégories – couleurs, manches courtes/manches longues, imprimés…
À vous d'organiser le travail de votre mémoire.

Ma mémoire et...
le code de ma porte

Pour me souvenir du code de la porte de mon immeuble, je dois faire travailler plusieurs de mes sens en même temps. Le geste doit accompagner la parole et celle-ci est issue de la pensée et de son organisation. Pour un code comportant une lettre de l'alphabet, il me faut transformer cette lettre en un prénom ou un mot évocateur. Par exemple : A = Arlette. Puis les 4 chiffres traditionnels doivent être associés à quelque chose de connu. Par exemple, 1981 = l'élection de François Mitterrand. Enfin, mon geste doit suivre, car il me faut regarder les mouvements du doigt sur le clavier tout en prononçant le code à voix basse pour stimuler l'audition. Au bout d'une semaine, je connaîtrai mon code sur le bout des doigts.

Quand vision et mémoire se superposent

Lisez ce texte :

« Sleon une édtue de l'Uvinertisé de Cmabrigde, l'odrre des ltteers dnas un mto n'a pas d'ipmrotncae, la suele coshe ipmrotnate est que la pmeirère et la drenèire seoint à la bnnoe pclae. Le rsete peut êrte dnas un dsérorde ttoal et vuos puoevz tujoruos lrie snas porlblème. C'est prace que le creaveu hmauin ne lit pas chuaqe ltetre elle-mmêe, mias le mot cmome un tuot.»

Vous constaterez avec étonnement que la mémoire visuelle globale du mot prend le pas sur la mémoire du mot construit. La photographie du mot que vous avez en mémoire suffit pour retrouver d'emblée le mot qui fait sens.

S'il est vrai que le sens visuel est très développé chez l'homme, il est parfois bien difficile de remarquer des détails quand le temps d'observation est très court. De quoi réfléchir et inciter à émettre quelques réserves quant à la fiabilité d'un certain nombre de portraits-robots et de descriptions dans les affaires criminelles…

Le vieillissement des sens : une fatalité ?

L'activité sensorielle étant le vecteur essentiel de notre contact avec l'extérieur, toute diminution d'acuité de l'un ou l'autre sens risque d'appauvrir cette relation et d'entraîner une diminution du plaisir de vivre ainsi qu'une baisse de la stimulation des neurones, qui s'habituent alors à une perception diminuée. L'activité de la mémoire ne peut que s'en ressentir.

Devant tout problème de mémoire, il convient donc d'abord de se poser la question du bon fonctionnement de nos sens. Comment retenir ce que l'on n'a pas bien entendu ? Comment construire une image mentale quand on n'a pas bien vu ?

● **La vue est celui des cinq sens qui se détériore le plus rapidement.** Avec l'âge, l'œil met plus de temps à s'accoutumer à de brusques changements de luminosité. À 80 ans, les yeux ont besoin de huit fois plus de lumière pour avoir le même sentiment de luminosité. On peut tout à fait s'adapter à cette modification, par exemple en utilisant des lampes halogènes, dont le réglage permet une lumière vive pour la lecture, mais aussi une luminosité plus tamisée pour l'éclairage de la pièce.

La myopie ou l'astigmatisme, puis la presbytie – qui apparaît entre 40 et 50 ans et se développe avec les années – sont en général fort bien compensés par le port de lunettes ou de lentilles. La correction chirurgicale de la myopie est devenue une opération très courante, qui change la vie de bien des myopes ! La cataracte, elle, intervient en général entre 70 et 80 ans. Il s'agit d'une opacification progressive du cristallin qui entraîne une sensation de plus faible luminosité, voire de brouillard devant les yeux. Elle aussi s'opère couramment aujourd'hui.

• **L'ouïe diminue souvent tout doucement vers la cinquantaine,** cette tendance étant plus marquée chez les hommes que chez les femmes. Ce sont d'abord les sons aigus (à haute fréquence) qui sont moins bien perçus, puis les sons graves (à basse fréquence). La baisse de capacité à percevoir les hautes fréquences (presbyacousie) modifie forcément la perception des voix. Ce phénomène de diminution de l'ouïe intervient souvent à l'insu de l'intéressé, mais n'est pas sans conséquences sur son comportement et la qualité de sa vie en société. Les mal-entendants parlent fort et font souvent répéter. Pour ne pas gêner, beaucoup d'entre eux évitent les occasions de se retrouver en société et ont tendance à s'isoler. Ce qui est dramatique pour la qualité de leur vie relationnelle mais également pour leur mémoire, qui ne sera pas suffisamment stimulée.

Il est donc très important de s'adapter à cette situation et de pallier ses défaillances. Si vous faites souvent répéter vos interlocuteurs, si vous augmentez le son de la télévision, si vous peinez à suivre une conversation dans le bruit, consultez très rapidement un médecin ORL. Celui-ci précisera le trouble et prescrira le traitement le plus utile : médicaments, appareil ou encore rééducation. Grâce aux progrès de la technologie, les nouvelles prothèses auditives donnent des résultats très satisfaisants, mais souffrent souvent d'une mauvaise image auprès du public. N'hésitez pas à chercher le professionnel qui saura vous conseiller, vous informer, et vous accompagnera dans l'appropriation de cette nouvelle « béquille ». Par exemple, un appareil doit pouvoir être essayé durant plusieurs semaines à domicile avant son acquisition définitive. Et habituez-vous à stimuler votre sens visuel en observant bien le mouvement des lèvres de vos interlocuteurs, vous apprendrez ainsi à voir ce qu'ils vous disent !

Quiz après observation

Observez pendant une minute les visages ci-dessous, puis cachez-les et répondez aux questions suivantes.

• **L'odorat aussi peut connaître une perte d'acuité, qui s'accompagne souvent d'une diminution du goût** et, donc, du plaisir de la table : en vieillissant on trouve, en effet, la nourriture plus fade et moins appétissante. Parfois, la baisse de l'intérêt pour les odeurs est le signe d'une perte du goût de vivre, et même d'une dépression sourde. Ce désinvestissement par rapport au monde extérieur ne peut rester sans effet sur le fonctionnement de la mémoire.

• **Le toucher peut également s'altérer** avec le temps, même si, en général, les récepteurs cutanés restent intacts. C'est plutôt la transmission des perceptions tactiles au système nerveux central qui pourrait faire défaut. Plusieurs études ont démontré une élévation du seuil de la douleur au niveau cutané chez les personnes âgées. C'est une composante à ne pas négliger, d'autant que le seuil de la douleur varie déjà selon les individus.

Il est donc primordial de vérifier régulièrement l'efficacité de ses sens, et d'utiliser tous les moyens possibles pour qu'ils fonctionnent au mieux. Il faudra aussi penser, le cas échéant, à adapter son comportement social et veiller en tout état de cause à ne pas se tenir en retrait du monde à cause de problèmes qui ne sont, somme toute, pas dramatiques.

1. Combien y a-t-il d'hommes et de femmes ?
2. Combien de personnages portent des lunettes ?
3. Combien de femmes portent des boucles d'oreilles ?
4. Combien de personnages portent un chapeau ?
5. Combien de personnages sont de profil ?
6. Combien de personnages portent un vêtement vert ?

Notre façon d'observer est très influencée par nos goûts. Selon qu'un visage plaît ou qu'il est différent des autres, l'œil aura tendance à se fixer plus intensément et donc l'attention portée sera plus grande. Soyez conscient de ce comportement, qui peut faire passer à côté de détails parfois tout aussi intéressants.

Chanson à trous

En lisant à voix haute cette chanson de Xanrof, rendue célèbre par Yvette Guilbert, retrouvez ou inventez les mots qui manquent.

Le Fiacre

Un fiacre allait, ...,
Cahin, caha,
Hu, dia, hop-là !
Un fiacre allait, ...,
Jaune, avec un cocher
....

Derrièr' les stores ....,
Cahin, caha,
Hu, dia, hop-là !
On entendait des ....

Puis un' voix disant :
« .... ! »
Cahin, caha,
Hu, dia, hop-là !
Puis un' voix disant :
« .... !
Pour... causer, ôt' ton
.... ! »

Un vieux monsieur qui
................,
Cahin, caha,
Hu, dia, hop-là !
Un vieux monsieur qui
................,
S'écri' : « Mais on dirait
qu'c'est

Ma .... avec un quidam !
Cahin, caha,
Hu, dia, hop-là !
Ma .... avec
un quidam ! »
I' s' lanc' sur le .... ;

Mais i' gliss' su' l' sol
................,
Cahin, caha,
Hu, dia, hop-là !
Mais i' gliss' su' l' sol
................,
Crac ! il est ....

Du fiacre un' .... sort
et dit :
Cahin, caha,
Hu, dia, hop-là !
Du fiacre un' .... sort
et dit :
« Chouett', Léon ! C'est mon
.... !

Y a plus besoin d'nous
................,
Cahin, caha,
Hu, dia, hop-là !
Y a plus besoin d'nous
................,
Donn' donc cent ....
au cocher ! »

Solution p. 332

La grille des goûts

Remplissez la grille ci-dessous grâce aux définitions proposées.

1. Goût du café.
2. Goût du citron.
3. Petite partie de la langue qui ressent les différents goûts.
4. Partie de notre corps qui nous permet d'apprécier les goûts.
5. Grand cuisinier de restaurant.
6. Se dit d'un plat qu'on apprécie.
7. Petits condiments sur les pizzas.
8. Le cerveau en consomme beaucoup.
9. Friandise.
10. Entre dans la composition de la bière.

Solution p. 333

La mise en mémoire de l'information

Entre l'information perçue et celle que nous pourrons évoquer de mémoire, tout un processus mental se met en œuvre. Réception, encodage, fixation et consolidation en sont les étapes obligatoires. Il faut connaître le fonctionnement de ce formidable outil qu'est notre mémoire pour l'exploiter de manière optimale.

La fonction mémoire

La mémoire est une fonction qui sollicite l'être humain dans sa globalité. Dans tout acte de mémoire, **les sphères sensorielle, cognitive et émotionnelle sont également mobilisées.** Les ressentis et les sentiments y sont donc aussi importants que la réflexion et le raisonnement.

De la même manière que la boîte noire d'un avion de ligne reçoit, conserve ce qui s'est dit au cours d'un vol et est capable de le restituer à la demande, la mise en mémoire consiste à **recevoir des informations, les garder intactes et être en mesure de les rappeler à volonté.** Le déroulement de ces trois étapes est cependant soumis à certaines conditions qui, dans la réalité, ne sont pas toujours parfaitement remplies.

Les ingrédients d'une bonne réception

L'efficacité de la perception est d'abord liée à un bon fonctionnement de nos sens – vue, ouïe, odorat, toucher, goût. Bien des difficultés de mémorisation se comprennent si l'on prête attention aux conditions d'entrée dans la boîte noire. On ne peut se souvenir d'une information que l'on n'a pas bien entendue ou vue. **Rien ne s'enregistre si les sens ne sont pas en éveil.** Au lieu de s'en prendre à la mémoire, il faut entraîner l'appareil sensoriel.

Cependant, un appareil sensoriel en bonne santé ne fait pas tout. Il faut y ajouter l'attention, modulée par divers facteurs, l'intérêt, la curiosité, un état affectif relativement serein. En situation de communication, on ne reçoit bien les informations que si l'on y est disposé et que rien ne vient troubler la réception.

La lecture perturbée

1. Commencez tranquillement la lecture de ce texte dans le but de le retenir.

« Dans les années 1890, quelques chercheurs étaient parvenus à enregistrer le mouvement, mais c'est à Louis Lumière que l'on doit le perfectionnement du dispositif d'entraînement de la pellicule. Aujourd'hui, nos caméras ne fonctionnent pas autrement. Seul le nombre d'images à la seconde a changé : de 16 images à l'origine, il est passé, depuis, à 32 images. En 1895, Lumière dépose le brevet d'une caméra qui fait aussi office d'appareil de projection. Le Cinématographe est né. Ce système utilise le phénomène qui nous permet de voir un film, à savoir la persistance rétinienne. Cette même année, Louis Lumière tourne son premier film, *la Sortie des usines Lumière,* aux portes de son usine de Lyon-Monplaisir.

2. À ce stade de votre lecture, observez attentivement cette image.

Monuments en miroir

Cherchez l'erreur qui s'est glissée dans l'image inversée de chacun des momuments suivants.

Deux éléments peuvent paraître visuellement identiques alors qu'ils présentent de petites différences. Ce n'est pas un problème de vision mais de « paresse » de l'attention : inconsciemment, nous rendons les données semblables pour les grouper de façon à mieux les mémoriser. Il en résulte un appauvrissement de la multiplicité des images mentales, et la perception s'en trouve à son tour amoindrie.

Solution p. 333

3. Reprenez maintenant votre lecture.

Le 28 décembre, lors de la première représentation publique payante du Cinématographe, dans les sous-sols du Grand Café – boulevard des Capucines, à Paris –, son film est inscrit au programme. Avec son frère Auguste, Louis poursuit de nombreuses recherches sur l'enregistrement sonore, la photographie en relief et la couleur. Dès 1896, il forme des équipes d'opérateurs qui vont parcourir le monde pour recueillir les premières actualités cinématographiques de l'Histoire, tel le couronnement du tsar Nicolas II. »

4. Répondez à présent aux questions suivantes.

- Quels sont les prénoms des frères Lumière ? ....
- En quelle année a été inventé le Cinématographe ? ....
- Combien d'images à la seconde passait-il initialement ? ....
- Où a eu lieu la première représentation publique payante du Cinématographe ? ....
- Quel est le premier événement d'actualité filmé par le Cinématographe ? ....
- Quel est le phénomène qui nous permet de voir un film ? ....

Vous avez pu constater combien le fait de porter votre attention sur une photo en cours de lecture a perturbé votre perception de l'intégralité de ce texte. Il ne suffit pas de bien utiliser ses yeux. Une seule distraction et il devient impossible de retenir l'ensemble.

Encodage et fixation

Comme le Petit Poucet, mon cerveau sème des indices !

L'information perçue est tout d'abord transformée en « langage de cerveau ». On dit qu'elle est encodée. Ce processus biochimique permet l'alimentation du système en informations. Lors de l'encodage, **cette information est confrontée à toutes celles qu'a déjà stockées notre mémoire.** Elle est associée à un code, qui peut être une odeur, une image, une musique, un mot : tout indice qui favorise son rappel. Si le mot citron a été encodé grâce à « fruit, odeur acide, rond, jaune », l'un de ces indices permettra de le retrouver s'il n'est pas spontanément restitué. Lorsque l'information apporte quelque chose de nouveau, notre cerveau crée de nouveaux codes pour l'associer à d'autres données déjà stockées. De la profondeur de l'encodage, donc de l'organisation spontanée des données et de leurs associations libres, dépendra l'efficacité de la récupération. Puisque ce mécanisme utilise notre passé comme terreau, il est donc propre à chacun et unique dans son fonctionnement. Les possibilités d'encodage sont cependant limitées par la capacité d'absorption du cerveau – cinq à sept informations au maximum en même temps (voir p. 34).

L'information passe ainsi **du statut d'image sensorielle, reçue de l'extérieur, à celui d'image mentale,** produit d'une transformation provoquée par l'activité propre du cerveau : elle se fixe en nous de manière plus ou moins forte.

- La **fixation légère** concerne les informations de la vie quotidienne qui ne nécessitent d'être retenues que le temps de conduire des actions en cours – courses à faire, coups de téléphone à donner…
- La **fixation normale** se met en place pour des informations qui ont nécessité une certaine attention, ont mobilisé notre intérêt, et que nous aimerions éventuellement transmettre. Elle est variable selon les individus, les moments de la journée, l'entraînement de chacun et enfin selon la dimension émotionnelle de l'information. La mémoire à fixation normale est celle que nous utilisons le plus souvent. Elle est inégale et personne ne connaît bien ses limites.
- Certaines informations se sont gravées en nous sans que nous n'ayons rien fait de particulier pour cela. C'est la **fixation forte.** Ce sont souvent des événements ou des situations émotionnellement intenses qui jouissent de ce statut de souvenir indélébile. Cette charge affective a entraîné leur récit à d'autres personnes, ce qui a encore approfondi leurs traces dans la mémoire. Cette mémoire-là, nous n'en sommes pas maîtres… Ses messages enfouis et que l'on croyait oubliés peuvent surgir à tout moment, au cours d'un rêve, à travers une odeur, etc.

Ma mémoire et… mon agenda

Il ne suffit pas d'inscrire un rendez-vous ou une tâche sur son agenda pour que la mémoire l'enregistre automatiquement. Si le fait d'écrire est déjà un bon moyen de fixer l'information, quelques renforcements sont nécessaires : ouvrir son agenda une fois par jour, prendre le temps de visualiser son contenu et de situer dans la semaine ou la quinzaine les rendez-vous ou missions à accomplir. On utilise ainsi intelligemment son agenda sans pour autant qu'il se substitue à la mémoire.

Poids des mots, choc des photos…
Retrouvez les produits correspondant aux slogans suivants.

Parce que je le vaux bien ! ™

C'est gonflé

Le fromage des gastronomes en culottes courtes

L'ami du petit déjeuner

C'est frais, c'est aux fruits

Bravo la p'tite fleur !

Regardez-moi dans les yeux !

C'est jextraordinaire !

Mon contrat minceur

Ce n'est que pou

Tous ces slogans – et ces produits – vous sont sans doute connus. Laissez flotter votre mémoire… Qu'est-ce qui dans ces petites phrases a rencontré un écho en vous ? Quelles images, quels mots, quelle atmosphère, quels sentiments y sont reliés ? Les publicitaires connaissent les préoccupations et les centres d'intérêt de leurs cibles ; ils sont particulièrement habiles pour jouer sur des atmosphères et des émotions, ouvrant ainsi la porte à une multitude d'associations personnelles. Les clients potentiels s'identifient à la situation mise en scène, dont les mots et les images se gravent dans la mémoire avec une étonnante facilité : ainsi s'approprient-ils très vite le produit !

Ils restent dans nos mémoires

Retrouvez les personnalités suivantes grâce aux objets qui leur sont traditionnellement associés.

Exemple : une robe blanche soulevée fait penser à Marilyn Monroe.

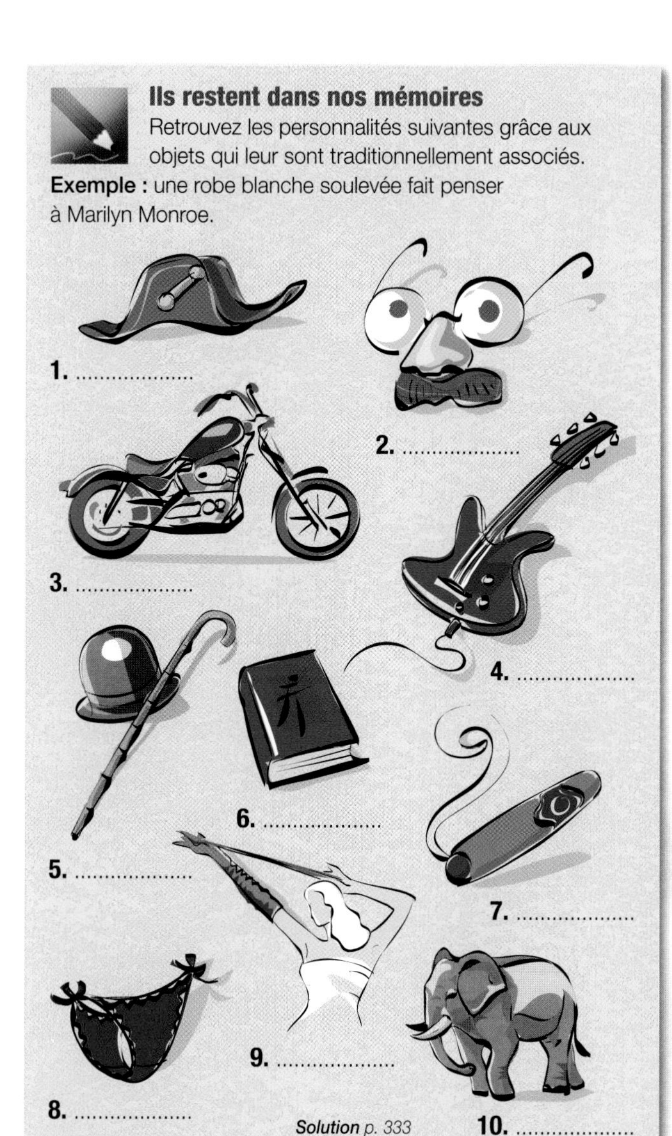

Solution p. 333

Les vedettes du show-business, souvent très médiatisées, sont des supports d'identification permettant de rêver. Quant aux personnages historiques, ce sont leur popularité et les traces qu'ils ont laissées dans notre patrimoine qui sont à l'origine d'une fixation forte. Qu'ils soient admirés ou détestés, ils ne laissent pas indifférent et font l'objet de nombreuses associations personnelles.
L'objet récurrent dont ces personnalités sont affublées revêt alors force de symbole : cette association supplémentaire favorise la remontée de l'information.

Y'a bon...

les enfants

C'est fort en chocolat

Solution p. 333

La fixation volontaire ou consolidation

Dans ma tête, je range les informations… et je les répète !

Mis à part les cas où, en raison de fortes émotions, une image mentale a acquis une sorte de caractère indélébile, si nous voulons fixer des informations sur le long terme, nous devons les consolider.

Cette étape de consolidation, c'est celle de l'**organisation réfléchie dans nos stocks.** La nouvelle donnée doit être classée à un endroit pertinent, comme si elle devait être conservée dans l'un des tiroirs d'une grosse commode. Ce rangement sera fonction de la catégorie à laquelle nous rattachons l'information – critère de sens, de forme, etc. – ou encore de son insertion dans un plan, un schéma ou une histoire, mais aussi des associations dont elle fait l'objet. Ainsi, le mot pluvier pourra être classé dans la catégorie oiseaux et associé par exemple à plumier, donc à école, enfance… On comprendra alors aisément que **deux personnes ne stockeront pas une même information de la même manière.**

Lorsque je classe ma fiche dans un tiroir, je la mets évidemment à l'avant. Mais de nouvelles fiches vont venir s'y superposer en raison du fonctionnement continu de ma mémoire. Elles finiront par s'amonceler jusqu'à enfouir profondément ma fiche pluvier. Cette dernière ne reviendra à l'avant du tiroir que si elle est à nouveau utilisée. Si ce n'est pas le cas, elle va être reléguée au fond comme n'importe quel objet oublié faute d'utilisation.

Pour que la consolidation soit efficace, l'organisation des données ne suffit donc pas. **Il faut répéter l'information** quatre ou cinq fois dans les vingt-quatre heures, puis régulièrement par la suite, sinon elle sera oubliée. Si ce travail de répétition est effectué, une image intérieure consolidée se présente lorsque la mémoire est sollicitée.

La récupération des informations

Un nom ne vous revient pas ? Ne vous énervez pas : cherchez des indices !

La récupération est **la restitution des informations mémorisées.** C'est généralement à ce moment du processus mnésique que nous rencontrons des difficultés, avec cette sensation très agaçante d'« avoir le mot sur le bout de la langue » ! L'information est stockée dans la mémoire mais n'est pas accessible – on a cependant la certitude de la connaître. L'expérience prouve qu'il vaut mieux ne pas s'acharner. C'est généralement quand se présente un élément associé à l'information recherchée que nous la retrouvons.

Lorsqu'une information revient à la demande, on parle de **rappel libre –** citation rapide des titres de trois fables de La Fontaine, par exemple. Mais si l'on nous demande de retrouver celles qui mettent en scène un lièvre, des rats et un renard, il s'agit d'un **processus de rappel indicé.** Ces animaux, qui ont pu servir de support d'associations lors de l'encodage, deviennent ensuite des indices de rappel. Plus les souvenirs sont chargés émotionnellement, plus les détails marquants ont fait l'objet d'associations personnelles et plus les indices de rappel sont nombreux. On retrouve beaucoup plus de détails autour des événements forts de sa vie – voyage de noces, naissance, etc. – qu'autour d'événements connus culturellement mais dans lesquels on n'est pas impliqué. C'est toute la richesse de la mémoire dite épisodique (voir p. 128).

En revanche, lorsque l'on identifie la bonne réponse dans un choix de propositions, il s'agit d'un **processus de reconnaissance.** Exemple : parmi ces titres, lequel correspond à une fable de La Fontaine : *le Lièvre et la Cigogne, le Chien et le Loup, le Corbeau et le Renard ?*

Rappel indicé et reconnaissance donnent de meilleurs résultats : les informations reviennent en plus grand nombre et s'avèrent être de bien meilleure qualité.

Lorsqu'on a du mal à retrouver des données, il est illusoire de vouloir comprendre pourquoi elles ont été momentanément oubliées. Il faut plutôt **s'interroger sur la façon dont on les a enregistrées :** ont-elles été suffisamment travaillées – associées, organisées, structurées... – pour que la mise en mémoire soit efficace ? Si ce n'est pas le cas, les traces laissées en mémoire – les indices – ne sont pas en nombre suffisant pour que les informations trouvent un chemin facile de remontée à la conscience.

Chasse-lettre

Changez une seule lettre de chacun des mots suivants afin d'obtenir un nouveau mot. Donnez-vous quinze minutes.

Exemple : dans **passe**, en remplaçant le **P** par un **C**, on obtient **casse**.

Plus vous êtes rapide, plus vous exercez votre faculté de rappel des informations et faites travailler votre fluidité verbale.

Solution p. 333

poste	....	**crème**	....	**induire**	....
essayer	....	**ramer**	....	**casse**	....
fixe	....	**niche**	....	**friction**	....
filleul	....	**pelote**	....	**bout**	....
gros	....	**dalle**	....	**accès**	....
loyer	....	**libre**	....	**goûter**	....
pure	....	**porte**	....	**prôner**	....
main	....	**peinture**	....	**anguille**	....
poire	....	**natte**	....	**canal**	....
fruit	....	**attitude**	....	**cotation**	....
grand	....	**pose**	....	**compagne**	....
lave	....	**allocution**	....	**meringue**	....
soute	....	**mouche**	....	**feuler**	....
matin	....	**affleurer**	....	**rêve**	....
tuile	....	**peste**	....	**courte**	....
veste	....	**collusion**	....	**bâche**	....
suite	....	**fouiller**	....	**souris**	....
latin	....	**écharde**	....	**placer**	....
onze	....	**maison**	....	**mâcher**	....
cru	....	**provision**	....	**lire**	....
sapin	....	**pomme**	....	**haine**	....
bouton	....	**infecter**	....	**verger**	....

Ma mémoire et...
mes tâches quotidiennes

Lorsque vous commencez une tâche puis en entamez une autre en oubliant ensuite de revenir à la première, votre mémoire n'est pas réellement en cause. C'est plutôt votre manque de confiance en elle, votre peur d'oublier, qui vous pousse à enchaîner les tâches. Cette précipitation est aussi révélatrice d'un manque d'organisation et de concentration. Planifiez vos journées en fonction de vos disponibilités et n'hésitez pas à mettre par écrit ce que vous avez à faire. Et, surtout, prenez votre temps et ménagez-vous. Sans stress et sans fatigue, on peut faire beaucoup plus qu'on ne croit !

Baccalauréat

Vous disposez de dix minutes pour retrouver 30 mots commençant par la lettre **A** : 5 prénoms, 5 plantes, 5 animaux, 5 pays, 5 villes du monde et enfin 5 célébrités. Procédez de même pour la lettre **E**, puis pour le **M** et enfin pour le **P**. Soyez méthodique – passez en revue les lettres de l'alphabet qui pourraient suivre la première lettre – et ne vous laissez pas submerger par le stress du temps à respecter.
Vous pouvez jouer seul ou à plusieurs et étendre la consigne à n'importe quelle autre lettre, ou à un groupe de lettres (PI, MO, DR…).

Solution p. 333

	Prénom	Plante	Animal	Pays	Ville	Célébrité
A	....	....	....	....	....	....
	....	....	....	....	....	....
	....	....	....	....	....	....
	....	....	....	....	....	....
	....	....	....	....	....	....
E	....	....	....	....	....	....
	....	....	....	....	....	....
	....	....	....	....	....	....
	....	....	....	....	....	....
	....	....	....	....	....	....
M	....	....	....	....	....	....
	....	....	....	....	....	....
	....	....	....	....	....	....
	....	....	....			
	....	....	....			
P	....	....	....			
	....	....	....			

Le petit bac est un bon moyen de faire travailler sa mémoire, notamment la fluidité verbale. Une circulation aisée des mots dans le cerveau est un signe de rapidité d'association. La récupération en mémoire devient alors facile.

Les quatre opérations de base

Dans certains domaines comme le calcul, la mémoire se fait parfois paresseuse par manque de pratique… Et la calculette est tellement commode ! Le souvenir des quatre opérations de base est toujours présent, mais il faut le solliciter avec plus d'insistance. Faites les opérations suivantes, mentalement ou non.

1 536 + 541 = ...

18 659 + 3 874 = ...

59 246 + 66 666 + 8 756 = ...

589 – 821 = ...

5 896 – 4 172 = ...

698 324 – 8 753 = ...

147 x 654 = ...

5 891 x 258 = ...

47 985 x 4 658 = ...

583 : 52 = ...

4 627 : 111 = ...

31 772 : 32,5 = ...

Solution p. 333

Recolle-mots

En combinant les syllabes phonétiques suivantes, retrouvez 15 espèces d'oiseaux. Pour ne pas risquer d'en omettre, procédez en rayant successivement les syllabes. Votre mémoire fera automatiquement le lien entre celles-ci et votre stock de vocabulaire.

GLO BAL PIERRE NA E A NNET ROLLE CA ZARD SAR TOUR SAN CHE NEAU VER TE MOU JA COR TOUR VIER CHE DIER NA BER ETTE NE CELLE LET CHE RRU ROI TRO LOU DYTE SO BU PE NEILLE PLU

Solution p. 333

Une mesure de la mémoire

Retenir immédiatement un numéro de téléphone ou les éléments d'une conversation relève de la mémoire à court terme, très importante dans la vie quotidienne. On appelle empan la mesure de cette mémoire.

Une moyenne de sept éléments

Il est normal que, lorsque j'écoute le journal télévisé, je ne puisse retenir plus de sept informations à la fois.

C'est alors qu'il étudiait les capacités de la mémoire à court terme que le chercheur George Miller fit, en 1956, la découverte de l'empan mnésique. **L'empan définit** la capacité de stockage de cette mémoire, soit **le nombre d'informations qu'elle peut retenir durant un temps limité,** trois minutes au maximum. Cette capacité varie peu d'un individu à l'autre puisqu'elle oscille entre cinq et neuf éléments. L'empan est donc en moyenne de sept éléments. George Miller a qualifié ce nombre de chiffre magique par référence à des nombres symboliques tels que les sept jours de la semaine, les Sept Merveilles du monde, le chandelier à sept branches, etc. Chacun peut évaluer son **empan de mots** (nombre de mots retenus sur une liste), **de phrases** (nombre de mots retenus dans un texte), **de chiffres** (nombre de chiffres retenus dans une série), et enfin son **empan visuel** (nombre d'images, d'objets ou de personnes).

Il peut être tout à fait normal de posséder un empan plus haut dans un des domaines cités que dans les autres. Les comptables ou les matheux se sentiront bien avec l'empan de chiffres, car ils entretiennent régulièrement leur mémoire des nombres. Les littéraires seront sûrement plus à l'aise avec l'empan de mots ou de phrases, car leur goût pour les lettres les stimulera. Enfin, les amateurs de photos et d'images seront plus avantagés avec l'empan visuel, car ils possèdent un œil aiguisé. Notre mémoire est donc meilleure lorsqu'elle touche des domaines qui nous intéressent, parce que nous l'avons façonnée en fonction de nos motivations tout au cours de notre vie.

Testez votre empan de mots

Lisez attentivement ces 16 mots courants.

Sac	**Plante**	**Arbre**	**Fenêtre**
Voiture	**Bougie**	**Chaise**	**Photo**
Maison	**Chat**	**Lampe**	**Rose**
Piano	**Table**	**Chaussure**	**Stylo**

Puis dissimulez cette liste et inscrivez ci-dessous, dans les dix secondes, tous les mots de la liste qui vous reviennent à l'esprit, dans n'importe quel ordre.

1.	**9.** ....
2.	**10.** ....
3.	**11.** ....
4.	**12.** ....
5.	**13.** ....
6.	**14.** ....
7.	**15.** ....
8.	**16.** ....

Comptez les mots dont vous vous êtes souvenu au cours de cette première restitution. ....

Cinq minutes après, sans regarder à nouveau la liste, essayez de vous souvenir de ces mots et inscrivez-les ci-dessous, toujours dans n'importe quel ordre.

1.	**9.** ....
2.	**10.** ....
3.	**11.** ....
4.	**12.** ....
5.	**13.** ....
6.	**14.** ....
7.	**15.** ....
8.	**16.** ....

Comptez les mots notés au cours de cette deuxième restitution. ....

En vous reportant à la liste de départ, corrigez vos deux restitutions. Comparez vos résultats.

Si les chiffres obtenus sont inférieurs à 7, pas de panique ! Nous n'avons pas tous exactement les mêmes capacités mnésiques. Même si cette liste était de 20 ou 30 mots, la restitution serait toujours d'environ 7, car l'empan reste le même.
La différence possible entre vos deux scores est révélatrice de l'attention que vous avez portée à l'exercice. Vous avez pu simplement photographier des mots sans y prêter une attention particulière. Dans ce cas, il est naturel que votre deuxième score soit inférieur au premier. En revanche, il se maintiendra après cinq minutes si votre attention a été soutenue durant la lecture. La qualité de votre empan est donc indissociable d'une bonne attention.Passé quelques minutes supplémentaires, toutes ces informations se seront envolées. Car nous utilisons notre mémoire à court terme lorsque nous avons besoin de retenir une information destinée à être immédiatement utilisée. Cette information sera ensuite oubliée si nous ne trouvons pas d'intérêt à la retenir.

Testez votre empan de phrases
Lisez attentivement ce texte,
puis cachez-le...

Embauché malgré moi dans l'usine à idées
j'ai refusé de pointer
Mobilisé de même dans l'armée des idées
j'ai déserté
Je n'ai jamais compris grand-chose
Il n'y a jamais grand-chose
ni petite chose
Il y a *autre chose.*

Autre chose
c'est ce que j'aime qui me plaît
et que je fais.

Malgré moi...
Jacques Prévert (1900-1977)

... et restituez les mots manquants.

Embauché malgré moi dans .... à idées
j'ai refusé de ....
.... de même dans l' .... des idées
j'ai ....
Je n'ai jamais compris grand ....
Il n'y a jamais grand-chose
ni .... chose
Il y a .... *chose.*

Autre chose
c'est ce que .... qui me plaît
et que je ....

Si vous avez retrouvé au moins 7 mots, votre empan est de bonne qualité. Sinon, c'est que vous n'avez pas été assez attentif.
Lorsqu'il s'agit de retenir des phrases, il est nécessaire de bien comprendre le sens de ce que l'on lit. On mémorisera d'ailleurs surtout les mots importants pour la signification de la phrase, et ce d'autant plus qu'ils trouvent en nous des résonances particulières et suscitent des émotions.

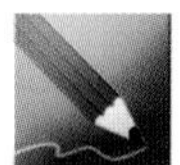

Empan et mémoire auditive
Écoutez attentivement un flash d'informations d'environ cinq minutes, à la radio ou à la télévision – mais sans regarder l'écran –, puis notez toutes les informations que vous avez retenues en essayant de les remettre dans l'ordre d'écoute. Vérifiez vos notes en écoutant le bulletin suivant.

Réalisé régulièrement, cet exercice peut vous entraîner à avoir une écoute plus sélective et à augmenter votre mémoire auditive ainsi que votre empan de phrases.

Ma mémoire et...
les jeux en voiture avec les enfants

Pour occuper les enfants pendant les longs trajets, il faut trouver des jeux verbaux ou visuels simples et variés. En voici quelques exemples.

- Jeux verbaux : trouver des mots grâce à des indices ; trouver tous les objets d'une même couleur ; trouver les mots commençant par une lettre de l'alphabet ou appartenant au même thème ; retrouver des chansons, en apprendre... Commencer une histoire et leur demander de la finir est aussi un moyen de faire travailler l'imagination des enfants.
- Jeux visuels : regarder par la fenêtre et décrire le paysage avec le plus de mots possible ; inventer des prénoms et des noms commençant par les lettres des plaques d'immatriculation (exemple : AT = Alain Térieur) ; retrouver les marques ou modèles de voitures, etc.

Testez votre empan de chiffres

Avant de commencer l'exercice, munissez-vous d'un cache pour dissimuler les lignes de chiffres. Découvrez la première ligne et lisez les chiffres un par un. Cachez ces chiffres de nouveau et notez à côté tous ceux dont vous vous souvenez. Une fois que vous avez terminé, passez à la ligne suivante, et ainsi de suite.

542 ....

036 ....

6092 ....

9518 ....

64296 ....

74281 ....

548263 ....

395762 ....

0151237 ....

1963751 ....

75826364 ....

65293760 ....

563214870 ....

284610359 ....

5632897401 ....

8593264017 ....

Corrigez vos lignes de chiffres. Le nombre de chiffres de la dernière ligne que vous avez correctement restituée vous donnera votre empan de chiffres. Par exemple, si vos erreurs commencent à partir de la ligne 13, vous avez un empan de chiffres de 8 (la ligne 12 possède 8 chiffres).

On ne se souvient des chiffres que si l'on s'y intéresse particulièrement, lorsqu'ils possèdent une connotation émotionnelle ou que l'on peut les associer à quelque chose de connu. Tel chiffre correspond à l'âge d'un proche, à la date de votre mariage, à un département, etc. S'ils n'évoquent rien, s'ils restent complètement abstraits, les associations destinées à favoriser leur mémorisation sont beaucoup plus difficiles, voire impossibles. Ce qui pourrait pour certains expliquer un empan de chiffres plus bas que chez les autres et, plus largement, le malaise – voire le blocage – de bon nombre de personnes à l'égard des chiffres.

Testez votre empan visuel

Regardez attentivement tous ces dessins de gauche à droite. Puis cachez-les et écrivez ci-contre le nom de chaque objet.

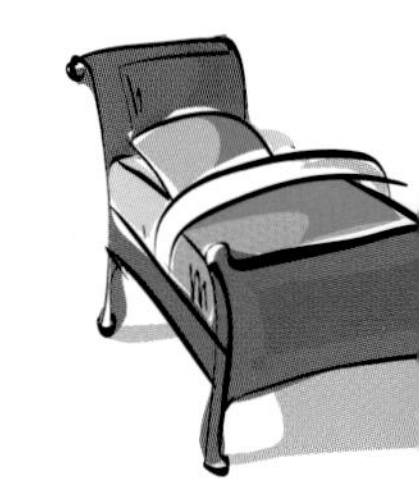

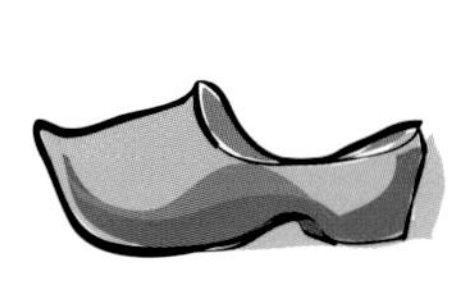

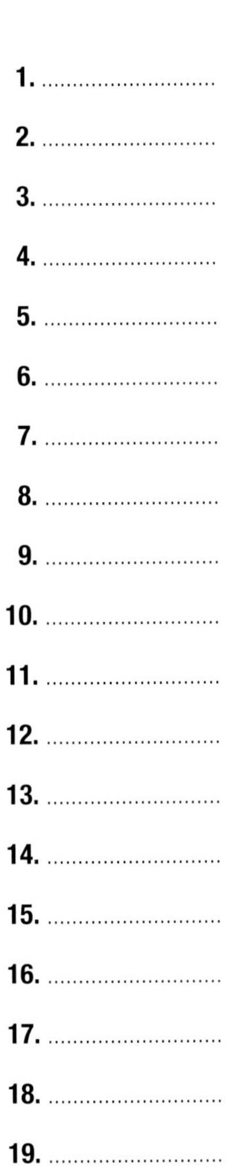

1. ....
2. ....
3. ....
4. ....
5. ....
6. ....
7. ....
8. ....
9. ....
10. ....
11. ....
12. ....
13. ....
14. ....
15. ....
16. ....
17. ....
18. ....
19. ....
20. ....

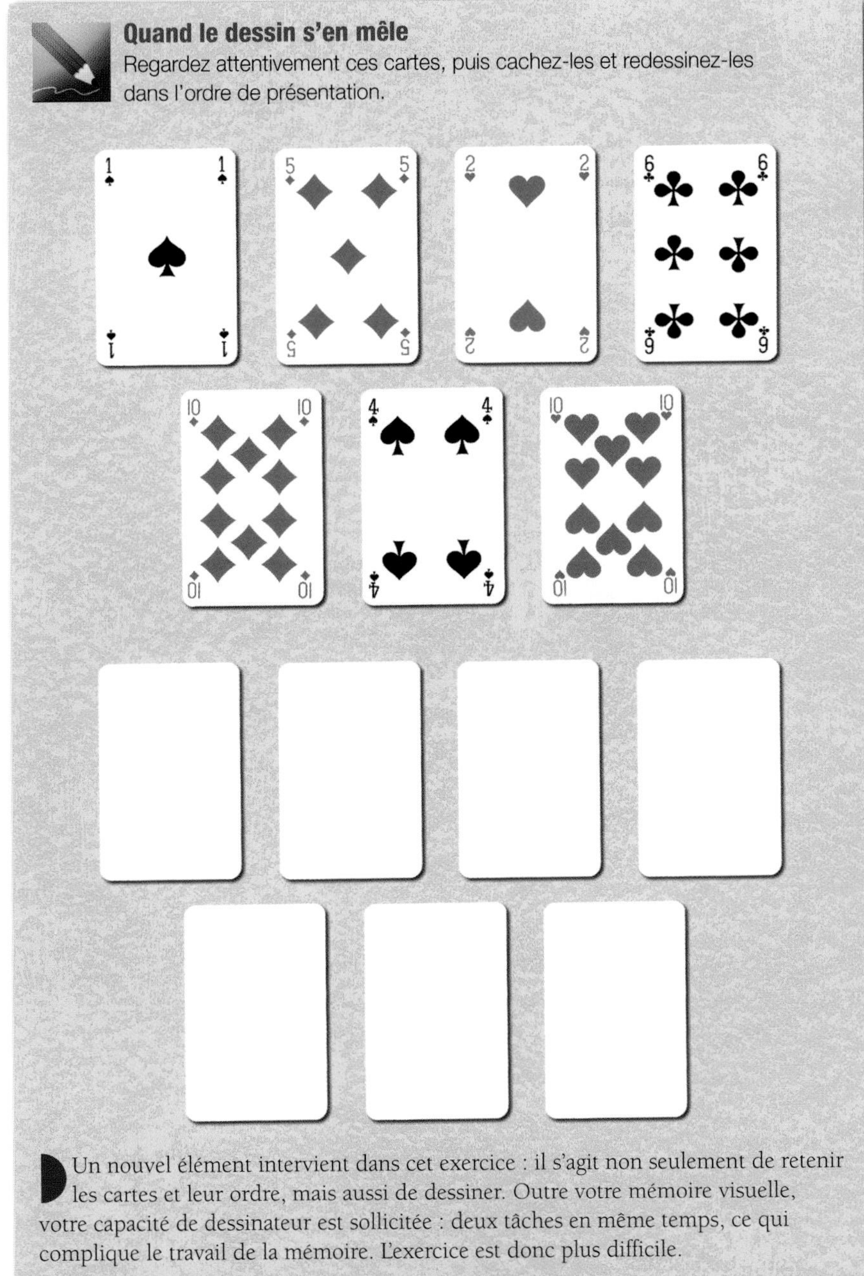

Quand le dessin s'en mêle

Regardez attentivement ces cartes, puis cachez-les et redessinez-les dans l'ordre de présentation.

Un nouvel élément intervient dans cet exercice : il s'agit non seulement de retenir les cartes et leur ordre, mais aussi de dessiner. Outre votre mémoire visuelle, votre capacité de dessinateur est sollicitée : deux tâches en même temps, ce qui complique le travail de la mémoire. L'exercice est donc plus difficile.

Vérifiez les mots que vous avez écrits.
Combien correspondent bien aux dessins ?
Notez votre score d'empan visuel. ....

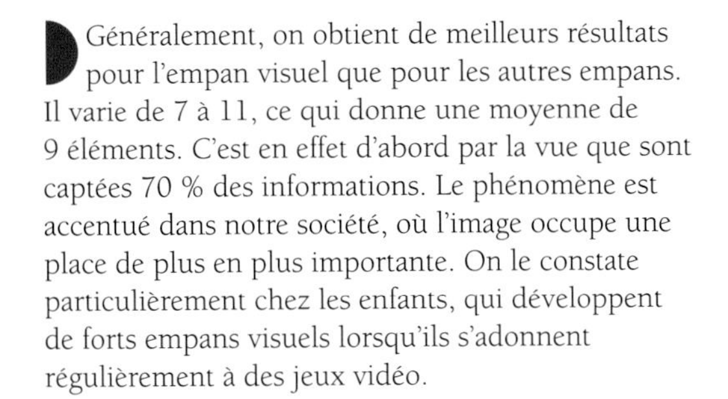

Généralement, on obtient de meilleurs résultats pour l'empan visuel que pour les autres empans. Il varie de 7 à 11, ce qui donne une moyenne de 9 éléments. C'est en effet d'abord par la vue que sont captées 70 % des informations. Le phénomène est accentué dans notre société, où l'image occupe une place de plus en plus importante. On le constate particulièrement chez les enfants, qui développent de forts empans visuels lorsqu'ils s'adonnent régulièrement à des jeux vidéo.

Ma mémoire et...
les informations à la radio

Pourquoi retient-on souvent mieux les informations entendues à la radio que celles du journal télévisé ?

À la radio, le bulletin d'informations est généralement plus court et les informations sont formulées assez brièvement, sans fioritures. Elles sont ainsi plus facilement mémorisables. En revanche, les images du journal télévisé peuvent distraire votre attention des informations principales.

L'attention

On se plaint souvent de sa mémoire, mais fréquemment c'est l'attention qui est en cause. Le fait de faire attention, de prêter attention… mobilise l'ensemble de nos capacités intellectuelles et physiques. Ce doit être un acte volontaire pour que les images perçues s'inscrivent dans notre cerveau et reviennent à la demande à notre souvenir.

Test Avez-vous des problèmes d'attention ?

Le but de ce test est de repérer vos difficultés d'attention et de concentration et d'évaluer leur fréquence. Répondez aux questions suivantes en mettant une croix dans la case appropriée.
Puis additionnez vos points selon le barème suivant :

JAMAIS : 0 point **SOUVENT : 2 points**
RAREMENT : 1 point **TRÈS SOUVENT : 3 points**

	JAMAIS	RAREMENT	SOUVENT	TRÈS SOUVENT
1. J'écoute de la musique tout en lisant un livre ou une revue.				
2. Chez moi, j'ai du mal à me rendre compte qu'un objet de décoration a été déplacé.				
3. J'éprouve des difficultés à m'isoler des bruits environnants.				
4. J'ai l'habitude de faire plusieurs choses en même temps.				
5. Je me sens tendu sans raison.				
6. Le bruit environnant me dérange.				
7. Je fais les choses rapidement.				
8. Je ne sais pas comment m'y prendre pour retenir les choses importantes.				
9. Je me sens fatigué.				
10. J'ai des problèmes de sommeil.				
11. Je ne prends pas suffisamment de temps pour manger.				
12. Je m'intéresse peu à ce qui se passe autour de moi.				
13. Je préfère rester chez moi plutôt que d'entreprendre de nouvelles activités.				
14. Ma vue me semble moins bonne.				
15. Je suis tête en l'air.				
16. J'ai des difficultés à retenir l'essentiel.				
17. Je ne prends pas beaucoup le temps de m'occuper de moi.				
18. J'attache peu d'importance à l'organisation.				
19. Je ne prends pas le temps d'observer attentivement ce qui se passe autour de moi.				
20. Je suis peu motivé pour apprendre ce qui est nouveau.				
21. J'ai l'impression de moins bien entendre.				
22. Je prends des calmants pour me détendre ou pour dormir.				
Total des points obtenus :				

Vous avez moins de 30 points

Vous êtes généralement attentif et concentré dans ce que vous faites, mais il peut vous arriver de ne pas être très à l'écoute lorsque l'on vous parle. Néanmoins, rassurez-vous : vous savez gérer des situations complexes, qui requièrent la mise en éveil de toutes vos ressources. Si, toutefois, vous gardez quelques inquiétudes sur les capacités de votre mémoire, interrogez-vous : avez-vous en ce moment des difficultés passagères susceptibles de vous perturber ?

Vous avez entre 30 et 44 points

Il vous arrive régulièrement de vous demander ce que vous êtes venu faire ou chercher dans une pièce, mais vous trouvez rapidement la réponse. Vous êtes peut-être de ceux qui se laissent facilement distraire et qui sont parfois perturbés par des choses sans importance. Essayez de toujours mobiliser toute votre attention quand vous souhaitez retenir des faits essentiels et ne vous laissez pas dissiper par ce qui se passe autour de vous !

Vous avez entre 45 et 66 points

Vous traversez sans doute une période difficile, la vie quotidienne vous pèse et vos facultés d'attention sont altérées. Vous avez tendance à vouloir tout assumer et ne parvenez pas à faire le tri et à vous organiser, d'autant que vous êtes plutôt perfectionniste. Vous êtes facilement perturbé par le bruit, les sollicitations des tiers, la fatigue, le surmenage, le stress, et vous vous noyez dans vos soucis. Peut-être prenez-vous aussi certains médicaments qui ne vous conviennent plus. Avant toute chose, trouvez le temps de vous poser pour faire le point. Ne mordez pas sur votre temps de sommeil ou de repas. Ne sacrifiez pas ce que vous jugez essentiel à votre équilibre. Accordez-vous le temps de faire les choses correctement, sans précipitation. Si vous avez besoin d'être rassuré ou sentez que vous ne pouvez faire face seul, n'hésitez pas à en discuter avec vos proches et à consulter votre médecin.

L'attention : pas de demi-mesure

D'abord, tous mes sens doivent être en alerte !
Puis, pour retenir, il faut que je l'aie décidé.

Faire attention (du latin *ad tendere,* tendre vers), c'est **mobiliser tous ses sens pour capter son environnement.** C'est donc en premier lieu un travail de perception. Cette tâche est totalement accaparante. Car faire attention à moitié, ce n'est pas faire attention. Il faut donc exercer ses facultés de perception pour que l'attention soit au rendez-vous.

L'information est certes parvenue à notre cerveau parce que nous l'avons perçue, mais tout ce qui est perçu n'est pas candidat à la mémorisation. Une perception ne devient attentive, donc efficace pour mémoriser, que lorsque la **ferme intention de retenir** l'information est présente, que cette information suscite un **intérêt personnel** ou qu'elle doit être **retransmise**. Tous les petits oublis de la vie quotidienne ne sont pas un problème de mémoire mais d'attention. Tant que la perception reste superficielle, il est impossible de retenir ce qui se passe autour de nous. Comme la nature est bien faite, ce manque d'attention est en réalité destiné à nous protéger d'un trop-plein d'informations non sollicitées, qui constituent une forme d'agression permanente. Les exercices qui vous sont proposés dans cet ouvrage font essentiellement travailler l'attention visuelle. Mais l'attention revêt autant de formes que nous avons de sens : elle est donc aussi auditive, gustative, olfactive et tactile.

Ma mémoire et… les nouvelles technologies

L'ordinateur, Internet, le téléphone portable, le DVD… Ils envahissent votre univers, mais ne soyez pas réfractaire et, surtout, ne paniquez pas. Ne vous focalisez pas sur des modes d'emploi qui vous semblent impossibles à retenir. Demandez et redemandez que l'on vous montre comment utiliser ce matériel ; notez les étapes de la mise en route avec vos propres mots et familiarisez-vous avec votre nouvel outil en répétant plusieurs fois les manipulations.

Les chiffres trompeurs

Observez le cadre ci-dessous. Quel est le chiffre qui est représenté le plus souvent ?

2 1 6 4 2
3 2 5 1 3 4
5 4 6 3 6 6
4 6 5 3

Solution p. 333

La taille parasite ici la perception. Les chiffres les plus grands sont perçus et décodés par notre cerveau en premier, car ils attirent l'attention. Puis on voit ce qui est en nombre. Nous percevons toujours d'abord ce qui est de grande taille, le reste paraissant secondaire. Les publicitaires le savent bien puisqu'ils mettent en gros ce qui peut appâter le client (aspect alléchant, prix promotionnel, etc.) et minorent par exemple les conditions de vente !

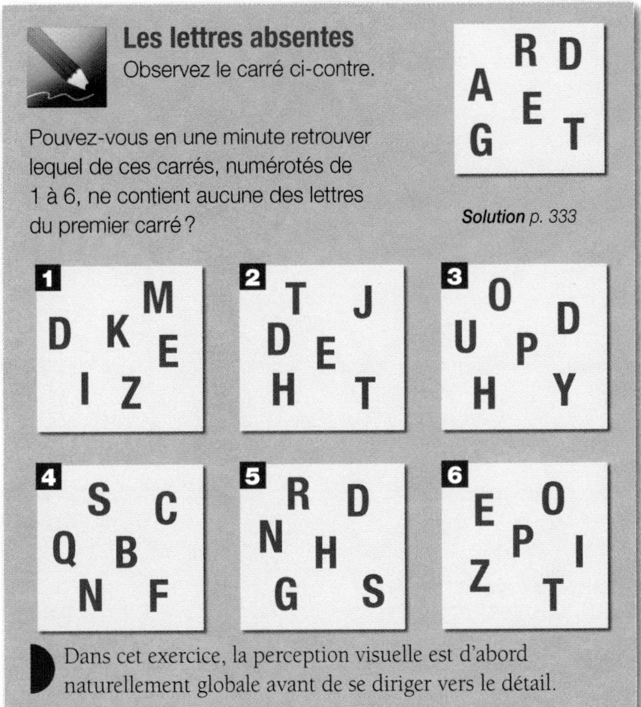

Les lettres absentes

Observez le carré ci-contre.

Pouvez-vous en une minute retrouver lequel de ces carrés, numérotés de 1 à 6, ne contient aucune des lettres du premier carré ?

Solution p. 333

Dans cet exercice, la perception visuelle est d'abord naturellement globale avant de se diriger vers le détail.

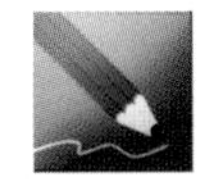

Pile ou face

Pouvez-vous dire ce qui est représenté du côté face des euros émis en France ?

Solution p. 333

Vous avez parfaitement répondu ? Bravo ! Mais vous êtes sans doute numismate. Vous n'avez aucune bonne réponse ? C'est normal. Comme la plupart d'entre nous, vous utilisez ces pièces, mais vous ne les avez jamais véritablement regardées. Il est en effet impossible de retenir tout ce qui se passe sous nos yeux ou atteint nos oreilles. Même si l'on commence à retenir des informations au moment où on les perçoit, ces dernières ne se structurent réellement qu'après.

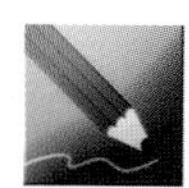

Méli-mélo

1. Combien de triangles, de carrés et de rectangles voyez-vous ?

2. Quels chiffres voyez-vous ?

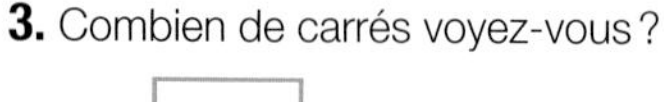

3. Combien de carrés voyez-vous ?

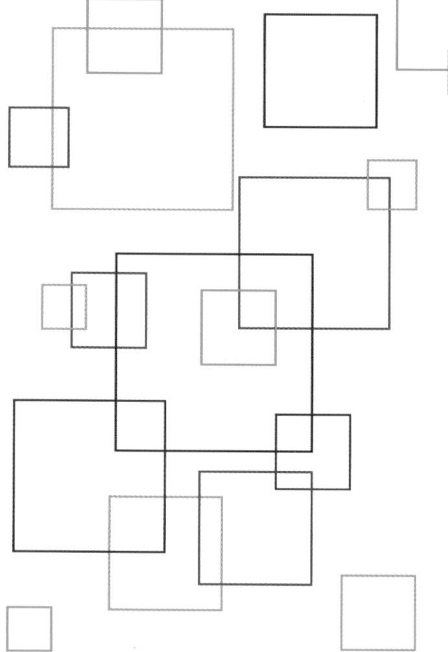

Solution p. 333

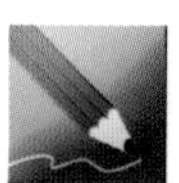

Jeu des 7 erreurs

Il existe 7 différences entre ces deux photos. Pouvez-vous les retrouver ?

Profils d'attention

Nous n'avons pas tous recours au même type d'attention et nous ne faisons pas tous attention de la même manière. Notre comportement dans ce domaine est influencé par notre éducation, mais il dépend aussi de notre personnalité, de nos centres d'intérêt et de notre relation au monde.

Les profils d'attention qui suivent, quoique stéréotypés, permettent cependant de se retrouver en partie.

- **L'attentif méticuleux** manifeste un comportement attentionnel excessif : tout suscite son intérêt, tout peut ou doit être mémorisé, au risque d'encombrer sa mémoire d'éléments peu utiles. Son attention n'est pas sélective.

La personne correspondant à ce profil est souvent dotée d'un caractère pointilleux et perfectionniste, mais également d'une très bonne mémoire. C'est elle qui vous fera remarquer la peluche sur votre pull, ou se souviendra avec précision d'un fait qui n'a pas une grande importance pour vous. Elle aura aussi tendance à exiger des autres le même type d'attention non sélective. Les attentifs méticuleux ont des stocks

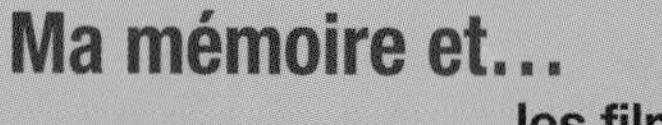

Ma mémoire et…
les films

Vous aimez aller au cinéma, voir des films à la télévision, mais vous ne parvenez pas à vous souvenir de ce que vous avez vu, même si cela vous a plu. Rassurez-vous, c'est un phénomène normal. Lorsque nous sommes en position de spectateur, nous avons un comportement passif et faisons montre de peu ou même pas du tout d'esprit critique. Pour vous souvenir d'un film, dès le générique de fin, devenez actif : résumez le film, retrouvez les scènes qui vous ont plu ou choqué, critiquez le jeu des acteurs… Et ne manquez pas d'en parler à votre entourage.

Solution p. 334

importants d'informations en mémoire mais un rendement moyen : peu de ces connaissances vont vraiment leur servir, car ils ont du mal à sélectionner ce qui les a vraiment intéressés.

- **L'attentif intéressé ou spécifique** fait montre d'une attention ciblée sur un ou des centres d'intérêt. Son attention est bien utilisée, efficace dans les domaines concernés, le reste suscitant une attention normale, voire aucune. L'attentif intéressé aurait tendance à chercher à épater les autres par l'étendue de ses connaissances dans ses sujets de prédilection. Son attention étant sélective, mais de qualité, sa mémoire l'est également : elle sera bonne dans les domaines qui l'intéressent et moyenne dans les autres.
- **L'attentif inattentif** prête généralement peu d'attention à ce qui l'environne. Il semble fréquemment dans les nuages, oublie ou perd souvent certaines choses. Il n'écoute pas vraiment les autres et peut vivre détaché des conventions sociales. Ce défaut d'attention à l'environnement va souvent de pair avec une grande attention à sa personne, à ses états d'âme… Il va rarement au fond des choses et sa mémoire est aussi narcissique que fragmentaire. Ce comportement se retrouve souvent chez certains adolescents.

On peut bien sûr se reconnaître en partie dans chacun de ces profils. L'essentiel restant toujours de garder une attention sélective et de qualité qui s'adapte à toutes les situations. Voilà le gage d'une bonne mise en mémoire.

Test Êtes-vous attentif à votre environnement ?

1. Vous utilisez régulièrement ces objets. Pouvez-vous en citer la marque ? Faites ce test sans aide, sans regarder autour de vous et sans vous déplacer. Vos réponses doivent être le plus spontanées possible.

Dans la salle de bains

Savon de toilette …………
Dentifrice …………
Eau de toilette ou parfum …………
Shampooing …………
Rasoir …………
Brosse à dents …………
Sèche-cheveux …………

Dans la cuisine

Café …………
Huile de table …………
Biscottes …………
Thé …………
Sucre …………
Sel …………
Moutarde …………
Eau minérale …………
Pâtes …………
Liquide vaisselle …………
Éponge …………
Four …………
Réfrigérateur …………

Ailleurs dans la maison

Lave-linge …………
Téléviseur …………
Appareil photo …………
Poste de radio ou chaîne hifi …………
Fer à repasser …………

2. Pouvez-vous citer les noms de 5 magasins ou grandes surfaces proches de votre domicile ?

…………………………… ……………………………
…………………………… ……………………………
……………………………

3. Pouvez-vous citer les marques des voitures…

- de 3 membres de votre famille :

…………………………… ……………………………
……………………………

- de 3 voisins ou amis :

…………………………… ……………………………
……………………………

Si vous avez laissé plus de 10 questions sans réponse ou fait plus de 10 erreurs, votre attention n'est pas centrée sur les apparences. Les objets ne vous intéressent que parce qu'ils sont fonctionnels et qu'ils vous sont utiles ; les subtilités de marque ou d'esthétique vous laissent indifférent. Vous les jetez facilement dès qu'ils ne vous servent plus.

Si, à l'inverse, vous avez plus de 10 bonnes réponses, vous êtes de ceux qui s'attachent aux objets, à leur forme et à leurs qualités. Vous avez sans doute du mal à les jeter même s'ils sont usagés. Vous êtes probablement friand de la publicité et de tout ce qui est nouveau. Entre votre monde matériel et votre vie personnelle s'est établi un lien quasi affectif.

Attention et lecture

La lecture exige de **bien voir**, certes, mais aussi de **comprendre.** C'est une attention visuelle concernant tant la forme que le sens.

Quelle que soit la forme des lettres, l'attention se portera d'abord sur le sens du texte et pas sur la typographie ni même sur la correction orthographique. Et c'est parce que le texte fera sens qu'il pourra être mémorisé.

En revanche, un texte dans une langue inconnue ne suscitera qu'une attention visuelle sur la forme. On ne pourra alors parler de lecture, et toute mémorisation sera impossible.

La lettre E

Entourez toutes les lettres E (avec ou sans accent) dans le texte ci-dessous (Jean-Jacques Rousseau, *Discours sur l'origine de l'inégalité parmi les hommes,* 1754). Puis comptez-les.

« [...] il est aisé de voir qu'entre les différences qui distinguent les hommes, plusieurs passent pour naturelles qui sont uniquement l'ouvrage de l'habitude et des divers genres de vie que les hommes adoptent dans la société.
Ainsi un tempérament robuste ou délicat, la force ou la faiblesse qui en dépend, viennent souvent plus de la manière dure ou efféminée dont on a été élevé, que de la constitution primitive des corps.
Il en est de même des forces de l'esprit, et non seulement l'éducation met de la différence entre les esprits cultivés et ceux qui ne le sont pas, mais elle augmente celle qui se trouve entre les premiers à proportion de la culture ; car qu'un géant et un nain marchent sur la même route, chaque pas qu'ils feront l'un et l'autre donnera un nouvel avantage au géant. Or, si l'on compare la diversité prodigieuse d'éducations et de genres de vie qui règnent dans les différents ordres de l'état civil avec la simplicité et l'uniformité de la vie animale et sauvage, où tous se nourrissent des mêmes aliments, vivent de la même manière et font exactement les mêmes choses, on comprendra combien la différence d'homme à homme doit être moindre dans l'état de nature que dans celui de société, et combien l'inégalité naturelle doit augmenter dans l'espèce humaine par l'inégalité d'institution. »

Solution *p. 334*

Si vous avez suivi la consigne et donc exercé votre attention visuelle sur la forme, vous n'avez pas vraiment lu le texte. Vous ne pourriez répondre à une question concernant le sens : la tâche à effectuer empêche la compréhension.

Énigme policière

Lisez ce texte attentivement, mais une seule fois. Pour mobiliser votre attention, intéressez-vous vraiment à ce que vous lisez, posez-vous des questions au fur et à mesure, dégagez les points importants, résumez oralement le contenu.

« Haut les mains, tout le monde ! Allez, plus vite que ça ! » crie le commissaire au chapeau de feutrine en entrant dans le bar des Sportifs.
Il s'adresse à quatre hommes attablés devant deux verres de vin et deux verres de bière dont la mousse coule sur la table. Le commissaire les tient en joue : ils s'exécutent. Dans les rues du quartier de Montmartre, les sirènes des voitures de police ne tardent pas à se faire entendre. Il est deux heures du matin et le bar est encore ouvert. Tout le dispositif de police a été déclenché cinq minutes auparavant.
Selon une information donnée par un indic, un témoin dans une affaire de trafic de drogue, attendu au tribunal le matin même, doit être liquidé. On ignore l'identité du tueur. La police a tendu un piège dans le bar, avec le témoin comme appât. C'est l'un des quatre hommes. Le tueur présumé vient de se joindre aux trois autres. Juste avant de pénétrer dans le bar, suspicieux, il a jeté son arme dans la bouche d'égout la plus proche.

Le commissaire interroge les quatre hommes en présence du patron. Voici leurs réponses :

1. « Je suis là depuis une heure et j'ai gagné ma tournée de bière en jouant au poker. »

2. « Je suis en train de me faire plumer car je perds sans arrêt. »

3. « Je suis entré il y a vingt minutes pour boire une petite blonde, dit-il avec de la mousse sur les lèvres. C'est le seul bar du quartier où elle est aussi bonne, hein, patron ? »

4. « Je bois un verre de vin tranquille, que l'on ne me dérange pas ! » Il est inquiet, une goutte de sueur perle sur son front.

Le commissaire remarque un détail. Le tueur vient de se trahir.

Répondez maintenant aux questions suivantes :

- Quel est le nom du bar ?
  ....
- Que porte le commissaire ?
  ....
- À quelle heure se déroule l'action ?
  ....
- Quel détail a remarqué le commissaire, qui est le tueur et pourquoi ?
  ....

Solution *p. 334*

L'attention visuelle perceptive

L'attention visuelle perceptive nécessite à la fois une **bonne vision et un repérage visio-spatial.**
Ce type d'attention se mobilise devant un groupe d'objets placés en relation dans un environnement défini, ou cadre. Généralement, l'œil effectue un mouvement de balayage de l'intégralité de l'environnement avant de cibler les éléments particuliers et de les mettre en relation pour repérer leur place dans une organisation spatiale. La perception peut cependant être différente d'une personne à l'autre. Devant une série d'objets sur une photo, par exemple, certains se montreront d'abord attentifs au cadre et seront à même de le décrire en premier, alors que d'autres seront d'abord attirés par les objets eux-mêmes. Quoi qu'il en soit, cette attention ne se déclenchera que si l'on veut retenir quelque chose.

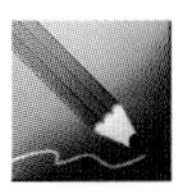

Attention aux lettres !

1. Observez attentivement les lettres inscrites dans le carré ci-dessous.

Solution p. 334

2. Puis cachez-les et répondez aux questions suivantes.
– Quelles étaient les lettres inscrites dans un carré et quel mot pouvez-vous former avec ?
– Quelles étaient les lettres non inscrites dans un carré et quel mot pouvez-vous former avec ?

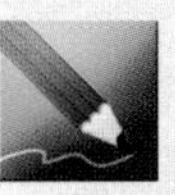

Le chat dans la prairie

1. Regardez attentivement ce dessin pendant trois minutes, puis cachez-le.

2. Sans revenir en arrière ni regarder à nouveau le dessin, reportez sur ce fond vierge tous les éléments dont vous vous souvenez, au bon emplacement.

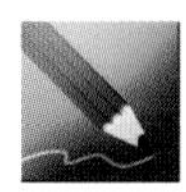

La figure manquante

Observez les chaînes de formes complètes de la première ligne pendant une minute, puis cachez-les et complétez celles du dessous.

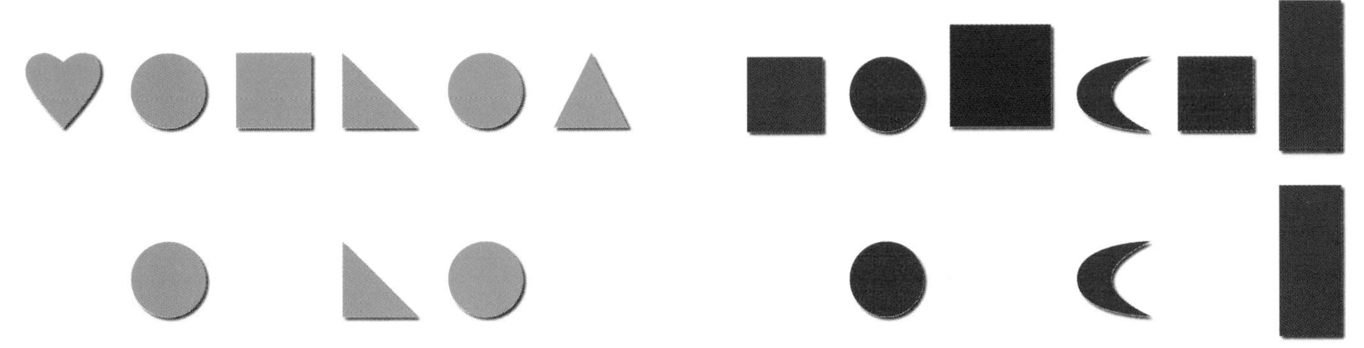

Dans cet exercice, l'environnement est constitué par une suite de figures. Il vous a fallu intégrer l'ordre dans lequel elles apparaissent, donc les mettre en relation, pour mémoriser.

Les amis de l'attention

La volonté ne suffit pas pour faire vraiment preuve d'attention. Souvenez-vous… Vous pensiez pourtant être attentif en écoutant cet exposé. Il ne vous en est quasiment rien resté. Autrefois, vous essayiez désespérément de retenir vos leçons de physique. Sans résultat. Alors, comment expliquer cela?

À 88 ans, Paul-Émile Victor résumait ainsi son extraordinaire vitalité : « Je ne m'endors jamais le soir avant d'avoir préparé ma petite plage d'enthousiasme pour le lendemain. » Dans cet intérêt toujours maintenu pour les petits bonheurs du quotidien, le vieil explorateur avait trouvé l'une des clefs du maintien d'un bon niveau d'attention. Il y en a d'autres. Et c'est la réunion de tous ces facteurs qui seule garantit une attention de haute qualité.

L'intérêt C'est ce qui déclenche l'attention. Ce qui n'intéresse pas, ou ne suscite aucune émotion, ne réveille généralement pas l'attention.

La personnalité Les personnalités anxieuses ou stressées pâtissent d'un trop-plein de pensées et de préoccupations parasites. Les distraits sont également défavorisés. Des traits de caractère comme l'ouverture d'esprit et l'optimisme constituent des conditions optimales.

Le plaisir Il accroît l'attention pour tout ce qui le suscite.

La motivation La perspective d'atteindre le but que l'on s'est fixé, de réussir, de s'épanouir suscite automatiquement l'attention.

La vigilance Cet état d'alerte calme et distancié permet une attention soutenue prolongée, sans fatigue et en restant ouvert aux sollicitations.

La curiosité Elle stimule l'attention. Plus on est curieux de son environnement et de la vie en général, plus l'attention est stimulée.

Il suffit qu'un seul de ces facteurs manque pour que l'attention ne soit pas parfaite. Lorsqu'ils sont tous présents, la mémorisation n'est pas encore obligatoire : encore faut-il y ajouter la volonté de retenir.

La concentration Elle permet à l'attention de rester focalisée sur les informations sélectionnées et de ne pas être troublée par la moindre interférence. Mais, attention ! la concentration a des capacités limitées. Son intensité et sa durée varient d'un individu à l'autre et selon les moments de l'existence.

Les émotions Positives ou négatives, elles déclenchent automatiquement l'attention et la rendent plus intense : la peur de perdre une miette d'émotion contraint l'attention à être le plus soutenue possible.

L'environnement Lorsqu'il est propice – sans nuisance sonore ni visuelle –, il renforce l'attention et permet sa focalisation sans risque de distraction.

Les ennemis de l'attention

Les circonstances de la vie ne permettent pas toujours un bon maintien de notre attention. On pense bien sûr ici à toutes les difficultés que chacun rencontre au fil des jours : la fatigue, le stress, les effets de certains médicaments, une mauvaise hygiène de vie, la maladie… Ce sont certes les premiers ennemis de l'attention.

Lorsque l'on n'est pas en mesure de combattre ces petits tracas apparaissent alors des ennemis bien plus sournois : certaines façons de se comporter dans la vie, de réagir face à son environnement. Et qui ont tendance à s'installer.

- **La sous-vigilance et la sous-stimulation** sont favorisées par le fait de ne pas être suffisamment attentif à son environnement. En quelque sorte, on a pris l'habitude, pour des raisons diverses et variées, de laisser ses « ressources attentionnelles » en vacances.

- **La sous-utilisation** résulte plus particulièrement d'un manque chronique d'effort. Une paresse s'installe, qui finit par altérer les capacités d'attention, et celles-ci deviennent alors beaucoup plus difficiles à mobiliser. C'est le cas par exemple lorsque, les études étant déjà loin, l'on doit à nouveau suivre une formation et retrouver le rythme des cours.

- **La déconcentration et la dispersion** sont une conséquence de la sous-utilisation. Si l'on a pris l'habitude de ne pas mobiliser son attention, il sera encore plus difficile de la focaliser de manière soutenue.

- **L'absence de projets, de désirs et de curiosité** est peut-être le plus grand ennemi de l'attention. Car la volonté de réaliser un projet ou d'obtenir ce que l'on désire et la curiosité dans tous les domaines sont les meilleurs garants d'une attention de bonne qualité et, par voie de conséquence, d'une bonne mémorisation des informations.

Pour mémoriser à plus long terme : le TAA

« Je me gare rue Ferdinand, en face de la boulangerie, derrière une voiture jaune. » En me disant cela ce matin, je suis sûr de retrouver ma voiture ce soir !

Perte répétée d'un objet familier et oubli d'une tâche dont on a été chargé sont parmi les plaintes les plus courantes concernant la mémoire. Le même schéma se reproduit sans cesse : on est pressé, fatigué ou énervé, on croit avoir enregistré une information avec suffisamment d'attention. Mais on oublie aussi vite.

Une attention modérée ne garantit en rien une mémorisation durable : on fait attention en traversant la rue mais on ne mémorise pas le fait d'avoir traversé, sauf si un chauffard nous a fait peur ; on fait attention aux crottes de chien sur les trottoirs, mais on ne s'en souvient pas sauf si on marche dedans ! De la même manière, se concentrer sur une action pour la comprendre ou la réussir n'entraîne pas forcément une mémorisation. Il est donc nécessaire de donner à ce que l'on perçoit et à ce que l'on fait du **TAA, c'est-à-dire un taux d'attention ajouté.** Il s'agit tout simplement de soutenir son attention plus longtemps qu'à l'ordinaire pour conserver un peu plus le souvenir de la tâche à effectuer ou de l'objet à mémoriser. Comment ? **En évitant le geste quasi automatique,** qui prive de l'attention nécessaire à cette rétention.

Prenons par exemple le fait de fermer sa porte à clef, geste dont il nous arrive fréquemment de douter puisqu'il est fait avec très peu d'attention, quasi automatiquement. Introduire du TAA, c'est stimuler son attention en se regardant fermer la porte et l'augmenter en formulant cette action dans sa tête ou à voix haute (« Je ferme ma porte à clef »). Ici, il y a renforcement auditif de la perception visuelle. Écrire ce que l'on veut retenir est un autre moyen de mettre du TAA.

Une attention avec TAA est une attention active, une gestion de son attention, résultant d'une volonté de mettre en œuvre les moyens de mémoriser. C'est dans ce cas que l'attention devient un facteur de mémorisation. La plupart de nos difficultés ne relèvent pas d'une mauvaise mémoire mais d'un TAA trop faible.

Ma mémoire et…
mon repas sur le feu

Qui n'a jamais oublié une casserole sur le feu ? Au cas où votre attention serait sollicitée ailleurs au moment crucial où il faut arrêter la cuisson, prenez la précaution d'actionner votre minuteur de cuisine dès que vous mettez un ustensile sur la cuisinière.

Le plan du quartier

Regardez attentivement ce plan pendant une minute. Vous devrez replacer les commerces et les services administratifs sur un plan vierge. Pour dynamiser votre attention, formulez ce que vous voyez.

Exemple : la boulangerie est à côté de l'épicerie ; les deux sont situées en haut et à gauche du plan.

Cachez maintenant le plan légendé.

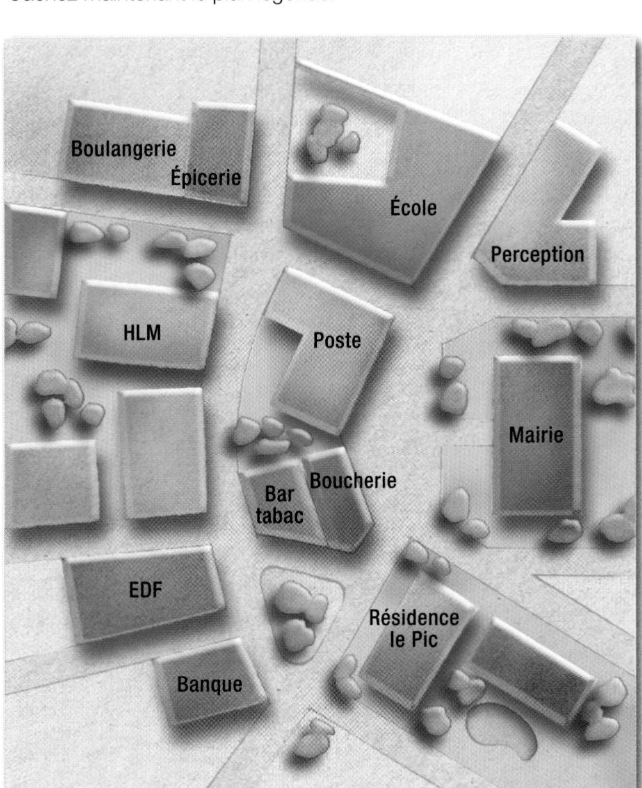

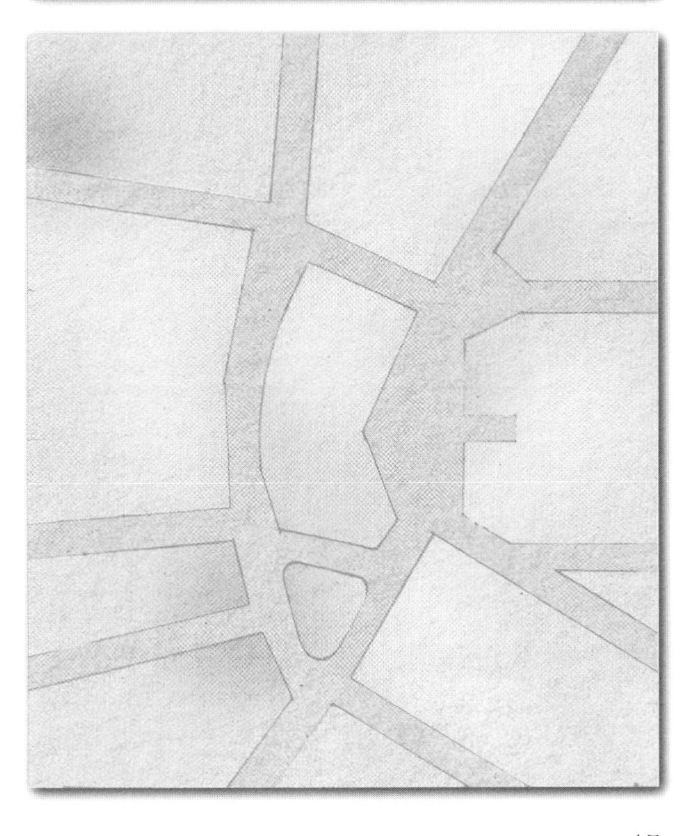

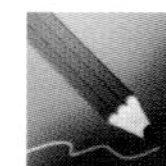

La bonne place

Ces trois exercices, dont la difficulté va croissant, exigent une forte mobilisation de votre attention – identification des formes et des couleurs (tant de carrés, de triangles, etc.), repérage dans l'espace. Vous mémoriserez plus facilement si vous trouvez et formulez une organisation sous-jacente.

1. Regardez attentivement la grille ci-dessous. Vous avez trois minutes pour mémoriser ces formes géométriques. Servez-vous de leur emplacement sur le damier et/ou des figures qu'elles créent. Puis cachez la grille de gauche et remplissez celle de droite.

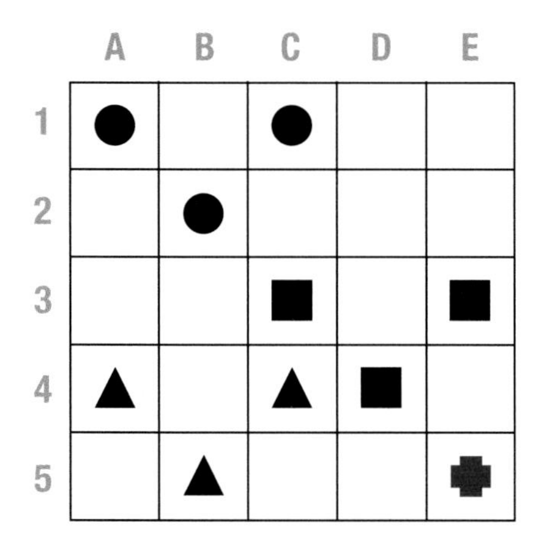

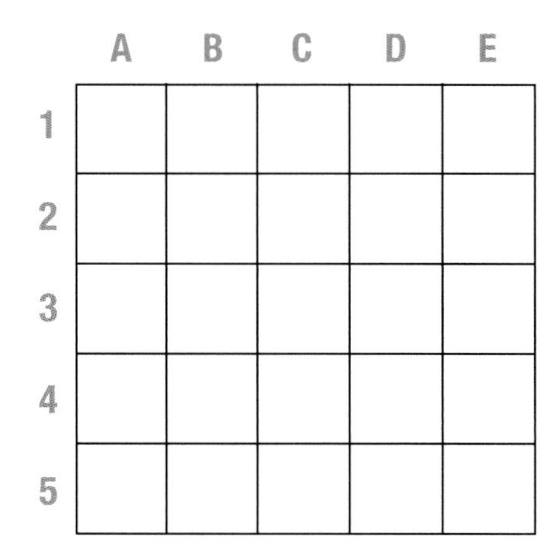

2. L'exercice est identique. Il s'agit de mémoriser des formes en trois minutes, mais cette fois la grille de base est un losange et vous n'avez plus la possibilité de repérer leur emplacement à l'aide de chiffres et de lettres.

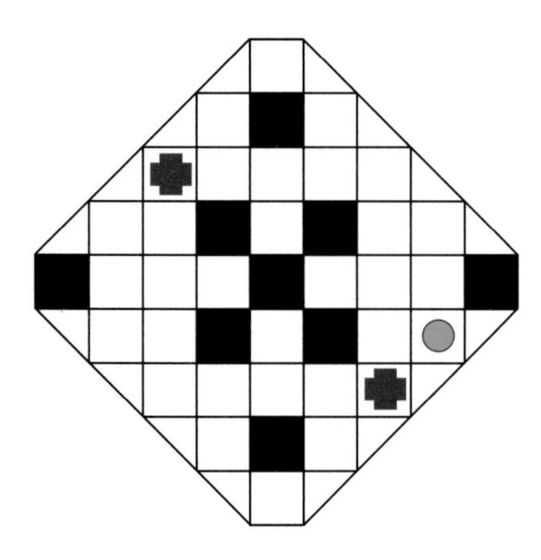

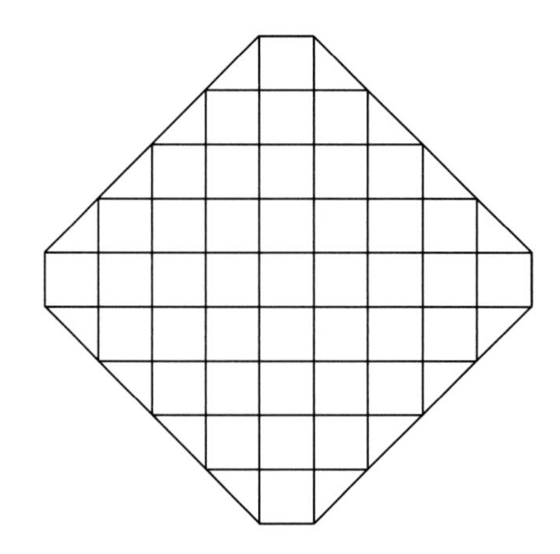

3. L'exercice devient encore plus complexe car la forme générale est ronde. Prenez tout le temps nécessaire.

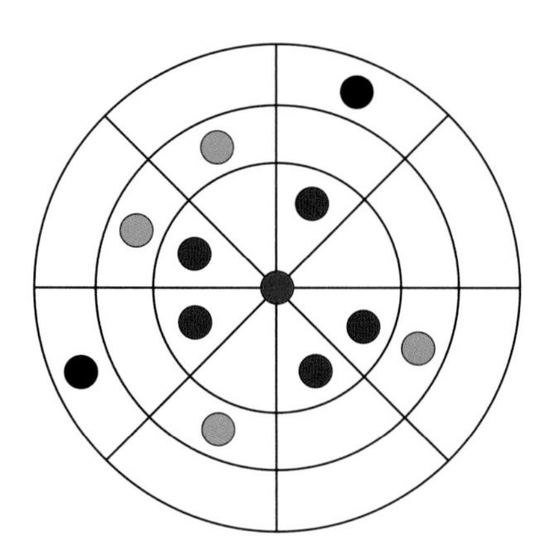

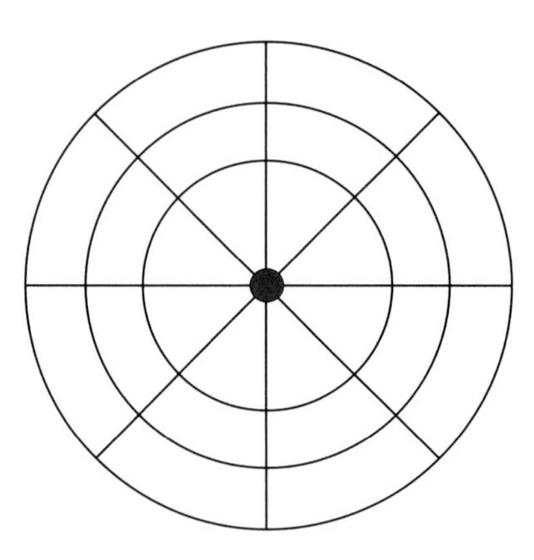

Une bonne attention tout au long de la vie

Inutile de vouloir être attentif si je ne suis pas capable de m'arrêter pour me reposer !

Nous avons tous nos techniques, nos recettes pour maintenir notre attention en éveil, et ce avec plus ou moins d'efficacité. Fatigue, stress ou encore légère déprime nous font cependant douter. Et, la maturité venant, nous pouvons avoir de temps à autre l'impression d'être dépassés par l'ampleur du progrès technologique et de l'évolution du monde. Apparaît alors l'angoisse de ne pouvoir s'adapter assez vite. Nos capacités d'attention semblent défaillantes. Notre mémoire est-elle menacée ?

Une bonne connaissance de soi – rythme, périodes de vigilance, possibilités de concentration, goûts – et de ses limites, ainsi que des étapes de l'attention sont les meilleurs moyens de s'adapter et de maintenir une attention optimale à tout moment de la vie. Il faut imaginer les **trois étapes de l'attention** comme une montagne russe : montée rapide et vive de l'attention, stimulée par la qualité des facteurs cités ci-dessus ; sommet de l'attention, soutenue et de bonne qualité pendant un certain temps ; chute de l'attention liée à la

Enfilez des perles

Observez ces 11 perles. Il vous faut mémoriser à la fois leur aspect et leur emplacement.

Conseil : cet exercice est très difficile si vous ne trouvez pas le moyen de donner un sens à cet enfilage. Chaque perle peut, par exemple, représenter un objet (perle 1 : viseur d'appareil photo ; perle 2 : boule de pétanque ; perle 3 : roue ; perle 4 : grêlon ; perle 5 : œil de chat ; perle 6 : pelote de fil rouge, etc.) servant de support à la construction d'une histoire : le viseur de l'appareil photo a été endommagé par une boule de pétanque ronde comme une roue et froide comme un grêlon. Mais soudain, un chat qui jouait avec une pelote de fil rouge…

fatigue. Suit alors une phase de repos (quelques secondes à plusieurs minutes) avant la reprise de ces étapes.

Avec l'âge, le stress ou la fatigue, l'attention a besoin de **phases de repos plus longues et plus fréquentes** pour rester de qualité. Pour la remobiliser, il faut également se détacher de l'action en cause pour mieux la reprendre ensuite. D'autre part, faire plusieurs choses en même temps devient vraiment difficile, car l'on est plus sensible aux interférences (voir p. 142) et le cerveau est plus vite saturé.

Ma mémoire et…
mon numéro de parking

Les très grands parkings souterrains ou à l'air libre peuvent ressembler à de vrais labyrinthes. Ne laissez jamais votre voiture dans l'urgence, sans avoir pris des repères fixes (couleur du sol, numéro de place, situation face à l'entrée ou à la sortie, panneaux publicitaires…). Regardez bien à quel étage ou dans quelle partie du parking vous avez garé votre voiture (2e sous-sol, niveau – 1, parc ouest…). Et si cette information n'est pas directement accessible, interrogez quelqu'un à proximité. Enfin, si vous avez des craintes, notez le numéro de votre place sur le ticket ou sur un papier.

Règles d'or pour une attention active

Pour retrouver confiance en soi tout en acceptant d'avancer en âge, il est bon de se remémorer quelques principes de bon sens.

- **Rester vigilant.** Garder pour cela un esprit ouvert, disponible, en attente de choses à apprendre. Et lorsqu'il s'agit d'enregistrer de nouvelles informations, s'efforcer de se libérer de tout souci parasite, afin de mieux se concentrer.
- **Conserver de l'intérêt et de la curiosité dans plusieurs domaines.** Il n'y a pas d'âge pour cela. Aucune chose n'est inintéressante en elle-même, chacun décide ou non de s'y intéresser. Abandonner certains centres d'intérêt ne doit pas signifier s'intaller dans l'indifférence. Il faut en trouver d'autres qui maintiennent nos facultés en éveil.
- **Faire des projets et les mettre en œuvre.** Tout projet permet d'avancer, de construire, et donne du sens à la vie même s'il se transforme, évolue ou n'aboutit pas. C'est toujours un moteur d'attention car il est source d'ouverture vers l'extérieur.
- **Maintenir ou créer des situations extérieures stimulantes.** On stimule considérablement son attention en entretenant un réseau de relations sociales. Choisir un ou des centres d'intérêt qui favorisent les rencontres est aussi un bon moyen de créer de nouveaux réseaux tout aussi stimulants.
- **Communiquer et transmettre.** Faire partager à d'autres ce que l'on a retenu ou appris ne va pas sans une préparation mentale. Cette dernière, associée au désir de transmettre, est un grand stimulateur de l'attention et de la mémoire.

Prenez tout le temps nécessaire pour trouver une stratégie puis cachez les perles.

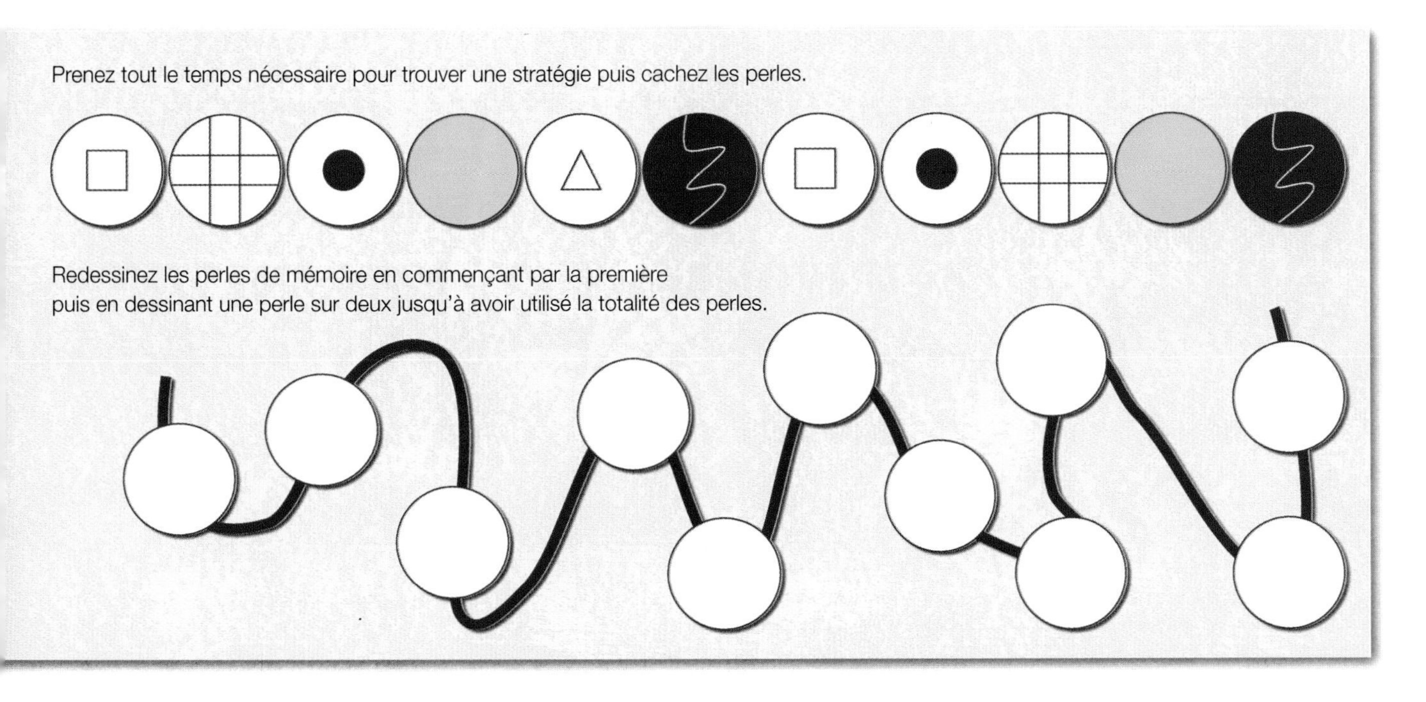

Redessinez les perles de mémoire en commençant par la première puis en dessinant une perle sur deux jusqu'à avoir utilisé la totalité des perles.

Attention et concentration

Effectuer correctement certaines activités exigeant une grande précision manuelle ou une réflexion approfondie nécessite de la concentration. Dès que cette dernière nous fait défaut, nous perdons le fil de ce que nous avions entrepris au point d'être parfois obligés de tout recommencer.
Qu'est-ce que la concentration ? A-t-elle un rapport avec l'attention ? Peut-elle être entretenue ?

Faire attention n'est pas suffisant

Si je suis vraiment concentré, le ciel peut me tomber sur la tête : je ne m'en apercevrai pas !

La concentration est primordiale dès qu'une tâche nous demande un certain effort, qu'il s'agisse d'un travail manuel ou intellectuel. L'attention et la concentration sont intimement liées. Pour définir **la concentration,** nous dirions que **c'est l'état d'attention poussé à son paroxysme.** Il est nécessaire de faire attention pour être concentré. Sans attention préalable, il n'y a pas de concentration. En revanche, nous pouvons faire attention à une information sans pour autant être exclusivement concentré dessus. Ainsi, on peut écouter attentivement une conversation sans pour autant être hermétique à ce qui se passe autour de soi.

L'étudiant qui apprend ses cours a besoin de faire attention à ce qu'il lit, mais il a aussi besoin d'être concentré pour retenir ses cours de manière profonde et durable. Quant au sportif de haut niveau, il peut se concentrer sur son action au point de se trouver dans un état second qui lui permet de faire abstraction de tout ce qui se passe autour de lui au niveau sonore, visuel et tactile.

Le temps de concentration est, tout comme l'attention, **variable selon chacun.** Il est fonction des capacités biologiques, du moment de la journée, de la santé mentale et physique, des événements de la vie et, surtout, de l'intérêt porté à la tâche effectuée. À cela il faut ajouter la force des habitudes. Certains auront pris l'habitude de se concentrer longtemps dans des endroits bruyants, d'autres, uniquement dans le calme. Mais l'on peut changer ses habitudes et apprendre à se concentrer en toute circonstance.

Malgré ces variations, **chacun peut accroître ses capacités de concentration** en consacrant un peu plus de temps à chaque tâche. Cet entraînement un peu particulier est d'autant plus gratifiant que l'activité est attrayante, car n'oublions pas que, sans intérêt ni motivation, l'échec n'est jamais loin. Lorsque la tâche rebute, il est essentiel de trouver une motivation positive, ou encore de se promettre une récompense – un carré de chocolat pour les gourmands au régime, par exemple !

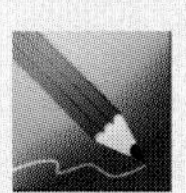

Lecture et couleur
Faites ces 3 exercices de gauche à droite.
Concentrez-vous bien et essayez de jouer le plus rapidement possible.

Dites à haute voix de quelle couleur sont les pastilles.

Lisez à haute voix les mots suivants.

Bleu Rouge Vert Rouge
Vert Bleu Rouge Bleu
Rouge Vert Bleu Vert
Rouge Rouge Bleu

Dites à haute voix de quelle couleur sont les mots suivants.

Rouge Vert Bleu Vert
Vert Bleu Rouge Bleu
Vert Rouge Bleu Rouge
Vert Bleu Bleu

Vous avez dû trouver le dernier exercice particulièrement difficile. C'est qu'il rassemble deux informations antagonistes : la lecture de mots et la reconnaissance d'une couleur. La première est traitée par l'hémisphère gauche du cerveau, alors que la seconde est traitée par l'hémisphère droit. La lecture des mots est automatique, les publicitaires l'ont bien compris. Ainsi, vous allez d'abord lire le mot (**rouge**, par exemple) avant de percevoir et de verbaliser la couleur de l'encre (verte). Et vous êtes obligé de faire un terrible effort de concentration et d'attention pour inhiber la première information « lecture » qui s'impose à vous. Si votre concentration est bonne, vous avancerez de plus en plus vite dans l'exercice.

À la pêche aux petits mots

Dans le texte suivant d'Émile Zola, extrait de *Germinal*, entourez toutes les **virgules,** barrez les pronoms **le** ou **l'** et soulignez les **conjonctions de coordination** (mais, ou, et, donc, or, ni, car).

(,) ~~le~~ mais

Dans la plaine rase, sous la nuit sans étoiles, d'une obscurité et d'une épaisseur d'encre, un homme suivait seul la grande route de Marchiennes à Montsou, dix kilomètres de pavé coupant tout droit, à travers les champs de betteraves. Devant lui, il ne voyait même pas le sol noir, et il n'avait la sensation de l'immense horizon plat que par les souffles du vent de mars, des rafales larges comme sur une mer, glacées d'avoir balayé des lieues de marais et de terres nues. Aucune ombre d'arbre ne tachait le ciel, le pavé se déroulait avec la rectitude d'une jetée, au milieu de l'embrun aveuglant des ténèbres. L'homme était parti de Marchiennes vers deux heures. Il marchait d'un pas allongé, grelottant sous le coton aminci de sa veste et de son pantalon de velours. Un petit paquet, noué dans un mouchoir à carreaux, le gênait beaucoup ; et il le serrait contre ses flancs, tantôt d'un coude, tantôt de l'autre, pour glisser au fond de ses poches les deux mains à la fois, des mains gourdes que les lanières du vent d'est faisaient saigner. Une seule idée occupait sa tête vide d'ouvrier sans travail et sans gîte, l'espoir que le froid serait moins vif après le lever du jour. Depuis une heure, il avançait ainsi, lorsque sur la gauche à deux kilomètres de Montsou, il aperçut des feux rouges, trois brasiers brûlant au plein air, et comme suspendus. D'abord, il hésita, pris de crainte ; puis, il ne put résister au besoin douloureux de se chauffer un instant les mains. Un chemin creux s'enfonçait. Tout disparut. L'homme avait à droite une palissade, quelque mur de grosses planches fermant une voie ferrée ; tandis qu'un talus d'herbe s'élevait à gauche, surmonté de pignons confus, d'une vision de village aux toitures basses et uniformes.
Il fit environ deux cents pas. Brusquement, à un coude du chemin, les feux reparurent près de lui, sans qu'il comprît davantage comment ils brûlaient si haut dans le ciel mort, pareils à des lunes fumeuses. Mais, au ras du sol, un autre spectacle venait de l'arrêter. C'était une masse lourde, un tas écrasé de constructions, d'où se dressait la silhouette d'une cheminée d'usine ; de rares lueurs sortaient des fenêtres encrassées, cinq ou six lanternes tristes étaient pendues dehors, à des charpentes dont les bois noircis alignaient vaguement des profils de tréteaux gigantesques ; et, de cette apparition fantastique, noyée de nuit et de fumée, une seule voix montait, la respiration grosse et longue d'un échappement de vapeur, qu'on ne voyait point.

Solution p. 334

Comme pour l'exercice des formes ci-dessous, il est plus facile de procéder par étapes : entourer les virgules, puis barrer les pronoms et enfin souligner les conjonctions de coordination. Lorsque l'on effectue ces trois tâches simultanément, ligne par ligne, il se produit une rupture d'automatisme induisant une baisse de la concentration.

Attention aux formes

Cet exercice, qui exige un effort de précision, permet de faire travailler à la fois l'attention et la concentration.

1. Examinez tous les signes ci-contre.

2. Puis, le plus vite possible :

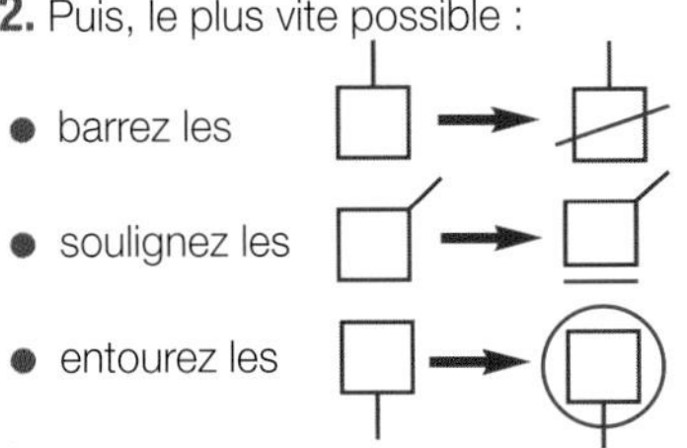

3. Déterminez le nombre de chacune de ces figures. Vous pouvez procéder par trois vagues successives.

Solution p. 334

Ma mémoire et...
les mots croisés

Les mots croisés sont un bon moyen de se divertir en solitaire et de faire travailler son dictionnaire personnel. Cet entraînement favorise la fluidité mentale, et les mots viennent de plus en plus spontanément à l'esprit. L'important n'est donc pas de terminer rapidement une grille. Alors, faites des mots croisés adaptés à votre niveau et, au lieu de rester bloqué sur un mot que vous êtes sûr de connaître, poursuivez et faites des pauses régulières de quelques secondes pour permettre à votre attention de recharger ses batteries.

Une cuisine au microscope

1. Observez ce dessin trente secondes, puis cachez-le.

2. Répondez maintenant aux questions suivantes.

1. Quel est le nombre de bouteilles rangées au-dessus du réfrigérateur ?

2. Quel plat est en cours de cuisson dans le four ?

3. Quelle heure indique la pendule ?

4. Combien de magnets décorent le réfrigérateur ?

5. Peut-on faire du café dans cette cuisine ? Avec quels ustensiles ?

6. Combien la pièce comporte-t-elle de fenêtres ?

7. Quel objet figure sur la table à côté des fruits ?

8. De quelle couleur est la manique ?

9. Une casserole repose sur la gazinière : de quelle couleur est-elle ?

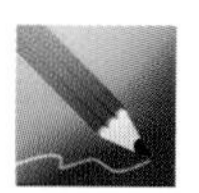

L'appel du vide

Trouvez l'unique chemin reliant les deux flèches sachant que vous ne pouvez emprunter successivement deux carrefours de la même couleur.

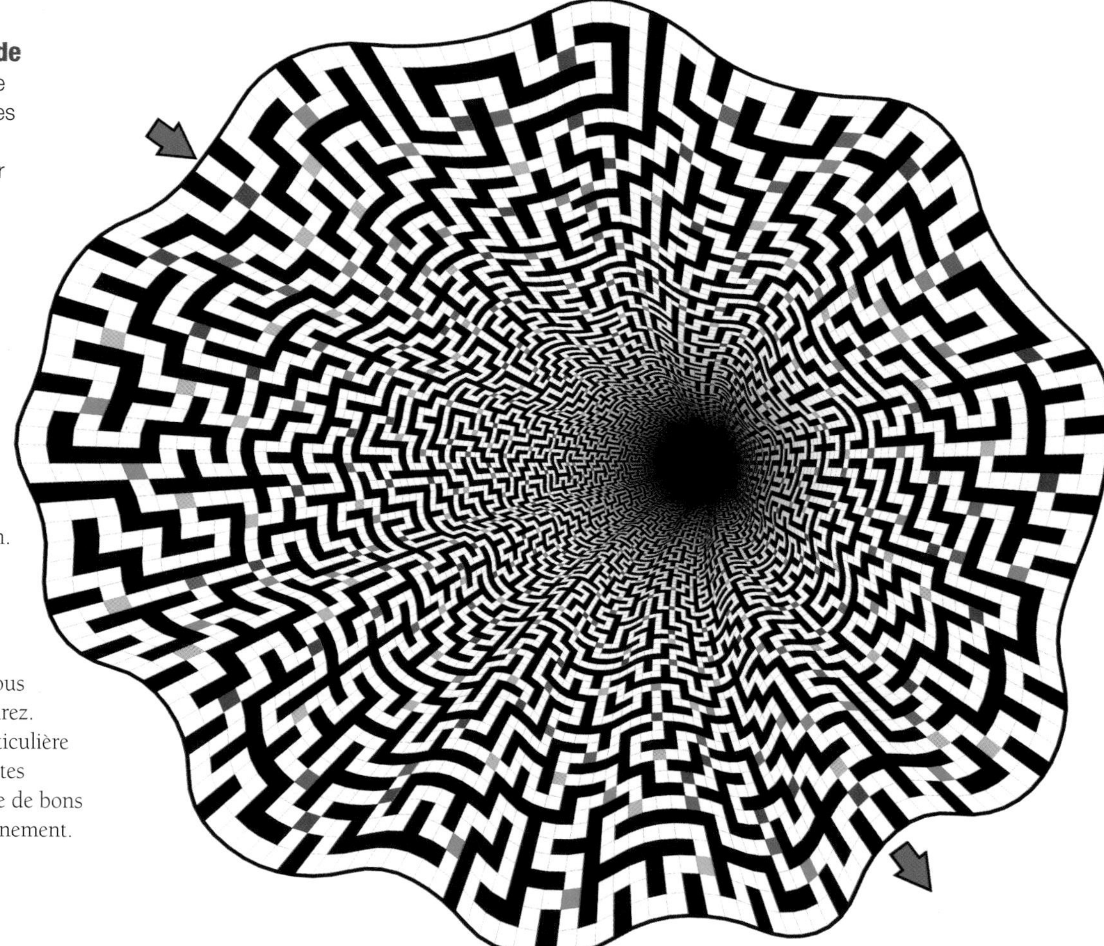

Le labyrinthe est aussi un classique des jeux d'attention visuelle et de concentration. Il est en effet difficile d'arrêter sa réalisation en cours de route. Vous ne mémoriserez pas un labyrinthe, mais plus vous en ferez, mieux vous réussirez. C'est une gymnastique particulière de l'esprit, qui, comme toutes les gymnastiques, ne donne de bons résultats qu'à force d'entraînement.

Solution p. 334

L'intrus

1. Observez ces photos pendant trente secondes, puis cachez-les.

2. Parmi ces 9 fruits, quel est l'intrus ? *Solution p. 334*

Ma mémoire et...
les jeux vidéo

Longtemps décriés par nombre de pédagogues et de parents, les jeux vidéo sont aujourd'hui considérés comme un moyen efficace pour développer et entretenir la concentration visuelle des enfants. Les militaires les utilisent aussi à cet effet. Et de plus en plus d'adultes s'adonnent à ce passe-temps ! Mais n'en abusez pas : les jeux vidéo permettent de s'isoler pour oublier le stress d'une journée, mais ils peuvent aussi devenir une drogue. Certains joueurs sont comme hypnotisés et leur vie se focalise sur le jeu. Ils en oublient leurs besoins fondamentaux – dormir, se nourrir... –, deviennent irritables et perdent leur capacité de contact avec autrui.

Dîner entre amis

Trois couples se réunissent pour organiser une soirée entre amis. Les invités vont être très nombreux, c'est pourquoi ils ont décidé de se partager les plats à concocter pour le dîner. C'est à vous de déterminer qui va faire quoi.
Dans chaque rangée horizontale, le chiffre de gauche indique le nombre de plats qui seront réalisés par l'un des cuisiniers, et le chiffre de droite indique le nombre de ces plats qui se trouvent sous le nom de la bonne personne.

Évitez de faire ce logigramme si vous êtes fatigué, car il exige une concentration soutenue. Choisissez un moment où vous vous sentez l'esprit clair et détendu. Et, surtout, prenez le temps de comprendre, d'analyser et d'organiser vos idées. N'hésitez pas à les noter sur une feuille de papier.

Solution p. 334

	Vincent	Laura	Paul	Sophie	Matthieu	Charlotte	
2	gâteau au chocolat	rôti de bœuf	salade	tarte aux pommes	soufflé	gratin de courgettes	0
2	navarin d'agneau	ratatouille	rôti de bœuf	asperges	tarte aux pommes	chèvres chauds	0
1	tarte aux pommes	toasts apéritifs	soufflé	friands	gratin de courgettes	rôti de bœuf	1
2	gratin de courgettes	couscous	soufflé	rôti de bœuf	gâteau au chocolat	tarte aux pommes	2
0	cake	soupe	purée	friands	gratin de pâtes	ratatouille	0
2	asperges	tarte aux pommes	salade	couscous	gratin de courgettes	mignardises	2
1	soupe	cake	gratin de pâtes	chèvres chauds	purée	ratatouille	1
3	couscous	navarin d'agneau	mignardises	asperges	poulet	purée	0

Chasse-lettre

Changez une lettre de chacun de ces mots pour qu'ils appartiennent tous au même domaine (un thème par série).

série 1	série 2
CAPE	BASSET ....
DURE	BOUÉES ....
FIACRE	KARITÉ ....
KOINE	SURE ....
SICAIRE	VOIRE ....

Solution p. 334

Image zoomée

Identifiez l'objet, l'animal ou le personnage que notre dessinateur s'est amusé à transformer.

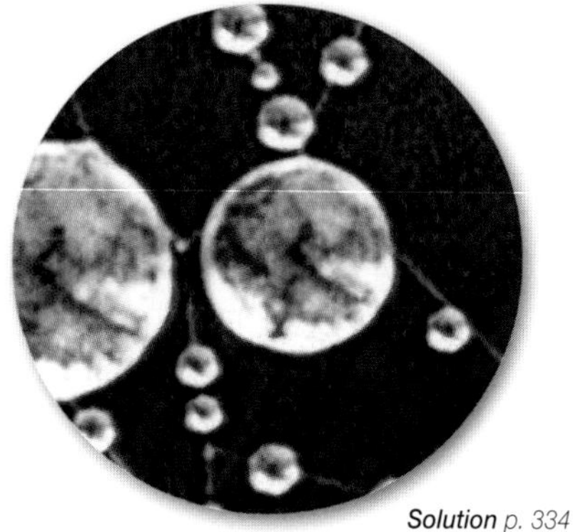

Solution p. 334

La chenille

Passez d'un mot au suivant en remplaçant la lettre indiquée et en modifiant l'ordre des lettres (pas de conjugaisons).

T R I N I T É

- T + M ....

- I + E ....

- N + B ....

- I + E ....

- B + O ....

- E + I ....

- O + A ....

- I + Y ....

- A + S M Y S T È R E

Solution p. 334

Problème de famille

1. Lisez attentivement cette petite histoire de famille.

Luc et Jeanne ont eu six enfants : Marie, Antoinette, Alexandre, Paul, Caroline et Benoît.
Marie a épousé Hugues, dont elle a eu trois enfants : Christelle, Michel et André. Christelle a eu à son tour deux enfants, Michel, un et André, quatre.
Antoinette ne s'est pas mariée, mais elle a eu deux filles, qui ont donné naissance à cinq petits garçons.
Alexandre a eu des jumeaux avec Laurine, dont un est papa d'une Charline, comme Paul.
Caroline, trois fois maman, est aussi trois fois grand-mère. Elle sera arrière-grand-mère dans quelques mois.
Quant à Benoît, il vient d'être arrière-grand-père pour la septième fois. Un bonheur pour lui, qui n'est père et grand-père que deux fois.
Au grand regret de certains, les arrière-petits-enfants de Luc et Jeanne n'ont pour le moment engendré que deux fois plus d'enfants que tous leurs parents réunis.

2. Relisez-la pour bien comprendre et mémoriser les liens de filiation. N'hésitez pas à faire un arbre généalogique pour les visualiser clairement.

3. Établissez maintenant le nombre d'enfants par génération :
- celle des enfants de Luc et Jeanne ;
- celle de leurs petits-enfants ;
- celle de leurs arrière-petits-enfants ;
- enfin, celle de leurs arrière-arrière-petits-enfants.

Solution p. 334

Pas de véritable concentration sans détente

Voici un exercice de visualisation dont l'objectif est de retrouver son calme en se concentrant sur la flamme d'une bougie. La création de l'image mentale de la flamme permet de ralentir le flot des pensées parasites et de retrouver le bien-être et la conscience de son corps.
Imprégnez-vous du texte ci-dessous afin d'être en mesure d'enchaîner les étapes sans devoir ouvrir les yeux : vous perdriez sans cela tous les bénéfices d'une vraie détente.

Préparez-vous

1. Installez-vous dans un endroit calme, où vous vous sentez bien.

2. Placez une bougie allumée à environ 1 m de distance de l'endroit où vous êtes. Asseyez-vous en tailleur à même le sol – glissez au besoin un petit coussin sous vos fesses – ou sur une chaise, dans une posture agréable, le dos bien appuyé au dossier et les jambes écartées et détendues.
Si la position assise n'est pas d'emblée confortable et si le lieu s'y prête, allongez-vous d'abord sur le sol pendant cinq minutes. Fermez les yeux et passez en revue mentalement toutes les parties de votre corps afin de les relâcher peu à peu en adoptant une respiration ample et calme.

Détendez-vous

3. Restez quelques instants les yeux ouverts en ayant conscience de la position de votre corps, de sa stabilité. Prenez conscience du rythme de votre respiration, qui devient plus calme et plus régulière.

4. Fixez maintenant la flamme de la bougie. Si votre esprit tente de s'échapper vers d'autres pensées, ramenez-le doucement vers la flamme. Laissez votre visage se détendre.

5. Fermez lentement les yeux.

6. Inspirez profondément et portez votre attention sur votre respiration, en laissant votre ventre se gonfler et monter à l'inspiration, puis redescendre à l'expiration. Cette respiration abdominale favorise la détente.
Prenez le temps d'inspirer et d'expirer longuement et laissez-vous porter par ce rythme régulier comme si vous étiez bercé par une vague. Répétez-vous mentalement « Je suis calme, je me détends », jusqu'au moment où vous vous sentirez complètement apaisé.
Si vous sentez encore des tensions dans vos muscles, aidez-vous de cette respiration pour les relâcher. Sentez le calme s'installer en vous.

Concentrez-vous

7. Faites apparaître mentalement l'image de la flamme. Restez centré sur ses mouvements incessants. Tout votre esprit est occupé par elle, vous êtes comme hypnotisé par sa danse, par ses couleurs. Lorsqu'une pensée vous investit à nouveau, accueillez-la puis laissez-la se consumer au contact de la flamme.

8. Laissez la flamme venir plus près, vers votre visage, observez-la à nouveau et sentez sa chaleur se diffuser en vous. Restez en contact avec les sensations, dans un silence intérieur apaisant.

Relâchez-vous

Dès que vous sentez une lassitude, ou si à nouveau les pensées affluent à votre esprit, laissez l'image mentale de cette flamme s'évaporer. Commencez à bouger doucement vos muscles et vos membres un par un. Étirez-vous doucement, bâillez si nécessaire. Enfin, ouvrez les yeux.

Ayez recours à cet exercice dès que le besoin de vous relaxer se fait sentir et que vous pouvez vous isoler dans un lieu calme. Si vous n'avez pas l'habitude de ce type de pratique, prévoyez quinze minutes. Avec un peu d'expérience, la sensation de détente se fera plus profonde et vous accorderez plus de temps à cet exercice. **L'apaisement qui en résultera vous assurera une meilleure concentration.**

Aux sources de la mémoire, l'imagination

L'imagination est présente dans tout acte de mémorisation, car elle est à l'origine de nos images mentales. Elle est d'autant plus créative qu'elle utilise efficacement les stocks organisés en mémoire et qu'elle s'appuie sur une bonne maîtrise du réel. Mais elle se nourrit aussi de nos désirs et de nos insatisfactions… Attention aux dérives de l'imaginaire, qui engendrent erreurs et déceptions !

L'imagination se nourrit de la mémoire

Lorsque j'imagine, je puise dans ma mémoire.

Voici comment Voltaire définissait l'imagination : « C'est le pouvoir que chaque être sensible sent en soi de se représenter dans son cerveau les choses sensibles. Cette faculté est dépendante de la mémoire. On voit des hommes, des animaux, des jardins : ces perceptions entrent par les sens ; la mémoire les retient ; l'imagination les compose. »

La psychologie moderne ne dit pas autre chose. L'imagination contribue à former les images mentales dont se nourrit la mémoire. Elle est dite **reproductrice**, parce qu'elle s'appuie sur des perceptions préalables, stockées dans la mémoire sensorielle, mais aussi **créatrice**, parce qu'elle recombine des données anciennes pour en engendrer de nouvelles ou encore déforme les images fournies par la perception afin de trouver des articulations inédites. En somme, elle travaille sur du **matériel présent en mémoire** mais est capable de **créer des formes nouvelles** : lorsque j'imagine un animal inconnu, je combine certains caractères appartenant à différents animaux qui me sont familiers.

La vraie imagination créatrice nécessite donc d'abord une perception exacte des données, une bonne mémoire de stockage, la faculté d'évoquer aisément et complètement tout ce qui est possédé, c'est-à-dire une bonne mémoire active, et enfin une puissance productrice capable de combiner de façon réellement novatrice. Et ce pouvoir productif est encore le fruit d'une **bonne organisation du savoir en mémoire** : en science, une hypothèse ne peut déboucher sur une découverte que si elle s'appuie sur une analyse précise des phénomènes observés et une maîtrise du savoir existant ; en politique, seule une bonne connaissance du présent permet d'avoir une vision anticipatrice et de mettre en œuvre une action. Cette **projection hors du strict présent** est donc à l'origine des interventions les plus pertinentes dans de nombreux domaines d'activité. Un chef-d'œuvre d'imagination n'est pas seulement la réunion de matériaux divers, mais leur **combinaison pour créer « du vrai »**.

Faites travailler votre mémoire sensorielle

- **Le toucher :** retrouvez les sensations provoquées par une texture que vous appréciez, comme si vous la touchiez ; faites de même avec une texture détestée. Notez vos impressions.
- **L'ouïe :** imaginez ou réécoutez intérieurement des paroles prononcées par quelqu'un d'autre. Notez ce que vous ressentez.
- **La vue :** choisissez un conte qui vous a marqué et visualisez-en certaines scènes.
- **L'odorat :** choisissez un parfum ou une odeur qui vous plaît et retrouvez les sensations que provoque en vous cette fragrance comme si elle emplissait vos narines.
- **Le goût :** pensez à des plats que vous n'avez jamais goûtés et essayez d'imaginer quel goût ils peuvent avoir. Le mieux est de pouvoir les tester par la suite !

On trouve toujours un travail des sens à l'origine de l'imagination. La qualité de la perception est une garantie de mémorisation et favorise la puissance d'évocation.

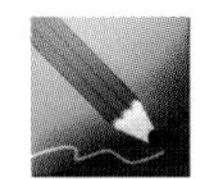

Jouez au créateur
Imaginez mentalement chacun de ces objets – forme, couleurs… Devenez potier, ébéniste, styliste, fleuriste ou encore graphiste. N'hésitez pas à combiner les variantes pour aboutir à des images différentes. Dessinez-les si cela vous tente.

Une théière

Une chaise

Une robe

Un bouquet de fleurs

Une couverture de livre

Une machine volante

Si un créateur devait véritablement réaliser ces objets, ce n'est pas seulement en juxtaposant les différents éléments dont il dispose en mémoire qu'il serait créatif. En prenant par exemple la forme du dossier d'une chaise, l'allure des pieds d'une autre et la taille du siège d'une troisième, il n'obtiendrait pas forcément une chaise sur laquelle on pourrait s'asseoir ! C'est en les combinant tout en se servant de son savoir-faire et de son expérience qu'il pourrait vraiment créer une nouvelle chaise et ferait ainsi œuvre d'imagination.

Les dérives de l'imaginaire

Ce que j'imagine n'est pas toujours à la hauteur de mes attentes.

Le dynamisme imaginatif n'est pas le monopole des grands créateurs, artistes ou inventeurs. L'enfant qui affabule, l'adolescent qui fait des rêves d'avenir, le lecteur qui visualise les héros et les décors d'un roman… Tous utilisent leur imagination.
La lecture, qui laisse libre cours au vagabondage de l'esprit et à la richesse des images mentales – personnages, paysages, atmosphères –, l'écriture, l'intérêt et la curiosité pour ce qui nous entoure favorisent sans cesse les productions de l'imaginaire. Mais ces dernières se nourrissent aussi de **nos désirs,** de **nos fantasmes et** de **nos insatisfactions.** Imaginer implique toujours une perception du caractère inachevé du réel ainsi que la possibilité d'en élaborer de nouvelles versions, éventuellement plus satisfaisantes parce que répondant mieux au désir. Ce mécanisme explique que la réalité soit souvent décevante par rapport à nos attentes, qu'il s'agisse de l'adaptation d'un ouvrage à l'écran, d'une rencontre avec quelqu'un après des échanges épistolaires ou de toute autre situation qui se concrétise après avoir été imaginée.

Ce rôle compensatoire, qui peut fort bien inciter à l'action, a aussi ses dérives – une **évasion hors de la réalité** et une certaine **complaisance pour les chimères.** Notre imagination peut nous jouer des tours, fausser notre perception et nous faire prendre nos projections pour des vérités. **L'imagination débridée est alors source d'illusions et de déceptions.** Elle peut finir par travestir le réel ou par l'abroger, comme on le voit chez les rêveurs éveillés, dans les délires ou encore en cas de mythomanie.

Ma mémoire et… les contes

Les contes sont essentiels pour nourrir l'imaginaire. Les enfants en sont friands et se révèlent également très habiles pour se projeter dans leurs propres fables. Les adultes ont sans doute moins tendance à se raconter des histoires, car il leur est nécessaire d'être plus ancrés dans le réel. En revanche, inventer des contes pour les plus jeunes – construire une intrigue, la nourrir d'anecdotes et faire vivre des personnages – est un bon moyen de solliciter sa mémoire et son imagination.

Le dessin imaginaire

Ce dessin semble incompréhensible à première vue. Qu'y voyez-vous ? Élaborez une explication en une dizaine de lignes.

Devant des images dont le sens n'est pas immédiatement explicite, nous puisons des réponses dans notre imagination. Ce que nous voyons alors – ou croyons voir – est révélateur de notre manière habituelle de sentir, de penser et d'agir, mais aussi de ce que nous avons senti et vécu autrefois, voire de notre inconscient. **Notre façon d'imaginer traduit ce que nous sommes.** Les psychologues utilisent ainsi des supports imagés – tableaux, photos et documents divers –, dans lesquels le sujet peut projeter ce qu'il croit être et la façon dont les autres se comportent ou devraient se comporter envers lui. Ces tests projectifs visent à connaître la personnalité d'un individu, son équilibre, sa façon d'appréhender le monde et éclairent parfois l'origine de ses comportements. Le test des taches d'encre de Rorschach est le test projectif le plus célèbre.

La tour de l'île

Imaginez une quinzaine de phrases à partir de ce dessin. Faites cet exercice seul ou à plusieurs.

Pourquoi élaborons-nous tous une histoire différente ? Parce que nous avons chacun notre perception de la réalité, nos désirs, nos peurs, nos ressentis, nos humeurs changeantes…
Le thème lui-même ne sera pas forcément source d'inspiration : il faut pouvoir s'identifier à ce que l'on imagine et se projeter dans l'histoire pour que notre mémoire puisse élaborer de riches associations mentales.

Félicie en chair et en os

Lisez attentivement les paroles de cette chanson rendue célèbre par Fernandel tout en visualisant mentalement l'histoire racontée. Imaginez le personnage de Félicie, son aspect, sa façon d'être… Faites-la revivre en imagination. Campez ensuite son portrait en quelques lignes et, si cela vous séduit, dessinez-la.

C'est dans un coin du bois d'Boulogne
Que j'ai rencontré Félicie
Elle arrivait de la Bourgogne
Et moi j'arrivais en taxi
Je trouvai vite une occasion
D'engager la conversation

Il faisait un temps superbe
Je me suis assis sur l'herbe
Félicie aussi
J'pensais les arbres bourgeonnent
Et les gueules-de-loup boutonnent
Félicie aussi
Près de nous sifflait un merle
La rosée faisait des perles
Félicie aussi
Un clocher sonnait tout proche
Il avait une drôle de cloche
Félicie aussi

Afin d'séduire la petite chatte
Je l'emmenai dîner chez Chartier
Comme elle est fine et délicate
Elle prit un pied d'cochon grillé
Et pendant qu'elle mangeait le sien
J'lui fis du pied avec le mien

J'pris un homard sauce tomate
Il avait du poil aux pattes
Félicie aussi
Puis une sorte de plat aux nouilles
On aurait dit une andouille
Félicie aussi
Je m'offris une gibelotte
Elle embaumait l'échalote
Félicie aussi
Puis une poire et des gaufrettes
Seulement la poire était blette
Félicie aussi

L'aramon lui tournant la tête
Elle murmura « Quand tu voudras »
Alors j'emmenai ma conquête
Dans un hôtel tout près de là
C'était l'hôtel d'Abyssinie
Et du Calvados réunis

J'trouvai la chambre ordinaire
Elle était pleine de poussière
Félicie aussi
Je m'lavai les mains bien vite
L'lavabo avait une fuite
Félicie aussi
Sous l'armoire y avait une cale
Car elle était toute bancale
Félicie aussi
Y avait un fauteuil en plus
Mais il était rempli d'puces
Félicie aussi
Et des draps de toile molle
Me chatouillaient les guiboles
Félicie aussi

Dans les cas où l'on ne peut se fier à un support visuel mémorisé (c'est-à-dire un élément que l'on a déjà vu), l'imagination comble ce déficit pour créer une image mentale. Il en est ainsi lorsque vous entendez régulièrement parler de quelqu'un sans jamais le voir. L'apparence que vous imaginez peut être fort loin de la réalité. En l'absence de perception exacte ou de connaissance des données, l'imagination est alors souvent source d'erreurs et de préjugés.

Il faut toujours exercer son imagination

Imaginer peut m'aider à trouver une solution à mes problèmes.

On sait que les enfants ont beaucoup d'imagination. Il suffit de considérer les excuses qu'ils peuvent inventer parfois pour se sortir du pétrin ! Cette faculté leur sert également à créer des mondes imaginaires, où ils intègrent et transforment des éléments du réel dans un harmonieux mélange, au point parfois de ne plus vraiment pouvoir discerner le vrai du faux.

D'une manière générale, le monde adulte relègue l'imagination au monde de l'enfance. D'autant que la tradition rationaliste occidentale est méfiante et volontiers critique à l'égard des productions de l'imagination – cette « maîtresse d'erreurs et de fausseté », selon Pascal –, qui, en nous détournant du monde tel qu'il est, nous condamnerait à l'inefficacité.

Il est important de réhabiliter l'imagination parce qu'elle propose des combinaisons nouvelles des éléments du réel et permet ainsi de se projeter vers l'avenir. L'imagination peut nous éloigner momentanément du monde, mais elle nous permet aussi de mieux y revenir. Tout adulte a intérêt à **entretenir l'inventivité de son enfance** par des jeux créatifs, car c'est ainsi qu'il **développe sa capacité à trouver des réponses originales** à des problèmes nouveaux. C'est par la créativité que la société évolue, se développe et progresse.

Les Impro-aînés, un groupe de retraités de la région de Montréal, ont trouvé un excellent moyen pour préserver et développer leur imagination : différents ateliers – sur l'imaginaire, la rapidité d'esprit, la gestuelle – leur permettent de mettre en valeur leurs talents d'improvisateurs. Il existe déjà plusieurs équipes de six joueurs chacune qui sont regroupées dans le RIA (Rassemblement des improvisateurs aînés).

Bruitages...

Tous les objets ou animaux cités ci-dessous produisent des sons. Recherchez-les dans votre banque sonore personnelle, puis recréez-les par un bruitage. Dans une chanson devenue célèbre, *Boum,* Charles Trenet ne fit pas autre chose :

La pendule fait tic tac tic tic
Les oiseaux du lac pic pac pic pic
Glou glou glou font tous les dindons
Et la jolie cloche ding, ding, dong....

Un poussin – Une poêle avec de l'huile chaude

Une enveloppe kraft que l'on ouvre

Un cheval au galop – Une pie

Une canne sur un parquet – Un chaton

Un coussin péteur – Un diamant sur du verre

Du papier qui se déchire – Un hochet

Une roue de fête foraine – Une branche qui craque

Une alarme d'incendie – Un verre qui se casse sur le sol

Une porte qui claque – Des pas dans la neige

Une brosse à dent électrique – Une tondeuse à gazon

Si ce type de jeu est familier aux enfants, c'est que leur inventivité ne s'embarrasse pas des conventions et qu'ils ne craignent pas encore le jugement d'autrui. Retrouver cette spontanéité est un bon moyen de lever les barrières qui inhibent la créativité.

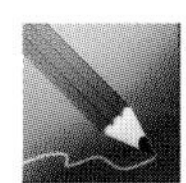

Mon hymne à l'amour

Imaginez la déclaration d'amour que pourrait faire un jeune homme à la belle qu'il demanderait en mariage. Vous devez employer les mots suivants.

cœur passion famille bijou toujours RÊVE bonheur folie princesse épouse jamais PERLE

Le sentiment amoureux est réputé être un puissant vecteur d'imagination poétique. Il faut dire que l'enjeu est de taille : séduire l'autre en le surprenant, trouver les meilleurs moyens de prouver son amour. Pour ceux qui savent manier la plume, les mots sont une source infinie d'associations symboliques, métaphoriques, voire fantasmatiques…

Ma mémoire et…
les noms des animaux

Mais où les propriétaires de chiens et de chats vont-ils donc chercher les noms dont ils affublent leurs animaux ? Voilà un bon exemple des liens que l'imagination entretient avec la mémoire. Si de nombreux animaux familiers portent le nom d'illustres prédécesseurs (Lassie, Leica, Rintintin, Belle…), bien d'autres choix ne se comprennent que lorsque l'on interroge le maître, qui a ainsi réincarné des souvenirs personnels, voire exprimé ses désirs inconscients…

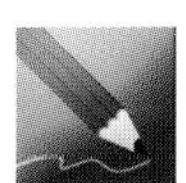

Dialogue imaginaire

En dix minutes, complétez les phrases ci-dessous afin de donner un sens au dialogue suivant.

J : C'est bien grâce à son ....

M : Il n'est pas impossible que ....

J : C'est comme tu voudras, mais je ....

M : Pense à ton ...., **sinon** ....

J : Avec cette .... **tu verras, c'est beaucoup mieux.**

M : Si tu crois que .... **je veux bien essayer.**

J : Ils sont allés ...., **ils ont** .... **puis** ....

M : Surtout, n'ajoute rien d'autre ....

J : Je préfère............. **à** .... **de toutes les couleurs.**

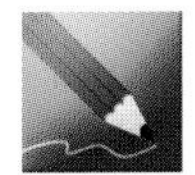

Phrases sur commande

Prenez dix minutes à chaque fois pour imaginer :

- une phrase incluant **3 mots commençant par ex- ;**
- une phrase incluant **2 négations ;**
- une phrase incluant **3 mots commençant par imp-.**

Beaucoup d'entre nous connaissent le syndrome de la page blanche. Les idées semblent banales ou absentes, le vocabulaire paraît pauvre et ne parvient pas à exprimer la subtilité de la pensée.
Plus vous écrirez en faisant appel à votre imagination, plus celle-ci sera entraînée et fonctionnera à la demande. Votre écriture s'en ressentira : vous gagnerez en fluidité de pensée et en aisance verbale.

Le musée. Observez attentivement cette scène et retrouvez les personnages, animaux et objets présentés ci-contre.

Livret jeux 1

PROVERBES MÊLÉS — RECONNAISSANCE/CULTURE

Les mots composant trois proverbes ont été mélangés.
À vous de démêler l'écheveau pour reconstituer les proverbes d'origine.

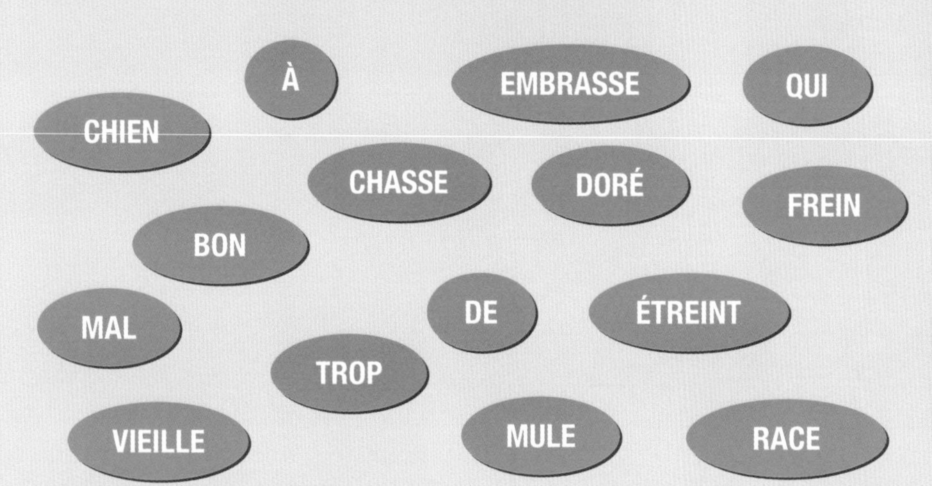

1. ....
....
....

2. ....
....
....

3. ....
....
....

SANS FAUTE — ATTENTION

Observez ces enveloppes pendant 30 secondes, puis cachez-les.

Amélie Durand

Valéry Lallemand

Écrivez de mémoire et dans l'ordre le nom du destinataire sur chacune des enveloppes.

CASE-CHIFFRES — LOGIQUE

Chaque brique du case-chiffres représente la somme des deux briques situées juste en dessous d'elle. Reconstituez la totalité de la pyramide en respectant les chiffres déjà placés.

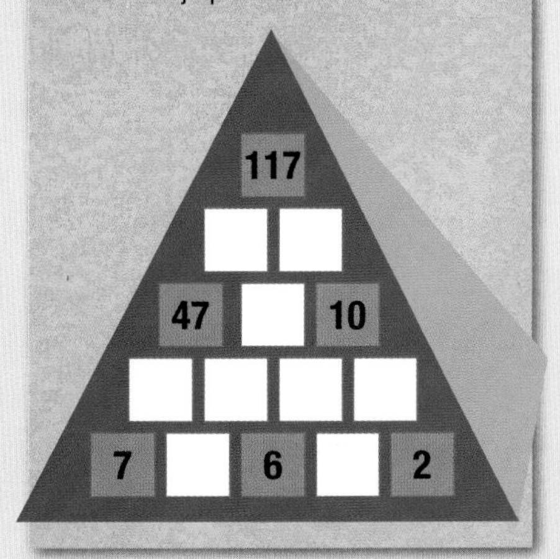

PROBLÈME — LOGIQUE

Il y a cinq ans, mon frère avait exactement le double de mon âge d'alors. Et, dans huit ans, nous aurons déjà 50 ans à nous deux. Quel âge me donnez-vous ?

JEU DES 7 ERREURS

ATTENTION

Il existe sept différences entre ces deux dessins.
Pouvez-vous les retrouver ?

ANAPHRASES

STRUCTURATION

Utilisez toutes les lettres indiquées en couleur pour former des anagrammes qui complètent la phrase en lui donnant un sens.

1. E E G I L L R S

Quand j'entends ce bruit d'huile chaude qui .... , je suis sûr que les côtelettes seront bien ....

2. A E E I N S T T

Quand j'ai su que Sa .... le pape ne buvait que de l' .... , j'ai été .... :
j'avais tout sauf ça à la maison !

3. A D E I N P R S

Tant que Popeye n'a pas mangé d' .... , ses ennemis peuvent se sentir ....

RÉBUS

ASSOCIATION

Retrouvez ici un grand classique du cinéma français.

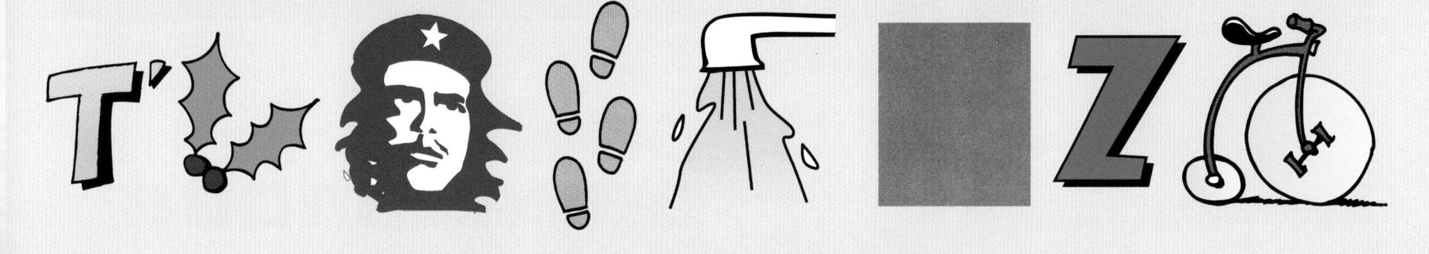

OMBRE — ESPACE

Quelle est l'ombre inversée de ce personnage ?

QUIZ PROGRESSIF — RECONNAISSANCE/CULTURE

Essayez d'aller le plus loin possible dans ce quiz progressif en difficulté.
Thème : **la mer**

1. Quelle expression contenant ce mot signifie que quelque chose n'est pas très difficile ?

2. La marée descendante s'appelle-t-elle le flux ou le reflux ?

3. Comment sont les reflets de la mer sous la pluie dans la chanson de Charles Trenet ?

4. Quelle mer située entre la Grèce et la Turquie porte le nom du père de Thésée, qui s'y jeta et s'y noya en pensant que son fils avait été dévoré par le Minotaure ?

5. La mer Morte est située 390 m au-dessous du niveau de la mer : vrai ou faux ?

6. Quel canal a rendu à la Méditerranée sa place prépondérante dans la navigation mondiale ?

7. Quelle mer sépare la péninsule d'Arabie du continent africain ?

8. Quel verbe signifie arrêter un navire en pleine mer pour l'inspecter ?

9. Quel est le nom savant du mal de mer ?

10. Quelle mer borde les côtes occidentales de l'Inde ?

COUPLES DE MOTS — ASSOCIATION

Mémorisez ces six couples de mots pendant quelques minutes.
Puis cachez-les et répondez aux six questions.

Averses – Pluie
Lettre – Timbre
Ombrelle – Soleil
Castor – Barrage
Maison – Demeure
Potage – Soupe

Questions

1. À quel mot est associé Timbre ? ....

2. Le mot Parapluie est-il dans la liste ? ....

3. Quel mot est couplé à Maison ? ....

4. Lettre est-il avant ou après Barrage ? ....

5. À quel mot est associé Potage ? ....

6. Quel mot est au pluriel et à quel autre terme est-il associé ? ....

QUELLE EST LA SUITE ? — LOGIQUE

Complétez les séries suivantes en étudiant l'éloignement relatif ou la forme des lettres qui les constituent.

1. Y V R M .....

2. A E F H I K L M N T .....

MOTS CACHÉS

STRUCTURATION

Les noms d'animaux cachés dans cette grille peuvent y figurer en tous sens : horizontalement ou verticalement, en diagonale, de haut en bas ou de bas en haut, de droite à gauche ou l'inverse. Les mots se croisent et une même lettre peut être utilisée plusieurs fois. Avec les lettres restantes, vous formerez le nom de l'animal caché.

Liste des animaux à biffer

ALPAGA
BÉLUGA
CAMÉLÉON
CHENILLE
CHIEN
CLAM
COATI
COCHON
COULEUVRE
DAPHNIE
ÉPERVIER
GIRAFE
GRIVE
GUÊPE
HANNETON
HARENG
HASE
HYÈNE
LION
LYNX
MACAREUX
MITE
MOUCHE
MOUFLON
OKAPI
ORVET
PINGOUIN
PIPIT
PONEY
PUNAISE
RAMIER
RENARD
RENNE
TAPIR
VIPÈRE

D A P H N I E N N E R C
R I P A K O V N E O T M
A E P E U G T I E I I A
N G I R A F E E P Y H L
E O N V E L L I N E H C
R N G U R I P A T N R B
R N O E L E M A C A A E
A G U L E B P A G H O H
L A I U F G N E R A H C
Y E N O P U N A I S E U
N O H C O C O R V E T O
X U E R A C A M E T I M

L'HEURE EXACTE

LOGIQUE

Retrouvez la montre qui indique l'heure exacte, sachant que deux des montres sont fausses d'un quart d'heure et qu'une troisième avance.

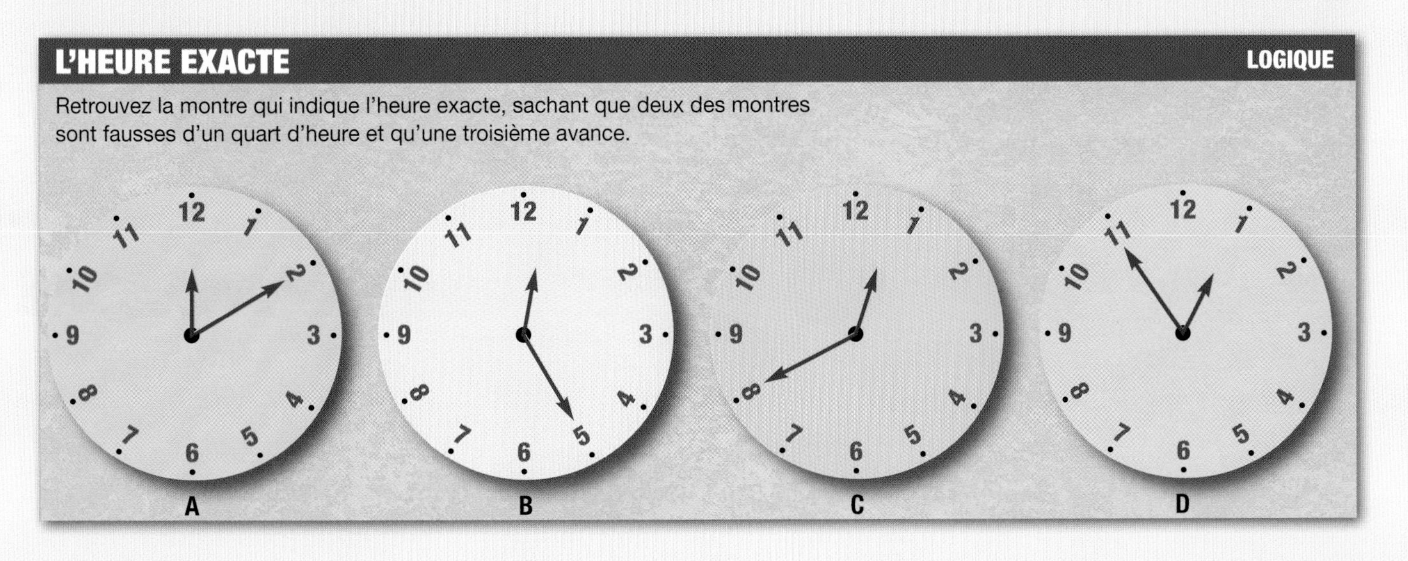

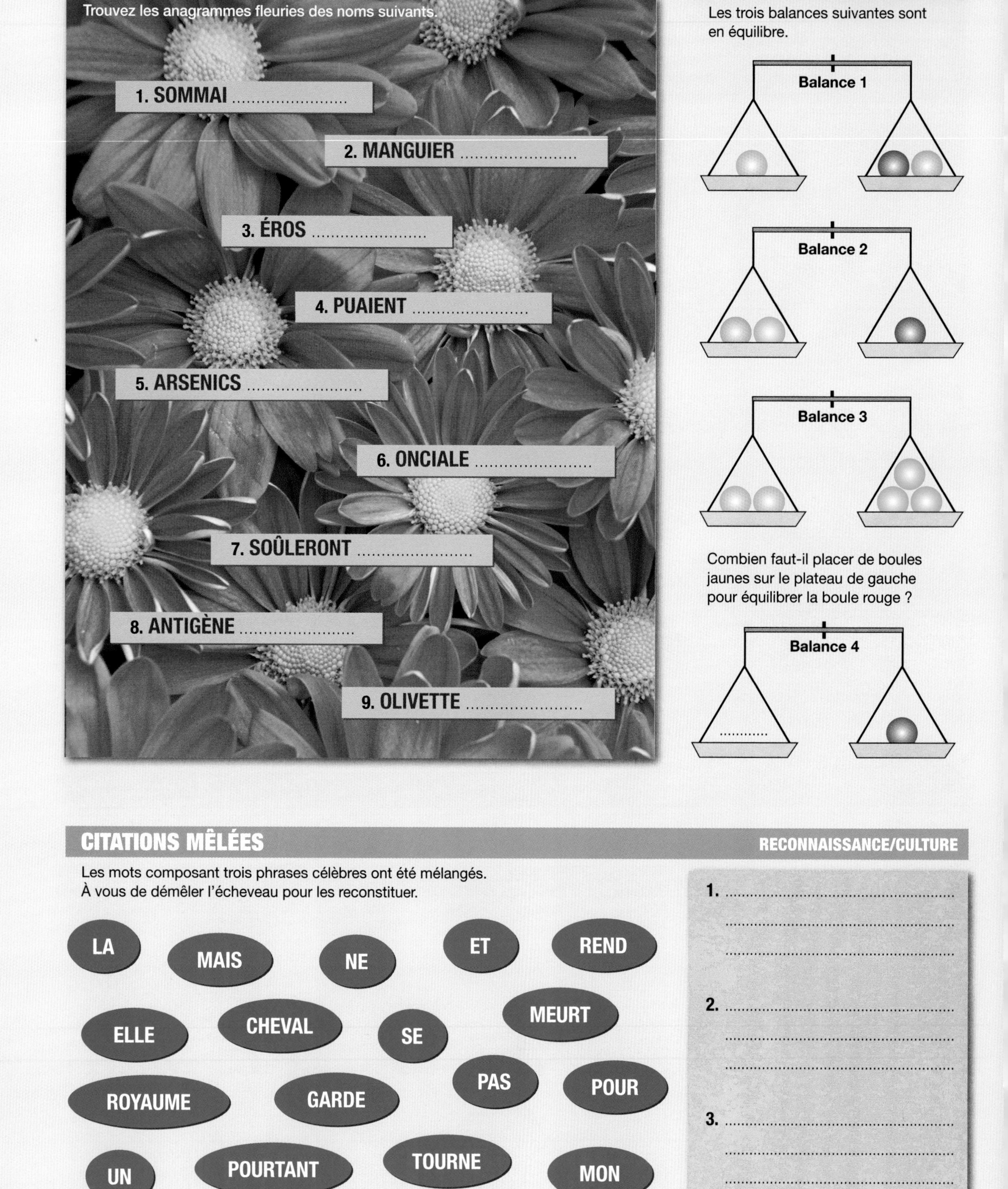

ANAGRAMMES
STRUCTURATION
Trouvez les anagrammes fleuries des noms suivants.
1. SOMMAI ....
2. MANGUIER ....
3. ÉROS ....
4. PUAIENT ....
5. ARSENICS ....
6. ONCIALE ....
7. SOÛLERONT ....
8. ANTIGÈNE ....
9. OLIVETTE ....
PROBLÈME
LOGIQUE
Les trois balances suivantes sont en équilibre.
Balance 1
Balance 2
Balance 3
Combien faut-il placer de boules jaunes sur le plateau de gauche pour équilibrer la boule rouge ?
Balance 4
....
CITATIONS MÊLÉES
RECONNAISSANCE/CULTURE
Les mots composant trois phrases célèbres ont été mélangés.
À vous de démêler l'écheveau pour les reconstituer.
LA
MAIS
NE
ET
REND
ELLE
CHEVAL
SE
MEURT
ROYAUME
GARDE
PAS
POUR
UN
POURTANT
TOURNE
MON
1. ....
2. ....
3. ....

HOMOGRAPHES — LANGAGE

Des homographes (du grec *homos*, « semblable », et *graphein*, « écrire ») sont des mots ayant une orthographe identique mais des sens différents, comme cousin (l'insecte) et cousin (le parent). Trouvez les couples d'homographes qui complètent les phrases suivantes.

1. Il est beaucoup trop _ _ _ _ pour se _ _ _ _ au jugement d'un plus jeune que lui.
2. C'est toujours au début du mois de novembre que les religieuses de ce _ _ _ _ _ _ _ _ _ _ _ _ _ _ des maladies infectieuses qui perturbent leur sérénité.
3. Quand des enfants _ _ _ _ _ _ _ _ leurs copains à dormir à la maison, il _ _ _ _ _ _ _ _ de leur fixer une heure raisonnable pour se coucher.
4. Mon _ _ _ _ a un don pour monter des entreprises qui marchent : il vient de créer une société qui fabrique des _ _ _ _ à plomb, et il a décroché de nombreux marchés dès sa première année.

UN DE TROP — ATTENTION

Observez ces livres pendant 30 secondes, puis cachez-les.

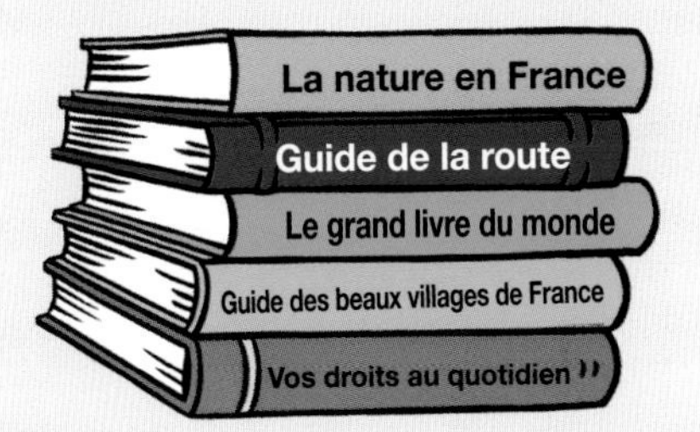

Quel est celui qui a été ajouté ?

PROBLÈMES — LOGIQUE

1. Laurent et Laurence ont exactement autant d'argent en poche l'un que l'autre. Combien Laurent doit-il donner à Laurence pour qu'elle ait 1 euro de plus que lui ?
2. Sacha m'affirme avoir dans sa poche une somme de 1,20 euro en deux pièces, dont l'une n'est pas une pièce de 1 euro. Ce n'est pas possible ! Se moque-t-il de moi ?

RECOLLE-MOTS — STRUCTURATION

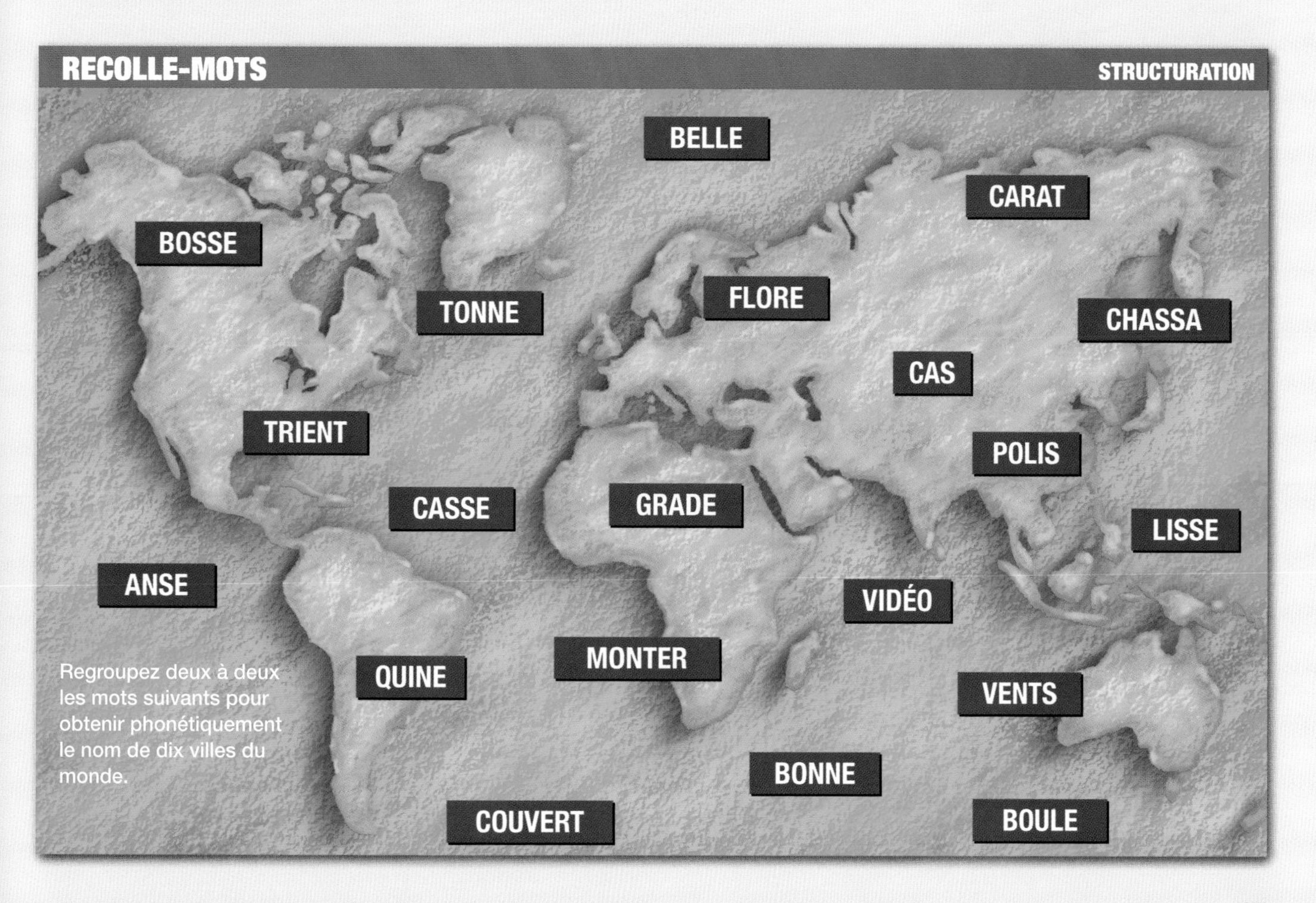

Regroupez deux à deux les mots suivants pour obtenir phonétiquement le nom de dix villes du monde.

LA CARTE EN QUESTIONS

ESPACE

Retrouvez vingt des États qui constituent le pays à la bannière étoilée à l'aide des indices suivants et de leur situation sur la carte.

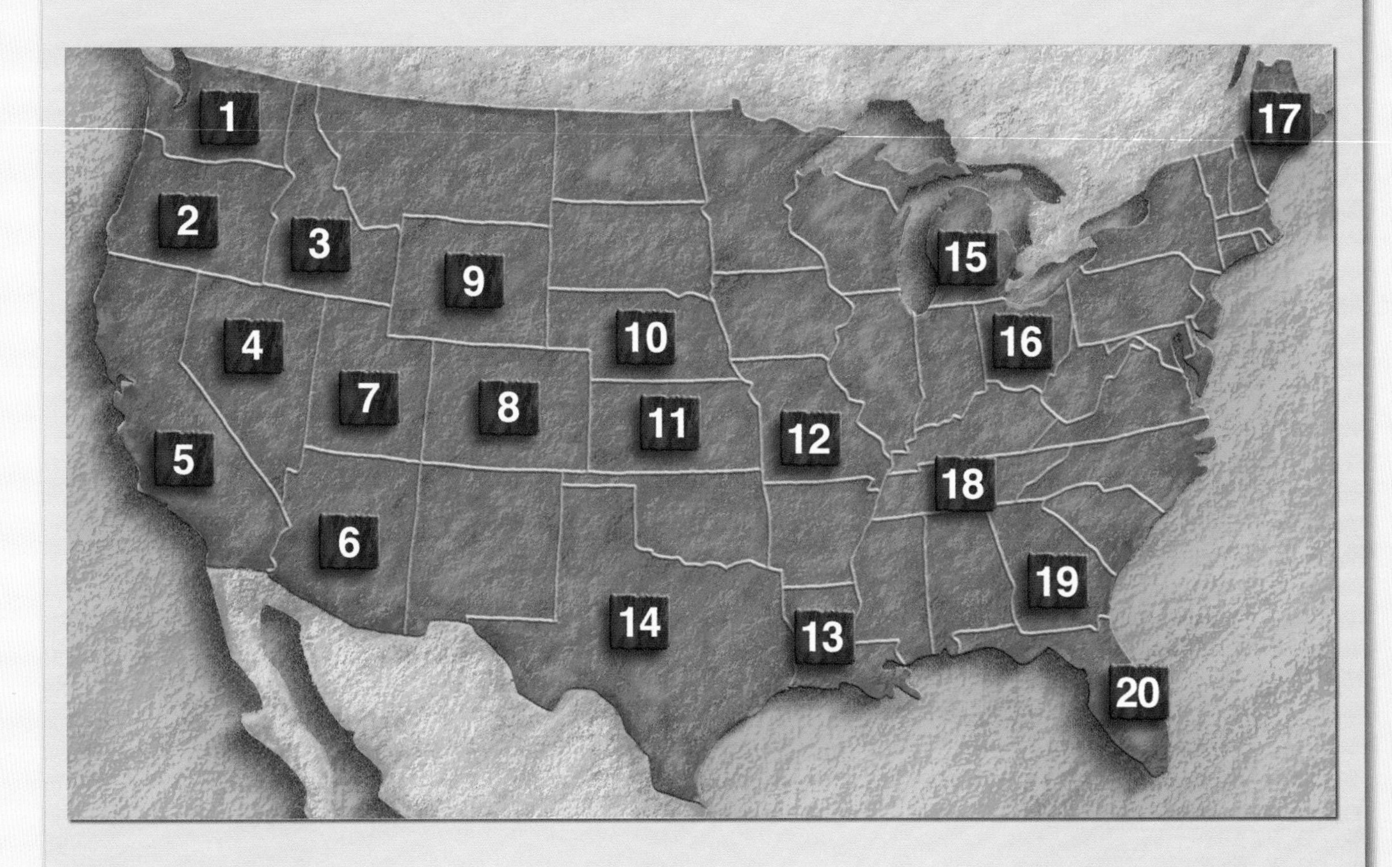

1. Je n'accueille pas la capitale des États-Unis, et pourtant…

2. Je m'écris en six lettres, dont les quatre centrales sont le nom d'un acteur français membre des Charlots et vu dans *les Bronzés*.

3. Je figure dans le nom d'un film qui réunit River Phoenix et Keanu Reeves : *My own private* ....

4. Ma capitale est Carson City, mais ma ville la plus célèbre est Las Vegas.

5. J'abrite San Francisco et Los Angeles.

6. Mon nom commence phonétiquement comme celui d'un célèbre Potter.

7. Je suis HAUT, mais dans le désordre.

8. Une charade permet de trouver mon nom : mon premier est une forme de vacances de groupe pour ados, et mon second un type d'embarcation rendu célèbre par Géricault.

9. Mon nom commence par deux des quatre dernières lettres de l'alphabet.

10. Mon nom se termine comme celui de l'État le plus froid des États-Unis, situé au nord-ouest du continent.

11. Mon nom, précédé de AR-, donne à nouveau le nom d'un État ou d'un fleuve qui me traverse.

12. Je suis une rivière née dans les Rocheuses et un État qui évoque un demi-rongeur.

13. Autour de La Nouvelle-Orléans, un des berceaux du jazz, je suis le plus français des États américains.

14. Si l'on intervertit mes deux voyelles, je deviens synonyme d'impôts !

15. Je suis entouré de trois grands lacs dont l'un porte mon nom.

16. Si l'on écrit mes lettres comme des chiffres, mon nom peut aussi indiquer « minuit dix ».

17. Mon nom est aussi celui d'une région française et, associé à la Loire, je deviens un département.

18. Memphis, Nashville et Davy Crockett ont fait ma renommée.

19. Mon climat est moins rude que celui de mon homonyme caucasien.

20. Mes plages et les Everglades, cap Canaveral, Orlando et Miami font de moi une destination touristique unique.

FIGURES ENTREMÊLÉES

ATTENTION

Combien de carrés percevez-vous ?

RÉBUS

ASSOCIATION

Retrouvez un extrait très connu d'une fable de La Fontaine.

OUAF OUAF

ANAGRAMMES

STRUCTURATION

Trouvez les animaux qui se cachent derrière les anagrammes suivantes.

1. NICHE ....
2. SIGNALER ....
3. VÉHICULER ....
4. FANAIS ....
5. SOULAGENT..............................
6. ENRAGEAI ....
7. BAILLÉE ....
8. LEVIER ....
9. MANÈGES ....
10. RENDRA ....

MOTS EN ZIGZAG

STRUCTURATION

Les villes françaises cachées dans cette grille peuvent y figurer en tous sens : horizontalement, verticalement, de haut en bas ou de bas en haut, de droite à gauche ou l'inverse (voir l'exemple de BIARRITZ). Les mots sont disposés en zigzag mais ne se croisent jamais, et une même lettre ne peut être utilisée qu'une seule fois. Avec les lettres restantes, vous trouverez par miracle la ville mystère.

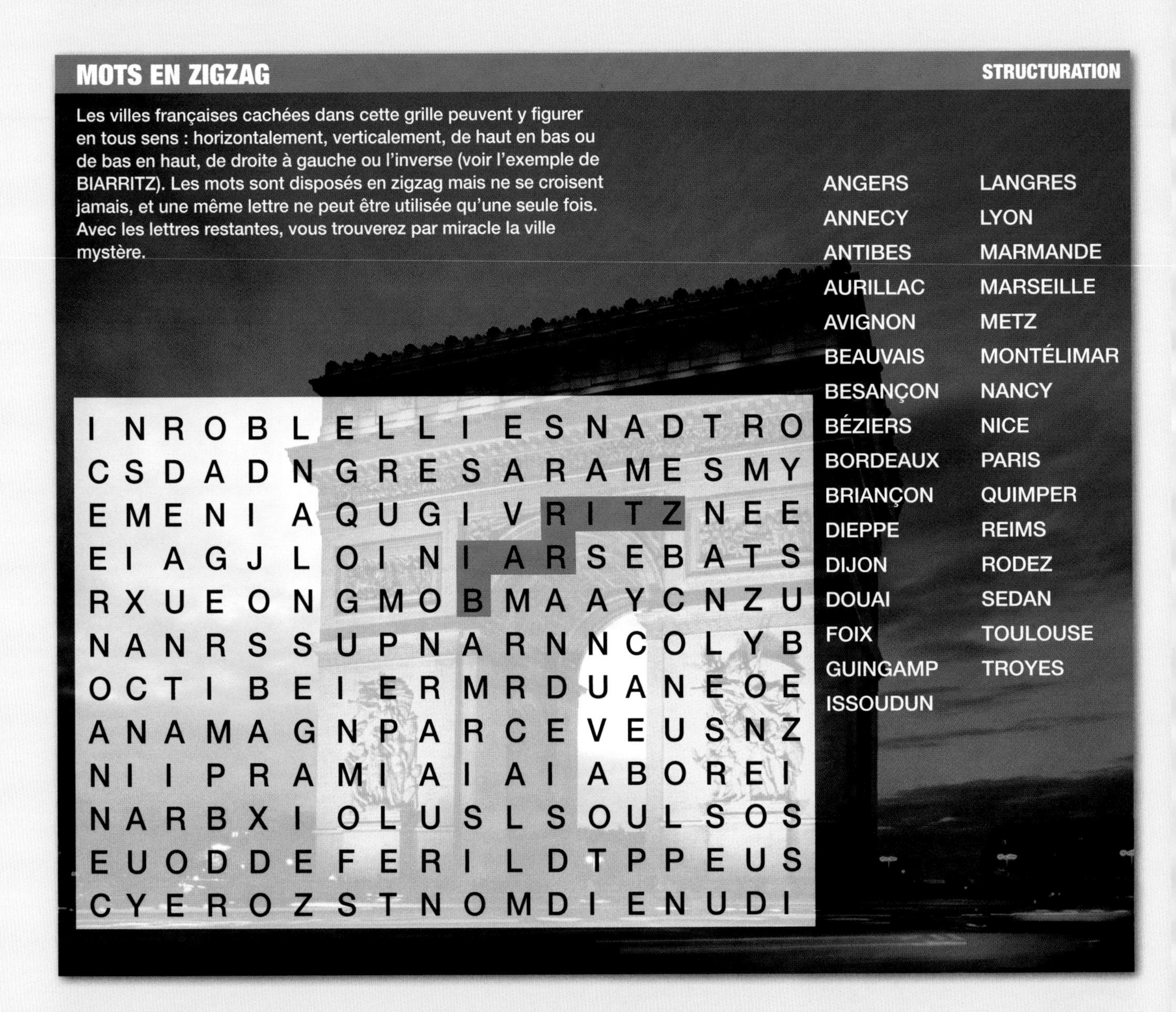

I N R O B L E L L I E S N A D T R O
C S D A D N G R E S A R A M E S M Y
E M E N I A Q U G I V R I T Z N E E
E I A G J L O I N I A R S E B A T S
R X U E O N G M O B M A A Y C N Z U
N A N R S S U P N A R N N C O L Y B
O C T I B E I E R M R D U A N E O E
A N A M A G N P A R C E V E U S N Z
N I I P R A M I A I A I A B O R E I
N A R B X I O L U S L S O U L S O S
E U O D D E F E R I L D T P P E U S
C Y E R O Z S T N O M D I E N U D I

ANGERS
ANNECY
ANTIBES
AURILLAC
AVIGNON
BEAUVAIS
BESANÇON
BÉZIERS
BORDEAUX
BRIANÇON
DIEPPE
DIJON
DOUAI
FOIX
GUINGAMP
ISSOUDUN
LANGRES
LYON
MARMANDE
MARSEILLE
METZ
MONTÉLIMAR
NANCY
NICE
PARIS
QUIMPER
REIMS
RODEZ
SEDAN
TOULOUSE
TROYES

REPÈRES CHRONOLOGIQUES

TEMPS

Essayez d'associer ces dix événements historiques à la date qui leur correspond.

Événement		Réponse		Date
La bataille de Waterloo	A	A.........	1	1500
Le voyage du *Mayflower*	B	B.........	2	1776
Le raid sur Pearl Harbor	C	C.........	3	1791
La découverte du Brésil	D	D.........	4	1620
Le traité de Versailles	E	E.........	5	1815
La fuite à Varennes	F	F.........	6	1453
L'indépendance des États-Unis	G	G.........	7	1894
La bataille de Marignan	H	H.........	8	1919
Le début de l'affaire Dreyfus	I	I.........	9	1515
La fin de la guerre de Cent Ans	J	J.........	10	1941

BOUCHE-TROUS

LANGAGE

Trouvez les consonnes qui permettent de compléter les mots suivants.

1. _ A _ _ E U _ E U _
2. _ A _ A _ U E _ E
3. _ U I _ _ O _ U O
4. _ U A _ U O _
5. _ O A I _ _ I E _
6. _ _ I _ E _ I U _

FIGURES MANQUANTES — ATTENTION

Observez cette chaîne pendant 30 secondes, puis cachez-la.

  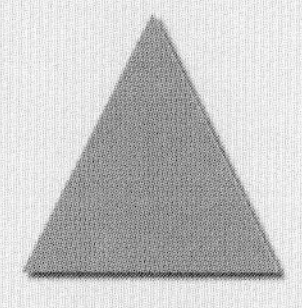   

Reproduisez de mémoire les trois formes manquantes dans la chaîne ci-dessous afin qu'elle soit identique à la précédente.

  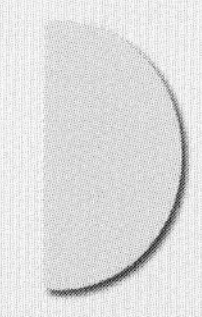

MARIONS-LES — ASSOCIATION

Essayez d'associer ces dix mots à leur langue d'origine d'un point de vue étymologique.

Mot		Réponse		Langue
Chiffre	A	A.........	1	Arabe
Blackbouler	B	B.........	2	Grec
Cahin-caha	C	C.........	3	Latin
Vasistas	D	D.........	4	Italien
Vacarme	E	E.........	5	Écossais
Slogan	F	F.........	6	Chinois
Hypocrite	G	G.........	7	Allemand
Autodafé	H	H.........	8	Portugais
Mah-jong	I	I.........	9	Néerlandais
Polichinelle	J	J.........	10	Anglais

COUPE-LETTRES — STRUCTURATION

Rayez une lettre dans chacun des sept mots de la grille de telle façon que celles qui restent continuent à former un mot existant. Reportez la lettre biffée en bout de ligne pour lire verticalement le nom d'un peintre.

C	O	M	P	T	E	S	
M	O	U	E	T	T	E	
C	O	U	C	H	E	R	
D	E	S	P	O	T	E	
R	E	S	I	N	E	S	
D	I	C	T	I	O	N	
M	E	S	S	I	N	E	

DÉFI — ATTENTION

Observez cette liste de mots pendant quelques minutes, puis essayez d'en restituer le plus grand nombre possible dans la minute suivante. Vous travaillez ainsi la mémoire à court terme. Pour prolonger l'exercice, recommencez 10 minutes après sans avoir de nouveau consulté la liste.
Comparez vos résultats. En général, les scores chutent fortement, et on constate certaines erreurs classiques (voir solution).

Liste de mots à mémoriser

Flacon	**Valise**
Parmesan	**Biscuit**
Brochure	**Siège**
Tenture	**Aigle**
Gobelet	**Commode**
Portable	**Téléviseur**

1. Dans la minute suivante

....
....
....
....
....
....

2. 10 minutes après

....
....
....
....
....
....

RECOLLE-MOTS

STRUCTURATION

Regroupez deux à deux les mots suivants pour obtenir phonétiquement le nom de dix écrivains français.

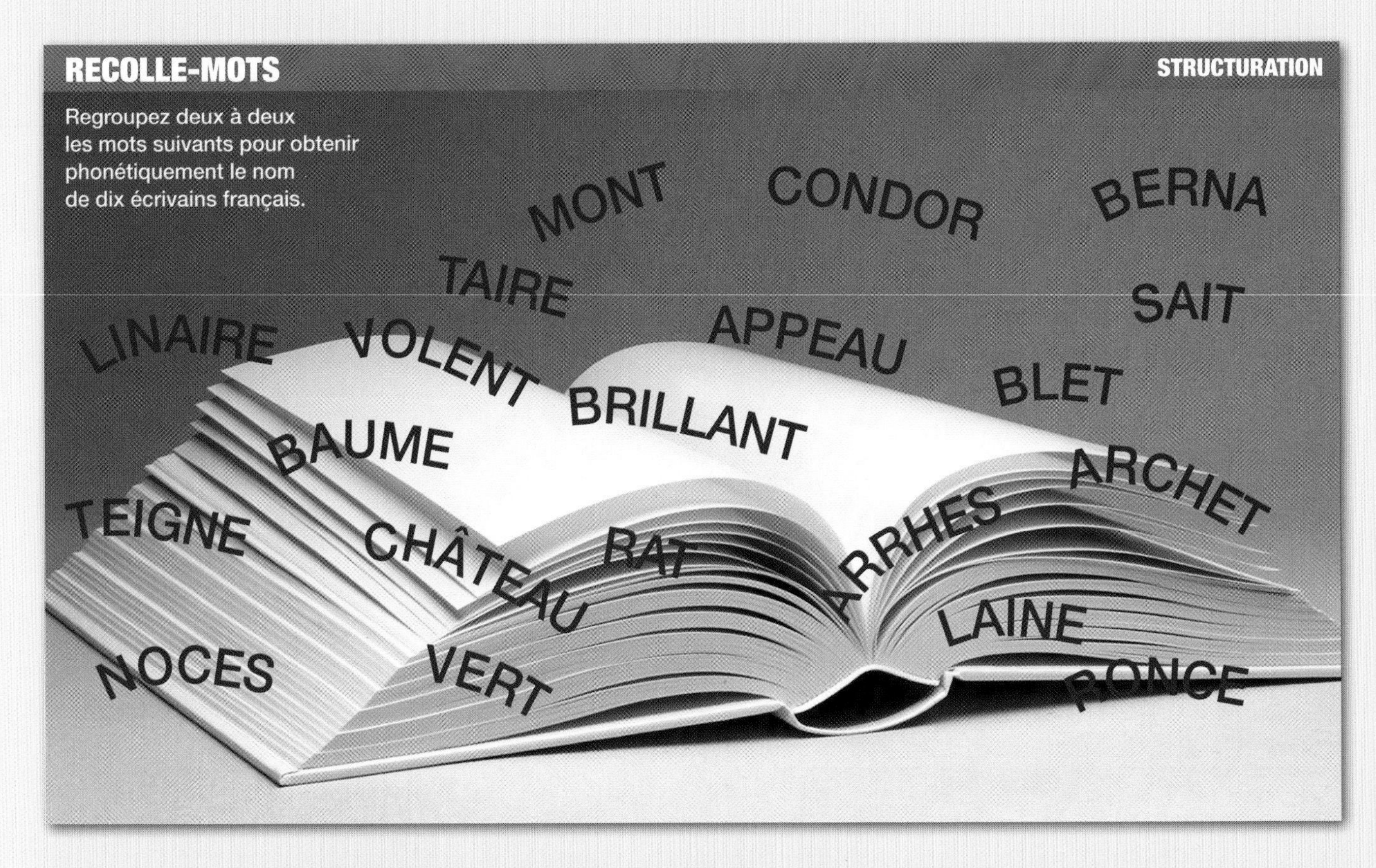

MARIONS-LES

ASSOCIATION

Essayez d'associer ces dix personnages à leur année ou époque de naissance présumée.

A Galilée	**F** Baudelaire	A.........	F.........
B Alexandre le Grand	**G** Einstein	B.........	G.........
C Marco Polo	**H** Confucius	C.........	H.........
D Louis XIV	**I** Napoléon Ier	D.........	I.........
E Christophe Colomb	**J** Ponce Pilate	E.........	J.........

1	2	3	4	5	6	7	8	9	10
551 av. J.-C.	356 av. J.-C.	Ier siècle apr. J.-C.	1254	1450	1564	1638	1769	1821	1879

DESSINER DE MÉMOIRE

ATTENTION

Observez ces six perles pendant quelques minutes, puis cachez-les.

Essayez de les dessiner dans l'ordre sur le fil.

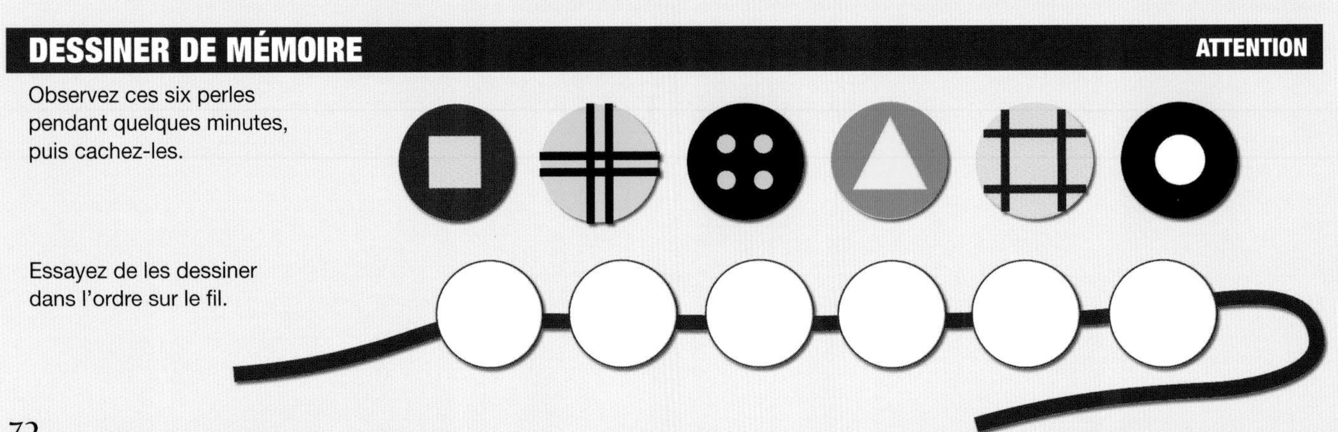

QUELLE EST LA SUITE ? — LOGIQUE

Lequel de ces trois instruments de musique complète cette suite logique ?

DÉCODAGE — ATTENTION

Lisez la phrase suivante :

« Anavt de psaesr à la cissae,
rageredz tuoruojs aevc sion la ciomipsoton
du tsisu isnricte sur l'éqtetitue. »

Vous constatez que, même si les lettres sont dans le désordre, vous parvenez plus ou moins à comprendre le sens de la phrase. Toutefois, une règle a été respectée. Laquelle ?

LE COMPTE EST BON — LOGIQUE

Atteignez la somme de 49 avec ces seize numéros du Loto, en plaçant chacun d'eux dans une case identique à celle dans laquelle il est inscrit.

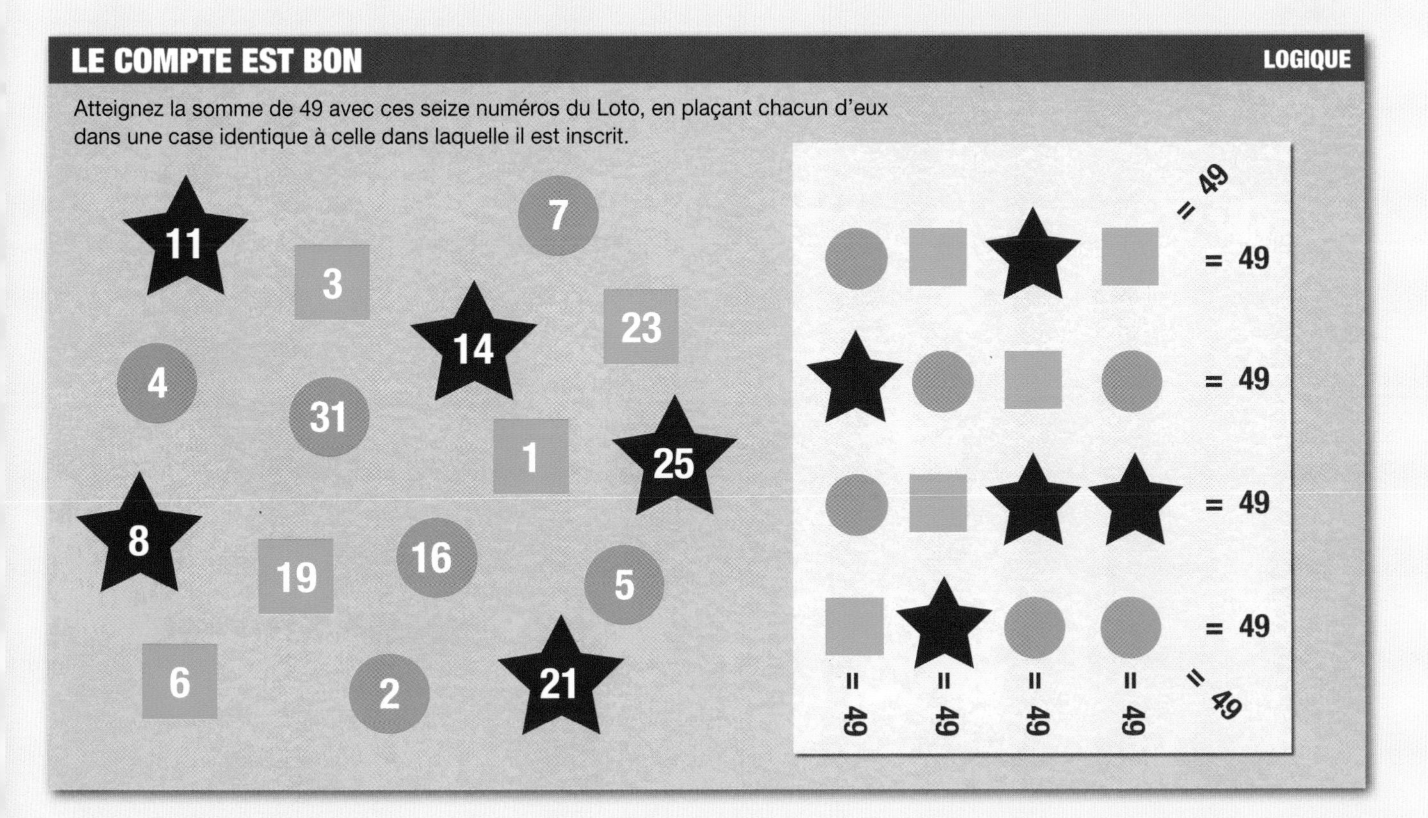

QUI SUIS-JE ?

À l'aide d'un cache coulissant, découvrez un à un les indices permettant d'identifier ces personnages. Le but est de les reconnaître en en utilisant le minimum.

Qui suis-je ?

1. Je suis née le 22 février 1950 à Paris.
2. J'ai obtenu le César de la meilleure actrice en 1980.
3. J'étais à l'affiche d'*Un Indien dans la ville* en 1994.
4. Bien plus que *les Aventures de Rabbi Jacob,* c'est le film *les Valseuses* qui m'a fait connaître.
5. J'ai souvent été la partenaire de Patrick Dewaere.
6. Mon nom de scène est un doublement de syllabe qui amusait Coluche.

A. ....

Qui suis-je ?

1. Je suis né à Marseille le 23 juin 1972.
2. Mes initiales sont formées de la même lettre, fort peu courante.
3. J'ai débuté ma carrière professionnelle à Cannes.
4. J'ai reçu un carton rouge à la Coupe du monde 1998 contre l'Arabie saoudite.
5. J'ai également été Ballon d'or cette année-là.
6. On me surnomme Zizou.

B. ....

Qui suis-je ?

1. Je suis un ingénieur né en 1920 et mort à 39 ans.
2. J'ai toujours été attiré par le jazz.
3. J'ai mêlé l'humour, l'absurde et la poésie.
4. J'ai quelquefois signé mes romans Vernon Sullivan.
5. Je suis une figure mythique de Saint-Germain-des-Prés.
6. J'ai écrit *l'Écume des jours.*

C. ....

CRYPTOGRAMME

ASSOCIATION

Décryptez cette citation de Napoléon Bonaparte en choisissant la lettre correspondant à chaque symbole parmi celles qui sont proposées. Pour vous aider, certaines lettres sont déjà données.

_ ' _ _ _ E _ _ _ G _ _ _ _   _ _   _ _

M _ _ U _ _   _ _ _   _ _ _   _ I _ _ _

_   _ _   _ Ê _ _ ,   _ _ _ _   _ _   _ _

_ _ _ _   _ _   C _ _ _ .

A	G	N	S
C	I	P	T
D	L	R	U
E	M		

TRIPLETS D'EXPRESSIONS

LANGAGE

Trouvez le terme qui se marie à chacun des trois mots proposés pour former une expression courante.

Exemple : mobilière, ajoutée, marchande fera deviner **valeur.**

1. Magique, sanguine, politesse ....
2. Taille, précieuse, briquet ....
3. Commun, auteur, aînesse ....
4. Art, mine, glaces ....
5. Repasser, salut, billets ....
6. Hiver, enfants, suspendu ....

RECONNAISSANCE/CULTURE

Qui suis-je ?

1. Je suis né pour le public le 18 novembre 1928.
2. Je me serais appelé Mortimer sans l'intervention de la femme de mon créateur.
3. J'avais à l'origine cinq doigts, mais mes dessinateurs ont voulu en enlever un !
4. J'ai fait ma première apparition dans *Steamboat Willie*.
5. Je suis un personnage de Walt Disney.
6. Souris détective, j'ai une fiancée qui s'appelle Minnie.

D. ....

Qui suis-je ?

1. Je suis né en 1942 au Québec.
2. Après des études de littérature à l'université de Montréal, je suis parti à Paris suivre des cours d'histoire de l'art.
3. J'ai écrit plus de 70 chansons pour Diane Dufresne.
4. Je porte toujours des lunettes noires.
5. Je suis le parolier de la comédie musicale *Notre-Dame-de-Paris*.
6. J'ai écrit le célèbre opéra-rock *Starmania* avec le compositeur Michel Berger.

E. ....

ALLUMETTES — LOGIQUE

Bougez cinq allumettes pour faire apparaître exactement trois carrés de même taille.

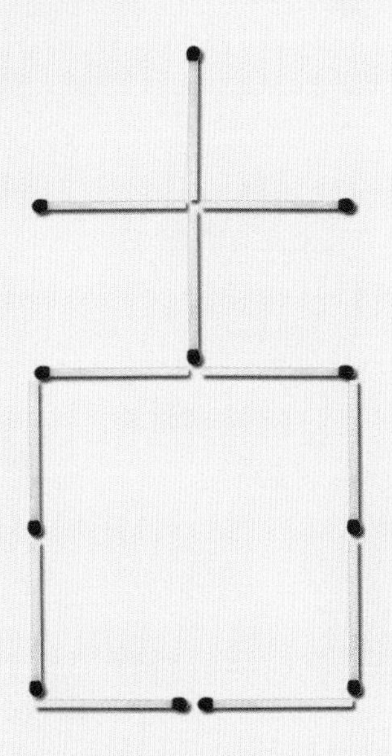

ROSACE — STRUCTURATION

Remplissez la fleur en formant des mots à partir des lettres ci-dessous. Inscrivez toujours vos solutions en partant de l'extérieur de la fleur vers le centre. Attention, certaines séries autorisent plusieurs anagrammes, mais une seule permet de compléter la grille en croisant les mots.

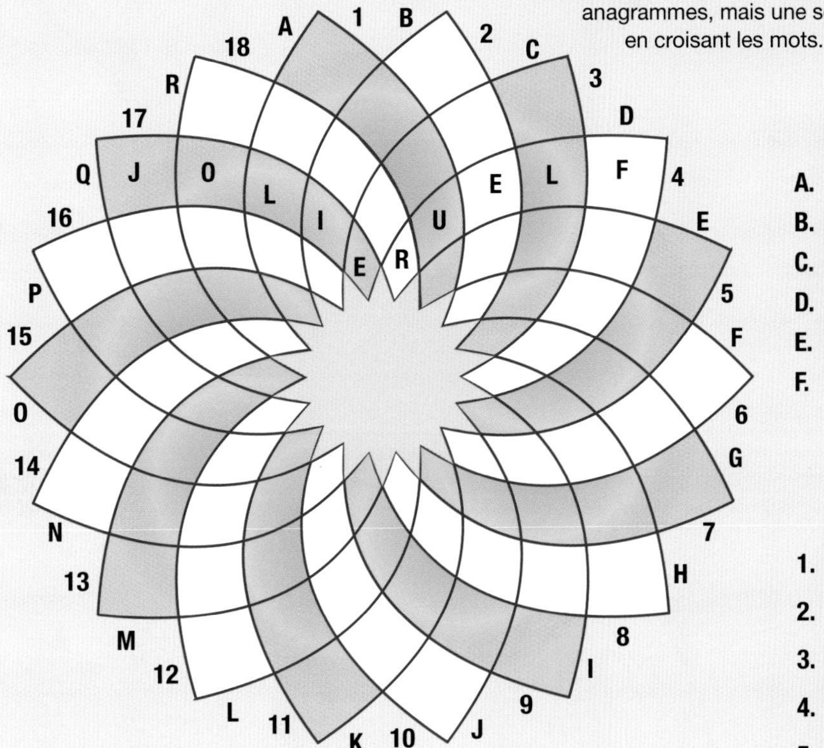

Dans le sens des aiguilles d'une montre :

A. ALOSU	G. DEMOS	M. APPSY
B. CERUX	H. EGLSU	N. DEMMO
C. CLOPU	I. AEJLV	O. DDOSU
D. FILNO	J. AIMSX	P. ABNOR
E. DEEFS	K. CEIRS	Q. EIJLO
F. ADESV	L. EEFST	R. FIINR

Dans le sens inverse des aiguilles d'une montre :

1. ILOSS	7. CDEMO	13. EILPR
2. ACINN	8. DELNO	14. AEMST
3. EIOPR	9. ADJSU	15. DEOPS
4. EFLRU	10. AEGMS	16. BDOSY
5. FIOLU	11. AECSV	17. ADEJS
6. ELUVX	12. EFISX	18. FMORU

VISITE GUIDÉE

ATTENTION

Observez attentivement ce plan de quartier en cherchant à mémoriser les monuments, lieux publics, noms de places et de rues. Cachez-le, puis essayez de compléter le plan du bas.

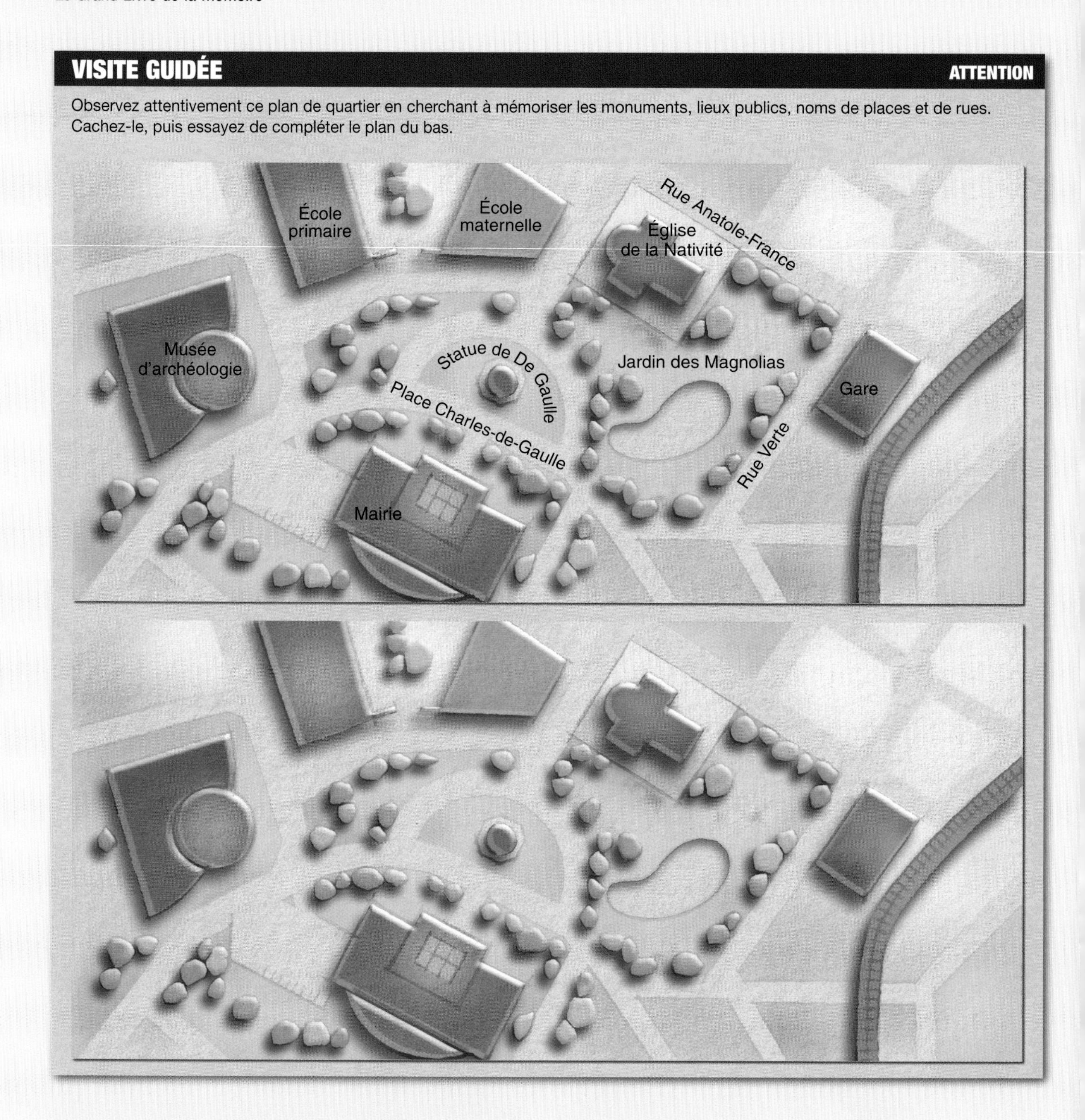

RÉBUS

ASSOCIATION

Retrouvez un grand classique du cinéma.

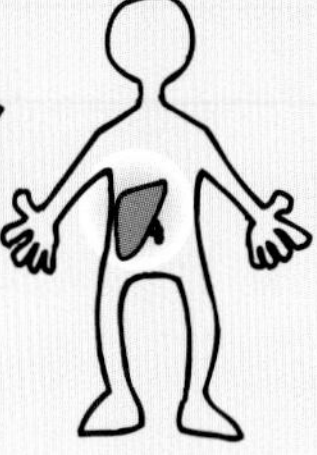

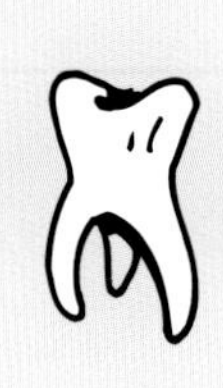

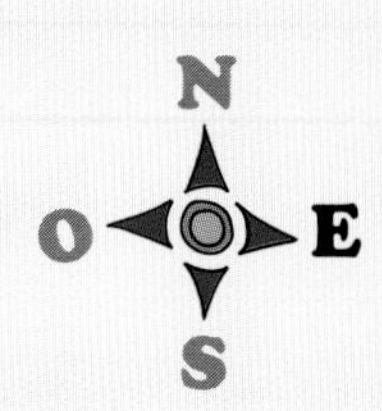

RECOLLE-TITRES

RECONNAISSANCE/CULTURE

Découpez les titres fantaisistes suivants, puis reformez ceux de quatre chansons de Georges Brassens.

QUELLE EST LA SUITE ?

LOGIQUE

Retrouvez la carte qui complète horizontalement et verticalement cette suite logique.

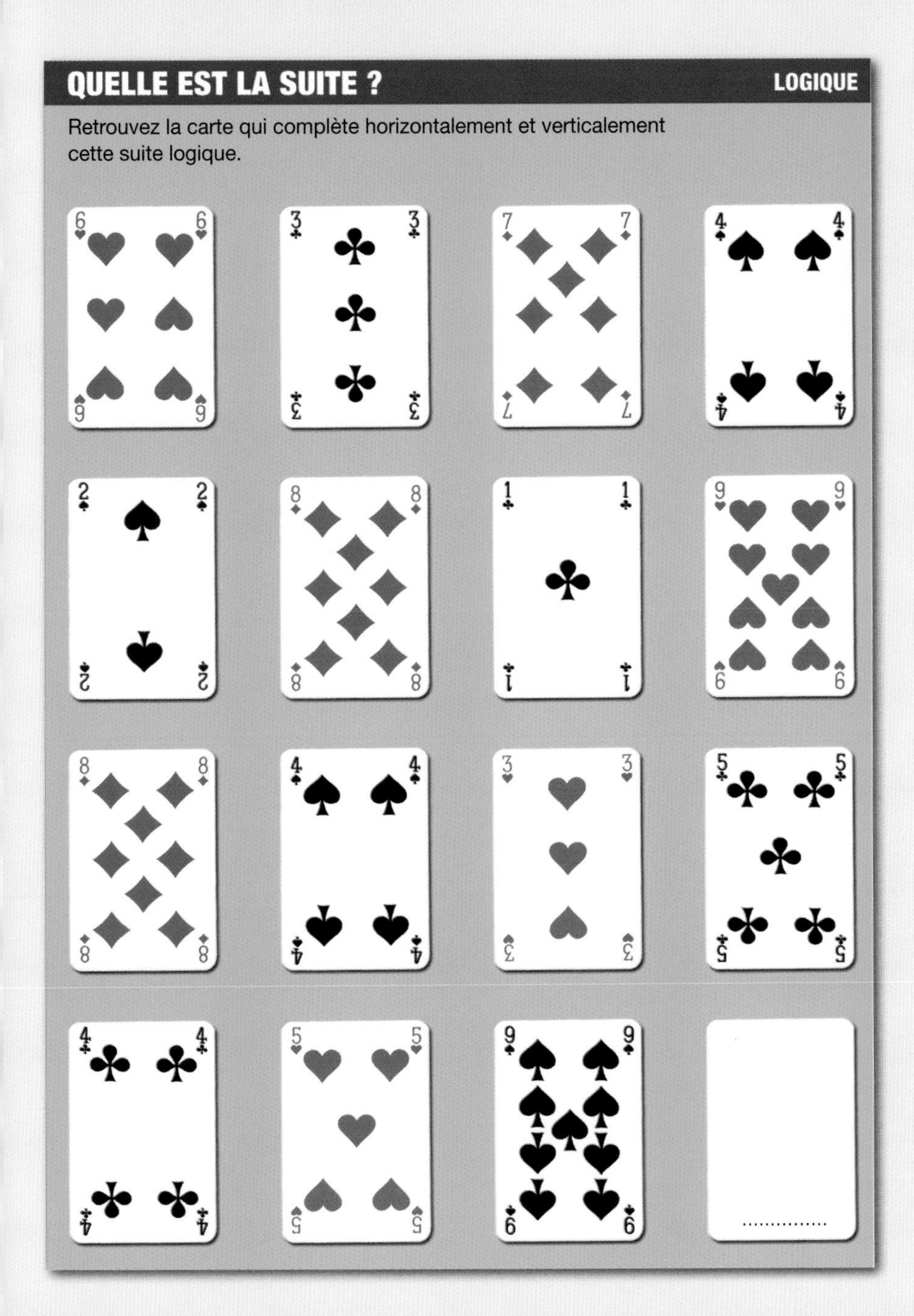

ÉCHELLE

STRUCTURATION

À l'aide des six croisillons, reconstruisez l'échelle en formant des mots évoquant des tracas de santé.

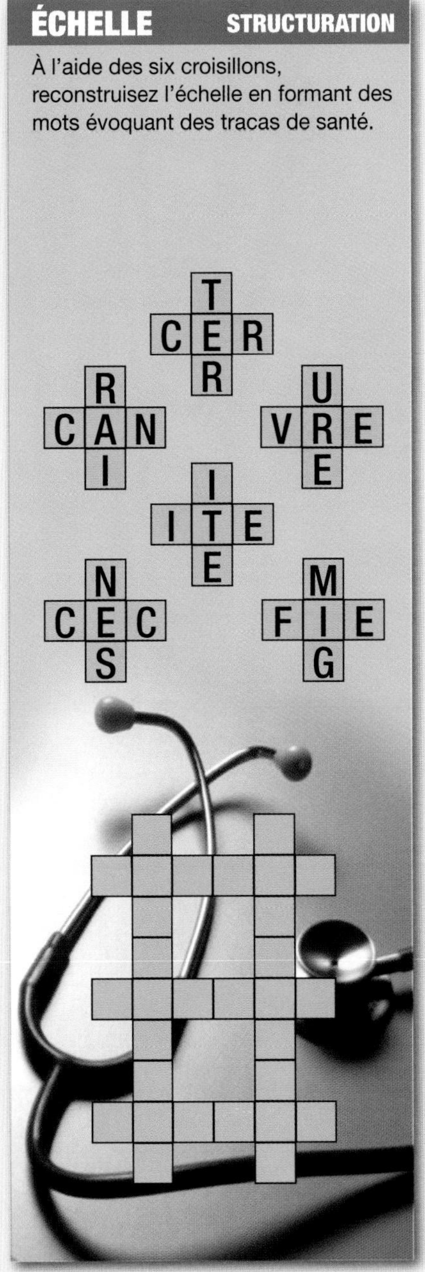

QUIZ APRÈS OBSERVATION — ATTENTION

Observez ce tableau de Georges de La Tour pendant quelques minutes, puis tentez de répondre aux dix questions sans regarder l'illustration.

Questions

1. Quelle est la carte qui apparaît dans le dos de l'homme à la gauche du tableau ?
2. Dans quelle main la femme de gauche tient-elle le verre de vin qu'elle apporte à table ?
3. On voit du pique dans le jeu de l'un des personnages : vrai ou faux ?
4. Que voit-on sur la table ?
5. La femme qui porte un collier de perles est-elle de profil ou de face ?
6. De quelle main la femme qui se trouve de face tient-elle son jeu replié ?
7. Les deux hommes se regardent : vrai ou faux ?
8. Vers quel côté du tableau est tourné le regard de la femme à la coiffe rouge ?
9. Quel ornement enrichit la coiffure de deux des personnages ?
10. Le costume de l'homme de droite est orné de rubans rouges : vrai ou faux ?

SYLLABES MANQUANTES — STRUCTURATION

Six mots ont été tronqués d'une ou plusieurs de leurs syllabes. En utilisant celles qui vous sont proposées, reconstituez-les. Attention, plusieurs solutions sont possibles parfois, mais une seule combinaison permet de reconstituer tous les mots.

BOUCHE-TROUS — LANGAGE

En replaçant une lettre par tiret, trouvez six mots courants qui commencent par I et qui respectent les squelettes suivants.

1. I _ _ _ _ _ G
2. I _ _ G _ L
3. I _ R _ _ L
4. I _ _ E _ _ M
5. I _ L _ M
6. I _ Y _ _ _

L'HEURE EXACTE — LOGIQUE

1. Retrouvez la montre qui indique l'heure exacte, sachant que l'une des montres avance de 7 heures alors qu'une autre retarde de 7 heures.

2. Même question sachant que l'une des montres retarde de 5 heures et qu'une autre avance de 5 heures.

LABYRINTHE — ESPACE

Trouvez l'unique chemin reliant la flèche du haut au logotype du bas de ce parasol.

CHENILLE — STRUCTURATION

Passez de JOUEUR à ÉCHECS dans cette chenille en opérant la substitution indiquée (par exemple, S remplace U à la première ligne) et en modifiant l'ordre des lettres. N'utilisez pas de verbes conjugués.

JOUEUR

-U +S _ _ _ _ _ _

-E +N _ _ _ _ _ _

-J +C _ _ _ _ _ _

-N +C _ _ _ _ _ _

-U +E _ _ _ _ _ _

-R +H _ _ _ _ _ _

-O +E ÉCHECS

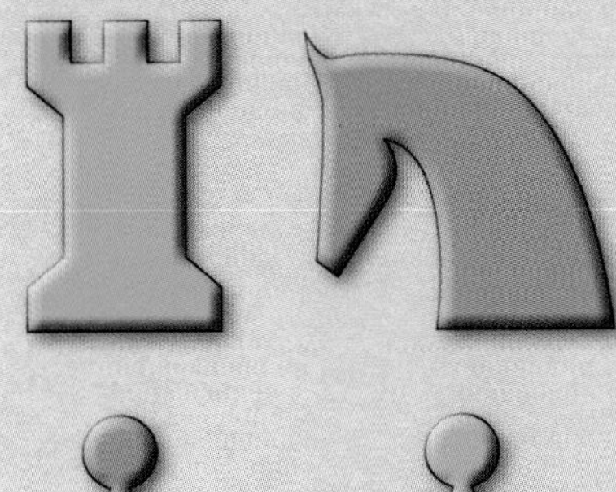

MOTS CASÉS

ESPACE

Replacez dans la grille tous ces noms de personnalités du cinéma.

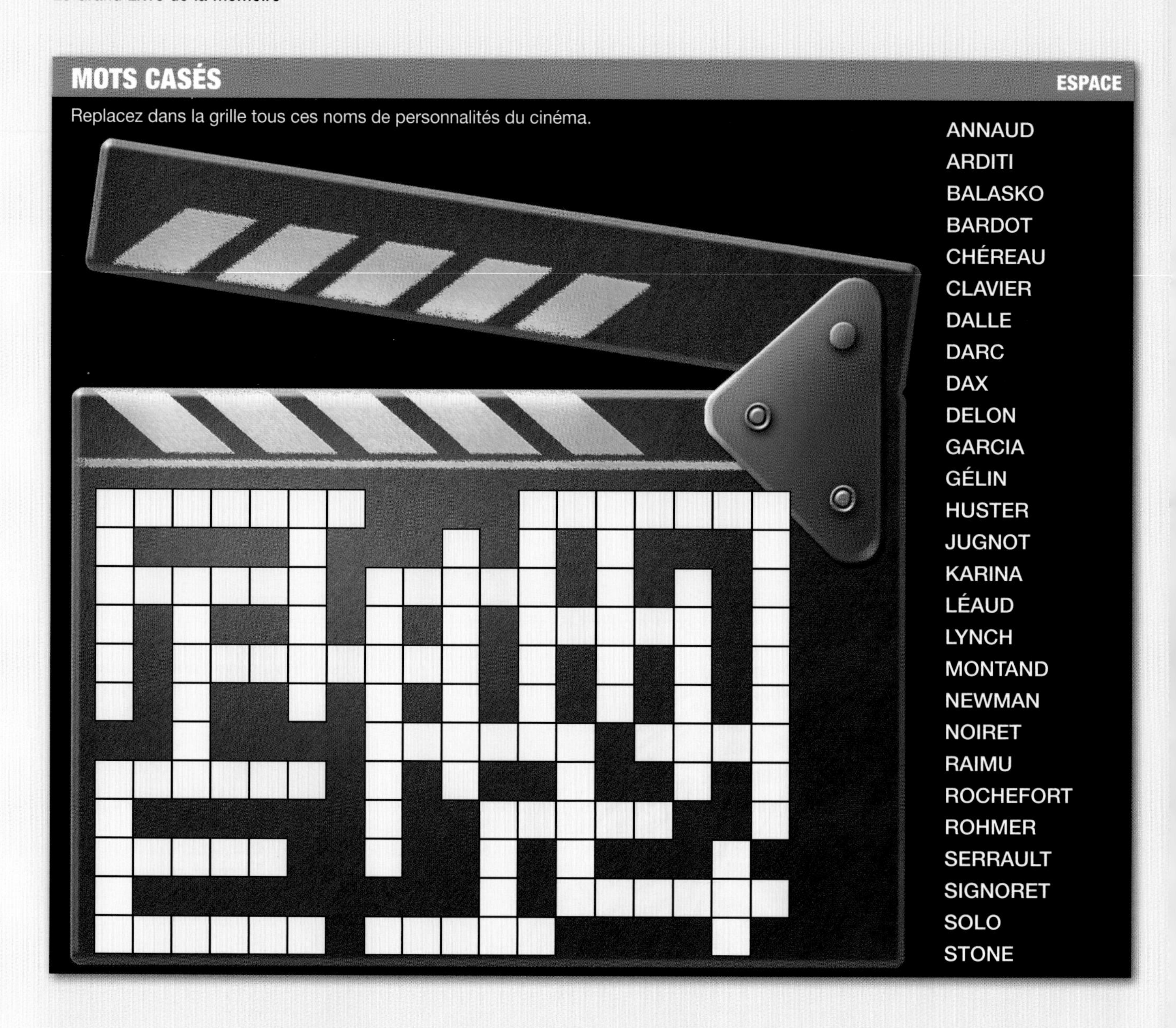

ANNAUD
ARDITI
BALASKO
BARDOT
CHÉREAU
CLAVIER
DALLE
DARC
DAX
DELON
GARCIA
GÉLIN
HUSTER
JUGNOT
KARINA
LÉAUD
LYNCH
MONTAND
NEWMAN
NOIRET
RAIMU
ROCHEFORT
ROHMER
SERRAULT
SIGNORET
SOLO
STONE

HOMOPHONES

LANGAGE

Des homophones (du grec *homos*, « semblable », et *phônê*, « voix ») sont des mots qui se prononcent de la même façon mais dont les sens diffèrent, comme seing, sein, saint, ceint, sain… Trouvez les homophones qui complètent les phrases suivantes.

1. Il y a bien une réalité à cela, ce n'est pas un _ _ _ _ _ : s'il y a des trous dans vos vêtements, c'est bien à cause des _ _ _ _ _ !
2. Une pièce en vers où l'auteur s'attaquerait aux travers des individus qui se livrent à des attentats à la pudeur aurait un titre tout trouvé : _ _ _ _ _ _ des _ _ _ _ _ _ _ .
3. Il y a _ _ _ _ _ fois plus de chevaux à _ _ _ _ _ _ qu'à _ _ _ _ _ , et pourtant on parle toujours de cette dernière ville. Les Aubois sont jaloux !
4. Mon repas préféré, c'est le poulet au _ _ _ _ _ _ _ qu'on sert au restaurant faisant face à la _ _ _ _ _ _ _ _ _ .

DESSINER DE MÉMOIRE — ATTENTION

Observez cette succession de gâteaux d'anniversaire pendant 30 secondes, puis cachez-la.

Redessinez de mémoire le bon nombre de bougies sur chacun des gâteaux.

DOMINOLETTRES — STRUCTURATION

Trouvez l'ordre dans lequel ranger ces dominos de lettres pour pouvoir lire horizontalement les noms de deux scientifiques visionnaires, dans le sens traditionnel de lecture pour l'un, de droite à gauche pour l'autre.

N	T	I	E	E	I	S	N
N	E	I	P	C	O	R	C

CASE-CHIFFRES — LOGIQUE

Chaque brique du case-chiffres représente la somme des deux briques situées juste en dessous d'elle. Reconstituez la totalité de la pyramide en respectant les chiffres déjà placés.

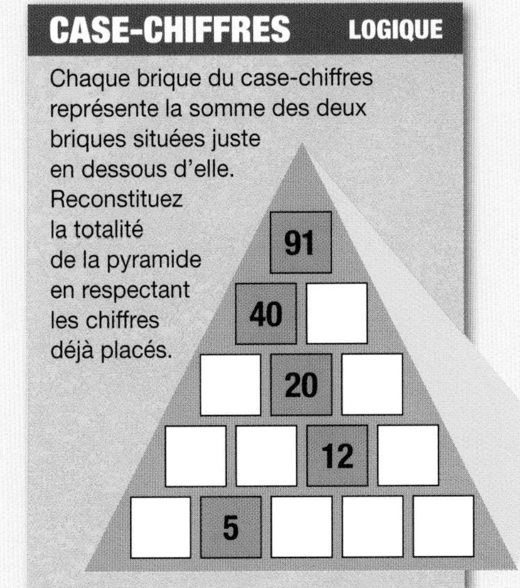

PROBLÈME — LOGIQUE

- Un train quitte la gare de Givet à 8 h 06 et roule sans arrêt jusqu'à Charleville-Mézières à la vitesse constante de 75 km/h.
- Un autre train part de Charleville-Mézières à 8 h 12 et s'arrête dans onze gares pendant une minute, mais roule à 150 km/h entre les gares.
- Sachant que Revin est au tiers de la distance entre ces deux villes (et plus près de Givet), lequel des trains sera le plus éloigné de Charleville-Mézières quand ils se croiseront ?

LETTRE BONUS — STRUCTURATION

Utilisez les lettres du mot de départ et ajoutez-y la lettre bonus (dans ce jeu, le C) pour former, en mélangeant les lettres, un nouveau mot correspondant à l'indice.

			Indice
1. **RAT**	+ C	....	Peur
2. **FAIT**	+ C	....	Efficace
3. **SAUTE**	+ C	....	Truc
4. **OUILLE**	+ C	....	Animal luisant
5. **ORGEATS**	+ C	....	Animal lent
6. **LOMBAIRE**	+ C	....	Vole

QUELLE EST LA SUITE ? LOGIQUE

Pour chacune de ces suites, trouvez la figure numérotée qui continue la série.

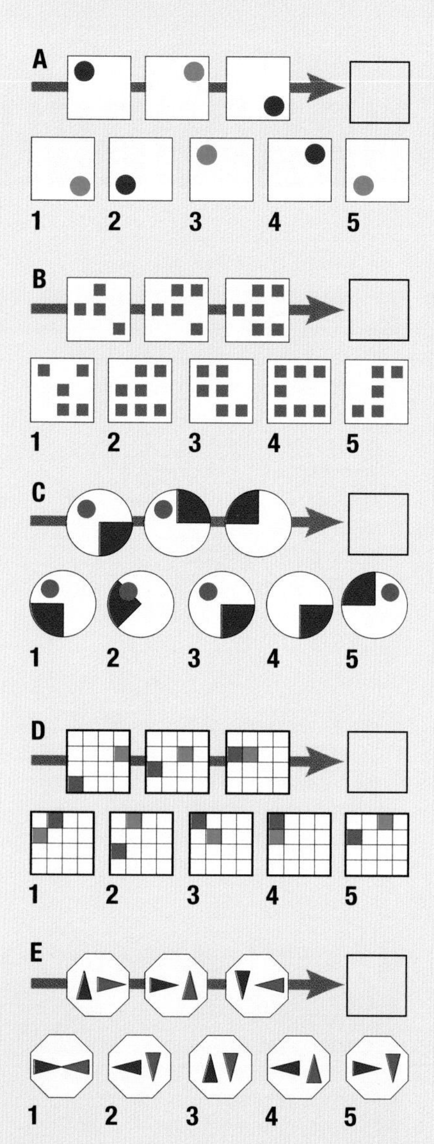

MOTS EMMÊLÉS STRUCTURATION

Démêlez ces six noms d'acteurs, qui ont été entremêlés deux à deux.

BASOGATRAITRE
1

BLARNACANSTEDOR
2

PRACEDIFONORD
3

ESCALETTRE STRUCTURATION

Ajoutez une à une les lettres indiquées pour former de nouveaux mots. Toute forme conjuguée est interdite, sauf les participes.

RUE

+T _ _ _ _

+I _ _ _ _ _

+T _ _ _ _ _ _

+D _ _ _ _ _ _ _

+A _ _ _ _ _ _ _ _

+G _ _ _ _ _ _ _ _ _

TRIPLETS D'EXPRESSIONS LANGAGE

Trouvez le terme qui se marie à chacun des trois mots proposés pour former une expression courante.

1. monseigneur – crocodile – oreilles ....
2. temps – partout – montagne ....
3. faim – gorge – papier ....
4. centre – garde – veille ....
5. chiourme – malade – manger ....
6. flamme – pierre – roquette ....

UN DE TROP ATTENTION

Observez ces flacons pendant 30 secondes, puis cachez-les.

Quel est celui qui a été ajouté ?

LA BONNE PLACE

ATTENTION

Observez ces acrobates pendant quelques minutes, puis cachez-les.

Voici les six acrobates que vous avez vus précédemment. Remettez-les à leur place en inscrivant les numéros dans les cases.

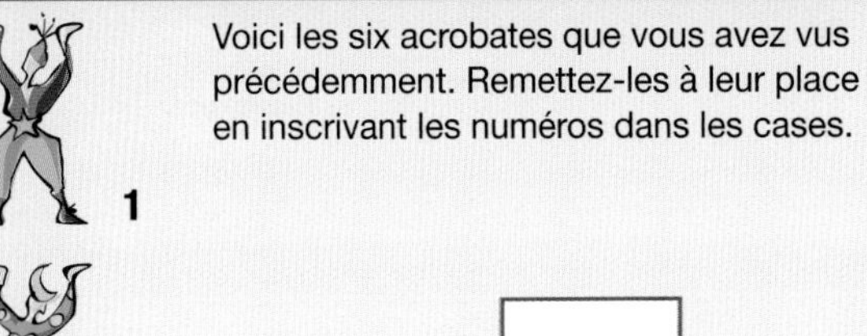

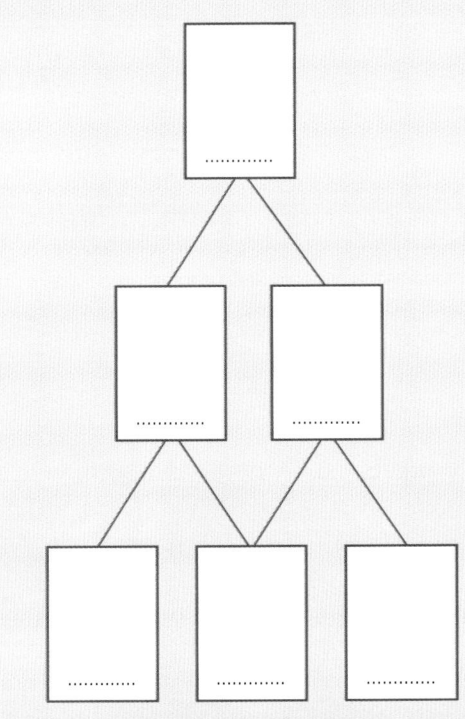

SUPERPOSITION

ATTENTION

Imaginez que les disques ci-dessous soient en verre. Trouvez les trois qu'il faut superposer pour obtenir la figure A. Il n'est pas nécessaire de tourner les disques et certaines couleurs identiques peuvent se superposer.

TRIPLETS D'EXPRESSIONS — LANGAGE

Trouvez le terme qui se marie à chacun des trois mots proposés pour former une expression courante.

Exemple :
mobilière, ajoutée, marchande fera deviner **valeur.**

1. Détachée, conviction, montée

....

2. Jambe, cuir, chapeau

....

3. Mots, rôle, société

....

4. Coulant, marin, ferroviaire

....

5. Feu, chambre, échappement

....

6. Œuvre, courante, morte

....

QUIZ APRÈS OBSERVATION — ATTENTION

Observez cette séquence pendant quelques minutes, puis tentez de répondre aux dix questions sans regarder l'illustration.

1

2

3

4

5

6

7

8

Questions

1. Dans quelle image le serveur fait-il tomber sa serviette pour la première fois ?

2. Que fait la femme blonde lorsque le serveur vient prendre une chaise sur l'image 2 ?

3. Le serveur tient un plateau vide dans la main gauche quand il ramasse la serviette : vrai ou faux ?

4. De quelle couleur est le vêtement de la femme qui apparaît sur l'image d'ouverture ?

5. Quel est le nombre de chaises utilisées par les personnages ?

6. Dans combien d'images tous les personnages sont-ils visibles en même temps, ne serait-ce que partiellement ?

7. Un seul des trois personnages présentés en vignette apparaît à l'identique dans l'histoire. Lequel ?

8. Sur l'une des images, le plafonnier est éteint : vrai ou faux ?

9. La serviette rose du serveur apparaît dans sept des huit images : vrai ou faux ?

10. Où se trouve cette serviette sur la dernière image ?

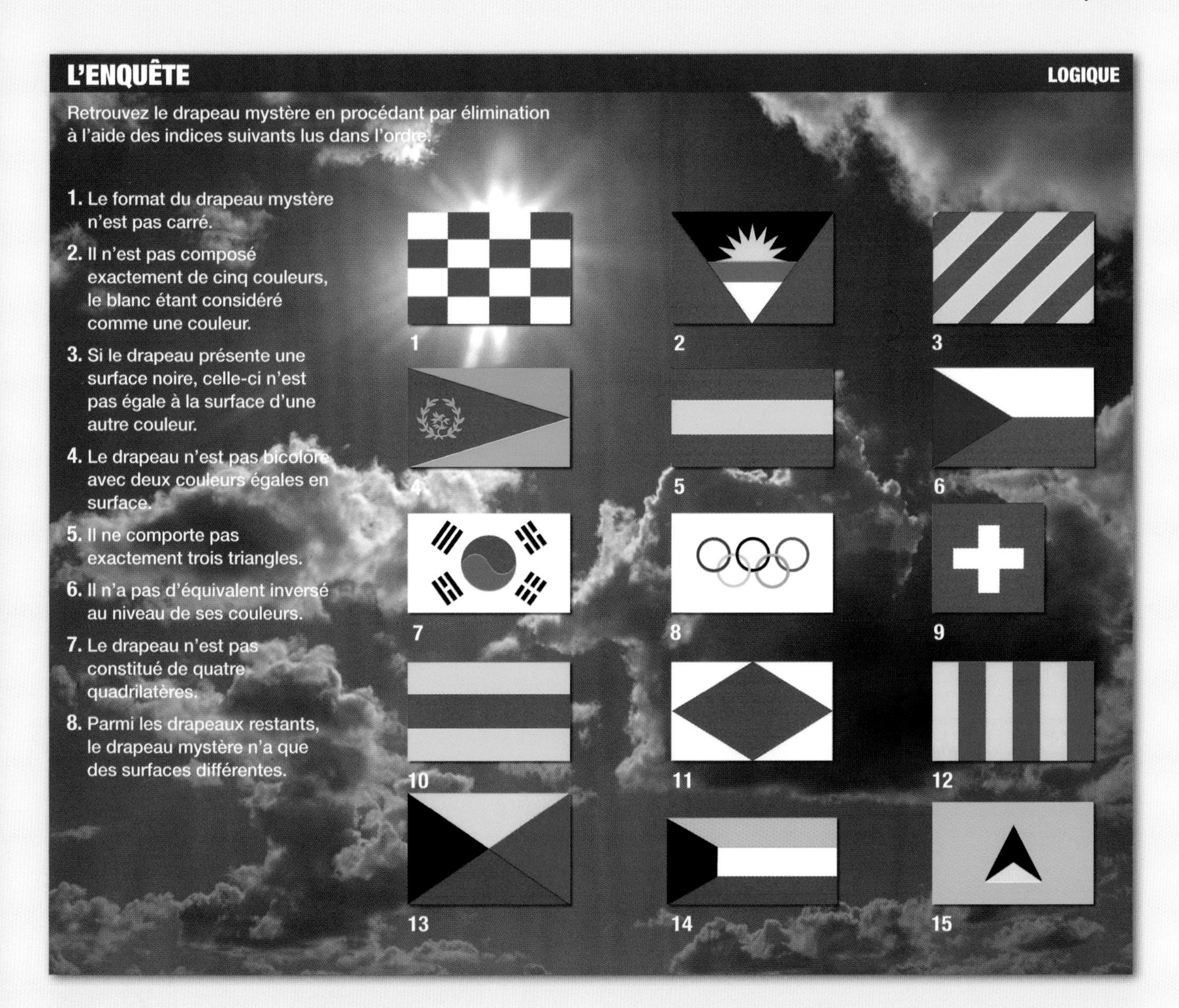

L'ENQUÊTE

LOGIQUE

Retrouvez le drapeau mystère en procédant par élimination à l'aide des indices suivants lus dans l'ordre.

1. Le format du drapeau mystère n'est pas carré.
2. Il n'est pas composé exactement de cinq couleurs, le blanc étant considéré comme une couleur.
3. Si le drapeau présente une surface noire, celle-ci n'est pas égale à la surface d'une autre couleur.
4. Le drapeau n'est pas bicolore avec deux couleurs égales en surface.
5. Il ne comporte pas exactement trois triangles.
6. Il n'a pas d'équivalent inversé au niveau de ses couleurs.
7. Le drapeau n'est pas constitué de quatre quadrilatères.
8. Parmi les drapeaux restants, le drapeau mystère n'a que des surfaces différentes.

SANDWICH

STRUCTURATION

Retrouvez dans la troisième colonne une expression latine très connue en complétant les mots horizontaux. Plusieurs mots sont possibles parfois, mais un seul vous amènera à la solution. La première colonne vous fournit un indice.

E	N		R	E
P	I		N	O
I	V		E	S
C	E		E	S
U	S		E	S
R	A		A	R
I	D		O	T
E	P		L	E
N	O		M	E

MARIONS-LES

ASSOCIATION

Essayez d'associer à leur capitale les dix pays africains suivants.

Sénégal	A	A	1	Bamako
Tchad	B	B	2	Addis-Abeba
Angola	C	C	3	N'Djamena
Mali	D	D	4	Windhoek
Togo	E	E	5	Nouakchott
Mauritanie	F	F	6	Lomé
Maroc	G	G	7	Tripoli
Libye	H	H	8	Dakar
Éthiopie	I	I	9	Luanda
Namibie	J	J	10	Rabat

QUI SUIS-JE ?

À l'aide d'un cache, découvrez un à un les indices permettant d'identifier ces mots mystère. Le but est d'y parvenir en en utilisant le minimum.

Qui suis-je ?

1. Quand je ne suis pas propre, je ne suis pas sale pour autant.
2. On me dit petit quand je suis usuel.
3. J'ai le sens de la famille.
4. Je suis parfaitement commun, au masculin comme au féminin.
5. J'essaie d'être accrocheur quand je suis d'artiste.
6. Quand je suis scientifique, j'ai souvent une consonance latine.

A. ....

Qui suis-je ?

1. J'ai attendu cent ans après la Révolution pour me dresser.
2. J'aime m'exposer, je suis née pour ça.
3. Je ne marche pas, mais j'ai des tonnes d'ampoules.
4. Je suis à la fois dans la ville et non loin des Champs.
5. À ma façon, je suis une dame de fer.
6. J'ai reçu plus de 200 millions de visiteurs depuis ma construction à Paris.

B. ....

Qui suis-je ?

1. Mes coups ne sont jamais violents.
2. Je compose avec le dièse, mais pas avec le bémol.
3. J'ai donné naissance à un adjectif qui signifie prévisible.
4. Je désigne à la fois un objet et la façon de l'atteindre.
5. Quand je suis arabe, je suis moins avancé sur le plan technologique.
6. On m'oblige à rester silencieux dans les lieux publics quand je suis portable.

C. ....

QUIZ APRÈS OBSERVATION

ATTENTION

Observez cette scène de mariage pendant quelques minutes, puis essayez de répondre aux dix questions sans regarder l'illustration.

Questions

1. Quel animal apparaît sous la corde, à gauche ?
2. Que brandit le personnage de gauche en gilet rouge et chemise blanche ?
3. Les personnages figurant le plus à droite de la scène sont des musiciens : vrai ou faux ?
4. Une cigogne trône au sommet de son nid à l'arrière-plan : vrai ou faux ?
5. Le personnage observant la scène de sa fenêtre en haut à droite est-il un homme ou une femme ?
6. La petite fille jette du riz sur la mariée : vrai ou faux ?
7. À quel niveau s'arrêtent les culottes du marié ?
8. Le bas de la robe de la mariée est rouge : vrai ou faux ?
9. Il y a un violoniste dans la scène : vrai ou faux ?
10. Où est placée la signature du peintre ?

RECONNAISSANCE/CULTURE

Qui suis-je ?

1. Je suis pris en exemple pour indiquer qu'une chose va parfaitement.
2. On aime bien me mettre en boîte.
3. On me connaît généralement sur le bout des doigts.
4. Lorsqu'on me prend, c'est toujours pour agir avec précaution.
5. Je ne laisse jamais d'empreintes.
6. On me jette pour provoquer un duel, pas comme cette éponge qui signifie la défaite !

D. ....

Qui suis-je ?

1. Je suis plus couramment deuxième que première.
2. Je suis hiérarchiquement au-dessus des ordres.
3. Au pluriel, j'ai un sens militaire.
4. J'ai passionné des gens comme Marx, mais pas Groucho !
5. Je suis maternelle avant d'être primaire.
6. On m'a associée à Aldo Maccione au cinéma.

E. ....

PROBLÈME — LOGIQUE

Il est midi. Mon copain vient de partir et m'a donné rendez-vous au cinéma Nouvelle Vague quand la petite aiguille de ma montre aura fait dix tours.

Quelle heure sera-t-il quand je le reverrai ?

SYNONYMES — LANGAGE

Des synonymes (du grec *sun*, « avec », et *onoma*, « nom ») sont des mots qui ont un sens analogue ou très voisin, comme rater, manquer, louper… Trouvez huit synonymes du mot « lourd » correspondant aux indications.

1. **G _ _ S**
(pour une personne forte)
2. **G _ _ _ E**
(pour un son)
3. **B _ _ _ _ _ _ P**
(pour une quantité)
4. **O _ _ _ _ _ _ _ _ T**
(pour un silence)
5. **E _ _ _ _ _ _ _ _ T**
(pour un investissement)
6. **R _ _ _ _ O**
(pour un style architectural)
7. **E _ _ _ _ _ _ I**
(pour un membre)
8. **F _ _ _ _ E**
(pour un homme sans finesse)

REPÈRES CHRONOLOGIQUES — TEMPS

Associez ces personnalités deux à deux : la règle est qu'elles soient nées la même année. Puis essayez de les classer des plus âgées aux plus jeunes.

Bernard Tapie
Catherine Deneuve
Che Guevara
Guy Roux
Jacques Chirac
Jeanne Moreau
Nadine de Rothschild
Richard Gere
Romy Schneider
Thierry Ardisson

MOT EN TROP — LOGIQUE

Dans chacune des séries suivantes, biffez le mot qui ne présente pas la même particularité que les autres. Identifiez un point commun géographique ou historique pour trouver l'intrus.

1. **BOUILLOIRE CHARMEUSE CHERCHER EFFLUVE MOINDRE OTORHINO**
2. **FAINÉANT GROS HUTIN JEUNE JUSTE TÉMÉRAIRE**
3. **DRACAENA POLLENS PROMEUVE ROSALBIN SARRASIN TUNICELLE**

LOGIGRAMME — **LOGIQUE**

La course de chevaux

De nombreux parieurs attendent l'arrivée du quinté de Longchamp. Mais le commentateur facétieux ne leur livre les résultats que par bribes. Retrouvez pour chacun des cinq chevaux composant l'arrivée, Lac Kazakh, Les Talons, Paix Émue, Poule Un et Songe OK, la place qu'il occupe dans le quinté, le numéro qu'il porte et la couleur de sa casaque à l'aide des indices ci-dessous.

Indices

1. Une très longue photographie s'est avérée nécessaire pour départager trois chevaux arrivés dans un mouchoir. Après un examen minutieux, on a affiché que la casaque bleue avait franchi le poteau juste derrière le 10, mais juste devant un cheval dont la casaque n'était pas jaune.
2. Le 15, Paix Émue, n'a pas remporté le quinté, mais il a devancé d'un rang le cheval à casaque grise.
3. La somme des numéros des deux derniers chevaux classés dans le quinté donne le numéro du vainqueur, qui n'est pas Lac Kazakh.
4. Les chevaux dont les noms commencent par des lettres identiques sont séparés d'exactement trois rangs.
5. Le numéro 5 a terminé deux rangs derrière la casaque rouge.

Grille de résolution

Quand une proposition vous permet d'éliminer une alternative, notez N à l'intersection concernée et notez O dans le cas inverse.

		Casaque					Numéro					Place				
		BLEUE	GRISE	JAUNE	ROUGE	VERTE	5	8	10	13	15	PREMIER	DEUXIÈME	TROISIÈME	QUATRIÈME	CINQUIÈME
Cheval	LAC KAZAKH															
	LES TALONS															
	PAIX ÉMUE															
	POULE UN															
	SONGE OK															
Place	PREMIER															
	DEUXIÈME															
	TROISIÈME															
	QUATRIÈME															
	CINQUIÈME															
Numéro	5															
	8															
	10															
	13															
	15															

Tableau des réponses

CHEVAL	LAC KAZAKH	LES TALONS	PAIX ÉMUE	POULE UN	SONGE OK
PLACE					
NUMÉRO					
CASAQUE					

DESSINER DE MÉMOIRE

ATTENTION

Regardez la figure de gauche et repérez les places des carrés et des triangles violets. Cachez-la et retrouvez de mémoire l'emplacement de ces carrés et triangles.

CRYPTOGRAMME

ASSOCIATION

Décryptez cette citation de Léonard de Vinci en choisissant la lettre correspondant à chaque symbole parmi celles qui sont proposées.

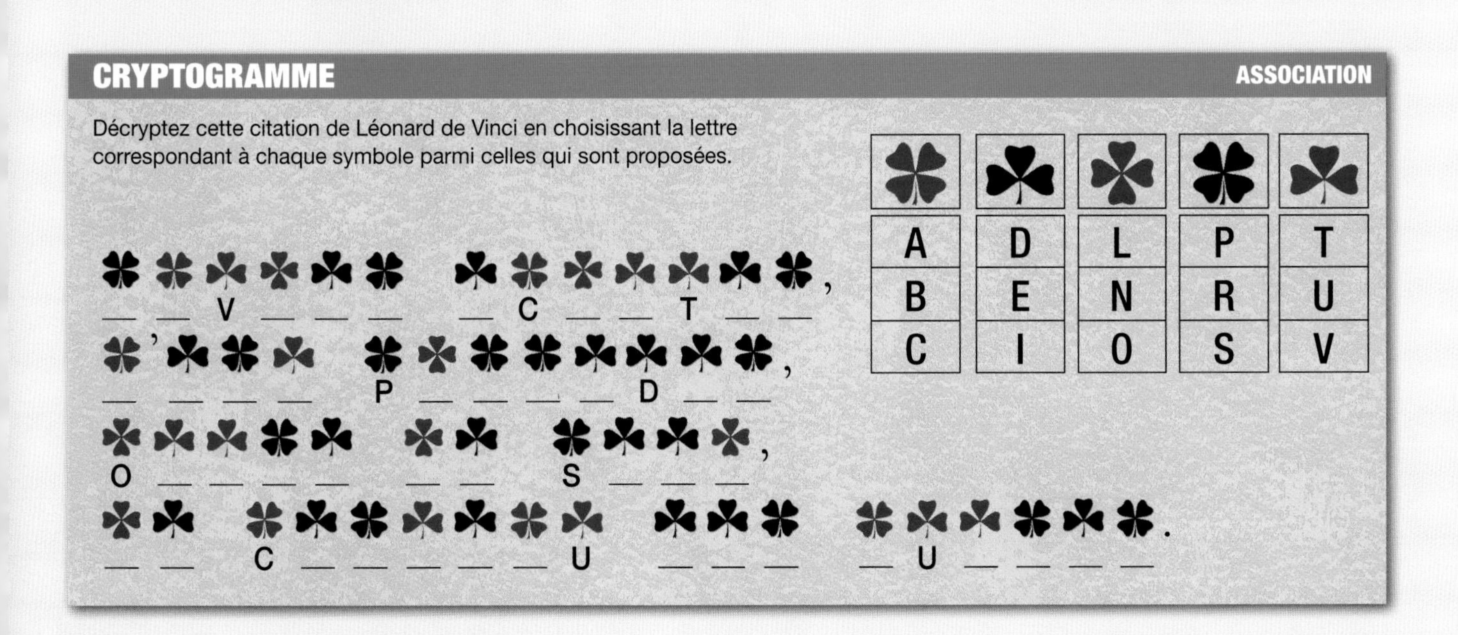

MOT EN TROP

LOGIQUE

Dans chacune des séries suivantes, biffez le mot qui ne présente pas la même particularité que les autres. Observez bien les lettres qui composent chaque mot, les ajouts ou retraits possibles.

1. BEFFROI BARRIÈRE BÉGAYER BORDURE BOSSEUR BOSSEUSE
2. ANDOUILLE BICYCLE COQUILLE ESPAGNOLE LANGUE RUSSE
3. KAYAK NATTANT RADAR SELLES SNOBONS SEMÂMES

CUBES — STRUCTURATION

Formez trois noms de pays africains en prenant chaque fois une lettre différente sur une des faces des cubes.

1. .... **2.** .... **3.** ....

PARONYMES — LANGAGE

Des paronymes (du grec *para*, « à côté », et *onoma*, « mot ») sont des mots ayant une forme très semblable mais des sens totalement différents, comme collision (choc violent) et collusion (entente secrète). Trouvez le couple de paronymes qui complète les phrases suivantes.

1. Les statistiques sur la fidélité montrent qu'un homme reste plus longtemps avec sa _ _ _ _ _ _ _ _ quand ils vivent à la _ _ _ _ _ _ _ _ que s'ils forment un couple « urbain ».

2. Devant une foule de scientifiques, ce météorologue _ _ _ _ _ _ _ a annoncé le danger _ _ _ _ _ _ _ _ d'une nouvelle vague de canicule liée au réchauffement de la planète.

3. Ce linguiste réputé connaît sans _ _ _ _ _ _ _ _ _ _ toutes les _ _ _ _ _ _ _ _ _ _ des mots qu'il rencontre, et se plaît à les décliner.

4. La femme de ce pilote automobile n'a pu se retenir d' _ _ _ _ _ _ _ _ _ _ un sourire quand l'adversaire de son coureur de mari a _ _ _ _ _ _ _ d'extrême justesse une plaque d'huile, ralentissant énormément et laissant ainsi échapper la victoire.

QUELLE EST LA SUITE ? — LOGIQUE

Complétez logiquement les séries de chiffres suivantes.

A 3 9 18 30 45 ?

B 2 9 23 51 107 ?

C 7 14 42 168 ?

D 7 14 8 16 10 20 14 ?

DESSINS EN MIROIR — ESPACE

Reproduisez ces dessins en miroir.

MOTS CASÉS

ESPACE

Replacez dans la grille tous les noms d'oiseaux suivants.

AGAMI
AUTRUCHE
CAILLE
CALAO
CANARI
CHOUCAS
CHOUETTE
COQ
ÉMEU
LAGOPÈDE
LANERET
MAINATE
MARTIN
MÉNURE
PERROQUET
PERRUCHE
PÉTREL
POULE
RÂLE
SHAMA
STERNE

LA BONNE PLACE

ATTENTION

Observez cette panoplie de couvre-chefs pendant quelques minutes, puis cachez-les.

Remettez à leur place les trois couvre-chefs de gauche (indiquez leur numéro) afin de reproduire l'étalage précédent.

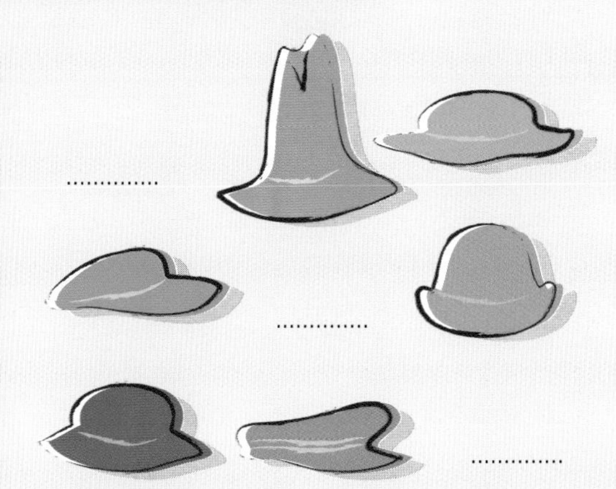

FIGURES MANQUANTES — ATTENTION

Observez cette chaîne pendant quelques minutes, puis cachez-la.

   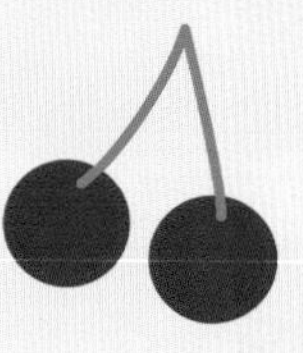 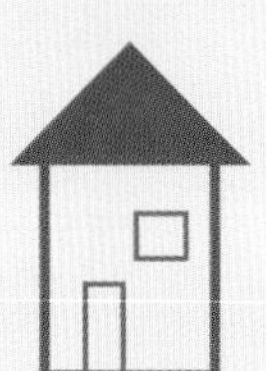

Reproduisez de mémoire les formes manquantes dans
la chaîne ci-dessous afin qu'elle soit identique à la précédente.

QUELLE EST LA SUITE ? — LOGIQUE

Complétez logiquement les séries de chiffres suivantes,
en observant les éléments géométriques associés.

A 6 12 24 29 58 63 ?

B 8 16 61 122 221 ?

C 2 5 8 33 ?

LE POINT COMMUN — ASSOCIATION

Trouvez pour chacune de ces séries un mot qui se rapporte directement à chacun des trois autres.

1. **dentiste – casino – patin** ....
2. **zézaiement – soupe – coiffeur** ....
3. **vélo – essence – chaussure** ....
4. **arrosoir – pin – amour** ....
5. **boxeur – insecte – coquetterie** ....
6. **communiant – moulin – matin** ....

PROVERBES — LANGAGE

Retrouvez six proverbes très connus
à partir de leur explication.
Les lettres d'un mot de la solution
sont données entre parenthèses.

1. Le but excuse les actions coupables commises pour l'atteindre. **(EFIIJSTU)**

   ....

2. La joie succède souvent à la tristesse, le bonheur au malheur. **(EILPU)**

   ....

3. Ceux qui ont les mêmes penchants se recherchent mutuellement. **(ABEELMSS)**

   ....

4. Ce n'est pas sur l'apparence qu'il faut juger les gens. **(EIMNO)**

   ....

5. La nouveauté a toujours un charme particulier. **(ABEU)**

   ....

6. À force de s'exercer à une chose, on y devient habile. **(EFGNOORR)**

   ....

LE COUPLE IDÉAL

ASSOCIATION

Regardez attentivement ces douze photos pendant quelques minutes.
Groupez-les deux par deux pour mieux les retenir. Cachez-les, puis essayez de les renommer.

1. ....
....
2. ....
....
3. ....
....
4. ....
....
5. ....
....
6. ....
....

BACCALAURÉAT

RECONNAISSANCE/CULTURE

Trouvez un mot commençant par chaque syllabe dans chacune des huit catégories. Si vous arrivez à remplir au moins la moitié des cases, vous obtiendrez la moyenne et donc votre baccalauréat. Attention, tout doit être terminé en 10 minutes et aucun mot ne peut être utilisé plusieurs fois.

	CO	RE	VI	MO	FE	GI
Acteur français (masculin uniquement)						
Marque connue						
Pièce d'habillement						
Titre de chanson (sans article devant)						
Prénom féminin						
Animal à quatre pattes						
Personnage historique						
Fleur ou plante						

SYLLABES MANQUANTES — STRUCTURATION

Six mots ont été tronqués d'une ou plusieurs de leurs syllabes.
En utilisant celles qui vous sont proposées, reconstituez-les.
Attention, plusieurs solutions sont possibles parfois,
mais une seule combinaison permet de reconstituer tous les mots.

1. .... TRUC ....
2. CA .... TE
3. .... DÉ ....
4. MA .... NE ....
5. CON .... NE
6. MA .... TEN ....

NU · MI · RIE · TA · IN · CENT · TION · TEUR · ROT · DES · CHI

L'ENQUÊTE

Madame Lili a été dévalisée par un voleur. Elle se retrouve au poste de police et doit identifier le malfrat parmi six suspects. N'osant le désigner directement, elle déclare au policier :

LES DEUX FONT LA PAIRE — ASSOCIATION

Trouvez dix mots se terminant par –ULE et directement liés aux indices donnés (une lettre par tiret).

1. Chaleur extrême ➤ _ _ _ _ _ U L E
2. Os de l'épaule ➤ _ _ _ _ _ _ U L E
3. Petite lettre ➤ _ _ _ _ _ _ U L E
4. Oiseau de nuit ➤ _ _ _ _ _ _ _ U L E
5. En avant des mâchoires d'insecte ➤ _ _ _ _ _ _ U L E
6. Organe masculin ➤ _ _ _ _ _ _ U L E
7. Élémentaire pour Houellebecq ➤ _ _ _ _ _ _ U L E
8. Sous protection du parrain ➤ _ _ _ _ _ U L E
9. Équilibriste ➤ _ _ _ _ _ _ U L E
10. Bras de mer ➤ _ _ _ _ _ _ U L E

CASE-CHIFFRES — LOGIQUE

Chaque brique du case-chiffres représente la somme des deux briques situées juste en dessous d'elle. Reconstituez la totalité de la pyramide en respectant les chiffres déjà placés.

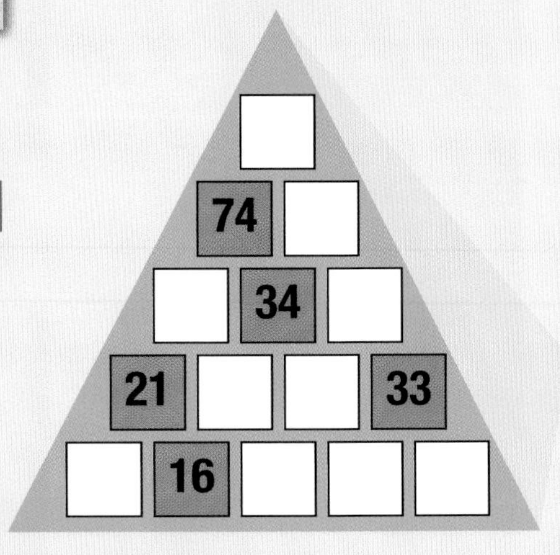

DOMINOLETTRES — STRUCTURATION

Trouvez l'ordre dans lequel ranger ces dominos de lettres pour pouvoir lire horizontalement les noms et prénoms de deux chanteuses, dans le sens traditionnel de lecture pour l'une, de droite à gauche pour l'autre.

LOGIQUE

« Parmi les suspects ayant au moins deux des trois caractéristiques suivantes (lunettes, moustache, barbe), le coupable sourit, il a la raie sur le côté et n'a pas de gourmette. »
Cela suffira-t-il au policier pour arrêter l'individu sans scrupules ?

VRAI OU FAUX

RECONNAISSANCE/CULTURE

Essayez de deviner si les affirmations suivantes concernant la peinture sont vraies ou fausses.
Cochez sous les symboles V et F les lettres correspondant à vos réponses, puis remettez les six lettres obtenues dans l'ordre pour former le nom d'un peintre.

_ _ _ _ _ _

	VRAI	FAUX
1. Il faudrait 87 tableaux de *la Joconde,* de Léonard de Vinci, pour recouvrir *le Radeau de la Méduse,* de Géricault.	R	S
2. *La Joconde* a été volée en 1911 et retrouvée en 1913.	I	E
3. Picasso aurait eu 100 ans en 2004.	G	N
4. La tombe de Gauguin est l'une des plus visitées du Père-Lachaise.	P	E
5. Une fresque recouvre la tour de refroidissement de la centrale nucléaire de Cruas, en Ardèche.	O	T
6. Rembrandt, contrairement à Van Gogh, est mort immensément riche en 1669.	I	R

LABYRINTHE

ESPACE

Trouvez l'unique chemin reliant les deux pièces de 1 euro touchant le cadre, en ne passant que par les euros et les centimes d'euro se chevauchant.

COUPLES DE MOTS

ASSOCIATION

Mémorisez ces six couples de mots pendant quelques minutes, puis cachez-les et répondez aux six questions.

Idiot – Imbécile

Chameau – Fardeau

Charmant – Prince

Village – Hameau

Duc – Baron

Bête – Simplet

Questions

1. Combien y a-t-il de noms de nains de Blanche-Neige dans la liste ?

....

2. Quel mot est associé à Hameau ?

....

3. Quel titre s'avère Charmant ?

....

4. Deux mots commencent par une voyelle, retrouvez-les.

....

5. À quoi est couplé le mot Crétin ?

....

6. Quel animal est cité dans cette liste ?

....

GRILLE À THÈME — RECONNAISSANCE/CULTURE

Tous les noms qui composent cette grille sont ceux de races de chiens. Certaines lettres clefs ont été disposées de façon à vous guider. Parviendrez-vous à identifier tous ces chiens ?

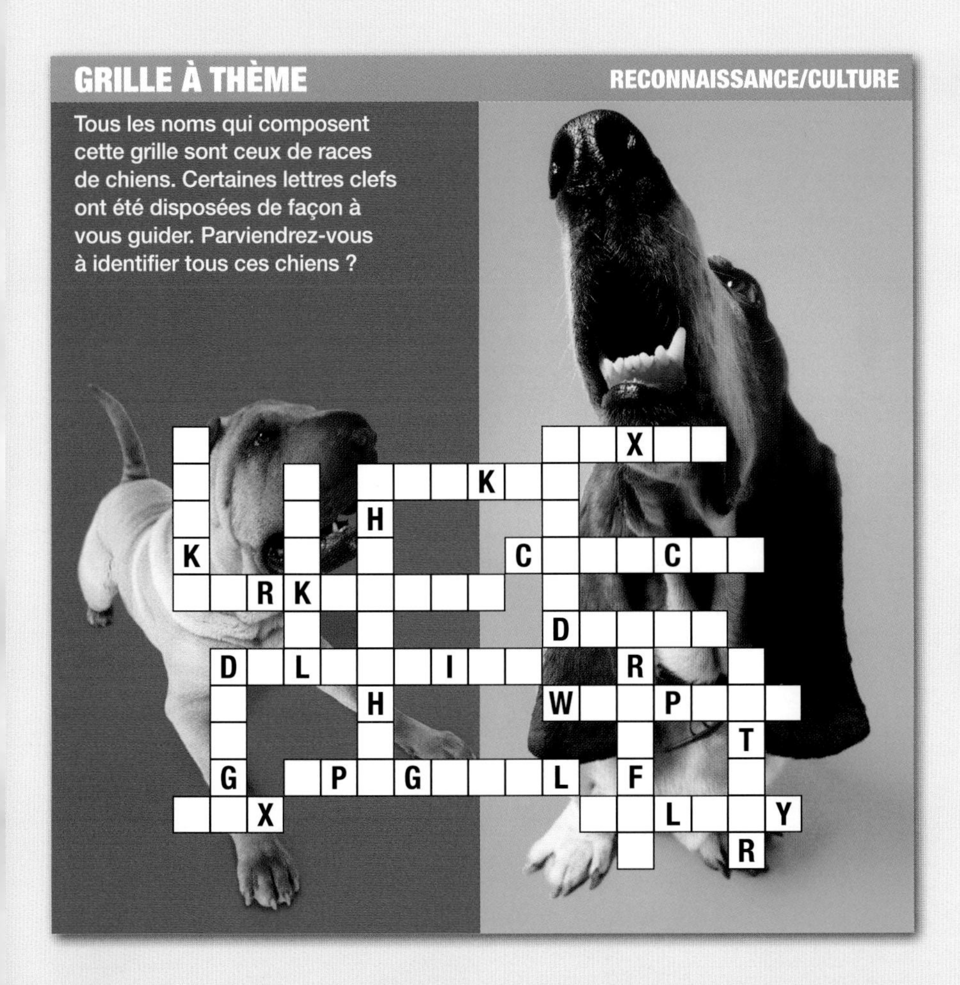

ITINÉRAIRE — STRUCTURATION

Complétez horizontalement les noms géographiques suivants pour obtenir verticalement, dans la première et la dernière colonne, deux villes dont l'une se trouve sur le Nil, en Égypte, et l'autre sur l'Yonne, en France.

	T	L	A	N	T	
	A	U	L	I	E	
	O	C	H	A	U	
	C	E	A	N	I	
	D	A	I	P	U	
	L	K	M	A	A	
	A	V	A	R	R	

DESSINER DE MÉMOIRE — ATTENTION

Observez ce damier pendant quelques minutes pour mémoriser les formes disposées à l'intérieur. Cachez-le, puis replacez les formes à leur place dans le damier vierge.

	A	B	C	D	E
1					
2					
3					
4					
5					

	A	B	C	D	E
1					
2					
3					
4					
5					

GRILLE À THÈME

RECONNAISSANCE/CULTURE

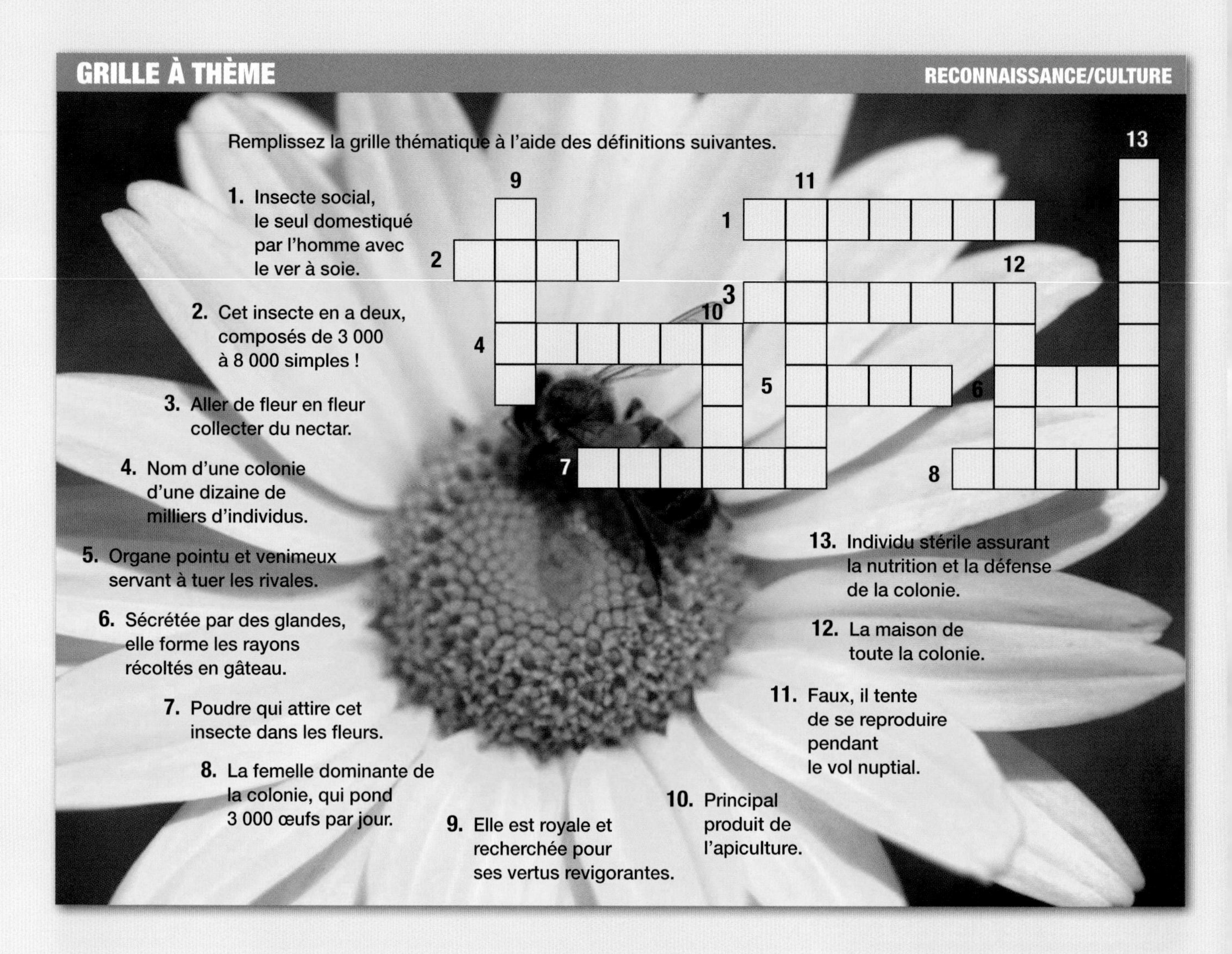

Remplissez la grille thématique à l'aide des définitions suivantes.

1. Insecte social, le seul domestiqué par l'homme avec le ver à soie.

2. Cet insecte en a deux, composés de 3 000 à 8 000 simples !

3. Aller de fleur en fleur collecter du nectar.

4. Nom d'une colonie d'une dizaine de milliers d'individus.

5. Organe pointu et venimeux servant à tuer les rivales.

6. Sécrétée par des glandes, elle forme les rayons récoltés en gâteau.

7. Poudre qui attire cet insecte dans les fleurs.

8. La femelle dominante de la colonie, qui pond 3 000 œufs par jour.

9. Elle est royale et recherchée pour ses vertus revigorantes.

10. Principal produit de l'apiculture.

11. Faux, il tente de se reproduire pendant le vol nuptial.

12. La maison de toute la colonie.

13. Individu stérile assurant la nutrition et la défense de la colonie.

CARRÉ MAGIQUE

LOGIQUE

Voici un carré magique de cinq cases. Placez les chiffres manquants de 1 à 9 de façon que la somme de chaque ligne, colonne ou diagonale soit 65.

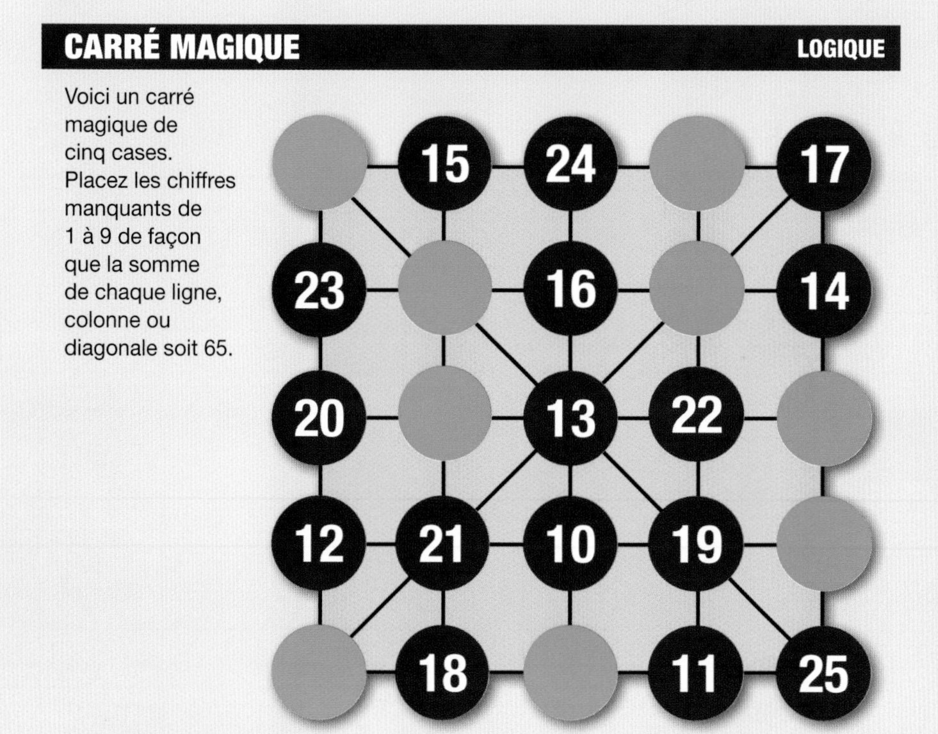

IMAGE ZOOMÉE

ATTENTION

Identifiez l'objet, l'animal ou le personnage que notre dessinateur s'est amusé à transformer.

PROBLÈME — LOGIQUE

Un magasin de bonbons attire tous les enfants du quartier. On y vend des carambulles, des malachewings et des roudoudous à des parfums introuvables ailleurs.

– Lucie a acheté quatre carambulles, trois malachewings et deux roudoudous pour 2 euros.
– Kévin a pris six malachewings et un carambulle pour le même prix.
– Anna a opté pour dix roudoudous, un carambulle et un malachewing, elle a payé… 2 euros aussi.

Quels sont les prix des sucreries affichés par le magasin ?

Roudoudou ....

Malachewing ....

Carambulle ....

SANDWICH — STRUCTURATION

Replacez toutes les lettres ci-dessous pour pouvoir lire neuf mots horizontaux. Si vous faites les bons choix, vous découvrirez verticalement le nom de deux chansons de Francis Cabrel.

P	O		T	A		E	S
B	R		Q	U		N	T
M	O		D	I		U	S
B	I		E	L		T	S
C	R		T	E		E	S
E	S		A	D		O	N
G	R		N	D		E	S
C	A		D	I		E	S
E	L		P	H		N	T

Liste des lettres à caser :

A A A A A B
C C D E I L O
N R R R S

ITINÉRAIRE — STRUCTURATION

Complétez horizontalement les noms géographiques suivants pour obtenir verticalement, dans la première et la dernière colonne, deux villes des Bouches-du-Rhône.

	I	M	I	N	
	I	S	A	N	
	U	E	R	E	
	A	G	P	U	
	R	I	E	G	
	A	S	S	I	

JEU DES 7 ERREURS — ATTENTION

Il existe sept différences entre ces deux dessins. Pouvez-vous les retrouver ?

FIGURES ENTREMÊLÉES — ATTENTION

Observez cette image : quelle est la forme la plus représentée ?
Vous devez répondre en moins de 30 secondes et sans prendre de notes.

REPÈRES CHRONOLOGIQUES — TEMPS

Classez de 1 à 10 ces rois de France dans l'ordre chronologique de leur règne.

A Charlemagne
B Charles V
C Clovis Ier
D Dagobert Ier
E François Ier
F Henri IV
G Hugues Capet
H Louis IX (Saint Louis)
I Louis XIV
J Philippe Ier

1 ....
2 ....
3 ....
4 ....
5 ....
6 ....
7 ...
8 ....
9 ....
10 ....

SANS FAUTE — ATTENTION

Observez ces sept objets pendant 30 secondes, puis cachez-les.

Pouvez-vous les nommer en vous aidant de leurs initiales ?

C ....
B ....
C ....
B ....
P ....
C ....
T ....

CUBES — STRUCTURATION

Formez trois noms de sportifs français en prenant chaque fois une lettre différente sur une des faces des cubes.

1. ....

2. ....

3. ....

L'INTRUS — LOGIQUE

Débusquez l'intrus qui s'est glissé parmi ces visuels en trouvant le lien qui les unit.

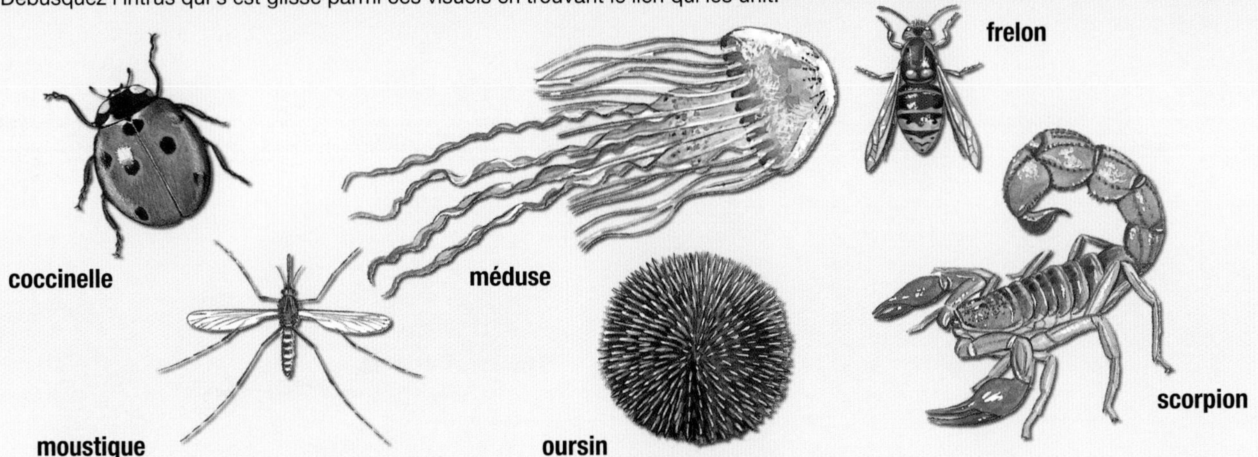

ALLUMETTES — LOGIQUE

Bougez une seule allumette pour que cette figure ne comporte plus cinq mais six carrés.

PROBLÈME — LOGIQUE

Une cible de jeu de fléchettes attribue de l'extérieur au centre : 1, 3, 7, 15 ou 25 points. Roland disposait de six fléchettes et a réussi à marquer 102 points. Pouvez-vous lister toutes les façons dont il a pu obtenir ce score et en déduire le ou les endroits de la cible qu'il n'a pas touchés dans tous les cas ?

LES DEUX FONT LA PAIRE — ASSOCIATION

Trouvez dix mots se terminant par –ORE et directement liés aux indices donnés (une lettre par tiret).

1. Phare ➤ _ _ _ _ _ _ O R E
2. Culture orale, musique traditionnelle ➤ _ _ _ _ _ O R E
3. Rideau ➤ _ _ O R E
4. Comme le drapeau français ➤ _ _ _ _ _ _ O R E
5. Grande quantité ➤ _ _ _ _ _ O R E
6. Ne sait pas ➤ _ _ _ O R E
7. Amateur de viande ➤ _ _ _ _ _ _ O R E
8. Boîte à ne pas ouvrir ➤ _ _ _ _ O R E
9. Terreur des patates ➤ _ _ _ _ _ _ O R E
10. Début de la journée ➤ _ _ _ O R E

LE COMPTE EST BON

LOGIQUE

Atteignez le 90 avec ces seize chiffres, en plaçant chacun d'eux dans une case identique à celle dans laquelle il est inscrit.

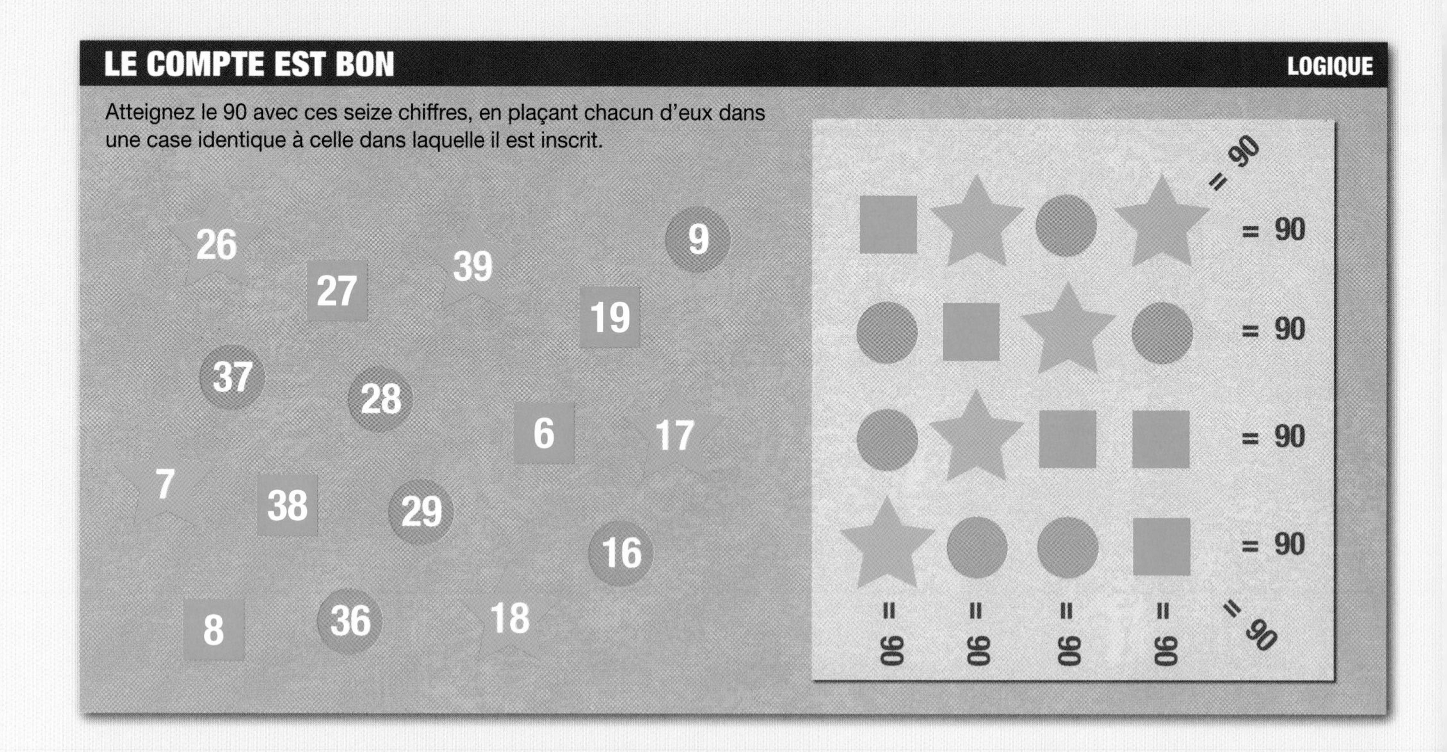

LE POINT COMMUN

ASSOCIATION

Trouvez pour chacune de ces séries un mot qui se rapporte directement à chacun des trois autres.

1. **savon – marin – bière** ....
2. **arc – lit – marelle** ....
3. **doigt – musique – adulte** ....
4. **danseur – astre – mer** ....
5. **thorax – escalier – canari** ....
6. **chantier – oiseau – prostituée** ....

DESSINER DE MÉMOIRE

ATTENTION

Prenez le temps de bien regarder ces dessins. Fermez les yeux et essayez de les visualiser en repérant leur position. Si l'un d'eux vous échappe, regardez-le de nouveau pour bien le fixer.

Cachez les dessins et essayez de les reproduire de mémoire.

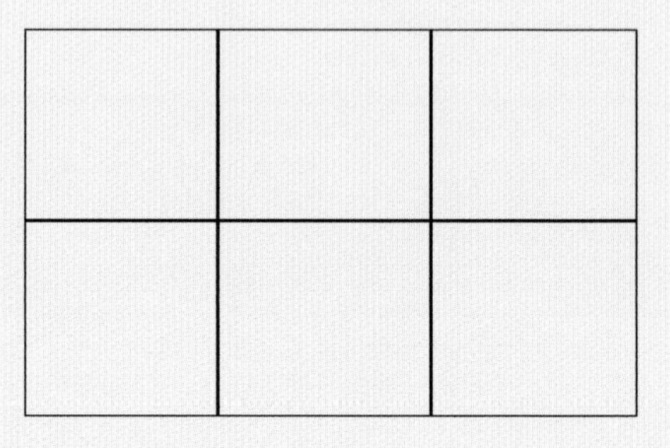

CARRÉ MAGIQUE

LOGIQUE

Dans ce carré de trois cases de côté dont l'élément central est 5, disposez les chiffres de 1 à 9 de façon que la somme de chaque ligne, chaque colonne et chaque diagonale soit égale à 15. Procédez par tâtonnements.

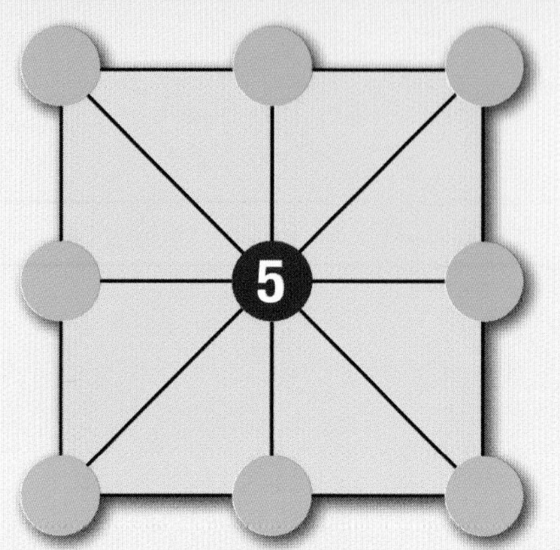

L'INTRUS — LOGIQUE

Trouvez l'intrus qui se cache dans cette série de dix animaux.

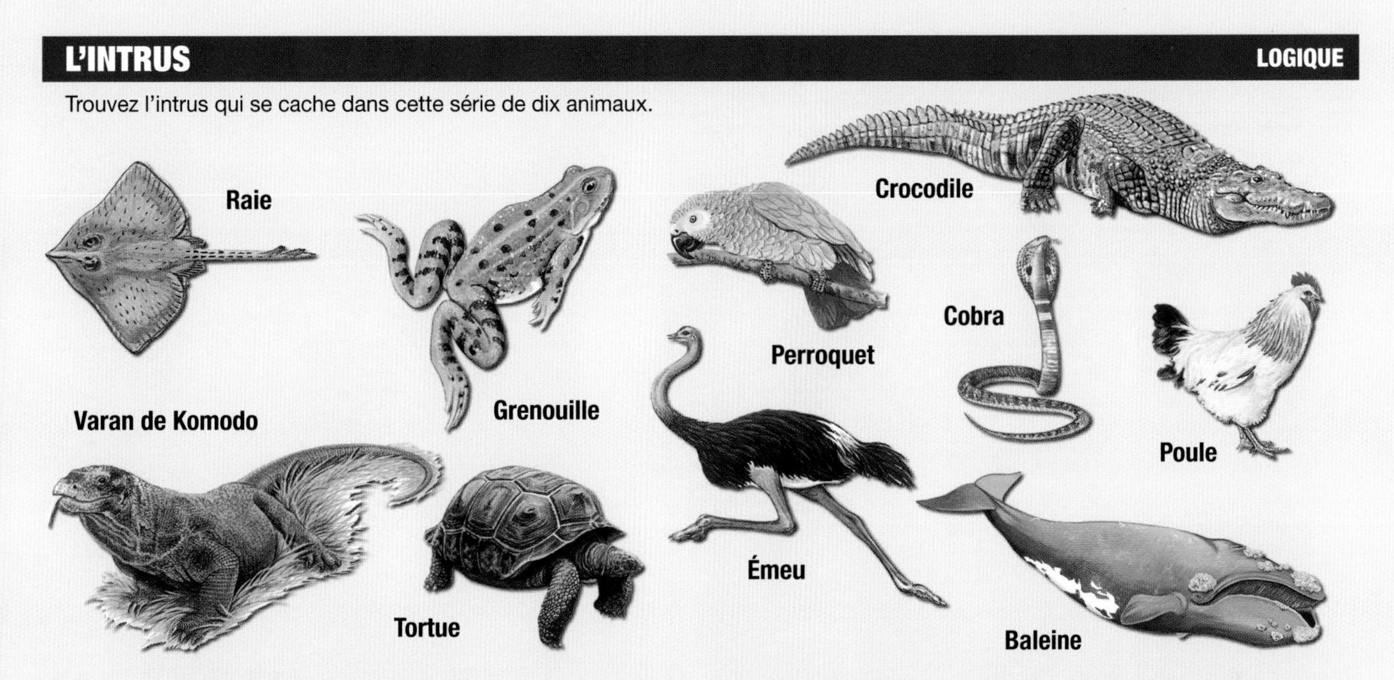

DÉCODAGE — ATTENTION

Voici la grille du langage morse.

A .-	I ..	Q --.-	Y -.--
B -...	J .---	R .-.	Z --..
C -.-.	K -.-	S ...	. .-.-.-
D -..	L .-..	T -	, --..--
E .	M --	U ..-	? ..--..
F ..-.	N -.	V ...-	: ---...
G --.	O ---	W .--	- -....-
H	P .--.	X -..-	' !

1. Pouvez-vous décoder cette citation d'Alphonse Allais en utilisant la grille ?

.--- ! .- .. / ..- -. . / -- . -- --- .. .-. . /

.- -.. -- .. .-. .- -... .-.. . --..-- /

.--- ! --- ..- -... .-.. .. . / - --- ..- - .-.-.-

2. Pouvez-vous coder cette citation de Georges Wolinski ?
Quand on ne sait rien faire, il faut avoir de l'ambition.

....

....

....

ANAPHRASES — STRUCTURATION

Utilisez toutes les lettres indiquées en couleur pour former des anagrammes qui complètent la phrase en lui donnant un sens.

1. E L O R S T U
Ma mère a essayé de me faire avaler que si les .... nagent aussi bien, c'est parce qu'elles portent des pantalons dont les .... arrivent au-dessus de leurs .... !

2. E I L S P T U
Le règlement du concours du village le mieux fleuri .... que les participants n'utilisent pas de ....

3. A E I I L N S T
Si les prêtres .... des .... plus modernes, leurs églises se videraient moins.

LE COUPLE IDÉAL — ASSOCIATION

Observez ces cinq couples de photos pendant quelques minutes, puis cachez-les.

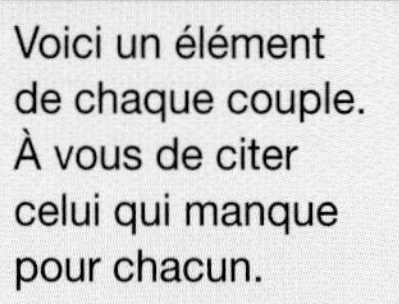

Voici un élément de chaque couple. À vous de citer celui qui manque pour chacun.

PUZZLE — ESPACE

Observez cette figure.

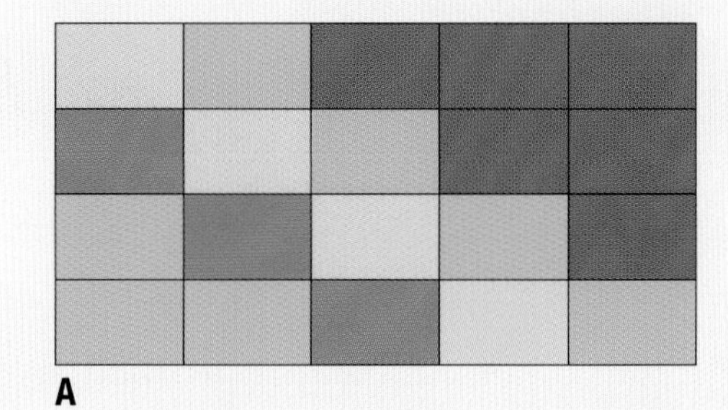

A

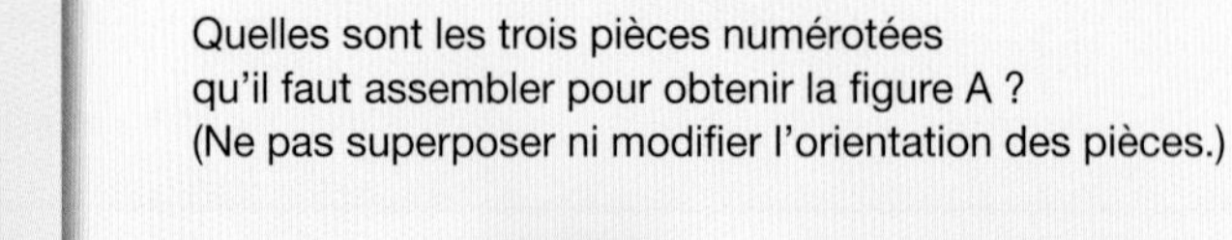

Quelles sont les trois pièces numérotées qu'il faut assembler pour obtenir la figure A ?
(Ne pas superposer ni modifier l'orientation des pièces.)

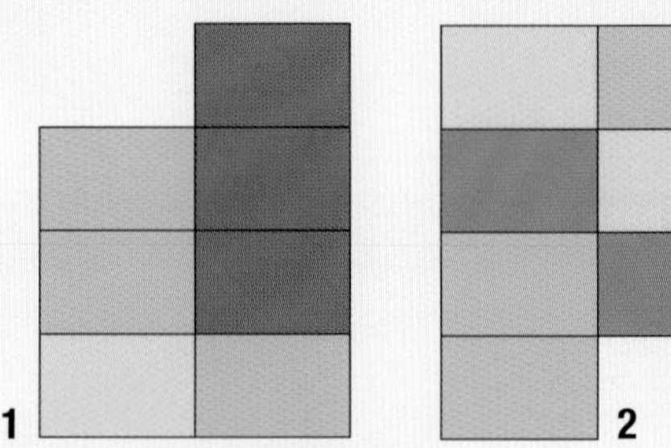

1 2

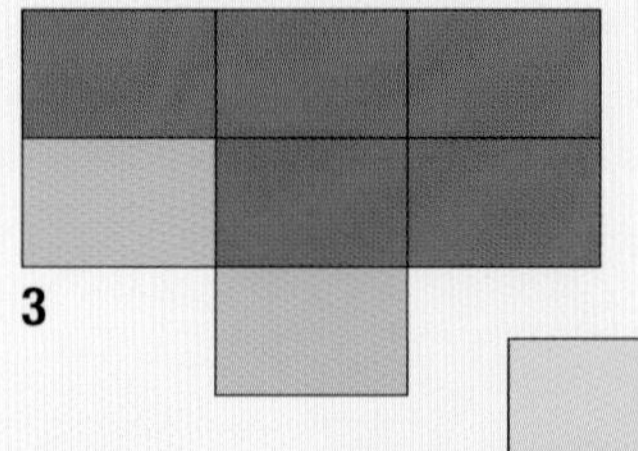

3

4 5

6

L'INTRUS — LOGIQUE

Trouvez l'intrus dans cette suite de nombres.

3 5 7 11 13 17 19 21 23

Solutions des jeux

Page 60-61

Pages 62-63

PROVERBES MÊLÉS

1. Bon chien chasse de race
2. À vieille mule, frein doré
3. Qui trop embrasse mal étreint

CASE-CHIFFRES

Le quatrième chiffre de la base doit être tout petit, sinon on n'arriverait jamais à 10 au troisième niveau. Posez donc 1 entre 6 et 2. Et remontez : 6 + 1 = 7 et 1 + 2 = 3 au bout du deuxième niveau. De même, pour arriver à 117 au sommet, on additionnera 47, 10 et deux fois le chiffre manquant au troisième niveau : 117 – 47 – 10 = 60 et 60 / 2 = 30. Donc 30 est entre 47 et 10. On peut ainsi placer 47 + 30 = 77 et 30 + 10 = 40 au quatrième niveau. Au deuxième, il vient 30 – 7 = 23 puis 47 – 23 = 24.
À la base, on termine avec
24 – 7 ou 23 – 6 = 17.

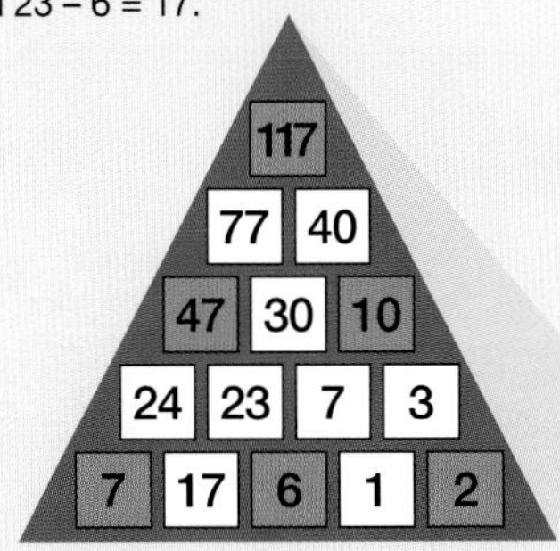

PROBLÈME

Si x est l'âge du petit frère il y a cinq ans, le grand frère avait alors 2 x. Aujourd'hui, ils ont respectivement x + 5 et 2 x + 5. Dans huit ans, ils auront x + 13 et 2 x + 13. Au total, cela fera 3 x + 26. Pour que 3 x + 26 vaille 50, il faut que x soit égal à 8. Donc l'enfant qui parle a aujourd'hui 13 ans (8 + 5).

JEU DES 7 ERREURS

ANAPHRASES

1. Grésille, grillées
2. Sainteté, anisette, tétanisé
3. Épinards, peinards

RÉBUS

Touchez pas au grisbi, de Jacques Becker, avec Jean Gabin, René Dary, Lino Ventura et Jeanne Moreau (1953)
(t' – houx – Che – pas – eau – gris – z – bi)

Pages 64-65

OMBRE

L'ombre n° 4.

QUIZ PROGRESSIF

1. Ce n'est pas la mer à boire
2. Le reflux
3. Changeants
4. La mer Égée
5. Vrai, c'est en fait un lac, le plus salé du monde (30 %)
6. Le canal de Suez
7. La mer Rouge
8. Arraisonner
9. La naupathie
10. La mer d'Oman

COUPLES DE MOTS

1. Lettre
2. Non
3. Demeure
4. Avant
5. Soupe
6. Averses, pluie

QUELLE EST LA SUITE ?

1. G : on recule de 3 lettres, puis de 4, puis de 5. La suivante se trouve 6 lettres avant M.
2. V : c'est la suite des lettres dont l'écriture en majuscules ne nécessite aucune forme arrondie.

MOTS CACHÉS

Le nom de l'animal caché est COBRA.

L'HEURE EXACTE

La montre B indique l'heure exacte : 12 h 25. Les montres A et C sont fausses d'un quart d'heure (12 h 10 et 12 h 40) et la montre D avance (12 h 55).

Pages 66-67

ANAGRAMMES

1. Mimosa
2. Géranium
3. Rose
4. Pétunia
5. Narcisse
6. Ancolie
7. Tournesol
8. Gentiane
9. Violette

PROBLÈME

Cinq boules jaunes.
D'après la balance 2, trois rouges = trois jaunes + trois bleues. Or trois bleues, c'est deux vertes (balance 3). Et deux vertes, c'est deux rouges + deux jaunes (balance 1). Donc trois rouges, c'est trois jaunes + deux rouges + deux jaunes. Enlevons deux rouges de chaque plateau, il reste une rouge = trois jaunes + deux jaunes, soit cinq jaunes.

CITATIONS MÊLÉES

1. « Mon royaume pour un cheval » : citation prêtée à Richard III par Shakespeare.
2. « Et pourtant, elle tourne » : Galilée accusé d'hérésie.
3. « La garde meurt mais ne se rend pas » : Cambronne blessé à Waterloo.

HOMOGRAPHES

1. Fier
2. Couvent
3. Convient
4. Fils

PROBLÈMES

1. Il suffit de donner 50 cents. Laurent aura 50 cents de moins, Laurence 50 cents de plus, la différence entre eux sera alors de 1 euro.
2. C'est possible : une pièce de 1 euro et une pièce de 20 cents, qui n'est pas de 1 euro, donc.

RECOLLE-MOTS

MONTER, VIDÉO (Montevideo)
VENTS, COUVERT (Vancouver)
LISSE, BONNE (Lisbonne)
TRIENT, POLIS (Tripoli)
BELLE, GRADE (Belgrade)
FLORE, ANSE (Florence)
CARAT, CASSE (Caracas)
BOSSE, TONNE (Boston)
QUINE, CHASSA (Kinshasa)
CAS, BOULE (Kaboul)

Pages 68-69

LA CARTE EN QUESTIONS

1. Washington
2. Oregon
3. Idaho
4. Nevada
5. Californie
6. Arizona
7. Utah
8. Colorado
9. Wyoming
10. Nebraska
11. Kansas
12. Missouri
13. Louisiane
14. Texas (Taxes)
15. Michigan
16. Ohio (0 H I0)
17. Maine
18. Tennessee
19. Géorgie
20. Floride

FIGURES ENTREMÊLÉES

Il y a 32 carrés.

RÉBUS

Rien ne sert de courir, il faut partir à point
(Le Lièvre et la Tortue)
(riz – un – nœud – cerf – deux – cou – rire – île – faux – part – tir – A – poing)

ANAGRAMMES

1. Chien
2. Sanglier
3. Chevreuil
4. Faisan
5. Langouste
6. Araignée
7. Abeille
8. Lièvre
9. Mésange
10. Renard

Pages 70-71

MOTS EN ZIGZAG

La ville est LOURDES.

REPÈRES CHRONOLOGIQUES

A5 – B4 – C10 – D1 – E8 – F3 – G2 – H9 – I7 – J6

BOUCHE-TROUS

1. Malheureux
2. Cacahuète
3. Quiproquo
4. Quatuor
5. Joaillier
6. Critérium

MARIONS-LES

A1 (de *sifr* : « zéro ») – B10 (de *black ball* : « boule noire », symbole de vote contre) – C3 (de *qua hinc, qua hac* : « par-ci par-là ») – D7 (de *was ist das* : « qu'est-ce que c'est ? ») – E9 (de *wacharme* : « pauvre de moi ») – F5 (cri de guerre) – G2 (de *hupocrisis* : « mimique ») – H8 (« acte de foi ») – I6 (« je gagne ») – J4 (Pulcinella, personnage de la commedia dell'arte)

COUPE-LETTRES

On peut enlever :
P (Comtes) – O (Muette) – U (Cocher) – S (Dépote) – S (Reines) – I (Dicton) – N (Messie).
Le nom du peintre est POUSSIN (Nicolas).

DÉFI

Si vous avez restitué plus de la moitié des mots en 1 minute, bravo ! Si vous avez peiné pour en retrouver trois 10 minutes après, c'est normal. De même, il est possible que vous ayez dit ou écrit verre pour gobelet, télévision pour téléviseur, fromage pour parmesan... La mémoire fixe le sens des mots, pas leur forme.

Pages 72-73

RECOLLE-MOTS

MONT, TEIGNE (Montaigne)
RAT, BLET (Rabelais)
RONCE, ARRHES (Ronsard)
VOLENT, TAIRE (Voltaire)
BAUME, ARCHET (Beaumarchais)
CHÂTEAU, BRILLANT (Chateaubriand)
CONDOR, SAIT (Condorcet)
APPEAU, LINAIRE (Apollinaire)
BERNA, NOCES (Bernanos)
VERT, LAINE (Verlaine)

MARIONS-LES

A6 – B2 – C4 – D7 – E5 – F9 – G10 – H1 – I8 – J3

QUELLE EST LA SUITE ?

Les mots illustrés sont classés d'après leur initiale dans l'ordre alphabétique inverse : Zèbre, Yorkshire, Xylophone et Whisky.
Le cinquième mot commence donc par un V et ne peut être que Violon parmi les instruments proposés (Piano, Trombone, Violon).

DÉCODAGE

La phrase est : « Avant de passer à la caisse, regardez toujours avec soin la composition du tissu inscrite sur l'étiquette. »
La première et la dernière lettre de chaque mot sont à la bonne place.

LE COMPTE EST BON

Pages 74-75

QUI SUIS-JE ?

A. Miou-Miou
B. Zinedine Zidane
C. Boris Vian
D. Mickey
E. Luc Plamondon

CRYPTOGRAMME

L'intelligence ne se mesure pas des pieds à la tête, mais de la tête au ciel.

Napoléon Bonaparte

TRIPLETS D'EXPRESSIONS

1. Formule
2. Pierre
3. Droit
4. Galerie
5. Planche
6. Jardin

ALLUMETTES

Les allumettes au bout rouge sont celles qui n'ont pas bougé de place.

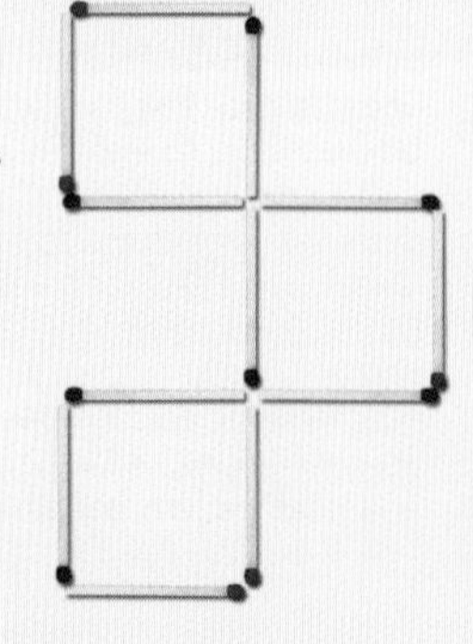

ROSACE

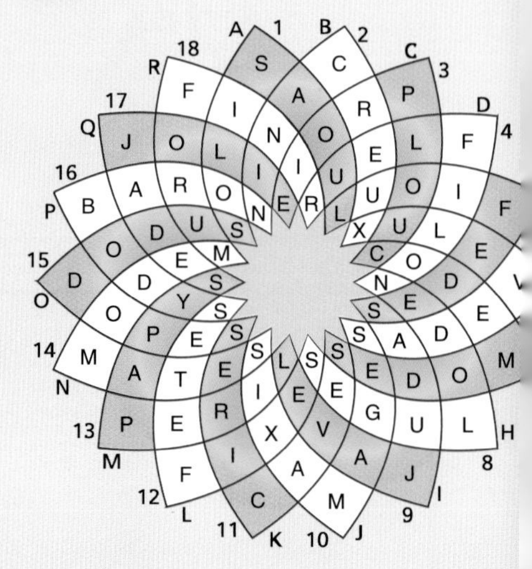

Pages 76-77

RÉBUS

Il était une fois dans l'Ouest, de Sergio Leone (île – haie – thé – une – foie – dent – loup – est)

RECOLLE-TITRES

1. Je me suis fait tout petit
2. Heureux qui comme Ulysse
3. Mourir pour des idées
4. Le temps ne fait rien à l'affaire

QUELLE EST LA SUITE ?

Le 2 de carreau complète horizontalement et verticalement cette suite de cartes. Pour trouver la couleur, il fallait remarquer que les quatre couleurs (cœur, carreau, pique, trèfle) figurent une seule fois sur chaque ligne et sur chaque colonne, en alternant le rouge et le noir. Quant à la valeur, celle-ci s'imposait logiquement une fois que vous aviez noté que la somme des cartes atteignait 20 dans les deux sens.

ÉCHELLE

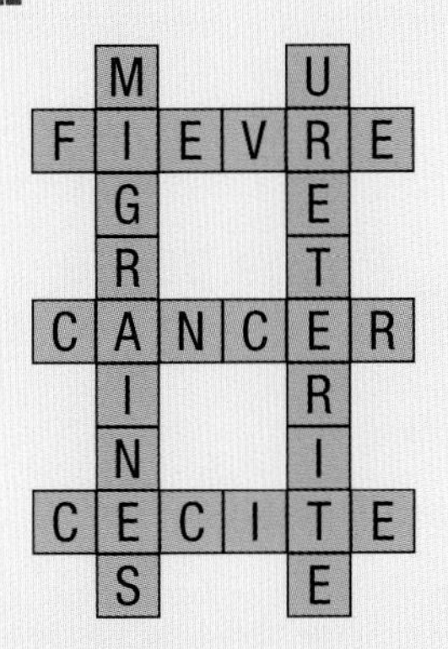

Pages 78-79

QUIZ APRÈS OBSERVATION

1. Un as rouge
2. La main droite
3. Faux
4. Des pièces d'or
5. De face
6. La main gauche
7. Faux
8. Vers la gauche
9. Des plumes
10. Vrai

SYLLABES MANQUANTES

1. Décimal
2. Impolitesse
3. Polisson
4. Répartir
5. Condiment
6. Absurdité

BOUCHE-TROUS

1. Iceberg
2. Inégal
3. Irréel
4. Intérim
5. Islam
6. Idylle

L'HEURE EXACTE

1. La montre indiquant 8 h répond aux conditions. Celle qui affiche 1 h retarde de 7 heures, et celle qui affiche 3 h (en fait, 15 h) avance de 7 heures.
2. La réponse est à nouveau la montre indiquant 8 h. La montre qui affiche 1 h (en fait, 13 h) avance de 5 heures et celle qui affiche 3 h retarde de 5 heures.

LABYRINTHE

CHENILLE

J O U E U R
S É J O U R
J U R O N S
C O R N U S
C R O C U S
E S C R O C (ou SOCCER)
C O C H E S
É C H E C S

Pages 80-81

MOTS CASÉS

B	A	L	A	S	K	O					C	L	A	V	I	E	R
A					A				M		H		R				O
R	O	H	M	E	R		S	T	O	N	E		D		J		C
D		U			I		E		N		R	A	I	M	U		H
O		S	I	G	N	O	R	E	T		E		T		G		E
T		T			A		R		A		A		I		N		F
		E					A	N	N	A	U	D		S	O	L	O
G	A	R	C	I	A		U		D			E			T		R
E							L			D	A	L	L	E			T
L	E	A	U	D			T			A		O				D	
I										R		N	E	W	M	A	N
N	O	I	R	E	T		L	Y	N	C	H					X	

HOMOPHONES

1. Mythe, mites
2. Satire, satyres
3. Trois, Troyes, Troie
4. Basilic, basilique

LETTRE BONUS

1. Trac
2. Actif
3. Astuce
4. Luciole
5. Escargot
6. Cambriole

DOMINOLETTRES

E I N S T E I N
C I N R E P O C

CASE-CHIFFRES

Il suffit de partir du sommet et de redescendre :
91 – 40 = 51 à placer à côté de 40.
Puis 40 – 20 = 20 à placer à gauche au troisième niveau,et ainsi de suite.

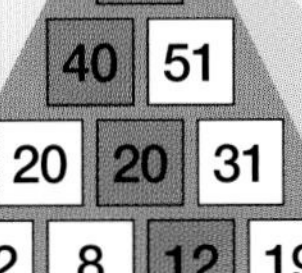

PROBLÈME

Reposez votre calculette ! Quand ils se croiseront, ils seront forcément à la même distance de cette ville.

Pages 82-83

QUELLE EST LA SUITE ?

A. Figure 5 : le point de couleur passe d'un coin à un autre dans le sens des aiguilles d'une montre et passe alternativement du rouge au vert.
B. Figure 2 : chaque figure reprend la figure précédente et y ajoute un carré.
C. Figure 1 : le quartier rouge tourne d'un quart de tour dans le sens inverse des aiguilles d'une montre. Le point bleu ne bouge pas, mais est caché quand le quartier rouge passe par-dessus.
D. Figure 4 : chaque carré de couleur progresse d'une case chaque fois dans une direction donnée. Le bleu vers le haut, le vert vers la gauche.
E. Figure 2 : le triangle rouge tourne de 90° chaque fois dans le sens des aiguilles d'une montre. Le triangle bleu fait la même chose en sens inverse.

MOTS EMMÊLÉS

1. Bogart – Astaire
2. Brando – Lancaster
3. Pacino – Redford

ESCALETTRE

	R U E
+ T	T U E R
+ I	T R U I E
+ T	T R U I T E
+ D	D É T R U I T
+ A	T R A D U I T E
+ G	G R A T I T U D E

TRIPLETS D'EXPRESSIONS

1. Pince
2. Passe
3. Coupe
4. Avant
5. Garde
6. Lance

SUPERPOSITION

Disques 2, 4 et 6

Pages 84-85

TRIPLETS D'EXPRESSIONS

1. Pièce
2. Rond
3. Jeu
4. Nœud
5. Pot
6. Main

QUIZ APRÈS OBSERVATION

1. La troisième
2. Elle donne du feu à sa voisine
3. Faux : le plateau est plein
4. Bleu
5. Cinq
6. Trois : les images 5, 6 et 7
7. Le personnage central, avec l'écharpe
8. Faux : il est toujours allumé
9. Vrai : toutes sauf la première
10. Sur le dossier de la chaise occupée par le serveur

L'ENQUÊTE

Drapeau mystère

SANDWICH

CARPE DIEM (« cueille le jour »), qui est la devise des épicuriens

E	N	C	R	E
P	I	A	N	O
I	V	R	E	S
C	E	P	E	S
U	S	E	E	S
R	A	D	A	R
I	D	I	O	T
E	P	E	L	E
N	O	M	M	E

MARIONS-LES

A8 – B3 – C9 – D1 – E6 – F5 – G10 – H7 – I2 – J4

Pages 86-87

QUI SUIS-JE ?

A. Un nom
B. La tour Eiffel
C. Le téléphone
D. Un gant
E. La classe

QUIZ APRÈS OBSERVATION

1. Un chien
2. Un pistolet
3. Vrai
4. Vrai
5. Une femme
6. Faux
7. Au-dessous du genou
8. Faux
9. Oui, à droite avec le chapeau noir
10. En bas, à gauche.

REPÈRES CHRONOLOGIQUES

Jeanne Moreau et Che Guevara (1928) – Jacques Chirac et Nadine de Rothschild (1932) – Guy Roux et Romy Schneider (1938) – Catherine Deneuve et Bernard Tapie (1943) – Richard Gere et Thierry Ardisson (1949)

PROBLÈME

Midi. Il sera toujours midi, mais dans cinq jours puisque la petite aiguille décrivant les heures fait deux tours par jour.

SYNONYMES

1. Gros ou gras
2. Grave
3. Beaucoup
4. Oppressant
5. Exorbitant
6. Rococo
7. Engourdi
8. Fruste

MOT EN TROP

1. Cette série cache en toutes lettres des noms de cours d'eau français (Loire, Meuse, Cher, Indre, Rhin) sauf EFFLUVE, qui ne contient que des lettres rappelant le mot FLEUVE.
2. Ce sont les surnoms des rois Louis sauf TÉMÉRAIRE, qui revient à un Charles.
3. Tous ces noms contiennent des villes françaises (Caen, Lens, Albi, Arras, Nice) sauf PROMEUVE, qui nous emmène à Rome.

Pages 88-89

LOGIGRAMME

La course de chevaux

D'après l'indice 3, le vainqueur est le 13 (5 + 8) ou le 15 (5 + 10).
L'indice 2 élimine le 15 comme gagnant potentiel. Donc le 13 a gagné la course.
Le 5 et le 8 sont aux deux dernières places.
Le 10 et le 15 sont soit deuxième, soit troisième.
Le 15, Paix Émue, est séparé par trois rangs de celui qui porte aussi un nom commençant par P (Poule Un), d'après l'indice 4.
Paix Émue ne peut donc être troisième (Poule Un serait zéro-ième ou sixième !).
Ce numéro 15 est donc deuxième et Poule Un, trois rangs derrière, cinquième.
Par conséquent, le 10 est troisième. Le cheval à casaque bleue est donc quatrième (indice 1). Le cheval à casaque grise est juste derrière Paix Émue, donc troisième (indice 2).
Les chevaux dont les noms commencent par L (Lac Kazakh et Les Talons) sont forcément premier et quatrième, puisque les P sont deuxième et cinquième. Donc le troisième est Songe OK. Lac Kazakh n'a pas gagné (indice 3). Il est donc quatrième, le vainqueur est Les Talons.
Le 5 n'est pas cinquième, sans quoi la casaque rouge serait troisième (indice 5), or le troisième est en gris. Donc le 5 est quatrième et le 8 cinquième. La casaque rouge est donc deuxième. Par élimination,

le jaune qui n'est pas dernier (indice 1) est premier, alors que le dernier du quinté porte une casaque verte.

Tableau des réponses

CHEVAL	LAC KAZAKH	LES TALONS	PAIX ÉMUE	POULE UN	SONGE OK
PLACE	quatrième	premier	deuxième	cinquième	troisième
NUMÉRO	5	13	15	8	10
CASAQUE	bleue	jaune	rouge	verte	grise

CRYPTOGRAMME

Savoir écouter, c'est posséder, outre le sien, le cerveau des autres.

Léonard de Vinci

MOT EN TROP

1. On peut enlever le B initial et lire un mot qui existe toujours (effroi, arrière, égayer, ordure, osseuse), sauf pour BOSSEUR.
2. Chacun des mots peut se rallonger en –TTE (andouillette…), sauf RUSSE.
3. Chaque mot est un palindrome (il peut aussi se lire de droite à gauche), sauf NATTANT.

MOTS CASÉS

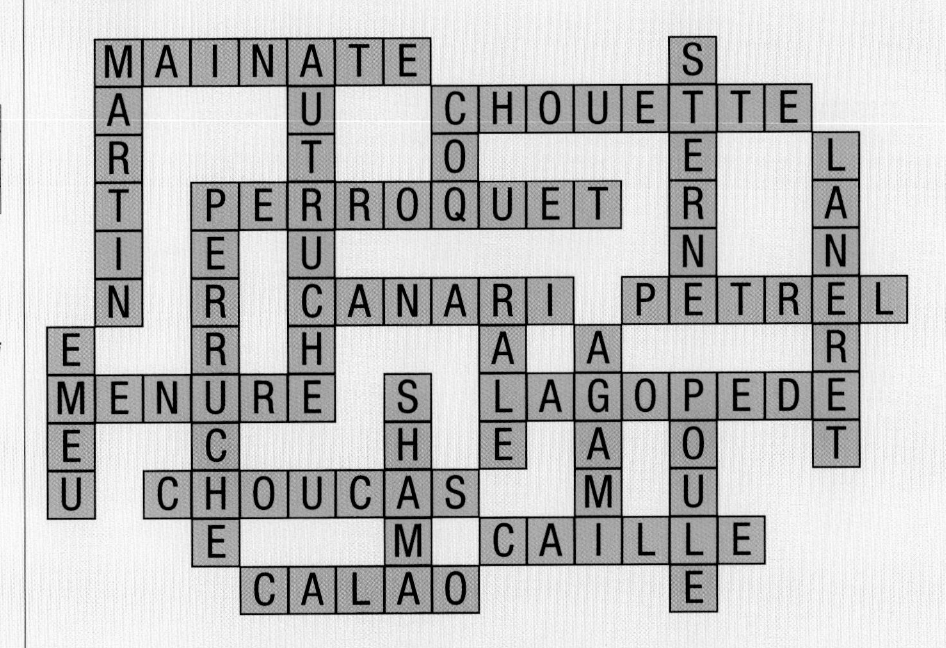

Pages 90-91

CUBES

Burundi – Namibie – Sénégal

PARONYMES

1. Compagne, campagne
2. Éminent, imminent
3. Exception, acceptions
4. Esquisser, esquivé

QUELLE EST LA SUITE ?

A. 63 : on ajoute 6, puis 9, 12, 15. Le suivant est 45 + 18.
B. 219 : on multiplie par 2 et on ajoute 5. Le suivant est 107 χ 2 + 5.
C. 840 : on multiplie par 2, puis par 3, par 4… Le suivant est 168 χ 5.
D. 28 : on multiplie par 2 et on enlève 6 alternativement. Le suivant est 14 χ 2.

DESSINS EN MIROIR

Pages 92-93

QUELLE EST LA SUITE ?

A. 68 : dans un cercle, on multiplie par 2 ; dans un carré, on ajoute 5. Le suivant est 63 + 5.
B. 122 : un triangle multiplie par 2, une étoile inverse le sens d'écriture. Donc on écrit 221 de droite à gauche et on revient à 122.
C. 62 : on multiplie par le nombre de bâtonnets figurant au-dessus du trait, et on enlève le nombre de bâtonnets figurant au-dessous. Le suivant est 33 χ 2 – 4.

LE POINT COMMUN

1. Roulette
2. Cheveu
3. Pompe
4. Pomme
5. Mouche
6. Aube

PROVERBES

1. La fin justifie les moyens
2. Après la pluie, le beau temps
3. Qui se ressemble s'assemble
4. L'habit ne fait pas le moine
5. Tout nouveau, tout beau
6. C'est en forgeant qu'on devient forgeron

KALÉIDOSCOPE

1. Skieur et montagne
2. Mer et surfeur
3. Kangourou et girafe
4. Médicaments et chirurgien
5. Tour de Pise et tour Eiffel
6. Pain et fromage

BACCALAURÉAT

Exemple de solutions :

CO Coluche, Coca-Cola, Costume, *Comme toi*, Colette, Cochon, Colbert, Coucou
RE Reno, Renault, Redingote, *Retiens la nuit*, Renée, Renard, Reagan, Renoncule
VI Villeret, Vittel, Vison, *Viens m'embrasser*, Viviane, Vigogne, Virgile, Violette
MO Montand, Motorola, Moufle, *Mon légionnaire*, Monique, Mouton, Moïse, Moutarde
FE Fernandel, Ferrari, Feutre, *Femme libérée*, Fernande, Fennec, Fénelon, Fenouil
GI Giraudeau, Gillette, Gilet, *Gimme Gimme Gimme* (ABBA), Gisèle, Girafe, Giscard d'Estaing, Giroflée

Pages 94-95

SYLLABES MANQUANTES

1. Destructeur
2. Carotte
3. Indécent
4. Machinerie
5. Contamine
6. Manutention

LES DEUX FONT LA PAIRE

1. Canicule
2. Clavicule
3. Minuscule
4. Noctambule
5. Mandibule
6. Testicule
7. Particule
8. Filleule
9. Funambule
10. Tentacule

DOMINOLETTRES

L'ENQUÊTE
Seul le suspect n° 3 répond à la description de Madame Lili.

CASE-CHIFFRES
Partez de 74. 74 – 34 = 40 à gauche de 34. Puis 40 – 21 = 19 à droite de 21, 34 – 19 = 15 à droite de 19. Les chiffres de la base sont donc 21 – 16 = 5 à gauche, puis 19 – 16 = 3 au milieu ; ensuite, 15 – 3 = 12 et 33 – 12 = 21 au bout à droite.
Toujours à droite, au troisième niveau, il y aura 33 + 15 = 48, au quatrième 34 + 48 = 82 et donc au sommet 82 + 74 = 156.

156
74 82
40 34 48
21 19 15 33
5 16 3 12 21

VRAI OU FAUX
1. Vrai (R)
2. Vrai : par un Italien du nom de Peruggia (I)
3. Faux : il est né en 1881 (N)
4. Faux : il est mort aux Marquises et repose non loin de Jacques Brel (E)
5. Vrai (O)
6. Faux : il est mort insolvable (R)

Avec les six lettres, vous pouvez former le nom de RENOIR.

Pages 96-97

LABYRINTHE

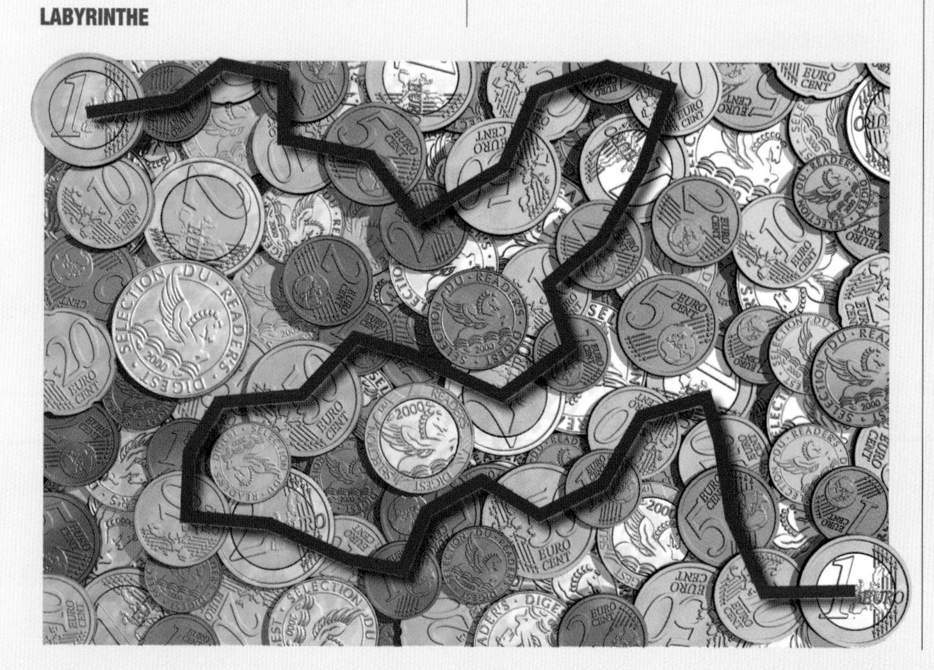

COUPLES DE MOTS
1. Un seul, Simplet
2. Village
3. Prince
4. Idiot, Imbécile
5. C'est un piège. Il n'est pas dans la liste
6. Chameau

GRILLE À THÈME

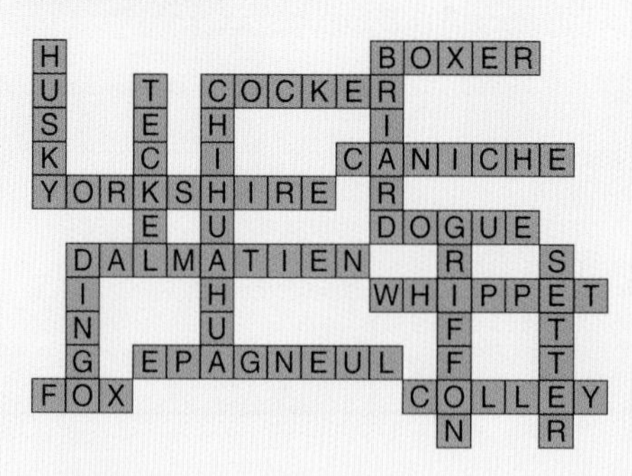

ITINÉRAIRE
ASSOUAN – AUXERRE

A	T	L	A	N	T	A
S	A	U	L	I	E	U
S	O	C	H	A	U	X
O	C	E	A	N	I	E
U	D	A	I	P	U	R
A	L	K	M	A	A	R
N	A	V	A	R	R	E

Pages 98-99

GRILLE À THÈME

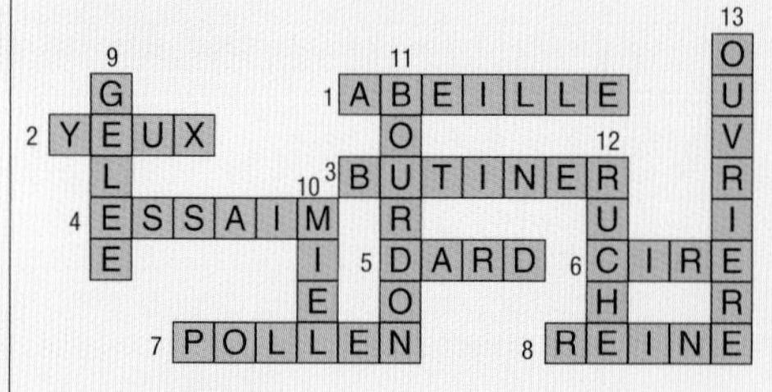

CARRÉ MAGIQUE

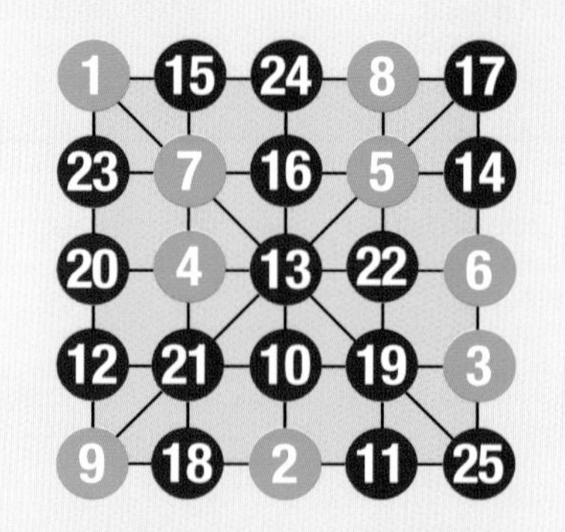

Remarquez en outre que, si l'on trace un x (par exemple sur 1, 7, 13, 20 et 24) ou un + (par exemple sur 15, 7, 4, 23 et 16) sur cinq chiffres de la grille, la somme de ces cinq chiffres est encore 65 !

IMAGE ZOOMÉE
Un poivron

PROBLÈME
D'Anna et Kévin, on déduit que 10 R (roudoudous) valent 5 M (malachewings). Dans ce cas, 2 R = 1 M et, si l'on considère ce qu'a acheté Lucie, 4 C (carambulles) + 4 M = 2 euros, d'où 1 C + 1 M = 0,50 euro. Comme 6 M + 1 C = 2 euros, 5 M = 1,50 euro. On arrive donc assez vite à :
Roudoudou : 15 cents
Malachewing : 30 cents
Carambulle : 20 cents

SANDWICH
SARBACANE – LA CORRIDA

P	O	S	T	A	L	E	S
B	R	A	Q	U	A	N	T
M	O	R	D	I	C	U	S
B	I	B	E	L	O	T	S
C	R	A	T	E	R	E	S
E	S	C	A	D	R	O	N
G	R	A	N	D	I	E	S
C	A	N	D	I	D	E	S
E	L	E	P	H	A	N	T

ITINÉRAIRE
ROGNAC – ISTRES

R	I	M	I	N	I
O	I	S	A	N	S
G	U	E	R	E	T
N	A	G	P	U	R
A	R	I	E	G	E
C	A	S	S	I	S

JEU DES 7 ERREURS

Pages 100-101

FIGURES ENTREMÊLÉES
Le carré (7 carrés, 4 cercles, 4 triangles)

REPÈRES CHRONOLOGIQUES
1C. Clovis Ier (481/482-511)
2D. Dagobert Ier (629-638)
3A. Charlemagne (768-814)
4G. Hugues Capet (987-996)
5J. Philippe Ier (1060-1108)
6H. Louis IX (1226-1270)
7B. Charles V (1364-1380)
8E. François Ier (1515-1547)
9F. Henri IV (1589-1610)
10I. Louis XIV (1643-1715)

CUBES
Hinault – Leconte – Platini

SANS FAUTE
Confiture – Bol – Cuillère – Beurrier – Pyjama – Cafetière – Théière

L'INTRUS
La coccinelle est le seul animal qui ne pique pas.

ALLUMETTES
Quatre des carrés de départ sont toujours présents, mais on a formé deux nouveaux carrés, quatre fois plus grands que ceux d'origine, constitués des deux tiers gauches ou des deux tiers droits de la figure.
Le total est donc bien de six carrés désormais.

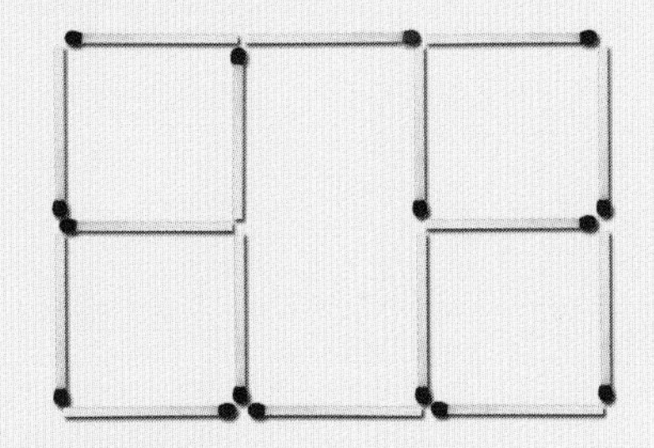

LES DEUX FONT LA PAIRE

1. Sémaphore
2. Folklore
3. Store
4. Tricolore
5. Pléthore
6. Ignore
7. Carnivore
8. Pandore
9. Doryphore
10. Aurore

PROBLÈME

1. Quatre fois le 25, deux fois le 1
2. Deux fois le 25, trois fois le 15, une fois le 7

Il n'a pas touché le 3.

Pages 102-103

LE COMPTE EST BON

LE POINT COMMUN

1. Mousse
2. Ciel
3. Majeur
4. Étoile
5. Cage
6. Grue

CARRÉ MAGIQUE
Voici un exemple de solution, mais il en existe d'autres.

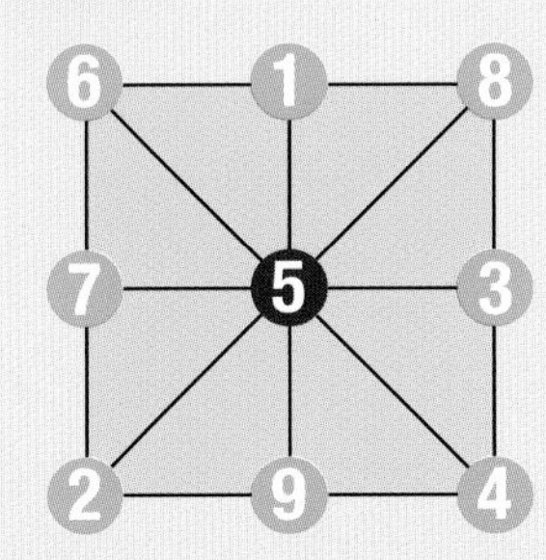

L'INTRUS
L'intrus est la baleine, qui n'est pas ovipare (un ovipare est un animal qui se reproduit en pondant des œufs), à l'inverse des autres animaux.

DÉCODAGE

1. J'ai une mémoire admirable, j'oublie tout.
2. --.- ..- .- -. -.. / --- -. / -. . / ... .- .. - / .-. .. . -. / ..-. .- .. .-. . --..-- / .. .-.. / ..-. .- ..- - / .- ...- --- .. .-. / -.. . / .-.. ! .- -- -... .. - .. --- -. .-.-.-

ANAPHRASES

1. Loutres, ourlets, rotules
2. Stipule, tulipes
3. Italiens, lisaient, litanies

Page 104

PUZZLE
Les pièces 2, 4 et 6.

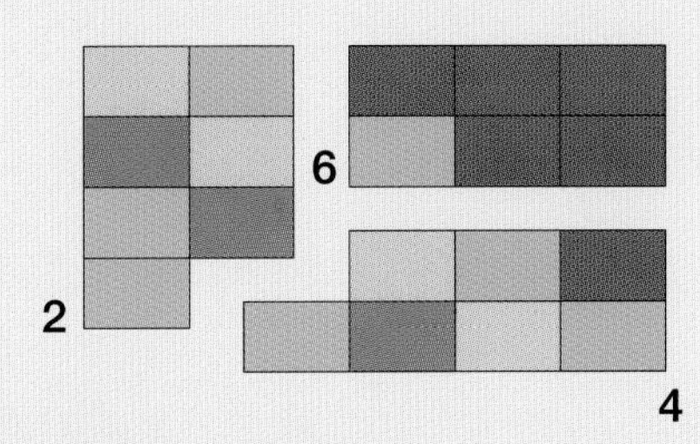

L'INTRUS
Il s'agit de nombres premiers, à une exception près. L'intrus qui s'est glissé dans la suite est le nombre 21, divisible par 3 et par 7. Pour s'en apercevoir, il suffisait de relever les nombres impairs manquants compris entre 3 et 23 : 9 (3×3) et 15 (5×3).

La mémoire sous toutes ses formes

Formes de mémoire

Si les scientifiques sont parvenus à décrypter les principaux mécanismes de la mémoire et à établir une sorte de carte des différentes mémoires, ils sont encore loin d'en avoir compris toute la complexité.

Court terme et long terme : un incessant va-et-vient

❶ Lorsque les **récepteurs sensoriels** captent de nouvelles données, les informations sont recueillies et maintenues durant une très courte durée – de quelques fractions de seconde à quelques secondes – dans les aires de mémorisation correspondant à chacun des sens (vue, odorat, goût, toucher, ouïe, goût) et qui constituent la **mémoire sensorielle.**

❷ Les informations qui attirent l'attention ou suscitent l'intérêt sont transférées dans la **mémoire à court terme.** Cette dernière assure l'utilisation immédiate – de quelques secondes à environ deux minutes – des informations qui viennent d'être perçues par la mémoire sensorielle.

❸ Le transfert dans la **mémoire à long terme** ne s'effectue que si les informations ont fait l'objet d'un acte attentionnel délibéré et si elles ont été suffisamment répétées. À défaut de cette consolidation, elles sont oubliées.

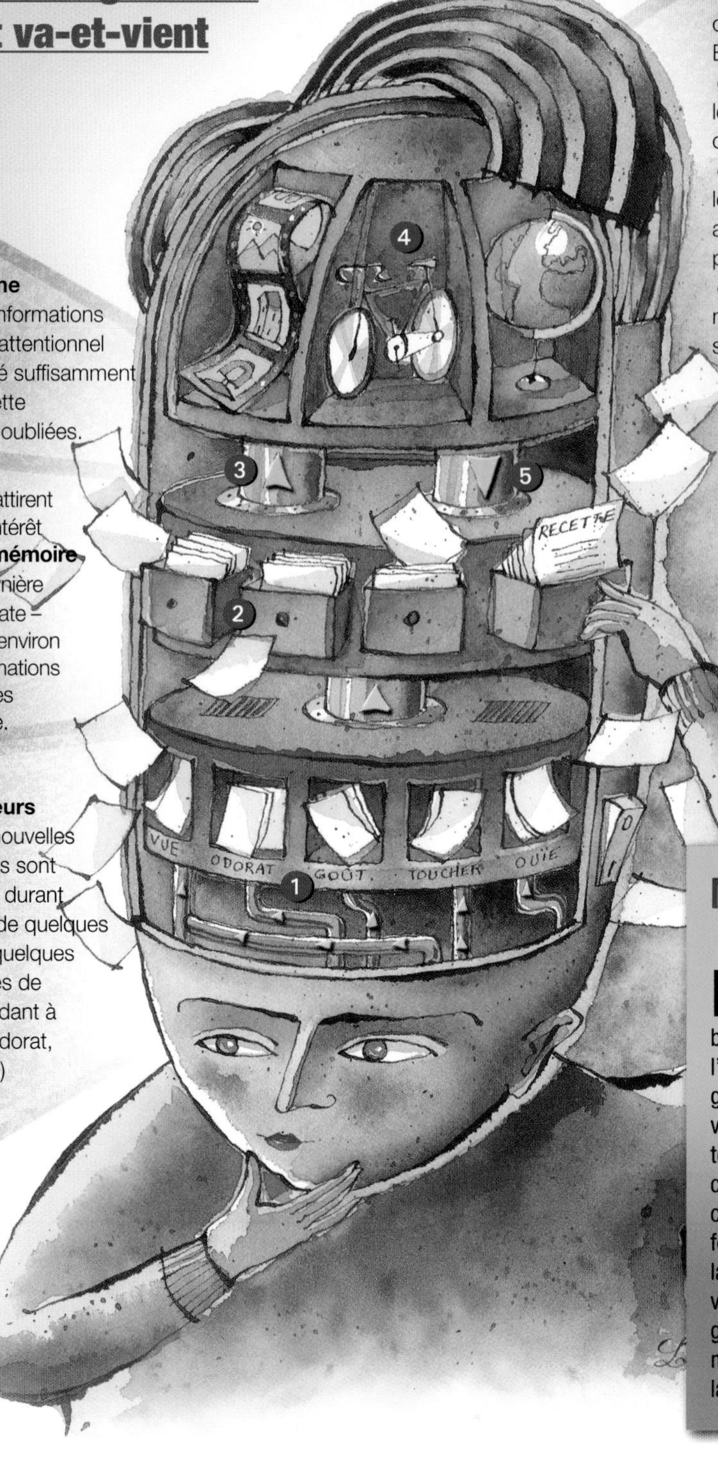

❹ La **mémoire à long terme** permet ainsi de se rappeler, ou de reconnaître, des informations qui ont été apprises quelques minutes, quelques heures ou quelques années auparavant. Elle comprend :

- la **mémoire épisodique,** qui stocke les « épisodes de vie » dont l'enchaînement constitue notre autobiographie (voir p. 128) ;
- la **mémoire procédurale,** qui stocke les données permettant les gestes automatisés – la pratique du vélo, par exemple (voir p. 118) ;
- la **mémoire sémantique,** qui est notre réservoir de connaissances sur le monde (voir p. 122).

❺ Le transfert dans la **mémoire à court terme** s'effectue lorsque l'on utilise des informations stockées durablement pour des tâches ponctuelles. C'est le cas, par exemple, lorsque l'on réalise un plat de mémoire plusieurs jours après s'en être fait expliquer la recette : il a fallu montrer un intérêt particulier pour cette recette et une motivation suffisamment forte pour avoir retenu ingrédients et façon de procéder sans prendre de notes.

Ma mémoire et… mon prochain voyage

Préparer un voyage, c'est maintenir sa mémoire en forme. Car elle travaille beaucoup plus qu'on ne le croit lorsque l'on s'intéresse à la géographie, à la langue et à la culture d'un pays, récits de voyages, guides et brochures à l'appui. Le temps passé à rechercher les meilleures conditions – descriptifs des prestations, comparaison des prix … – la contraint à fonctionner plus rapidement. Cette stimulation, qui se poursuit pendant et après le voyage, donne à bon nombre de voyageurs l'impression d'un regain de dynamisme. Oui, les voyages conservent bien la jeunesse !

Les mémoires des apprentissages : mémoire explicite et implicite

Je sais bien où et comment j'ai appris à faire du ski, mais quand donc ai-je appris à parler ?

Tout ce que nous vivons, de la naissance à la mort, est considéré comme de l'apprentissage dans la mesure où ce qui se passe après s'en trouve influencé. Tout comme un enfant ne se comporte plus de la même manière dès qu'il a acquis la marche, ou la lecture, un adulte modifiera sa façon d'être après toute expérience, qu'il s'agisse d'une année d'études ou d'une rupture sentimentale.

La liste des apprentissages est donc infinie. Si certains se forgent tout au long de la vie – apprendre à aimer, par exemple, ou apprendre à être indépendant – , il est toujours possible d'isoler les moments majeurs de son parcours personnel. Une première relation sérieuse avec un partenaire est ainsi une étape clef dans l'apprentissage de la vie amoureuse, tout comme une première année de faculté hors du domicile familial peut être une étape dans l'acquisition de l'indépendance. Les divers et nombreux apprentissages qui émaillent la vie participent donc à la construction de la personnalité.

La capacité de garder en mémoire **les événements liés à l'apprentissage,** ou les circonstances particulières les ayant entourés, **constitue la mémoire explicite.** Par exemple, lorsque vous dites : « Je me souviens avoir appris le piano avec Mme Michaud lorsque j'étais en sixième, c'était un professeur très gentil. » La mémoire explicite permet donc de récupérer volontairement une information et de dire où et comment on l'a retenue.

Mais **on parle de mémoire implicite lorsqu'il y a eu apprentissage sans mémorisation du contexte** dans lequel il s'est déroulé ou des expériences et étapes qui l'ont jalonné. Cette mémoire, qui stocke des **informations non conscientes** permettant de mettre en application des savoir-faire, est **omniprésente dans notre vie quotidienne**. La plupart de nos comportements révèlent sa présence : nous agissons sans même nous rendre compte qu'un comportement donné, que nous croyons naturel, est en réalité le résultat d'un acte de mémoire. Mais on ne peut en expliquer l'origine ni le fonctionnement. Cette mémoire n'est pas verbalisable (nous ne pourrions dire : « Je me souviens de … »), mais **elle nous permet d'agir sans nous poser de questions.** Dans une conférence donnée en 1993, le Dr Ploton expliquait ainsi comment ces phénomènes de mémorisation inconsciente – et de transmission inconsciente – se jouaient dans la relation à l'autre : « Ce qui se passe entre les êtres lorsqu'ils se rencontrent n'est pas complètement lié à ce qu'ils échangent avec des mots. Je ne sais pas ce que je suis en train de vous communiquer de moi qui m'échappe, je ne sais pas ce que vous êtes en train de me communiquer de vous qui vous échappe. Peut-être passons-nous notre énergie à nous cacher des choses et à tenter de les cacher aux autres alors qu'ils les ressentent et en feront usage à leur insu… ». **Les mémoires explicite et implicite appartiennent à la mémoire à long terme.**

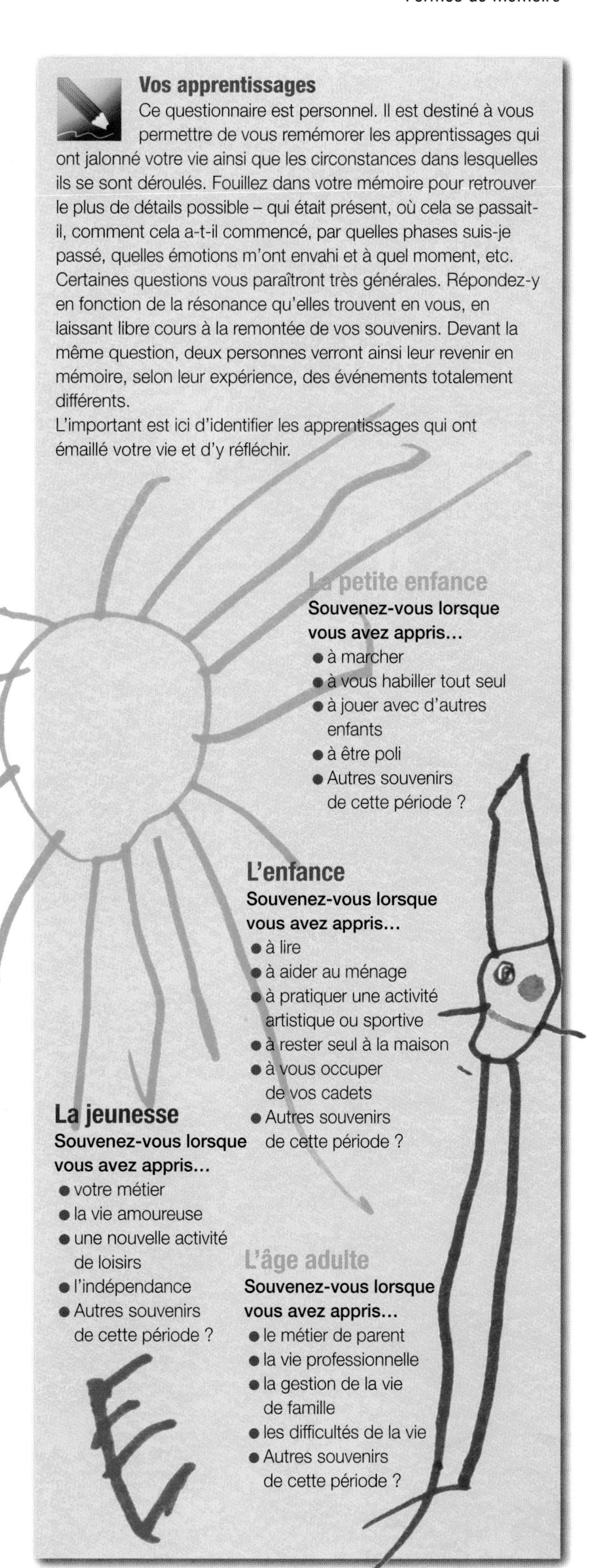

Vos apprentissages

Ce questionnaire est personnel. Il est destiné à vous permettre de vous remémorer les apprentissages qui ont jalonné votre vie ainsi que les circonstances dans lesquelles ils se sont déroulés. Fouillez dans votre mémoire pour retrouver le plus de détails possible – qui était présent, où cela se passait-il, comment cela a-t-il commencé, par quelles phases suis-je passé, quelles émotions m'ont envahi et à quel moment, etc. Certaines questions vous paraîtront très générales. Répondez-y en fonction de la résonance qu'elles trouvent en vous, en laissant libre cours à la remontée de vos souvenirs. Devant la même question, deux personnes verront ainsi leur revenir en mémoire, selon leur expérience, des événements totalement différents.
L'important est ici d'identifier les apprentissages qui ont émaillé votre vie et d'y réfléchir.

La petite enfance

Souvenez-vous lorsque vous avez appris…
- à marcher
- à vous habiller tout seul
- à jouer avec d'autres enfants
- à être poli
- Autres souvenirs de cette période ?

L'enfance

Souvenez-vous lorsque vous avez appris…
- à lire
- à aider au ménage
- à pratiquer une activité artistique ou sportive
- à rester seul à la maison
- à vous occuper de vos cadets
- Autres souvenirs de cette période ?

La jeunesse

Souvenez-vous lorsque vous avez appris…
- votre métier
- la vie amoureuse
- une nouvelle activité de loisirs
- l'indépendance
- Autres souvenirs de cette période ?

L'âge adulte

Souvenez-vous lorsque vous avez appris…
- le métier de parent
- la vie professionnelle
- la gestion de la vie de famille
- les difficultés de la vie
- Autres souvenirs de cette période ?

Retenir sans le savoir

Lisez attentivement le petit texte suivant (extrait du *Prophète,* de Khalil Gibran, 1923).

Puis une femme qui tenait un nourrisson dans les bras
lui dit, parlez-nous de nos enfants :
Et il déclara :
Vos enfants ne sont pas vos enfants
Ce sont les fils et les filles de la Vie qui se désire.
Ils vous traversent mais ne sont pas de vous,
Et s'ils vous entourent, ils ne sont pas à vous.
Vous pouvez leur donner de l'amour, mais pas
de pensées.
Car ils sont leurs propres pensées.
Vous pouvez abriter leurs corps, mais pas leurs âmes
Car celles-ci vivent dans la demeure du lendemain,
Que tu ne peux visiter, pas même dans tes rêves.
Tu t'efforceras peut-être de leur ressembler, mais
ne les oblige pas à te copier.
Car la vie ne part pas en arrière pas plus qu'elle
ne s'attarde sur hier.
Vous êtes les arcs d'où jaillissent, flèches vives,
vos enfants.
L'archer voit la marque sur le chemin d'infinité :
il vous arque de toute sa Force pour que ses Flèches
partent vite et loin.
Que votre arc soit joie sous Sa main : car s'Il aime
la flèche qui vole, Il aime aussi l'arc solide.

Maintenant, cochez parmi cette liste de mots ceux qui trouvent une résonance en vous ou qui vous rappellent quelque chose.

voiture ☐	visiter ☐	fenêtre ☐
boîte ☐	enfant ☐	arcs ☐
nourrisson ☐	rêves ☐	vie ☐
papier ☐	soleil ☐	banc ☐
imprimante ☐	chemin ☐	moto ☐
infinité ☐	cassette ☐	demeure ☐

Il y a de fortes chances pour que la majorité des mots que vous avez cochés aient été présents dans le texte. Notamment nourrisson – visiter – enfant – rêves – chemin – arcs – vie – demeure – infinité. C'est là un des effets de la mémoire implicite. Il y a eu mémorisation à votre insu, et vous ne vous souvenez pas d'avoir appris quelque chose en particulier. Néanmoins, vous en voyez les résultats. Vous ne pouvez pas dire que vous avez appris, vous ne pouvez pas en parler, vous ne pouvez pas dire dans quelles circonstances, mais vous avez quand même retenu des informations sans le savoir.

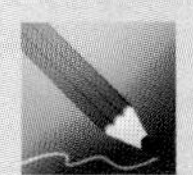

Sur un air de rock'n'roll

Redonnez à chaque interprète le titre d'une de ses chansons à succès.

1. Beach Boys	a. Another Brick In The Wa
2. Beatles	b. Blowing In The Wind
3. Chuck Berry	c. Blueberry Hill
4. Bee Gees	d. Good Vibrations
5. Louis Prima	e. Help !
6. Rolling Stones	f. I'm Just a Gigolo
7. Fats Domino	g. Light My Fire
8. Doors	h. Love Me Tender
9. Elvis Presley	i. Massachusetts
10. Police	j. Mrs Robinson
11. Pink Floyd	k. Rock Around The Clock
12. Bob Dylan	l. Roll Over Bethoveen
13. Simon and Garfunkel	m. Roxanne
14. Bill Haley	n. Satisfaction

Solution p. 3

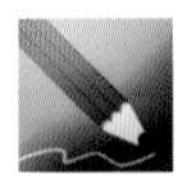

La bonne définition

Voici des activités méconnues dont nous vous proposons plusieurs définitions. À vous d'entourer celle qui vous semble être la bonne.

Solution p. 334

A. Un carambouilleur est :
1. Un escroc qui revend une marchandise non payée
2. Un homme qui heurte volontairement des véhicules
3. Un tricheur au billard

B. Un lapicide est :
1. Un spécialiste des lapins
2. Un ouvrier qui grave des inscriptions sur des pierres
3. Un tailleur de pierres précieuses

C. Un fendeur est :
1. Un spécialiste du minage des rochers
2. Un ouvrier qui travaille le bois ou l'ardoise
3. Un vendeur de fendant

D. Un bateleur est :
1. Un conducteur de bateau
2. Un saltimbanque
3. Un fabricant de batteries

E. Un daubeur est :
1. Un préparateur en déodorant
2. L'assistant du forgeron
3. Un cuisinier spécialiste des plats en daube

F. Un rabouilleur est :
1. Un chasseur de petits rongeurs
2. Un distillateur clandestin d'eau-de-vie
3. Une personne qui agite et trouble l'eau pour effrayer les écrevisses et les prendre plus facilement

Dans cet exercice, la question comprend un mot qui ne fait pas forcément partie de votre répertoire de noms de métiers. À l'aide des indices donnés dans les propositions de définition, vous allez procéder par association d'idées et par déduction pour trouver la bonne réponse. Le mot inconnu sera classé dans votre mémoire sémantique et associé aux autres informations similaires déjà présentes. Si le besoin s'en fait ressentir ultérieurement, vous serez en mesure de retrouver la signification de ce nouveau mot.

1.	**8.** ......
2.	**9.** ......
3.	**10.** ......
4.	**11.** ......
5.	**12.** ......
6.	**13.** ......
7.	**14.** ......

Ce que l'on vous demande ici, c'est d'associer des données récupérées dans votre mémoire. Chaque chanteur ou groupe connu est lié pour nous à un répertoire de titres de chansons, d'airs, de paroles et, parfois, de souvenirs. Cet exercice sollicite donc votre mémoire sémantique et, parfois, votre mémoire épisodique.

Change-mot

Voici une des anagrammes les plus célèbres. La seconde phrase est formée uniquement avec les lettres de la première (en ne tenant pas compte des accents ni de la cédille).

NAPOLÉON EMPEREUR DES FRANÇAIS
UN PAPE SERF A SACRÉ LE NOIR DÉMON

Cette anagramme possède un fondement historique : certains ont en effet taxé le pape Pie VII de servilité pour avoir si facilement accédé au désir de Napoléon d'être sacré empereur à Paris. Et nombreux étaient ceux qui qualifiaient Bonaparte de démon...
À partir des mots ci-dessous, vous devez créer des anagrammes (retrouver de nouveaux mots sans ajouter ni retirer aucune lettre).

RIA = ...	**PART =**	**CAUSE =** ....
CRÂNE = ...	**DIRE =**	**CLAIRE =** ....
TIERS = ...	**RAGE =**	**DORT =** ....
RIVE = ...	**RIEN =**	

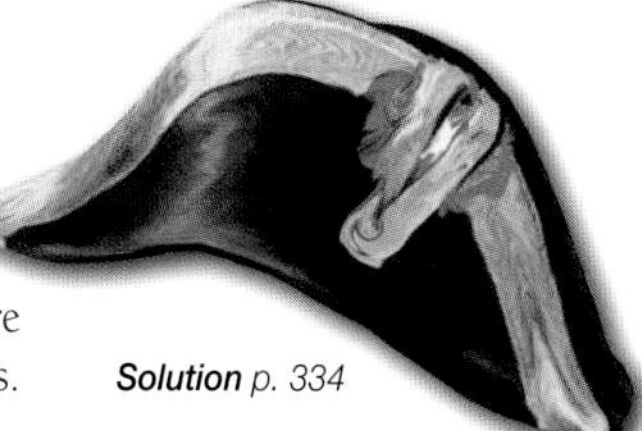

Cet exercice fait travailler votre flexibilité mentale, cette fabuleuse capacité à transformer des informations pour en former d'autres, cohérentes, à partir des mêmes éléments.
Votre mémoire sémantique vous aide dans la mesure où elle contient votre vocabulaire et vous fournit des indices pour construire de nouveaux mots.

Solution p. 334

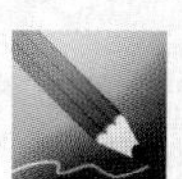

Scène de rue

Trouvez au moins 20 mots commençant par **po-** et dont l'illustration ou l'idée figurent dans le dessin ci-contre.
Pensez aux choses présentes dans le dessin – poussette, poisson... – mais aussi, par association d'idées, à des mots comme poivron, porc, porche, etc.

1.	**11.** ....
2.	**12.** ....
3.	**13.** ....
4.	**14.** ....
5.	**15.** ....
6.	**16.** ....
7.	**17.** ....
8.	**18.** ....
9.	**19.** ....
10.	**20.** ....

Solution p. 334

Cet exercice fait travailler la fluidité verbale. Les dessins servent d'indices pour transférer des mots stockés dans la mémoire à long terme – ici la mémoire sémantique – vers la mémoire à court terme.

La mémoire procédurale

Certains gestes ne s'oublient jamais, certaines façons de se comporter sont devenues automatiques. Et ce même s'ils connaissent une interruption durant plusieurs années. Cette mémoire fabuleuse des automatismes, c'est la mémoire procédurale. Elle peut garder fort longtemps des informations en stock et les ressortir quand l'occasion se présente.

La mémoire des automatismes

Je n'oublierai jamais comment on fait du vélo !

Heureusement, il n'est pas nécessaire de réfléchir ni de faire un effort de mémoire pour bon nombre de gestes de la vie quotidienne. S'habiller, se laver, manger, le « comment faire » de tous ces comportements est acquis depuis longtemps. De même, les gestes de la conduite automobile et ceux du vélo, les gestes du savoir-faire de l'artisan ou de l'ouvrier sur un atelier de montage ont été appris une bonne fois pour toutes. Ils sont devenus automatiques. C'est là le principal travail de la mémoire procédurale, ou mémoire des habitudes, qui **stocke les suites de mouvements composant des savoir-faire gestuels associés à des automatismes mentaux.**

Le fonctionnement de la mémoire procédurale, partie de notre mémoire à long terme, repose donc sur un conditionnement résultant de la répétition et de l'entraînement. **L'inscription des gestes réflexes dans cette mémoire est très solide.** Ils ne seront jamais oubliés, sauf en cas d'accident ou de maladie qui altère ou détruit certaines parties du cerveau. Que vienne alors un long moment d'interruption – dans la pratique du vélo, par exemple – et les gestes ne seront pas oubliés pour autant !

Mais la mémoire procédurale ne se manifeste pas que dans le registre de la gestuelle. Réactions épidermiques, emploi de certains mots peuvent également relever d'automatismes mentaux dont toute réflexion semble absente, voire impossible. C'est le cas, par exemple, des frissons, des réactions de dégoût associées à des « quelle horreur ! » ou autres mots d'angoisse, ou encore des conduites de fuite provoqués par la vue ou la simple évocation de certains animaux pourtant inoffensifs – souris, insectes, reptiles…

Enfin, la mémoire procédurale favoriserait aussi la construction d'automatismes mentaux entrant en jeu dans l'apprentissage par cœur.

Ma mémoire et…
le Code de la route

L'apprentissage du Code de la route et de la conduite fait appel au bon sens et à des automatismes. La conduite renforce la connaissance livresque. Au fil des années, le conducteur oublie la théorie mais est de plus en plus à l'aise sur la route : il associe à ses gestes de conduite le décodage visuel des obstacles et des panneaux et le repérage de la direction à prendre. Mais le Code n'est pas immuable ; il faut remettre à jour ses connaissances pour acquérir de nouveaux automatismes de conduite.

Tous ces petits gestes…

Répertoriez dans les cadres ci-dessous les gestes que vous avez l'habitude de faire automatiquement, sans réfléchir.

1. Dans le domaine des tâches ménagères (les gestes pour rincer la vaisselle, par exemple)

……………………………………
……………………………………
……………………………………
……………………………………
……………………………………

2. Dans votre activité professionnelle (les gestes pour ouvrir le courrier, par exemple)

……………………………………
……………………………………
……………………………………
……………………………………
……………………………………

3. Dans vos activités de loisir (les coups de pinceau sur une toile, par exemple)

……………………………………
……………………………………
……………………………………
……………………………………
……………………………………

Écrire les yeux fermés

Fermez les yeux et écrivez ci-dessous une phrase de votre choix.

……………………………………………………
……………………………………………………

Le mécanisme de l'écriture est l'un des apprentissages majeurs de l'enfance. On ne se souvient guère des moments où s'est faite l'acquisition progressive de ces gestes automatiques – formation des lettres, des mots, puis des phrases –, mais ils sont ancrés dans la mémoire procédurale à force de répétition et d'entraînement. Dans cet exercice, les mots s'assemblent mentalement en une phrase qui guide votre main : l'agilité des gestes demeure même lorsque les yeux sont fermés.

La mémoire des espaces

Faites cette petite expérience.
– À la nuit tombée, mettez un objet de votre choix sur un meuble ou à même le sol dans l'une des pièces de votre domicile.
– Placez-vous à l'opposé de cet objet et éteignez la lumière. La pièce doit être plongée dans un noir complet.
– Retrouvez l'objet à l'aveuglette.
Avez-vous eu du mal à vous emparer de cet objet ? Que déduisez-vous de cette expérience ?

Il est probable que vous déplacer dans une pièce familière sans heurt n'a pas posé de problème. Parce que la façon dont sont placés les meubles est parfaitement ancrée dans votre mémoire. Il s'agit là encore d'un stockage automatique dans la mémoire procédurale, résultant de la fréquentation assidue d'un lieu. C'est elle qui vous a permis de vous repérer dans l'espace. La mémorisation des espaces familiers permet ainsi de faire l'économie d'une réflexion sur ses mouvements, qui deviennent alors réflexes. Qui n'a pas ressenti quelque hésitation devant le nouvel agencement d'une pièce de son domicile ou en n'empruntant pas le trajet habituel pour se rendre à son travail ?

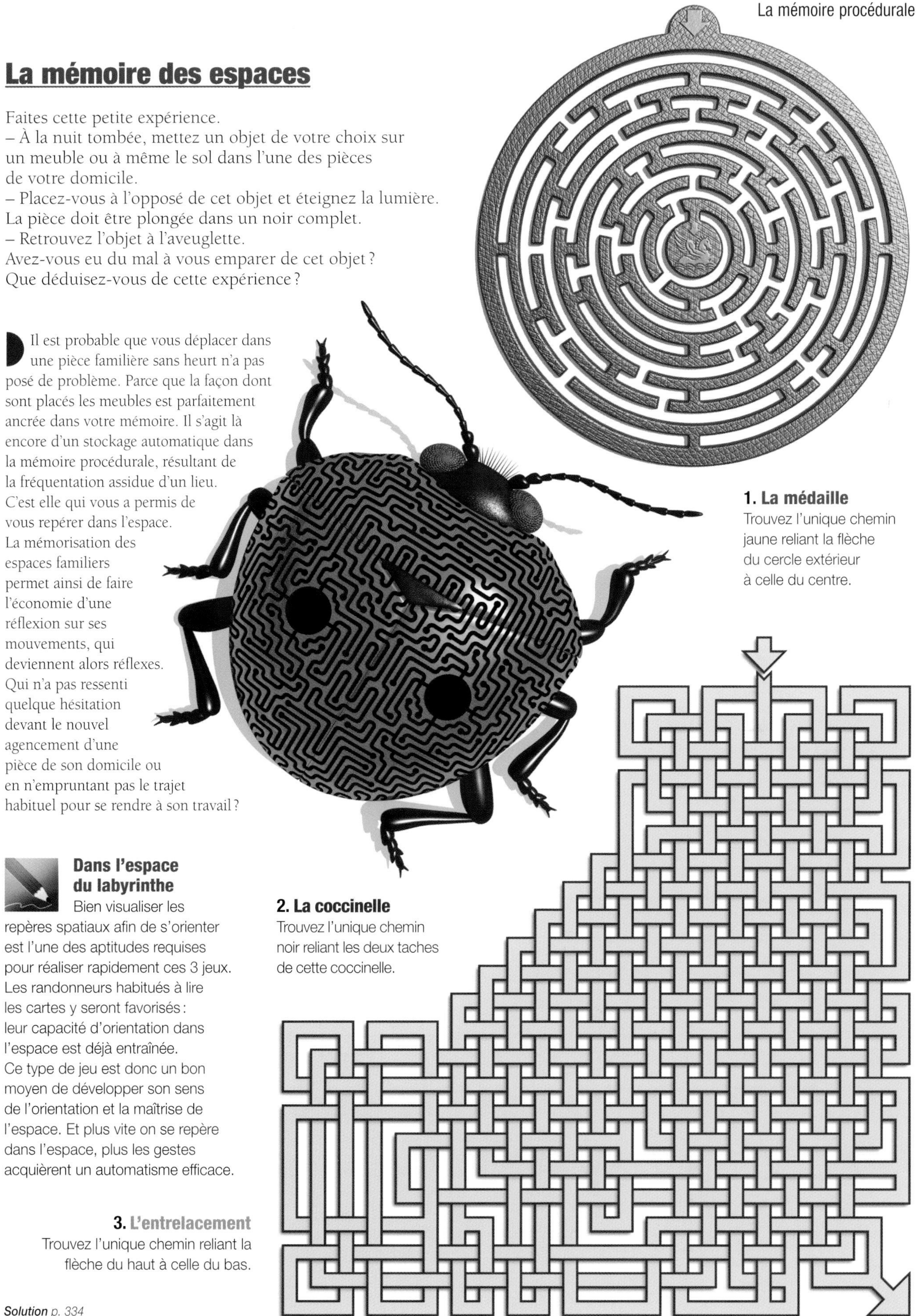

1. La médaille
Trouvez l'unique chemin jaune reliant la flèche du cercle extérieur à celle du centre.

2. La coccinelle
Trouvez l'unique chemin noir reliant les deux taches de cette coccinelle.

Dans l'espace du labyrinthe
Bien visualiser les repères spatiaux afin de s'orienter est l'une des aptitudes requises pour réaliser rapidement ces 3 jeux. Les randonneurs habitués à lire les cartes y seront favorisés : leur capacité d'orientation dans l'espace est déjà entraînée. Ce type de jeu est donc un bon moyen de développer son sens de l'orientation et la maîtrise de l'espace. Et plus vite on se repère dans l'espace, plus les gestes acquièrent un automatisme efficace.

3. L'entrelacement
Trouvez l'unique chemin reliant la flèche du haut à celle du bas.

Solution p. 334

Un trait suffit

Reproduisez ces figures d'un seul trait, sans lever la main. Commencez par repérer le point de départ et le point d'arrivée de chaque figure. Puis faites le trajet avec le doigt avant de prendre un crayon.

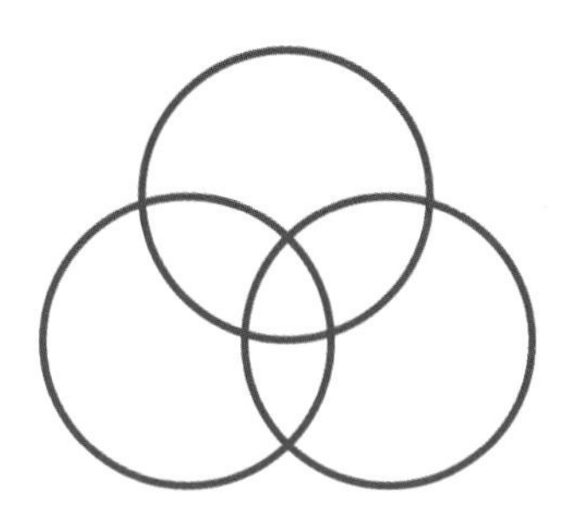

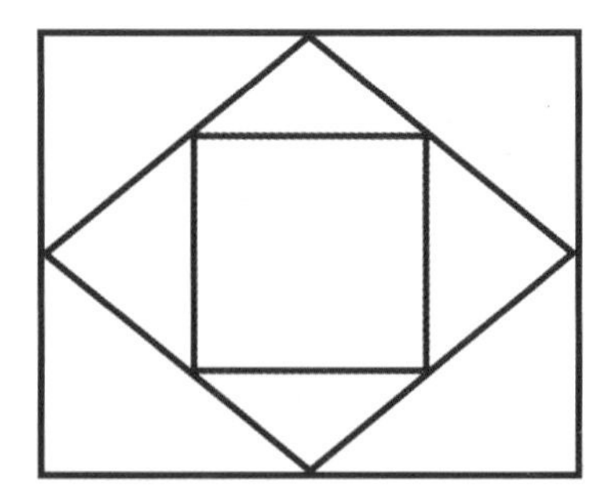

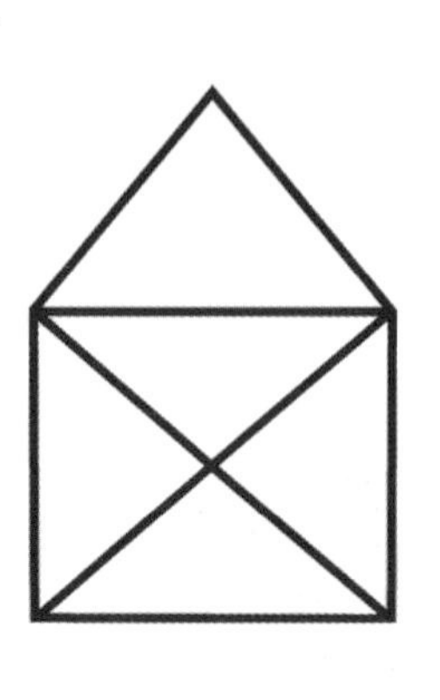

Une réflexion préalable est ici nécessaire pour agencer les formes et recréer le dessin. Mais la réalisation utilise un processus automatique : tenir un crayon, dessiner des traits droits ou courbes pour obtenir des formes géométriques sont des gestes que nous effectuons sans réfléchir.

Solution p. 335

Le bon reflet

Laquelle de ces 6 silhouettes correspond au cow-boy ci-dessous ?

Dans cet exercice de perception visuelle, les yeux commencent par détailler le personnage de référence, puis effectuent un va-et-vient entre cette forme et les autres. Nous n'avons pas à réfléchir à chaque mouvement des yeux pour savoir que ce qui était à gauche se retrouve à droite et vice versa. Cela se fait automatiquement.

Solution p. 335

Ma mémoire et…
mon téléphone portable

La facilité d'utilisation du téléphone portable est une incitation à la paresse ! Son répertoire électronique peut contenir une centaine de numéros, il n'y a donc aucun intérêt à en retenir certains. Sa sonnerie personnalisée crée un véritable conditionnement et favorise une écoute polarisée, certes, mais la possibilité de transmettre immédiatement par un autre coup de fil l'information reçue dispense de faire l'effort de mémoriser sur un plus long terme pour transmettre un peu plus tard. Évitez donc d'utiliser votre téléphone portable comme unique moyen de communication, votre mémoire pourrait réellement en pâtir.

Le casse-tête chinois

Les 7 pièces de ce puzzle carré – 2 grands triangles, 1 triangle moyen, 2 petits triangles, 1 losange, 1 carré – ont été assemblées pour former un voilier. D'autres formes peuvent être créées de la même manière. C'est le principe du jeu de tangram, populaire en Chine depuis le XIXe siècle et plus connu sous le nom de casse-tête chinois. Retrouvez les 7 pièces utilisées pour les 6 tangrams ci-contre en en marquant les contours. Ou encore, fabriquez-vous un puzzle identique et reconstituez-les.

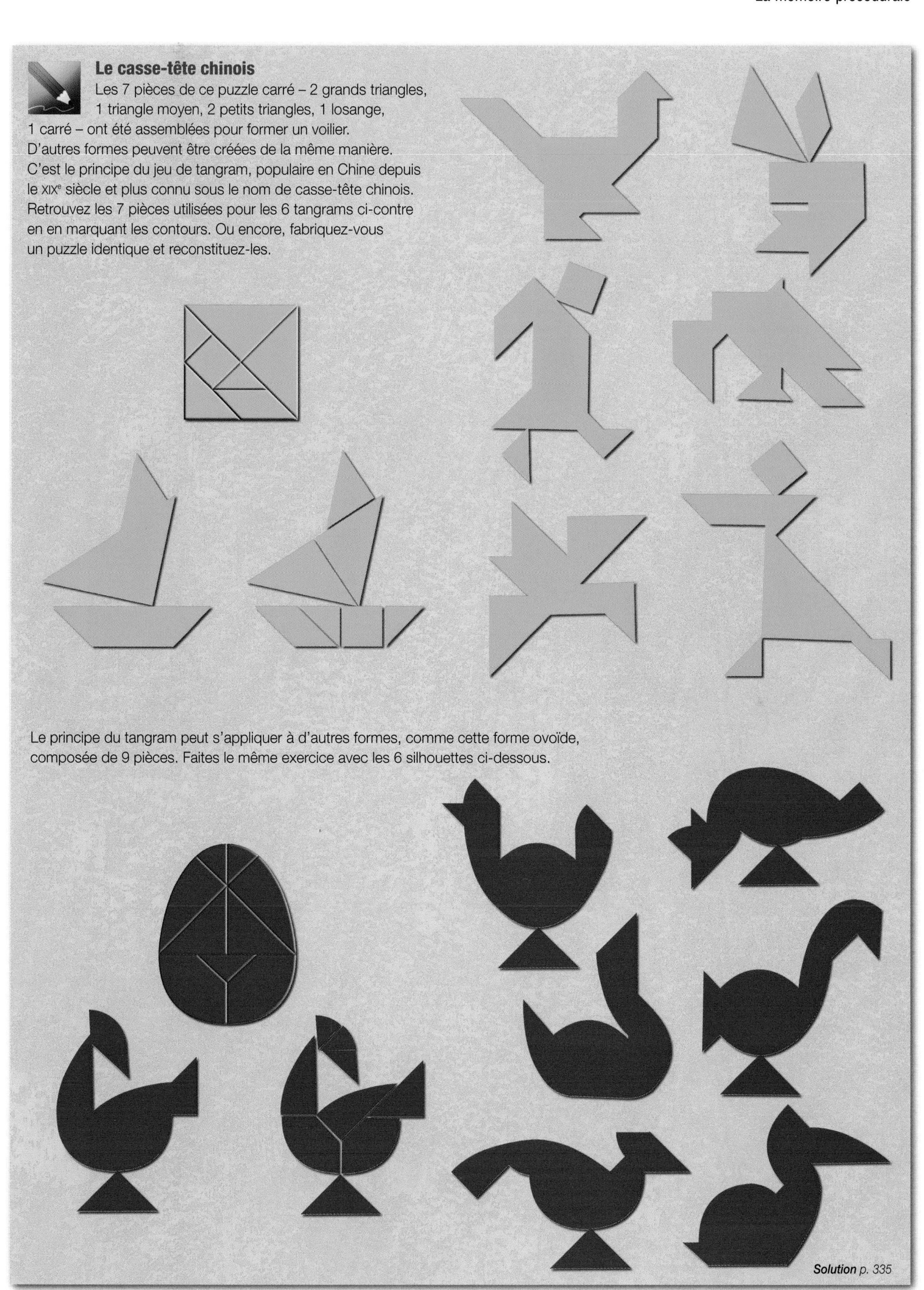

Le principe du tangram peut s'appliquer à d'autres formes, comme cette forme ovoïde, composée de 9 pièces. Faites le même exercice avec les 6 silhouettes ci-dessous.

Solution p. 335

La mémoire sémantique

La mémoire sémantique stocke les connaissances et les organise pour leur donner du sens. Votre culture générale, c'est elle. C'est aussi elle qui assure la maîtrise du langage, des mots et des concepts.

Un réservoir de connaissances

La mémoire sémantique est un immense réservoir de connaissances. C'est elle qui stocke tout ce que nous avons appris sur le monde qui nous entoure. Il faut l'imaginer comme une gigantesque toile d'araignée faite de milliards d'interconnexions : ce sont les informations engrangées depuis l'enfance. Toutes ces informations sont donc reliées les unes aux autres pour constituer le réseau de la toile. Toute nouvelle connaissance – une nouvelle interconnexion – est inévitablement reliée à toutes les anciennes déjà présentes.

Le grand quiz

Amusez-vous à tester votre culture générale en répondant à ces 50 questions.

Histoire et géographie

1. Qu'a imposé l'ordonnance de Villers-Cotterêts en 1539 ?

- **a.** L'impôt sur le sel
- **b.** L'usage du français dans les actes officiels
- **c.** Le mariage civil
- **d.** Le divorce

2. En 79, quelle ville fut entièrement détruite par l'éruption du Vésuve ?

- **a.** Rome
- **b.** Milan
- **c.** Pompéi
- **d.** Tivoli

3. En quelle année fut votée la loi Waldeck-Rousseau qui donne une existence légale aux syndicats ?

- **a.** 1789
- **b.** 1793
- **c.** 1884
- **d.** 1895

4. Qu'étaient la taille, la gabelle et la capitation en France au XVIIIe siècle ?

- **a.** Des modes d'exécution
- **b.** Des impôts
- **c.** Des pièces de boucherie
- **d.** Des métiers

5. Qui fut le précepteur d'Alexandre le Grand ?

- **a.** Platon
- **b.** Cicéron
- **c.** Euripide
- **d.** Aristote

6. Quelle organisation a été fondée par Henri Dunant en 1863 ?

- **a.** Emmaüs
- **b.** Médecins du monde
- **c.** La Croix-Rouge
- **d.** Les Petits Frères des pauvres

7. Louis XVI tenait un journal intime. Le 14 juillet 1789, jour de la prise de la Bastille, il n'y inscrivit qu'un seul mot. Lequel ?

- **a.** Rien
- **b.** Fini
- **c.** Terminé !
- **d.** Fuyons

8. Sur quelle île Napoléon est-il mort ?

- **a.** L'île d'Elbe
- **b.** Guernesey
- **c.** Sainte-Hélène
- **d.** Jersey

9. Le 6 août 1945, un bombardier décolla pour larguer la première bombe atomique sur Hiroshima. Comment s'appelait cet avion ?

- **a.** *Enola Gay*
- **b.** *Fat Man*
- **c.** *Little Boy*
- **d.** *Good Molly*

10. Qui fut le premier Premier ministre de la Ve République ?

- **a.** François Mitterrand
- **b.** Michel Debré
- **c.** Jacques Chirac
- **d.** Pierre Granier-Deferre

11. Elle s'appela Byzance, puis Constantinople. Quel est son nom actuel ?

- **a.** Samarkand
- **b.** Téhéran
- **c.** Istanbul
- **d.** Smyrne

12. Le Burkina est l'actuel nom de l'ancienne :

- **a.** Haute-Volta
- **b.** Rhodésie
- **c.** Nouvelle-Guinée
- **d.** Éthiopie

13. Où se trouve le site d'Austerlitz ?

- **a.** Au Danemark
- **b.** En Allemagne
- **c.** En Autriche
- **d.** En République tchèque

14. Un département français porte le nom d'un cours d'eau qui ne passe pas sur son territoire. Lequel est-ce ?

- **a.** Le Gers
- **b.** Le Var
- **c.** Le Tarn
- **d.** Le Cher

15. Où se trouve le plus grand golfe du monde ?

- **a.** Au Mexique
- **b.** En France
- **c.** En Arabie saoudite
- **d.** Au Japon

Art et littérature

16. Certains de ses clichés – *Rue Mouffetard, Dimanche sur les bords de la Marne* – sont considérés comme des œuvres majeures du XXe siècle. Qui est ce célèbre photographe de l'après-guerre ?

- **a.** Robert Doisneau
- **b.** Édouard Boubat
- **c.** Man Ray
- **d.** Henri Cartier-Bresson

17. Il commença à tourner des films en 1925 et s'imposa comme un génie du cinéma ; on lui doit notamment *Rebecca* et *la Mort aux trousses*. De qui s'agit-il ?

- **a.** Luis Buñuel
- **b.** Alfred Hitchcock
- **c.** Orson Welles
- **d.** Jean Renoir

18. Qui interprète Geneviève dans *les Parapluies de Cherbourg* ?

- **a.** Françoise Dorléac
- **b.** Annie Girardot
- **c.** Catherine Deneuve
- **d.** Jeanne Moreau

19. Qui interprète le valet de Jean Marais dans *le Capitan* ?

- **a.** Bourvil
- **b.** Fernandel
- **c.** Yves Montand
- **d.** Louis de Funès

20. Qui interprète l'ami de Casque d'or ?

- **a.** Lino Ventura
- **b.** Raimu
- **c.** Jean Gabin
- **d.** Serge Reggiani

21. Le 21 août 1911, quel tableau a été volé au Louvre ?

- **a.** *Les Baigneuses*
- **b.** *La Joconde*
- **c.** *Le Moulin de la Galette*
- **d.** *Les Tournesols*

22. Qui a peint *les Nymphéas* ?

- **a.** Manet
- **b.** Monet
- **c.** Gauguin
- **d.** Van Gogh

23. Ce dessinateur du *Charivari* fut condamné pour la publication d'une caricature représentant Louis-Philippe en Gargantua. Qui est-ce ?

- **a.** Jean-François Millet
- **b.** Jean-Baptiste Carpeaux
- **c.** Honoré Daumier
- **d.** Edgar Degas

24. Appelé à Rome par le pape Jules II, ce célèbre artiste de la Renaissance est l'auteur des fresques de la Genèse qui recouvrent les voûtes de la chapelle papale. Qui est-ce ?

- **a.** Raphaël
- **b.** Michel-Ange
- **c.** Botticelli
- **d.** Piero della Francesca

25. *Les Demoiselles d'Avignon,* de Picasso, portait à l'origine un autre nom, lequel ?

- **a.** Les Jeunes Filles en fleurs
- **b.** Le Bordel philosophique
- **c.** Au choix des dames
- **d.** Nus

26. Parmi ces quatre symphonies, laquelle n'est pas de Mozart ?

- **a.** La symphonie « Linz »
- **b.** La symphonie « Héroïque »
- **c.** La symphonie « Prague »
- **d.** La symphonie « Jupiter »

27. Quelle émission présentée par Daniel Filipacchi sur Europe 1 a popularisé les yé-yé ?

- **a.** *Salut les copains*
- **b.** *L'Idole des jeunes*
- **c.** *Stars*
- **d.** *Les Copains d'abord*

28. À Liverpool, quatre jeunes gens autodidactes forment un groupe, les Quarrymen. Sous quel nom vont-ils triompher partout dans le monde ?

- **a.** Les Rollings Stones
- **b.** Les Beatles
- **c.** Les Supremes
- **d.** Les Who

29. Dans une célèbre pièce de Jules Romains, qui remplace le docteur Parpalaid ?

- **a.** Le docteur Schweitzer
- **b.** Le docteur Folamour
- **c.** Le docteur Freud
- **d.** Le docteur Knock

30. Qui a écrit : « Et s'il n'en reste qu'un, je serai celui-là ! »

- **a.** Pierre Corneille
- **b.** Alphonse de Lamartine
- **c.** Victor Hugo
- **d.** Alexandre Dumas

31. Quel personnage de Shakespeare rencontre le fantôme de son père ?

- **a.** Hamlet
- **b.** Othello
- **c.** Macbeth
- **d.** Henri V

32. Dans quel roman d'Agatha Christie apparaît pour la première fois le célèbre détective Hercule Poirot ?

- **a.** *Dix Petits Nègres*
- **b.** *Mort sur le Nil*
- **c.** *La Mystérieuse Affaire de Styles*
- **d.** *Le Vallon*

33. Sous quel nom est plus connue Françoise Quoirez ?

- **a.** Marie Cardinal
- **b.** Jeanne Bourin
- **c.** Françoise Mallet-Joris
- **d.** Françoise Sagan

34. Qui fut la première femme élue à l'Académie française, en 1980 ?

- **a.** Marguerite Yourcenar
- **b.** Marguerite Duras
- **c.** Simone de Beauvoir
- **d.** Nathalie Sarraute

35. Elle n'a écrit qu'un seul roman – *Autant en emporte le vent* –, traduit en plus de 20 langues. Qui est-ce ?

- **a.** Emily Brontë
- **b.** Margaret Mitchell
- **c.** Anaïs Nin
- **d.** Virginia Woolf

36. Quelle œuvre majeure de la littérature française commence par ces mots : « Longtemps je me suis couché de bonne heure » ?

- **a.** *À la recherche du temps perdu*
- **b.** *La Comédie humaine*
- **c.** *LesThibault*
- **d.** *Les Rougon-Macquart*

37. Quelle pièce de théâtre a été jouée 8 350 fois à Paris ?

- **a.** *Le Bourgeois gentilhomme*
- **b.** *Phèdre*
- **c.** *La Cantatrice chauve*
- **d.** *Roméo et Juliette*

Sciences et techniques

38. Vers 1826, qui réalisa les premières photographies grâce à la mise au point d'un diaphragme ?

- **a.** Nicéphore Niépce
- **b.** Les frères Lumière
- **c.** William Hamilton
- **d.** Nadar

39. Comment se nomme la méthode d'imagerie médicale qui consiste à soumettre le corps à un champ magnétique et à exploiter les variations des signaux émis par les éléments mis en résonance ?

- **a.** Le scanner
- **b.** La radiographie
- **c.** La scintigraphie
- **d.** L'IRM

40. Vers 200 av J.-C., il inventa un système de remontée d'eau comportant une vis sans fin encore utilisé aujourd'hui. Qui est-ce ?

- **a.** Archimède
- **b.** Euclide
- **c.** Ptolémée
- **d.** Parménide

41. Il soutint que la Terre tourne autour du Soleil et la Lune autour de la Terre. De qui s'agit-il ?

- **a.** Nicolas Copernic
- **b.** Giordano Bruno
- **c.** Johannes Kepler
- **d.** Galilée

42. En 1897, cet ingénieur mit au point un moteur où le combustible s'enflamme par échauffement de l'air comprimé dans le cylindre. Quel était son nom ?

- **a.** Gottlieb Daimler
- **b.** Carl Benz
- **c.** Rudolph Diesel
- **d.** Enzo Ferrari

43. En quelle année est entré en service le premier avion de ligne, un Boeing 247 ?

- **a.** 1933
- **b.** 1935
- **c.** 1955
- **d.** 1957

44. Quel médecin et biologiste découvrit le bacille de la tuberculose en 1882 ?

- **a.** Louis Pasteur
- **b.** Alexander Fleming
- **c.** Robert Koch
- **d.** Edward Jenner

45. En 1687, il énonce la théorie de la gravitation universelle. Qui est-ce ?

- **a.** René Descartes
- **b.** Isaac Newton
- **c.** Galilée
- **d.** Christiaan Huygens

46. Combien compte-t-on d'angles égaux dans un triangle isocèle ?

- **a.** 2
- **b.** 3
- **c.** 0
- **d.** 4

47. Qu'utilise-t-on pour fabriquer de l'aluminium ?

- **a.** Du fer
- **b.** De la bauxite
- **c.** Du calcaire
- **d.** Du cobalt

48. Combien de planètes composent notre système solaire ?

- **a.**10
- **b.** 7
- **c.**12
- **d.** 9

49. Quelle fut la première substance utilisée pour anesthésier un patient ?

- **a.** L'éther
- **b.** Le protoxyde d'azote
- **c.** La cocaïne
- **d.** L'alcool

50. Qui réalisa avec succès la première transplantation cardiaque, en 1967 ?

- **a.** Luc Montagnier
- **b.** Christiaan Barnard
- **c.** Christian Cabrol
- **d.** Claude Pasteur

Solution *p. 335*

On peut toujours apprendre

Contrairement à ce que beaucoup de personnes pensent, il n'y a pas d'âge pour apprendre. La mémoire peut stocker de nouvelles informations à n'importe quel moment de la vie, qu'il s'agisse d'une nouvelle matière ou d'une nouvelle langue.

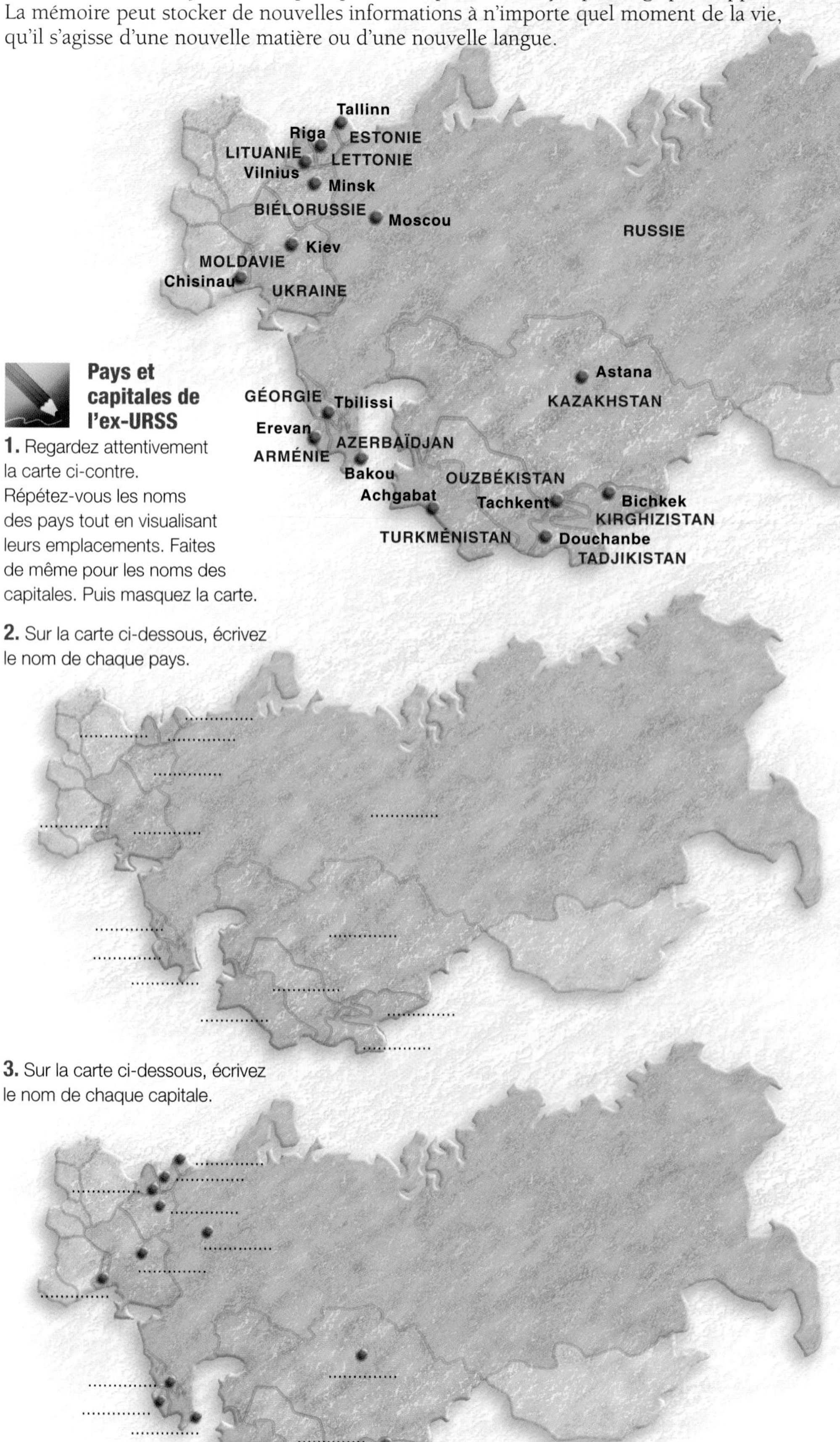

Pays et capitales de l'ex-URSS

1. Regardez attentivement la carte ci-contre. Répétez-vous les noms des pays tout en visualisant leurs emplacements. Faites de même pour les noms des capitales. Puis masquez la carte.

2. Sur la carte ci-dessous, écrivez le nom de chaque pays.

3. Sur la carte ci-dessous, écrivez le nom de chaque capitale.

Pour apprendre ces données géographiques, vous en avez effectué une catégorisation sommaire (pays, villes). C'est une méthode pour retenir (voir p. 220) d'autant plus intéressante que c'est ainsi que vont aussi s'organiser vos stocks d'informations en mémoire. En effet, la toile d'araignée que constitue la mémoire sémantique ne se résume pas à une accumulation d'interconnexions. Les nouvelles informations ne se relient pas aux anciennes de façon aléatoire. Elles sont structurées, hiérarchisées et catégorisées afin de rejoindre les stocks d'informations déjà présentes à la manière de marchandises dans les rayonnages d'un magasin. Lorsqu'on avance en âge, la mémoire a seulement besoin de plus de temps pour enregistrer, mais cela n'altère en rien sa qualité de rétention. L'essentiel reste de ne pas négliger les répétitions nécessaires à un bon ancrage de l'information (voir p. 234).

Trouver les mots, donner du sens

Je ne retiens pas un nouveau mot si je ne connais pas sa signification.

Toute connaissance, toute information est une association étroite entre des mots et du sens, entre un contenant et un contenu. L'un ne va pas sans l'autre. Ce qui a trait à la forme des mots, ou au contenant, constitue l'une des facettes de la mémoire sémantique, la mémoire lexicale. **La mémorisation s'effectue en fonction de ce double critère, la forme des mots et leur sens.**

Lorsque vous voulez retenir un mot dont vous connaissez le sens, votre mémoire sémantique va le mettre en relation avec d'autres mots de signification proche. Le mot îlet, par exemple, sera relié à île ou îlot. C'est grâce à cette proximité sémantique que vous allez le mémoriser. Parallèlement, vous retiendrez sa forme, c'est-à-dire la façon dont il s'écrit. En revanche, devant un mot dont vous ne connaissez pas le sens, c'est votre mémoire lexicale qui va amorcer le processus de mémorisation : vous allez le rapprocher des mots de même forme. Mais, pour vraiment le retenir, il vous faudra chercher sa signification dans un dictionnaire.

Lorsque vous réfléchissez pour retrouver des informations, votre mémoire va travailler aussi sur ces deux plans en parallèle, rechercher des contenants mais également des contenus : **la forme des mots doit faire sens pour revenir en mémoire.** Si vous savez ce que vous voulez dire mais que le mot vous échappe – familièrement, c'est le mot sur le bout de la langue –, il s'agit d'une panne de vocabulaire : votre mémoire lexicale est concernée. Mais si vous connaissez un mot sans en retrouver la signification, c'est la mémoire du contenu qui est déficiente. Dans un cas comme dans l'autre, il vous sera fort difficile de trouver des réponses cohérentes. **Une bonne mémoire sémantique garantit ainsi la maîtrise des mots et du langage.**

Ma mémoire et...
les conférences

Suivre une conférence est un moyen agréable d'acquérir de nouvelles connaissances sur un thème de son choix. Commencez par lire sur le sujet et participez d'abord à des conférences faciles d'accès. Respectez les règles suivantes pour bien mémoriser.

– Ne négligez pas les sucres lents dans votre alimentation : votre cerveau fonctionnera sans baisse de régime.

– Placez-vous le plus près possible du conférencier au cas où il aurait recours à des schémas ou à des photos.

– Prenez des notes synthétiques pendant la conférence.

– Faites un résumé peu de temps après ou parlez de ce que vous avez entendu avec un tiers.

– Enfin, évitez de participer à plus de deux conférences par semaine, sous peine de confusion.

Poly-? Avant- ? Demi- ? Petit- ?

Dans cet exercice, votre mémoire lexicale est sollicitée en premier. C'est la forme du début du mot à trouver qui va vous conduire vers un nouveau mot qui a du sens.

Trouvez 10 mots commençant par **poly.**	Trouvez 10 mots commençant par **avant.**	Trouvez 10 mots commençant par **demi.**	Trouvez 10 mots commençant par **petit.**
poly	**avant**	**demi**	**petit** ....
poly	**avant**	**demi**	**petit** ....
poly	**avant**	**demi**	**petit** ....
poly	**avant**	**demi**	**petit** ....
poly	**avant**	**demi**	**petit** ....
poly	**avant**	**demi**	**petit** ....
poly	**avant**	**demi**	**petit** ....
poly	**avant**	**demi**	**petit** ....
poly	**avant**	**demi**	**petit** ....
poly	**avant**	**demi**	**petit** ....

***Solution** p. 335*

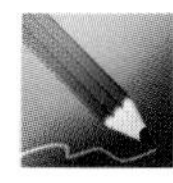

Grandes villes de France

Les noms de ces 16 villes de France vous sont connus depuis longtemps, probablement depuis l'école. C'est d'ailleurs à cette époque que la mémoire sémantique s'enrichit le plus. Mais leurs lettres ont été mélangées. Retrouvez leur forme correcte en cinq minutes, puis replacez les villes sur la carte. Pour être en mesure de respecter cette contrainte de temps, remémorez-vous rapidement les principales grandes villes : vous les repérerez mieux ensuite.

1. NACE
2. GORCHUBRE
3. STBRE
4. SENTAN
5. EXADURBO
6. TROIN
7. EOHULMUS
8. QUENKURDE
9. NOURE
10. NYLO
11. USULOTOE
12. MOSGILE
13. ALONRÉS
14. NGAPNEPIR
15. SAÇBONEN
16. CUHEUÂROTAX

Solution p. 335

Indices en plus

Pour rappeler des connaissances à la mémoire, on peut avoir recours à des **indices visuels,** c'est-à-dire à une image mentale (voir p. 204). C'est cette image qui permet au mot ou à l'information de revenir à la conscience. Dans d'autres cas, les **indices verbaux** seront prédominants.

L'emprunt du canal visuel ou verbal dans le processus de rappel est fonction des aptitudes de chacun. Certains seront plus à l'aise avec des images, d'autres avec des mots.

Les synonymes

Dans cet exercice, c'est le sens des mots qui vous conduit vers d'autres mots. Mais, pour le réussir, il vous faut aussi retrouver comment ils s'écrivent.
Donnez trois synonymes de chacun de ces mots.

bonté ....
....
....

apogée ....
....
....

convulsion ....
....
....

enthousiasme ....
....
....

partisan ....
....
....

Solution p. 335

Devinettes

En 6 indices, découvrez ce qui se cache derrière ces phrases.
Attention, les indices peuvent être visuels ou verbaux (jeux de mots).
À chaque nouvel indice, votre mémoire va chercher une information qui semble correspondre à la phrase-indice. Toutes ces informations vont peu à peu se mettre en relation pour créer ou activer un réseau permettant d'aboutir au mot à trouver.

A : qui suis-je ?

1. Couchée avec mes sœurs, j'ai la tête rose.
2. Si tu m'abimes, j'ai la tête blanche.
3. Vénérée ou crainte, je suis un progrès.
4. Souffle sur moi, j'ai la tête noire.
5. Suédoise ou espagnole, j'ai toujours la même forme.
6. Plus moderne, le briquet peut me remplacer.

B : qui suis-je ?

1. Je suis le sel de la terre.
2. Je peux compter le temps.
3. Je peux sombrer dans la folie.
4. Je peux tomber en poussière.
5. Je suis un atout dans la beauté.
6. On me trouve aussi en mer.

C : qui suis-je ?

1. Je donne le ton bien que je ne sois pas bavarde.
2. Je suis rectangulaire mais remplace bon nombre de « ronds ».
3. Sans ma puce, on pourrait se gratter.
4. Faut-il vous rappeler quand je suis épuisée ?
5. Convoitée des collectionneurs, j'aime que l'on me décore.
6. On me trouve aussi facilement qu'un timbre.

Les drapeaux d'Europe

À quel pays appartient chacun de ces drapeaux ? Faites cet exercice de culture générale seul ou à plusieurs.

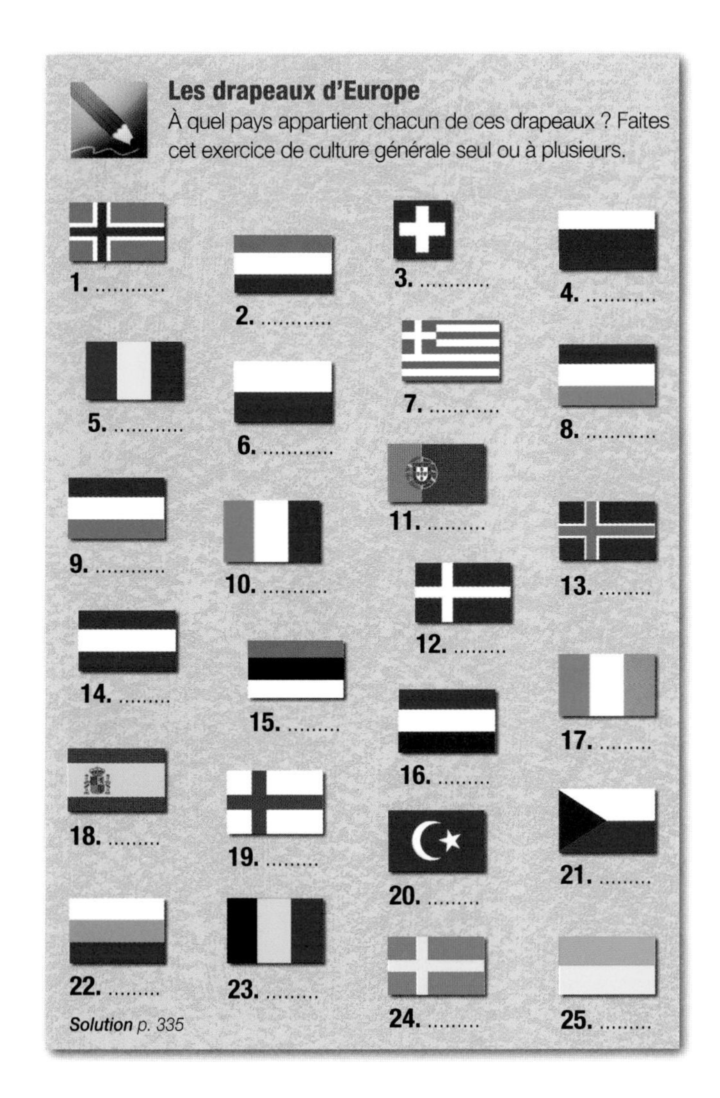

Solution p. 335

Histoire et chronologie

Replacez ces dix faits marquants de l'histoire de France sur la flèche chronologique. Positionnez au préalable les dates repères que vous connaissez.

1. **Semaine de 40 heures**
2. **Abolition de la peine de mort**
3. **Carte nationale d'identité**
4. **École obligatoire jusqu'à 16 ans**
5. **Vote des femmes**
6. **Majorité à 18 ans**
7. **Entrée en vigueur du nouveau franc**
8. **Premier vol du Concorde**
9. **Première traction avant**
10. **Premier Tour de France cycliste**

2000 ....
... .
... .
... .
... .
1950 ....
... .
... .
... .
... .
1900 ....

Solution p. 335

Les repères qu'offre une frise chronologique favorisent la remontée des connaissances. C'est en se positionnant par rapport à eux que l'on peut déduire la date de faits moins connus.

Le but du jeu est de trouver la solution en ayant eu recours au moins d'indices possible. Vous pouvez aussi jouer à plusieurs. Accordez alors un nombre de points à chaque joueur selon l'indice qui lui aura permis de trouver la solution.

6 points au premier indice.
5 points au deuxième indice.
4 points au troisième indice.
3 points au quatrième indice.
2 points au cinquième indice.
1 point au sixième indice.

D : qui suis-je ?

1. Je suis apparu en 1927.
2. Je suis brillant et très convoité.
3. On me fête chaque année, à au moins 23 exemplaires.
4. Malgré de multiples tentatives, je récompense rarement la France.
5. Mon nom est aussi un prénom.
6. Je suis symbolisé par une statuette en métal doré.

E : qui suis-je ?

1. Je suis un homme.
2. Je suis une femme.
3. Je ne suis ni un homme ni une femme.
4. Je suis de couleur sombre.
5. Le soleil et la lumière sont mes amis.
6. Lucky Luke tire plus vite que moi.

F : qui suis-je ?

1. Je marche en restant immobile.
2. Je m'arrête sans avoir bougé.
3. Bien que jamais je ne descende, il faut toujours me remonter.
4. Je suis l'ennemi des paresseux et des dormeurs.
5. À pile ou manuel, je ne suis rien sans l'homme.
6. Grâce à moi, le temps s'écoule.

G : qui suis-je ?

1. Si tu trouves le passage, alors je t'apparais.
2. Tu pourras me garder ou bien me partager.
3. Mais si tu veux me partager, alors je disparais.
4. Dans mon cas, le silence est d'or.
5. Je suis un véritable trésor.
6. Me trahir peut te coûter cher.

H : qui suis-je ?

1. Sans moi, les cathédrales s'effondreraient.
2. Avec moi, on prend la fuite.
3. Je suis la solution.
4. Je suis une aide précieuse pour entrer au paradis.
5. Je suis utile aux musiciens.
6. Me perdre peut vous coûter cher.

Solution p. 335

La mémoire épisodique

Souvenir des instants qui jalonnent le quotidien et souvenir des moments forts qui font l'histoire d'une vie appartiennent à la mémoire dite épisodique, propre à chaque individu. Elle nous permet de vivre au jour le jour, mais aussi de tisser les fils de notre biographie.

Mémoire d'un jour, mémoire d'une vie

Ce qui me touche se grave dans ma mémoire.

Quand vous vous penchez sur une journée en particulier ou sur toute votre vie, que voyez-vous? **Une succession de moments, d'épisodes divers et variés.** Tout ce contenu, fait de tant de morceaux épars, c'est votre histoire, c'est votre mémoire épisodique. Pourquoi avez-vous emmagasiné certains événements plutôt que d'autres? En raison de leur coloration affective. La résonance qu'ils ont rencontrée – plaisir, satisfaction, excitation, déplaisir, inquiétude, malaise, énervement, colère ou tout autre état émotionnel – a entraîné le stockage automatique et inconscient de nombreuses informations satellites qui constituent l'environnement du vécu: l'époque de l'année, le lieu, le cadre de l'action ou de la rencontre (odeurs, éléments visuels...), l'ambiance, la physionomie ou le comportement d'un tiers.

Le rappel du souvenir s'effectue selon un processus analogue: remontée du fait marquant, du ressenti associé – « je me souviens du visage de mon professeur de latin, celui qui était si sévère avec moi » – et, simultanément, du contexte. Dans la vie de tous les jours, ce même processus entraîne la mémorisation incidente, et donc le rappel, de données plus organisées telles que des conversations ou le contenu d'une émission télévisée.

La fonction de la mémoire épisodique, c'est en quelque sorte de **trier puis** de **différencier tel ou tel moment d'un autre selon leur contexte spécifique,** afin que ces souvenirs vous permettent de fonctionner au jour le jour – penser à ce que vous devez faire, mais aussi être sûr que vous avez retiré la casserole du feu en début d'après-midi! Une gestion analogue s'effectue à l'échelle de la vie: la mémoire épisodique est ce **fil ténu qui lie les épisodes du vécu de chacun pour leur donner cohérence et sens.** Chacun construit alors sa propre séquence de souvenirs.

Ainsi s'explique que nous puissions nous positionner dans le temps sans forcément être précis sur le lieu – on n'est pas toujours à même de le nommer et de le situer géographiquement, mais il reste visuellement présent – et de la date : les événements de notre vie s'organisent selon un ordre chronologique, avec un avant et un après. Lorsque nous avançons en âge, la mémoire épisodique fonctionne à plein régime. Qui n'a pas eu besoin de faire le point en pensant au déroulement de sa vie ? Qui n'a pas un parent âgé évoquant sans cesse ses souvenirs?

Tout au long de la vie, le poids de cette mémoire est considérable. Ses informations viennent enrichir notre connaissance du monde et parfaire notre mémoire sémantique (voir p. 122).

Mes souvenirs marquants

Il se passe tant de choses en une journée! Et la richesse de chaque histoire personnelle est faite de tant d'événements divers... Penchez-vous quelques instants sur ces moments grâce à ce questionnaire.

1. Qui vous a appelé au téléphone hier et aujourd'hui? De quoi avez-vous parlé?

2. Où et quand se sont déroulées vos dernières vacances? Comment se sont-elles passées? Quels lieux avez-vous visités? Quels sont vos souvenirs les plus précis?

3. Qu'avez-vous fait pendant la journée du: **14 juillet 2003? 31 décembre 2002? 11 septembre 2001? 11 août 1999 (éclipse de Soleil)?**

4. Il est des choses que vous avez aimées dans certaines circonstances et détestées dans d'autres. Lesquelles? Exemple: une matière scolaire adorée avec un professeur, insupportable avec un autre.

5. Un anniversaire est souvent un jour marquant. À quels épisodes particuliers sont associés les anniversaires de votre enfance?

6. Autre moment fort : la fête de Noël. Qu'est-ce qui a marqué les Noëls de votre enfance? Où était-ce? Qui était présent? Quels étaient les rituels de cette fête?

7. Enfin, les grandes vacances de votre enfance. Quels épisodes vous reviennent ?

Ma mémoire et... les médicaments

Lorsque vous devez prendre des médicaments plusieurs fois par jour, c'est votre mémoire épisodique qui inscrit ces actes dans le quotidien en leur aménageant un espace. Votre corps et votre esprit vont vite s'y habituer. Si vous oubliez une ou deux prises, c'est fort probablement parce que votre journée a été différente des autres ou que vous avez été psychiquement ou physiquement perturbé. Ne vous inquiétez pas, détendez-vous et, le lendemain, vous n'oublierez pas!

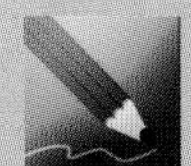

Entraînez votre mémoire épisodique

- **À la fin de la journée :**
  - prenez le temps de vous rappeler les moments les plus marquants ;
  - précisez-en le contexte – lieu, heure, cadre, attitude des personnes présentes, atmosphère (tendue, décontractée…), ressenti de votre relation aux autres (anxiété, plaisir de la conversation, énervement, etc.). Pour vous aider, vous pouvez consigner vos souvenirs dans un journal de bord.
- **À l'occasion d'une réunion en famille ou entre amis :**
  - évoquez les moments vécus ensemble ;
  - situez précisément vos souvenirs dans l'espace et le temps ;
  - fouillez dans votre mémoire pour retrouver le maximum de détails.
- **Installez-vous dans un lieu que vous n'avez pas l'habitude de fréquenter :**
  - apprenez un poème ou tout autre petit texte qui vous plaît ;
  - deux jours après, installez-vous cette fois en terrain connu, chez vous, par exemple, et visualisez le lieu de votre apprentissage pour faire revenir les mots. Ce rappel libre est aussi une des fonctions de la mémoire épisodique.

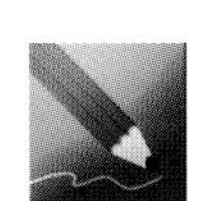

Célèbres émissions du petit écran

Les émissions ci-dessous ont marqué l'histoire de la télévision française. Qu'elles vous aient intéressé, amusé ou agacé, voire révulsé, elles ne vous ont probablement pas laissé indifférent. Voilà qui a été propice au travail de votre mémoire épisodique, qui a sans doute engrangé l'événement et vos réactions, mais aussi une foule d'informations adjacentes.
Que faisiez-vous lors de leur premier passage à la télévision ? Où étiez-vous ? Était-ce avant ou après tel ou tel épisode de votre vie ? En vous appuyant sur le contexte qui a entouré vos premiers contacts avec chacune de ces émissions, resituez-les dans votre chronologie personnelle et remettez-les alors dans l'ordre d'apparition à l'écran.

1. **Cinq Colonnes à la une**
2. **Le Manège enchanté**
3. **Nulle Part ailleurs**
4. **La Séquence du spectateur**
5. **Les Dossiers de l'écran**
6. **Intervilles**
7. **L'Île aux enfants**
8. **Zorro**
9. **Apostrophes**
10. **Le Grand Échiquier**
11. **Janique Aimée**
12. **Les Enfants du rock**
13. **Bouillon de culture**
14. **Le Muppet Show**
15. **Droit de réponse**
16. **Temps X**
17. **Les Shadoks**
18. **Les Cinq Dernières Minutes**

Solution p. 336

Deux comiques et leurs films

Louis de Funès et Bourvil : deux monuments du cinéma français. Votre mémoire épisodique a dû enregistrer l'histoire de certains de leurs films, quelques scènes, mais aussi une multitude d'informations complémentaires comme la musique ou certains dialogues.
Quel âge aviez-vous lors de la sortie des films ci-dessous ? Ces films vous ont-ils diverti, intéressé, fait réfléchir ? Aidez-vous de tous ces éléments pour attribuer le bon film au bon acteur.

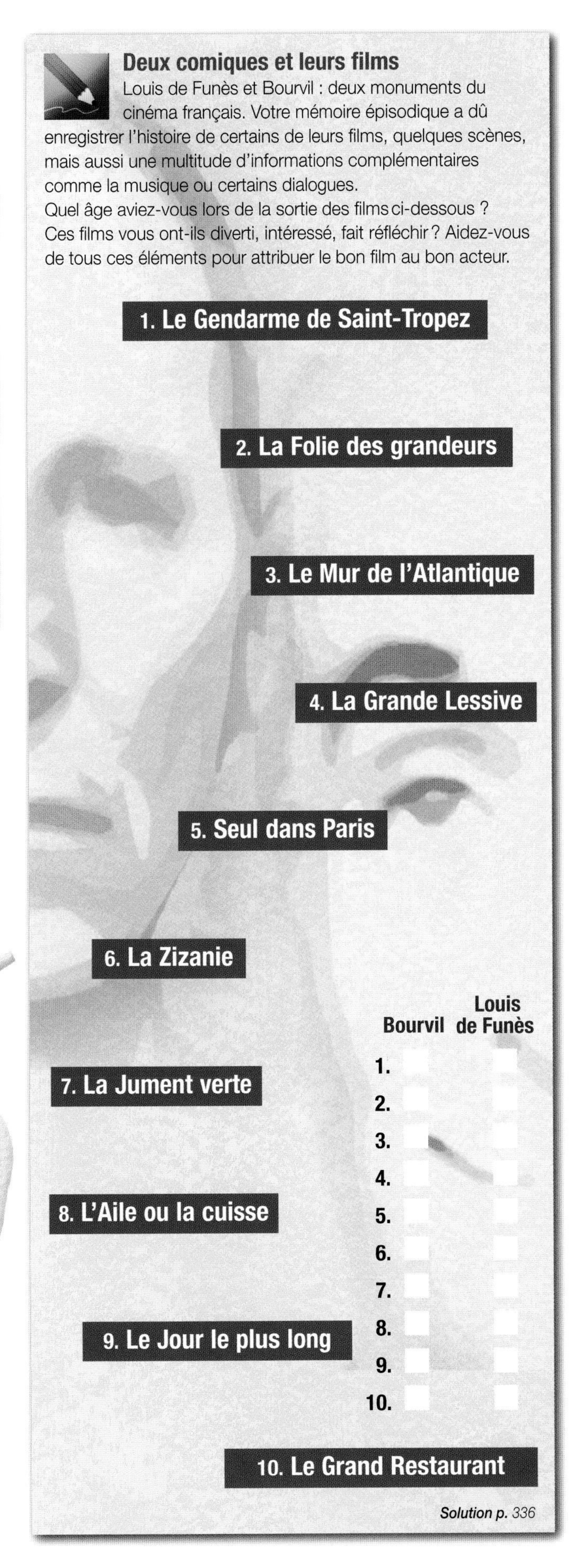

1. **Le Gendarme de Saint-Tropez**
2. **La Folie des grandeurs**
3. **Le Mur de l'Atlantique**
4. **La Grande Lessive**
5. **Seul dans Paris**
6. **La Zizanie**
7. **La Jument verte**
8. **L'Aile ou la cuisse**
9. **Le Jour le plus long**
10. **Le Grand Restaurant**

	Bourvil	Louis de Funès
1.		
2.		
3.		
4.		
5.		
6.		
7.		
8.		
9.		
10.		

Solution p. 336

L'habit ne fait pas le moine

Chaque époque possède une mode vestimentaire précise et sa panoplie d'accessoires de beauté. Classez les 12 éléments suivants du plus ancien au plus récent.

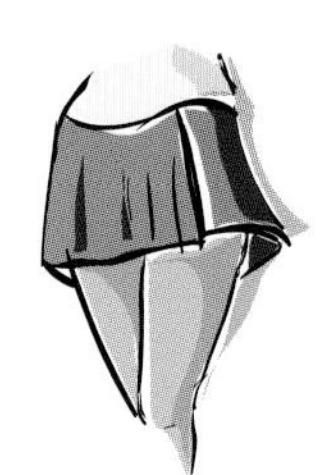

a. La minijupe

b. Les lunettes

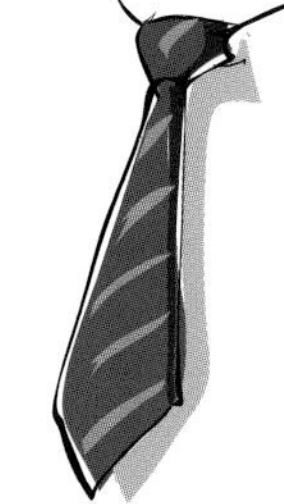

c. La cravate

d. Le talon aiguille

e. La montre-bracelet

f. La botte en caoutchouc

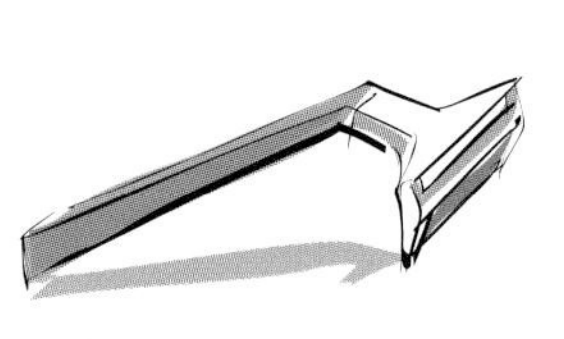

g. Le rasoir jetable

h. Le tailleur

i. Le vernis à ongles

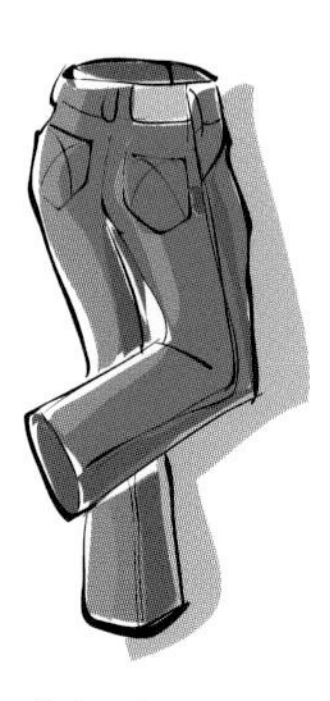

j. Le jean

k. La fermeture Éclair

l. L'imperméable

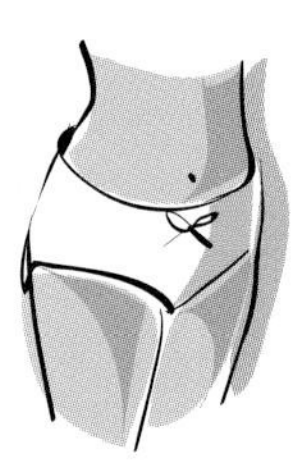

m. La petite culotte

n. Le bas Nylon

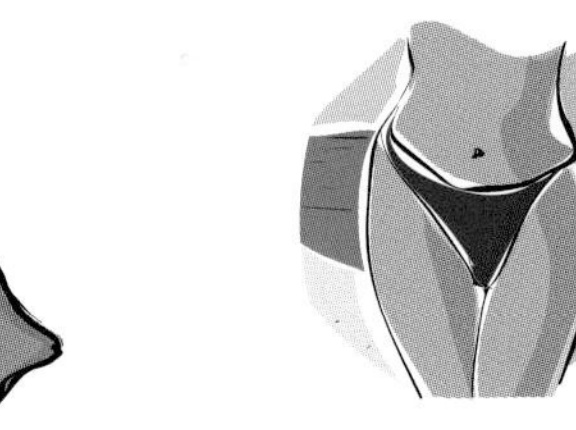

o. Le bikini

Solution p. 336

1. ....
2. ....
3. ....
4. ....
5. ....
6. ....
7. ....
8. ....
9. ....
10. ....
11. ....
12. ....
13. ....
14. ....
15. ....

Ma mémoire et…
la routine du quotidien

Il arrive que la vie nous semble bien monotone. Notre capacité de réflexion est éteinte, peu de choses nous motivent. Tous les êtres humains passent par ces états d'âme. À tout âge, un peu de fantaisie, de nouveauté, quelques projets sont nécessaires pour se sentir bien vivant. Il faut donc se méfier des routines dont on s'accommode trop facilement pour garder une tranquillité d'esprit et s'efforcer de raviver son intérêt. Chaque jour, accordez-vous un petit plaisir ou faites quelque chose de nouveau. Et sachez que, malheureusement, lorsque votre quotidien vous paraît morne, c'est votre mémoire qui risque d'en pâtir, faute de stimulation.

À vos postes

À deux ou en groupe, retrouvez le nom des stations de radio d'hier et d'aujourd'hui.
À chaque tour, tous les joueurs donnent une réponse jusqu'à épuisement des idées. Le dernier à donner le nom d'une station a gagné.

Pourquoi écoute-t-on telle ou telle radio ? Parce que nos parents l'écoutaient, parce qu'elle est à la mode ou parce qu'elle correspond à nos goûts (thèmes traités, façon de les traiter, type de musique, etc.). L'un ou l'autre de ces facteurs – ou les trois – ont influencé notre choix d'une station de radio à certaines périodes. De telle sorte qu'une subtile correspondance s'établit souvent entre une station de radio et une époque de notre vie.

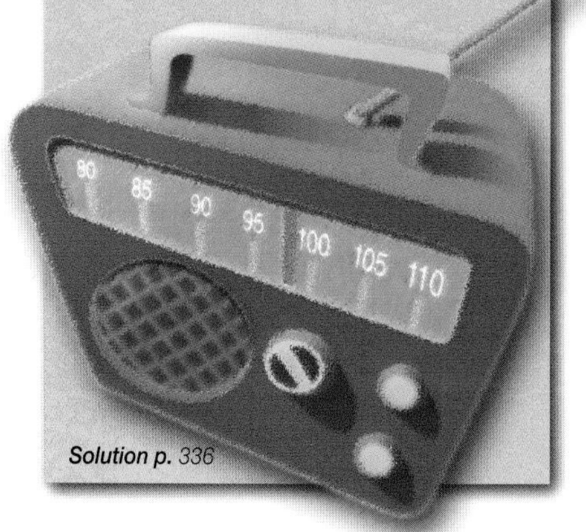

Solution p. 336

La mémoire en trois temps

Lorsque l'on considère la durée pendant laquelle l'information reste en mémoire, on subdivise cette dernière en mémoire sensorielle, mémoire à court terme et mémoire à long terme. Les souvenirs d'enfance sont ainsi considérés comme relevant de la mémoire à long terme, les événements vécus il y a quelques minutes, de la mémoire à court terme. Mais cette classification n'a qu'une valeur théorique, la perception du temps étant par essence subjective.

La mémoire sensorielle

Nous avons tous des souvenirs fortement associés à des odeurs, des goûts, des sensations tactiles, des sons… Notre organisme est comme une sorte de grand radar qui, par le biais des sens, capte toutes les informations provenant de l'environnement. Via le système nerveux, le cerveau reçoit et traduit les données dans son langage. Ce premier enregistrement, c'est la mémoire sensorielle, qui se compose des **mémoires visuelle, auditive, gustative, olfactive et tactile.** Il est important de stimuler cette mémoire, première étape de l'entrée des informations avant la mémoire à court terme.

Vers une perception active

1. Installez-vous confortablement chez vous.
– Prêtez une oreille attentive à tous les bruits extérieurs, identifiez-les, écoutez-les un à un, séparément.
– Observez l'un après l'autre les objets qui vous entourent pendant cinq minutes. Arrêtez-vous sur les détails – taille, forme, couleur…
2. Renouvelez cet exercice pendant une quinzaine de jours dans des endroits différents – lieu de travail, magasin… –, en choisissant le moment propice à une perception attentive.
3. Refaites l'expérience à l'occasion de promenades en ville ou en pleine nature.

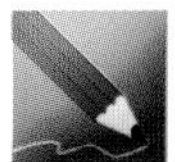

De la quintessence d'une pomme…

1. Regardez attentivement une pomme. De quelle couleur est-elle ? Jaune, rouge, verte ?
2. Prenez-la dans vos mains, palpez-la, caressez-la. Comment est-elle ? Lisse, rugueuse, ridée… ?
3. Portez-la à votre nez, respirez-la. Quel parfum percevez-vous ? L'odeur du verger, du sous-bois… ?
4. Portez-la à votre bouche et mordez-y à belles dents ; puis dégustez-la lentement. Comment est-elle ? Ferme, granuleuse, juteuse… ? Quel goût lui trouvez-vous ? Sucré, avec un arôme de miel… ?
5. Écoutez… Quel bruit entendez-vous quand vous mordez dans le fruit ? Quand vous en mâchez un morceau ?

Spontanément, nous avons du mal à différencier nos perceptions de manière aussi fine. Depuis l'aube de l'humanité, la nécessité d'une adaptation à un environnement changeant nous a en quelque sorte formatés pour une perception globale de ce qui nous entoure, qui seule permet une réaction adaptée en cas de danger. Les informations sont donc très vite oubliées. Il faut décider de focaliser son attention pour que ce comportement réflexe soit abandonné et que puisse se développer une **perception sélective.** Les objets, les couleurs, les formes, les odeurs sont alors intensément perçus, ils deviennent physiquement présents, tandis que des images précises se forment dans notre tête. La mémoire sensorielle est en plein travail. Dans le domaine sensoriel, comme dans bien d'autres, l'entraînement a d'étonnants résultats. Savez-vous, par exemple, qu'en pleine forêt une oreille non entraînée ne distingue pas plus de quatre cris d'oiseaux alors qu'une oreille d'ornithologue averti peut en percevoir plus de dix ?

La perception peut donc être stimulée, sollicitée de façon régulière pour peu que l'on prête attention à ce qui nous entoure. Et plus elle s'affine, plus les sens deviennent réceptifs.

Mais **la mémoire sensorielle est très sensible aux interférences,** ces perturbations qui interrompent une activité et détournent l'attention. Quelques secondes de distraction suffisent pour effacer les informations, rendant impossible la répétition mentale nécessaire à la mémorisation. Elles disparaissent aussi vite si nous n'avons pas jugé utile de les retenir. Malgré la brièveté de la perception, vous serez surpris de la précision de certains de vos souvenirs sensoriels, un peu comme s'ils avaient été fixés par une photographie. C'est la qualité de votre mémoire sensorielle qui a entraîné le démarrage de tout le processus de mémorisation : les informations, perçues finement et avec attention, sont rapidement entrées dans la mémoire à court terme. Elles ont de fortes chances de s'ancrer aussi dans la mémoire à long terme.

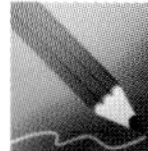

Les détails qui clochent

Affinez votre perception visuelle en regardant attentivement ce dessin. La pièce représentée n'a que l'apparence de la réalité. 16 anomalies s'y sont glissées – incongruités de forme, positionnements impossibles et autres aberrations…

Solution p. 336

La mémoire à court terme

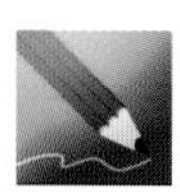

Figures géométriques

Regardez attentivement ce dessin pendant trente secondes, cachez-le, puis reproduisez-le de mémoire.

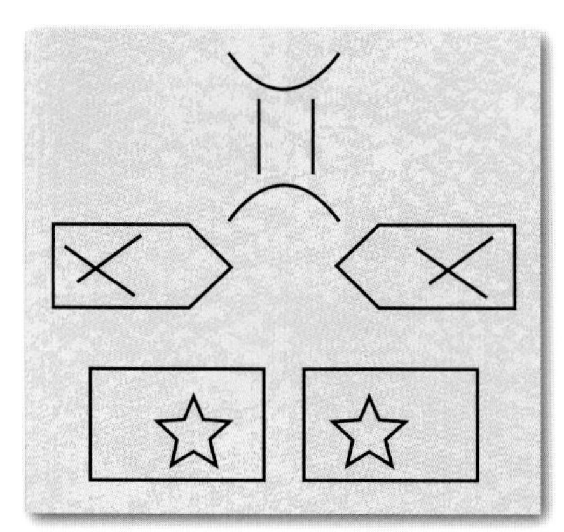

Vous venez de faire travailler votre mémoire à court terme à partir d'une visualisation de formes. Après la mémoire sensorielle, c'est la deuxième étape du processus de mémorisation.

La mémoire à court terme est **une mémoire pratique**, immédiate, qui est active dans tous les actes de la vie quotidienne : juste après avoir lu la recette, on se souvient des ingrédients d'un plat pour commencer à le préparer, d'un numéro de téléphone vu dans l'annuaire le temps de le composer, d'une adresse que l'on vient d'entendre pour rapidement la noter, etc.

La caractéristique fondamentale de cette mémoire est d'être très volatile. Sa fonction est de permettre **la mise en œuvre d'actions immédiates**, qui seront rapidement oubliées. Elle se mesure en minutes (trois maximum), voire en secondes.

La mémoire à court terme est **une mémoire à faible capacité d'enregistrement :** elle ne peut retenir que peu d'informations à la fois – sept en moyenne. C'est ce que l'on appelle **l'empan** (voir p. 34). C'est sans doute pour cette raison qu'elle possède une faculté de filtrage qui permet l'élimination de toutes les informations satellites, non indispensables à la réalisation d'une tâche donnée. Cette fonction de filtre s'exerce par ailleurs dans toutes les situations de la vie quotidienne : elle évite d'être submergé en permanence par un flot continu d'informations. Grâce à elle, nous ne mémorisons pas les visages de tous les inconnus que nous croisons dans la rue, ni tous les bruits que nous entendons au cours de la journée. Elle élimine naturellement toutes les informations qui ne nous semblent pas nécessaires.

Cryptogramme

1. Déchiffrez les deux proverbes suivants. Chaque lettre est remplacée par un symbole.Lorsque vous aurez achevé ce déchiffrage, attendez deux minutes pour faire l'exercice 2, ci-contre.

F = ✷ I = ▲ M = ✖ U = ❤

Premier proverbe

....

➡❤■ ✻■❤✔ ♦❤ ✣✚❤➦✚♣

....

Second proverbe

▲✣ ✷✚❤♦ ✷✚▲➦■ ✛✱★♦➦■

....

✖✚❤➤✚▲♣■ ✷✱➦♦❤★■

....

♠✱★ ✛✱■❤➦

....

Solution p. 336

2. Cachez la partie de gauche, puis retrouvez quelle lettre corespond à chaque symbole.

Cet exercice a dû vous paraître particulièrement ardu. Il illustre la difficulté, pour la mémoire à court terme, d'une part de dépasser le nombre d'éléments de l'empan mnésique, d'autre part de conserver ces données plus de quelques minutes.

Les quatre belles

Observez bien ces quatre femmes pendant trente secondes en mémorisant aussi leurs prénoms. Puis cachez-les et répondez aux questions suivantes.

1. Quel est le prénom de la femme enceinte? ....

2. Laquelle d'entre elles est vêtue d'une robe à manches longues? ....

3. Qui porte un collier? ....

4. Ont-elles toutes un chignon? ....

5. Que tient Virginie dans les mains? ....

6. Les quatre femmes sont-elles blondes? ....

7. Deux femmes regardent vers la droite, deux autres vers la gauche. Pouvez-vous les nommer? ....

La mémoire de travail

Particularité de la mémoire à court terme, la mémoire de travail entre en jeu dès que la réalisation d'une tâche exige un effort de **mémorisation rapide d'informations abstraites –** calculs mentaux, idées, concepts…

Calcul mental
Faites sans calculette les opérations suivantes.

769 + 586 = ...

698 + 524 = ...

587 + 269 + 874 = ...

356 + 587 + 214 = ...

1005 + 33 + 646 = ...

994 + 136 + 428 = ...

650 + 123 + 541 = ...

421 + 789 + 666 = ...

Solution p. 336

Pour chaque addition, les opérations intermédiaires que vous effectuez restent dans votre mémoire de travail le temps nécessaire à la résolution de la tâche, ici l'obtention du total, puis elles s'estompent rapidement.
Pour faire ces opérations mentales, il fallait aussi savoir correctement manier l'addition ! C'est une autre fonction de la mémoire de travail que de rappeler à la conscience des acquisitions plus anciennes stockées dans la mémoire à long terme et nécessaires pour effectuer un travail ponctuel. Lorsque des étudiants accumulent des connaissances en vue de passer un examen, le va-et-vient entre ces dernières et les acquis plus anciens leur permet, le jour J, de fournir les réponses adéquates. Quelques mois plus tard, ils ne seront plus en mesure de répondre aux mêmes questions.

La mémoire à long terme

La mémoire à long terme est capable de retenir une multitude d'informations accumulées au cours de l'existence. Cette **faculté de stockage quasi illimité** permet à tout un chacun d'engranger tant les apprentissages de son enfance que les connaissances acquises sur le monde ou résultant de son expérience. Depuis des décennies, on se penche sur l'organisation et le fonctionnement de cet étonnant réservoir mental essentiel à la vie.

On a ainsi pu établir l'existence des « sous-mémoires » suivantes : **mémoire épisodique** (voir p. 128), **mémoire sémantique** (voir p. 122), **mémoire procédurale** (voir p. 118), **mémoires implicite et explicite** (voir p. 115).

Si le potentiel de la mémoire à long terme est identique pour tous, ce qui provoque l'entrée des informations et ce qui entraînera plus tard leur retour à la conscience varie selon les individus.

La photo de classe

1. Retrouvez l'une de vos photos de classe puis – dans un premier temps sans la regarder – recherchez les visages et les noms de vos camarades. Inscrivez sur une feuille les noms de ceux dont vous vous souvenez.

2. Pouvez-vous maintenant en nommer d'autres en regardant votre photo ? Inscrivez tous les noms retrouvés sur les silhouettes de cette image.

3. Combien de noms avez-vous retrouvés ?
Sans la photo : ....
Avec la photo : ....

Sous le pont Mirabeau...

Que vous l'ayez appris à l'école ou entendu un peu plus tard, vous connaissez certainement *le Pont Mirabeau,* célèbre poème de Guillaume Apollinaire publié dans le recueil *Alcools.* De mémoire, essayez de compléter ces quelques vers.

Solution *p. 336*

Sous le pont Mirabeau coule.........
Et nos amours
Faut-il qu'il m'en.........
La......... venait toujours après la peine

Vienne la nuit sonne l'heure
Les jours s'en vont je demeure

Les mains dans les mains restons.........
Tandis que sous
Le pont de nos......... passe
Des éternels......... l'onde si lasse

Vienne la nuit sonne l'heure
Les jours s'en vont je demeure

L'amour s'en va comme cette eau.........
L'amour s'en va
Comme......... est lente
Et comme l'Espérance est.........

Vienne la nuit sonne l'heure
Les jours s'en vont je demeure

Passent......... et passent les semaines
Ni temps passé
Ni les amours.........
Sous le pont Mirabeau coule.........

Vienne la nuit sonne l'heure
Les jours s'en vont je demeure

Ma mémoire et...
la curiosité

On peut certes clamer que la curiosité est un vilain défaut. Pour la mémorisation, en revanche, c'est un véritable atout. Être curieux signifie surtout que l'on a développé des centres d'intérêt variés. C'est le meilleur moyen d'entretenir sa mémoire. A contrario, rester polarisé sur une ou deux passions ne lui est pas très bénéfique. C'est certes un bon moyen de rester enthousiaste, mais, attention, il faut aussi savoir être un peu touche-à-tout !

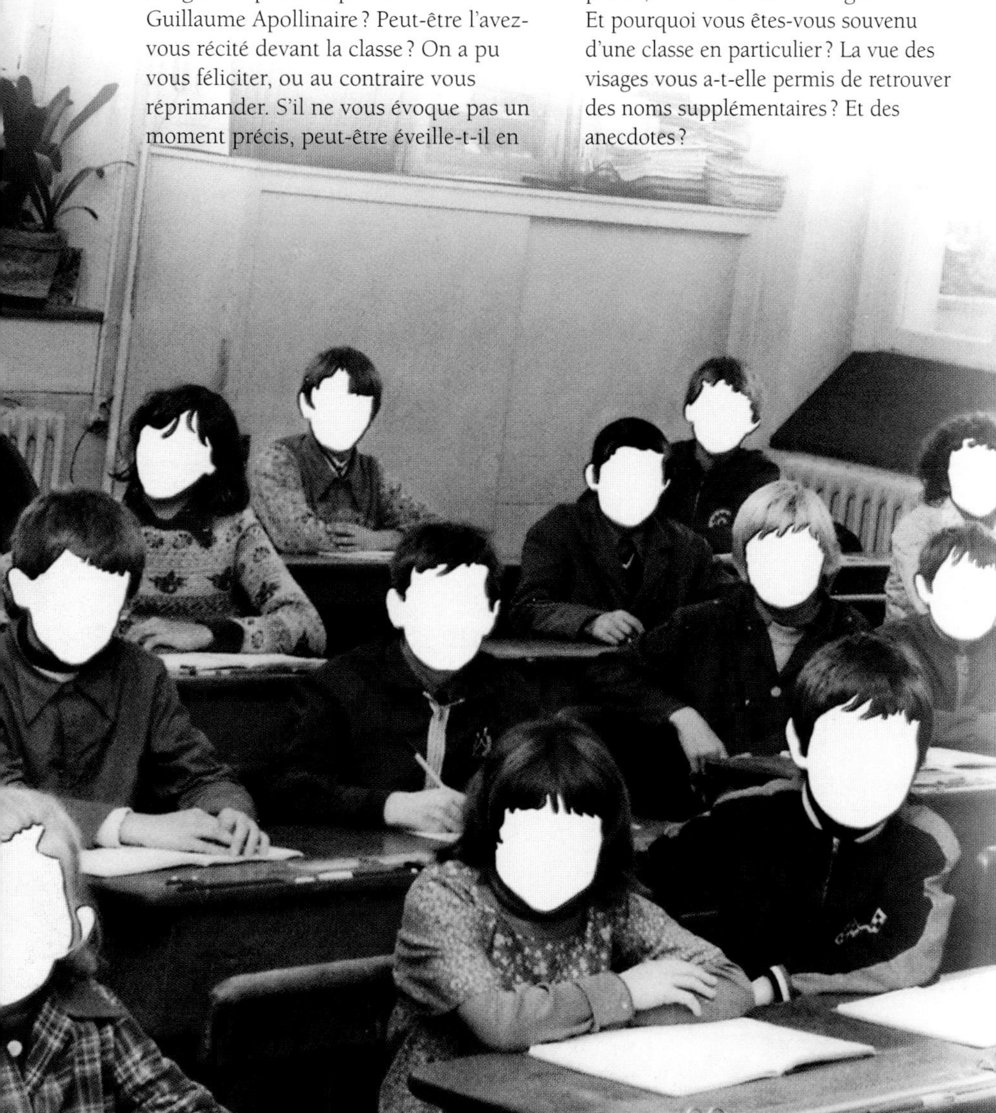

Pourquoi avez-vous retenu en grande partie le poème de Guillaume Apollinaire ? Peut-être l'avez-vous récité devant la classe ? On a pu vous féliciter, ou au contraire vous réprimander. S'il ne vous évoque pas un moment précis, peut-être éveille-t-il en vous une sensation très diffuse de plaisir, ou encore de nostalgie...
Et pourquoi vous êtes-vous souvenu d'une classe en particulier ? La vue des visages vous a-t-elle permis de retrouver des noms supplémentaires ? Et des anecdotes ?

Deux personnes liées par un souvenir commun n'auront pas retenu les mêmes choses. Qu'il s'agisse d'une connaissance livresque, d'un événement, d'un moment de la vie, **la façon de retenir est aussi personnelle que celle de se souvenir.** La mémoire ayant besoin d'ordre pour retenir longtemps, tout effort de **structuration des données** est un facteur favorable au cheminement depuis la mémoire sensorielle vers la mémoire à court terme puis vers la mémoire à long terme, et enfin à sa consolidation dans cette dernière. Parallèlement, cela garantit une certaine aisance dans le **processus de rappel.**
Mais l'enregistrement dans la mémoire à long terme ne relève pas toujours de la volonté. La plupart du temps, c'est **la couleur affective du moment,** agréable ou désagréable, qui conditionne l'inscription d'un souvenir dans la durée. À cela il faut ajouter bien sûr **l'intérêt** et **l'attention** que nous avons portés à une information ou à un épisode de notre vie. Tous ces facteurs joueront aussi un rôle dans la remontée plus ou moins rapide d'un souvenir. Ainsi s'explique que certains souvenirs que l'on croyait perdus puissent revenir facilement en mémoire à l'occasion de stimulations sensorielles – un son, un goût, une image, certains mots, une atmosphère... – qui constituent autant de facteurs déclenchant la remontée d'un souvenir. L'histoire de la madeleine de Proust n'est pas autre chose.

Des chansons et des mots

Retrouvez des paroles ou des titres de chansons contenant les mots ou les thèmes suivants.

Par exemple, le mot **nuit** se retrouve dans : Douce **nuit** – C'est la **nuit** – **Nuits** de Chine, **nuits** câlines – Sur l'écran noir de mes **nuits** blanches *(le Cinéma)* – Retiens la **nuit**.

Paris

....

....

....

Soleil

....

....

....

....

Amour

....

....

....

Des couleurs

....

....

....

....

Des noms de villes

....

....

....

En raison de l'atmosphère souvent agréable qui entoure l'écoute d'une chanson, une partie des mots qui la composent sont profondément mémorisés à notre insu. *Solution* p. 336

Poule, hippocampe, catastrophe et nectarine

Les mots qui constituent notre vocabulaire sont inscrits à long terme dans notre mémoire. En huit minutes maximum, retrouvez 5 mots commençant par **pou-**, **hippo-**, **cata-** et **nec-**.

Pou	Cata ....
Pou	Cata ....
Pou	Cata ....
Pou	Cata ....
Pou	Cata ....
Hippo	Nec ....
Hippo	Nec ....
Hippo	Nec ....
Hippo	Nec ....
Hippo	Nec ....

Solution p. 337

Une histoire de cheveux

C'est souvent grâce à notre perception visuelle que certains souvenirs s'ancrent profondément dans notre mémoire. La couleur des cheveux, par exemple, est un repère auquel s'accroche le souvenir des personnes que l'on a croisées. Retrouvez 5 personnalités ou personnages dont les cheveux sont franchement blonds, roux ou noirs.

Cheveux blonds	Cheveux roux	Cheveux noirs
1.	1.	1. ....
2.	2.	2. ....
3.	3.	3. ....
4.	4.	4. ....
5.	5.	5. ....

Solution p. 337

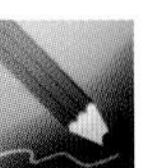

La danse des pieds

Il est rare d'oublier le sens des mots et expressions courants. Parce que le langage relève de la mémoire sémantique, sous-mémoire de la mémoire à long terme. Trouvez le maximum d'expressions ou de mots contenant le mot pied.

1.	10. ....
2.	11. ....
3.	12. ....
4.	13. ....
5.	14. ....
6.	15. ....
7.	
8.	
9.	

Solution p. 337

L'oubli

Paradoxalement, le fait de mémoriser consiste pour une part à… oublier. Il est en effet inutile de vouloir conserver en mémoire toutes les informations qui nous parviennent dans la journée, sous peine de saturation. Ce qui n'empêche pas de veiller au bon fonctionnement de sa mémoire en utilisant de bonnes « béquilles » et en évitant de faire plusieurs choses à la fois. Notre volonté de nous souvenir est cependant parfois prise en défaut par notre inconscient, mais les informations refoulées restent toujours présentes.

Oublier pour ne pas saturer

Je deviendrais fou si je retenais tout !

Quel pourrait être l'intérêt de retenir le nombre de feux rouges sur notre parcours domicile-travail ? Pourtant, nous les avons bien vus, mémorisés, mais uniquement pour utiliser cette information momentanément et l'effacer ensuite.

Une mémoire dite normale efface 90 à 95 % des informations perçues dans une journée. Ce travail d'oubli actif, souvent appelé mémoire sélective, est en fait une organisation permettant de retenir l'essentiel dans le flot quotidien d'informations. Sans cela, notre capacité à mémoriser pourrait être saturée.

Ce mécanisme d'inhibition active ne fonctionne pas pour tous de la même manière. Certaines personnes sont capables de se souvenir de très nombreux détails et, par exemple, vous décriront par le menu la manière dont vous étiez habillé et coiffé lorsqu'elles vous ont rencontré. Ce type de mémorisation n'est pas le signe d'une mémoire prodigieuse, mais peut signifier que la relation que l'individu entretient avec le monde est basée sur des informations visuelles et, son énergie se canalisant sur l'apparence, il est alors moins disponible pour retenir des informations telles que la teneur de la conversation ou la qualité de la relation…

Pour d'autres personnes, c'est l'inverse : elles oublient l'environnement concret des situations qu'elles vivent et se voient qualifiées de têtes en l'air ! Leur rapport au monde est sans doute plus centré sur le ressenti, le vécu et, de ce fait, elles s'attachent moins aux détails.

Les monnaies d'Europe

En 2002, tous les pays d'Europe se sont dotés d'une monnaie unique commune, à l'exception de trois. Retrouvez les monnaies nationales de ces pays et précisez ceux qui n'ont pas adopté l'euro.

1. Allemagne ....
2. Autriche ....
3. Belgique ....
4. Danemark ....
5. Espagne ....
6. Finlande ....
7. France ....
8. Grande-Bretagne ....
9. Grèce ....
10. Irlande ....
11. Italie ....
12. Luxembourg .....
13. Pays-Bas ....
14. Portugal ....
15. Suède ....

Avec l'arrivée de l'euro, peut-être avez-vous commencé à oublier ces monnaies. C'est normal. Le processus de l'oubli est à l'œuvre car ces informations ne vous seront plus utiles. Dans une vingtaine d'années, bon nombre d'entre nous les auront en partie oubliées, sauf si nous réactivons ces souvenirs par intérêt pour l'Histoire.

Solution p. 337

Les grands fleuves du monde

Classez ces 8 fleuves selon leur longueur, par ordre décroissant.

Solution p. 337

a.	**Gange**	1.	......
b.	**Mississippi-Missouri**	2.	......
c.	**Amazone**	3.	......
d.	**Ob**	4.	......
e.	**Amour**	5.	......
f.	**Nil**	6.	......
g.	**Yangzi Jiang**	7.	......
h.	**Saint-Laurent**	8.	......

Vous connaissez sans doute les noms de ces fleuves et vous avez certainement appris leur longueur à un moment de votre scolarité. Mais, ces détails ne vous étant pas indispensables, vous ne les aurez retenus sur le long terme que si vraiment ils vous sont utiles – pour des raisons professionnelles, par exemple – ou si vous êtes un passionné de géographie.

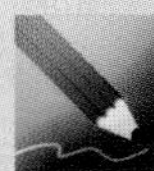

Mots en -otte, mots en -ière

Trouvez en trois minutes le plus grand nombre de mots se terminant par -otte puis par -ière. Ce sont les mots simples, souvent utilisés, qui vont vous revenir le plus vite. En revanche, il vous faudra chercher un peu plus pour les mots qui n'appartiennent pas au langage usuel.

Mots en -ière

Mots en -otte

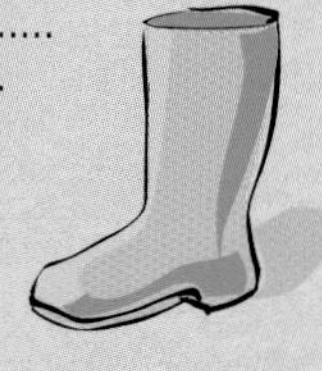

Comme dans l'exercice précédent, le processus d'oubli se met en marche pour des mots dont on a rarement l'usage. Pour garder une richesse de vocabulaire, il faut donc s'entraîner régulièrement en déclinant cet exercice (mots se terminant par -age, -ette, -elle, -ère, ou encore mots commençant par mon-, man-, etc.).

Solution p. 337

Ma mémoire et… le mot sur le bout de la langue

Cette situation n'est pas exceptionnelle : le mot vous est familier et, pourtant, il ne sort pas. Vous vous sentez alors mal à l'aise, voire ridicule. Tranquillisez-vous, il est normal que les mots viennent moins rapidement que la pensée et, moins on parle, plus on rencontre ce problème. On peut le pallier en diversifiant son vocabulaire usuel et en prenant l'habitude de chercher des synonymes. Il faut aussi empêcher les pensées de se bousculer et s'efforcer de parler calmement, sans se presser.

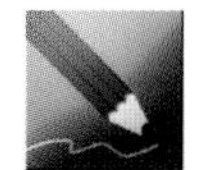

Quand se souvenir devient inutile

1. **Vous souvenez-vous…** de votre premier numéro de téléphone ?
2. **Vous souvenez-vous…** du numéro de la plaque d'immatriculation de votre première voiture ?
3. **Vous souvenez-vous…** du numéro de l'immeuble du pédiatre de votre fils aîné ?
4. **Vous souvenez-vous…** du code de votre première carte bancaire ?
5. **Vous souvenez-vous…** du premier film que vous avez vu au cinéma ?
6. **Vous souvenez-vous…** de la date de votre premier jour de travail ?

Vous avez sûrement rencontré des difficultés pour retrouver les réponses aux quatre premières questions et c'est bien normal. Quelle pourrait bien être l'utilité de garder en mémoire le numéro de la plaque d'immatriculation de sa première voiture ? Notre mémoire nous sert à retenir des données concrètes de la vie de tous les jours, mais 90 % d'entre elles sont vouées à un effacement actif pour que nous puissions mener à bien nos différentes tâches journalières sans encombrer notre « appareil à mémoriser ». Mais vous avez peut-être retrouvé la date de votre premier jour de travail ou le titre du premier film. Sans doute parce que ce fut un événement important dans votre vie.

Bonnes et mauvaises béquilles

Mon frigo est couvert de Post-it ! Sont-ils tous vraiment nécessaires ?

Imaginez que vous devez partir faire vos courses de la semaine et essayez d'établir mentalement la liste des produits qui vous manquent. Cet exercice de mémoire est notre lot quotidien. Que faites-vous ensuite ? Une liste écrite ?

Confronté aux différentes tâches de la vie courante, nous avons tendance à recourir à des béquilles (morceau de papier, carnet, Post-it, tableau …). Sont-elles de bons aide-mémoire ou finissent-elles par tuer la mémoire ? Faut-il apprendre à s'en passer ?

Une bonne béquille permet de réaliser des actions qui seraient impossibles sans elle. Est-il raisonnable ou seulement réaliste de croire que l'on peut retenir tout ce que contiennent un agenda ou un carnet d'adresses ? Ce serait là une véritable surestimation de nos capacités mnésiques. L'agenda et le carnet d'adresses sont donc de bons outils qui permettent de fonctionner au quotidien sans surcharger la mémoire.

En revanche, **une béquille devient néfaste lorsqu'elle entraîne la non-utilisation des capacités mnésiques.** Ainsi, le recours systématique à son carnet d'adresses pour trouver un numéro de téléphone familier prive d'une gymnastique mnésique nécessaire et entretient une sorte de paresse pouvant à terme altérer l'autonomie.

Test Identifiez vos béquilles

Répondez par **OUI** ou par **NON** aux questions suivantes.

	OUI	NON
1. J'utilise les numéros enregistrés sur mon portable sans apprendre ceux que j'appelle quotidiennement.	☐	☐
2. J'utilise systématiquement mon carnet d'adresses pour envoyer des cartes postales à mes proches.	☐	☐
3. Je fais une liste pour acheter moins de 7 produits au supermarché.	☐	☐
4. J'ai besoin de noter mes différents codes – porte d'entrée, carte bleue, boîte vocale, portable…	☐	☐
5. Je dois noter mes idées pour ne pas les oublier.	☐	☐
6. Comme je claque souvent ma porte en laissant mes clefs à l'intérieur, j'ai installé une poignée ouvrante à l'extérieur.	☐	☐
7. Je regarde régulièrement mon agenda pour connaître mon emploi du temps.	☐	☐
8. Je consulte mon calendrier plus de deux fois par jour pour savoir la date exacte.	☐	☐
9. Avant chaque coup de téléphone, je note ce que je veux dire.	☐	☐
10. Je fais régulièrement des nœuds à mon mouchoir.	☐	☐
11. Je note sur ma main tout ce que j'ai peur d'oublier.	☐	☐
12. Un tableau blanc se trouve en bonne place dans ma cuisine.	☐	☐

Si vous avez une majorité de OUI, ne culpabilisez pas. Nous utilisons des béquilles très régulièrement dans notre vie quotidienne et ce ne sont pas forcément des traits de paresse mentale. Vous avez peu confiance en votre mémoire et vous avez pris l'habitude de l'aider. Elle n'a pas diminué pour autant et cela ne signifie nullement qu'elle fonctionne mal. Il vous faut surtout lui redonner le temps d'enregistrer les informations.

Si vous avez une majorité de NON, vous faites confiance à votre mémoire et elle vous satisfait. Continuez !

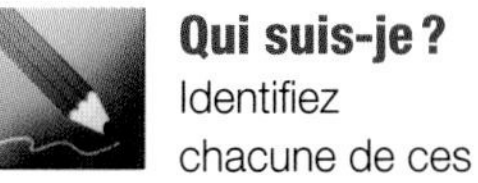

Qui suis-je ? Identifiez chacune de ces célébrités en vous aidant de l'indice fourni. Il s'agit d'un mot caractérisant le personnage, son œuvre… Cette béquille vous permettra de réactiver votre mémoire.

Solution p. 337

....

....

....

....

....

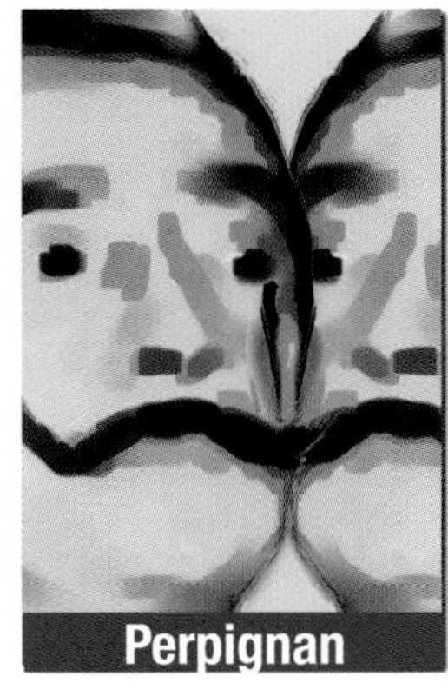

....

....

....

....

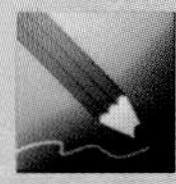

La béquille du calendrier

Le calendrier est souvent utilisé comme béquille pour les dates à fêter ou les rendez-vous. Remplissez ce calendrier avec les fêtes nationales et religieuses suivantes.

Noël

Fête du fravail

Sainte-Catherine

Saint-Sylvestre

Armistice de 1918

Chandeleur

Saint-Jean

Toussaint

Fête des morts

Jour de l'an

Saint-Nicolas

Assomption

Prise de la Bastille

Épiphanie

Armistice de 1945

Débarquement (jour J)

Fête de la musique

Fête des vignerons (Saint- Vincent)

Saint-Valentin

Marquez ensuite la date d'anniversaire de 10 de vos proches.
Cet exercice vous permettra de vous créer des repères et vous aurez ensuite moins besoin d'avoir recours à votre calendrier.

Solution p. 337

Interférences et double tâche

Lorsqu'on me parle, je ne sais plus ce que je fais !

Lorsque vous êtes occupé à une tâche, un bruit extérieur, l'entrée inopinée de quelqu'un ou tout autre élément dérangeant peut vous faire perdre le fil de ce que vous aviez entrepris. Parce que cette interférence a empêché le fonctionnement de votre mémoire à court terme, très gourmande en attention, les informations se sont envolées. Il ne s'agit pas réellement d'oubli, mais d'**une absence de mise en mémoire liée à une distraction momentanée.**

Lorsque vous êtes amené à vous interrompre pour entreprendre une tâche en parallèle, le processus de mémorisation est entravé de la même manière. Qui n'a pas souvent été perturbé en allant chercher un objet dans une pièce ? Cette information reste en mémoire de trente à quatre-vingt-dix secondes, le temps de réaliser votre projet. Si vous avez à répondre au téléphone pendant ce laps de temps ou si votre conjoint vous pose une question – un autre effort à court terme –, vous risquez fort de vous retrouver dans la pièce en question en vous disant « Mais qu'est-ce que je suis venu chercher ? » Vous avez été placé en situation de double tâche, contraint de faire plusieurs choses en même temps.

Séparer les tâches, même les plus anodines, et les réaliser les unes après les autres **pallie ces risques d'échec.** N'hésitez pas à avoir souvent recours à cette astucieuse petite phrase : « Je vous demande quelques secondes, je termine ce que je suis en train de faire. » Et abandonnez l'idée que vous pouvez répondre à plusieurs demandes à la fois, même pour faire plaisir…

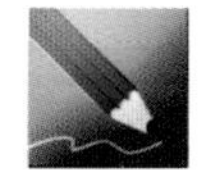

Les régions de France

Identifiez puis inscrivez sur cette carte les régions administratives françaises. Mais, pour faire cet exercice, installez-vous face à votre téléviseur allumé. Le but n'est pas de réussir parfaitement mais de vous concentrer en présence d'un « distracteur ». En vous corrigeant, vous mesurerez certes vos connaissances, mais surtout votre capacité à vous isoler des interférences.

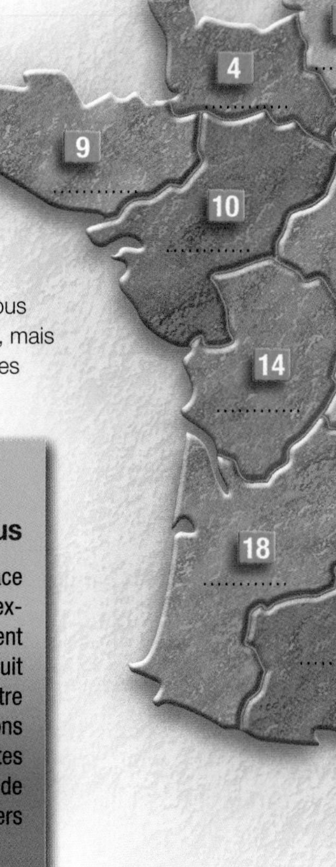

Ma mémoire et…
les lapsus

Le lapsus est un mot dit à la place d'un autre. Cette substitution est extrêmement commune et passe souvent inaperçue. Pourtant, le lapsus traduit un désir inconscient et peut permettre de comprendre ce que nous pensons réellement. Soyez attentif à ces petites fautes de langage, qui ne sont pas de réels oublis mais des passerelles vers ce qui se passe dans notre tête.

Lire et compter en même temps

Lisez normalement ce texte (extrait de *Candide,* de Voltaire) tout en comptant dans votre tête, puis répondez aux questions sans retourner au texte.

Toute la petite société entra dans ce louable dessein ; chacun se mit à exercer ses talents. La petite terre rapporta beaucoup. **Cunégonde** était, à la vérité, bien laide ; mais elle devint une excellente pâtissière ; **Paquette** broda ; la vieille eut soin du linge. Il n'y eut pas jusqu'à frère **Giroflée** qui ne rendît service ; il fut un très bon menuisier, et même devint honnête homme ; et **Pangloss** disait quelquefois à **Candide :** « Tous les événements sont enchaînés dans le meilleur des mondes possibles : car enfin si vous n'aviez pas été chassé d'un beau château à grands coups de pied dans le derrière pour l'amour de mademoiselle Cunégonde, si vous n'aviez pas été mis à l'Inquisition, si vous n'aviez pas couru l'Amérique à pied, si vous n'aviez pas donné un bon coup d'épée au baron, si vous n'aviez pas perdu tous vos moutons du bon **pays d'Eldorado,** vous ne mangeriez pas ici des **cédrats confits et des pistaches.** – Cela est bien dit, répondit Candide, mais il faut cultiver notre jardin. »

Questions

1. Quels sont les noms des personnages cités dans le texte ?...............................
2. Où Candide a-t-il perdu tous ses moutons ?..
3. À quel nombre vous êtes-vous arrêté à la fin du texte ?...................................
4. Que mange Candide ?..........................

Il est fort probable que vous n'ayez aucune réponse si vous avez compté en même temps. Et ce parce que vous étiez en situation de double tâche.
Quelle que soit votre performance, sachez que peu de gens sont capables de faire réellement plusieurs choses à la fois et que, souvent, le résultat des différentes actions menées conjointement n'est pas très satisfaisant. Il vaut mieux réaliser une seule tâche à la fois et bien la réussir plutôt que de se disperser.

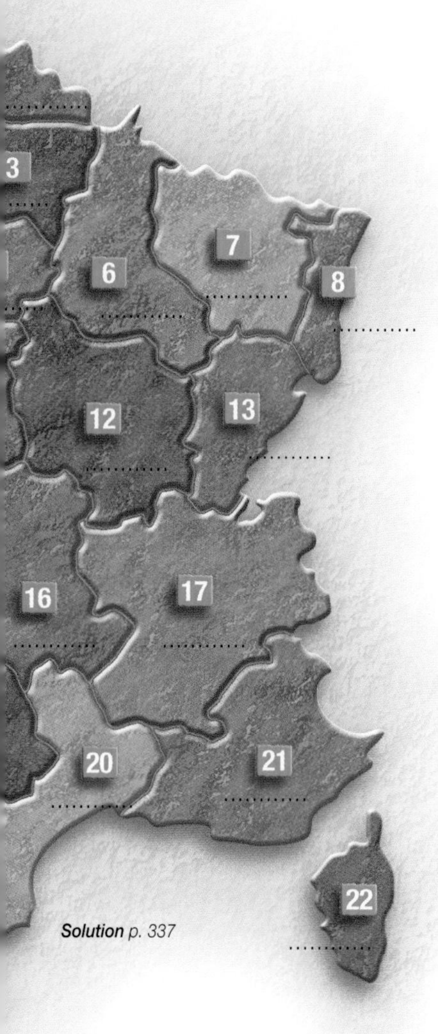

Solution *p. 337*

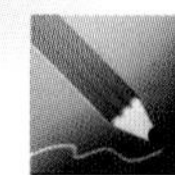

La pêche aux mots

Vous avez trois minutes pour trouver le plus de mots possible dans chacun des domaines ci-dessous. Vous pouvez jouer seul ou à plusieurs, en donnant une réponse à tour de rôle.

1. **Noms de pays par ordre alphabétique**
2. **Enseignes de supermarchés**
3. **Plats exotiques**
4. **Peintres**
5. **Instruments de musique**
6. **Races de chiens**

Moins vous êtes soumis à des interférences, plus vous avez de chances de réussir cet exercice. Si vous le faites seul, n'allumez pas la radio, par exemple. Si vous êtes plusieurs, vous n'éviterez pas les interférences provoquées par les réponses des autres : vous pourrez ainsi travailler votre capacité à mobiliser votre attention et vérifier si vous vous laissez facilement distraire – en répétant la réponse des autres ou en perdant celle que vous projetiez de donner.

Objets cachés

10 têtes – hommes ou animaux – se cachent dans le célèbre tableau de *la Joconde.* Pour trouver certaines d'entre elles, il vous faudra regarder le tableau sous tous les angles.

Solution *p. 337*

L'effet d'optique n'est pas seul en cause dans notre difficulté à identifier ces objets cachés du premier coup d'œil. Nous avons d'abord une vision globale, qui refoule les détails, puis nous reconnaissons ce qui est immédiatement identifiable. C'est le fonctionnement normal de notre mémoire. Il nous faut fournir un effort particulier pour faire abstraction du sens premier de l'image afin qu'apparaissent d'autres formes sans rapport direct avec l'ensemble.

Le refoulement

J'oublie souvent mes rendez-vous chez le dentiste…
Je sais bien que ce n'est pas un hasard !

Lorsqu'une petite fille contrainte par sa mère de suivre un cours de danse oublie à plusieurs reprises de s'y rendre, on peut penser qu'il ne s'agit pas d'une simple distraction, mais d'une stratégie inconsciente pour se soustraire à une activité non désirée. Une manière de signifier son opposition à sa mère, sans pour autant entrer en conflit ouvert avec elle. L'enfant n'a pas été victime d'un trou de mémoire, mais de l'action du refoulement.

À partir des écrits de Sigmund Freud, nous savons qu'une partie de nous veut oublier les choses qui nous dérangent. Il s'agit en fait d'un **oubli désiré inconsciemment, généralement pour éviter une situation désagréable ou une prise de conscience.** Le refoulement est le garant d'un bon état psychologique. Sans lui, la cohérence de la personnalité risque d'être dangereusement menacée par des conflits internes difficiles à comprendre et à régler.

Vous pouvez parfois être surpris par des oublis a priori incompréhensibles comme un rendez-vous « très important ». Vous ne vous interrogez pas alors outre mesure et maudissez votre mémoire pour son mauvais fonctionnement… Mais sachez que c'est aussi le refoulement qui est à l'œuvre.

Il est possible également que l'usage de certains objets vous soit désagréable, que certains mots soient difficiles à dire. Ils sont la face visible d'un iceberg fait d'angoisses et de peurs collectives ou personnelles que nous enfouissons profondément en nous. Mais ces peurs peuvent resurgir lorsque l'objet est là, lorsque le mot est dit. Et nous ignorons pourquoi.

Enfin, certaines activités vous dérangent peut-être sans que vous sachiez pour quelle raison. Il est probable que ce malaise ait un lien avec une expérience négative ou traumatisante plus ancienne, que vous avez refoulée.

Pourquoi ai-je oublié ?

Essayez de vous rappeler. Un jour, vous avez été surpris d'oublier une chose évidente, importante, ou encore très habituelle. Par exemple, un rendez-vous chez le médecin, un examen de fin d'études, un service à rendre à un ami cher. Remémorez-vous d'abord précisément le contexte de cet oubli. Puis répondez en toute honnêteté aux questions suivantes.

1. **Ce que j'ai oublié me gênait-il ?**
2. **Avais-je vraiment envie de réaliser cette tâche ?**
3. **Cet oubli ne m'a-t-il pas finalement permis d'éviter une situation indésirable ou un conflit ?**

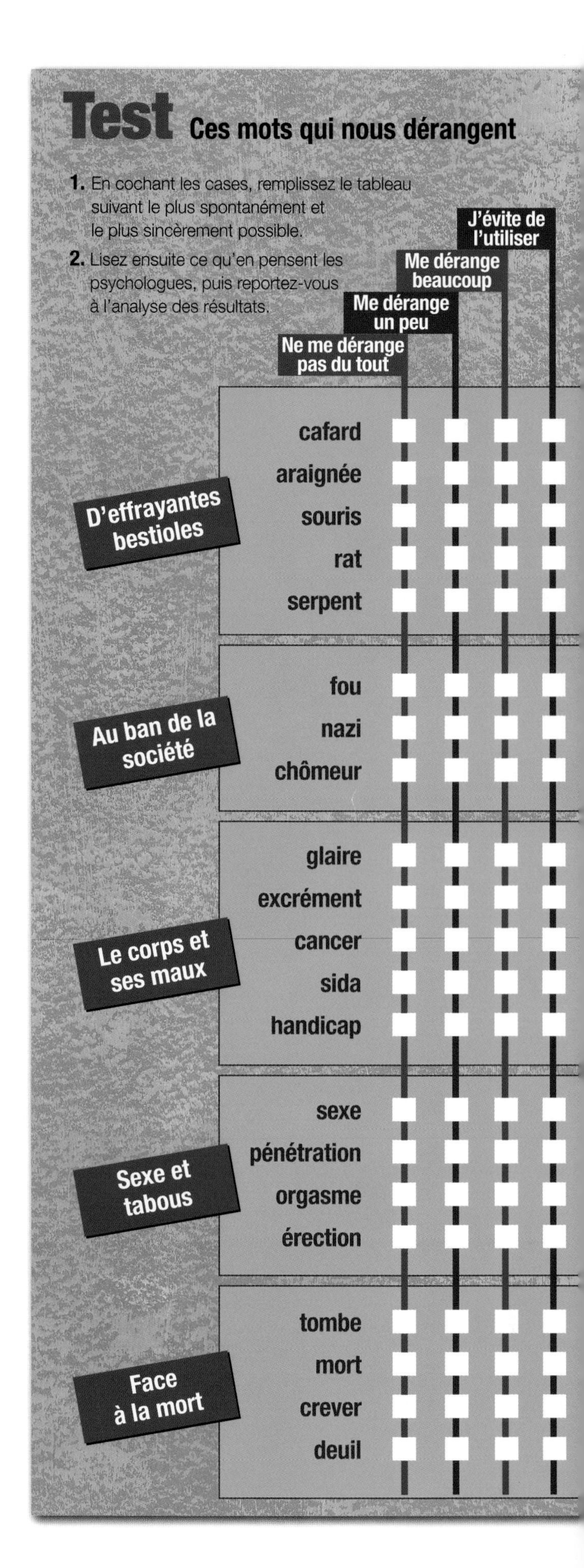

rtains mots concernant la faune, la société, le corps et la
ıladie ou encore la mort peuvent nous mettre mal à l'aise.
us avons même parfois du mal à les prononcer.

ı'en pensent les psychologues ?

s mots de la faune restent parfois empreints de peur et de fausses croyances. Les cafards et araignées sont de petite taille, sortent la nuit, vivent souvent dans des zones insalubres où les crobes pullulent. Ils incarnent un danger invisible. Souris et rats sont eux aussi associés à la sère et au manque d'hygiène. Quant au serpent, animal à sang froid, c'est traditionnellement un nbole sexuel, mais il incarne aussi le mal ou le péché. Toutes ces connotations sont en général goissantes. Nous les refoulons pour nous protéger, mais un malaise peut nous étreindre lorsque gissent les mots qui les véhiculent. D'autant que peuvent venir aussi s'y ajouter des impressions sagréables plus personnelles, liées le plus souvent aux craintes que ces animaux ont pu ovoquer au cours de notre enfance.

fou est mis à l'écart, la société le place hors de la normalité. Le nazi est unanimement ndamné. Quant au chômeur, il est encore souvent considéré comme un incapable. Ces mots nt lourds de sens, véhiculent une désapprobation sociale, voire un rejet, et se nourrissent l'imaginaire collectif. C'est la peur refoulée d'être soi-même mis au ban de la société qui urgit dans la gêne causée par ces mots.

corps et ses maux ne laissent jamais indifférent. La maladie nous opelle la fragilité de la vie. Les mots de ce registre sont porteurs ngoisses existentielles, qui confrontent l'homme à ce qu'il est, st-à-dire de la matière. Ce contenu implicite, souvent refoulé, ut revenir confusément à la conscience sous forme de malaise sque ces mots sont prononcés.

n que notre société se prétende libérée à cet égard, parler de sexe te encore tabou. Si les interdits religieux et les pudeurs naturelles chacun jouent un rôle, c'est en réalité la peur de son ressenti et du senti de l'autre qui resurgit dans la difficulté à dire les mots du sexe.

ns nos sociétés occidentales, la mort est de plus en plus mise à distance ne s'inscrit plus dans sa continuité avec la vie. Elle fait peur. Cette peur est orésente dans les mots qu'il devient crucial de la refouler, pour conjurer ngoisse. Mais elle réapparaît dans la difficulté à les dire, à tel point que bien s personnes ont alors recours à des périphrases : il est parti, il a disparu, ous a quittés…

Analysez vos résultats
Inscrivez vos nombres de croix par rubrique

	Nombre de croix
Ne me dérange pas du tout	......
Me dérange un peu	......
Me dérange beaucoup	......
J'évite de l'utiliser	......

Si vous avez le maximum de croix dans la colonne « Ne me dérange pas du tout », vous êtes à l'aise avec ce vocabulaire, mais faites attention à ne pas trop mettre à distance vos émotions.

Si vous avez le maximum de croix dans la colonne « Me dérange un peu », vous êtes conscient que certains mots vous gênent, mais vous êtes sûrement en mesure de les utiliser si nécessaire. Vous avez un bon équilibre et vous acceptez bien la réalité.

Si vous avez le maximum de croix dans la colonne « Me dérange beaucoup », il faut vous interroger plus avant. Vous ne pouvez vous contenter de dire que ces mots vous mettent mal à l'aise ou ne vous plaisent pas. Il faut peut-être apprendre à verbaliser davantage vos émotions et ne pas hésiter à vous confier aux autres.

Si vous avez le maximum de croix dans la colonne « J'évite de l'utiliser », certains mots vous bloquent véritablement. Peut-être est-ce momentané. C'est sans doute une protection mise en place pour préserver votre équilibre mental.

Si vos réponses sont équitablement réparties, reportez-vous à chaque explication et essayez d'analyser les mots qui vous dérangent le plus.

Comment percevez-vous le danger sur la route ?

Voici 20 panneaux routiers indiquant un danger, une interdiction, une obligation et qui incitent tous à la prudence. Classez-les par ordre décroissant selon votre perception du risque. Cet exercice peut être fait à plusieurs : vous ne manquerez pas alors de constater des différences dans les approches des uns et des autres.

1. ....
2. ....
3. ....
4. ....
5. ....
6. ....
7. ....
8. ....
9. ....
10. ....
11. ....
12. ....
13. ....
14. ....
15. ....
16. ....
17. ....
18. ....
19. ....
20. ....

Avez-vous une conscience claire du danger qu'annoncent ces panneaux ? Les respectez-vous ? Avez-vous constaté que, malgré eux, vous aviez parfois des comportements inexpliqués – une audace excessive, ou, au contraire, une peur démesurée ? Sachez qu'il nous arrive d'avoir une conduite dite de déni, c'est-à-dire que, par moments, nous refusons la réalité.

Cette attitude peut entraîner un refus de voir l'importance du danger ou sa minimisation. Combien de conducteurs dépassent les limitations de vitesse en niant les risques qu'ils prennent et font encourir aux autres ? Beaucoup d'entre nous se sentent à l'abri dans une voiture et tirent de cette impression un sentiment de puissance. Avoir excessivement peur du danger ou prétendre qu'il n'existe pas est l'aveu d'une peur refoulée : celle de perdre la maîtrise.

Quand l'oubli est impossible

En dépit de l'activité d'effacement des souvenirs à court terme, notre mémoire retient des informations à long terme malgré nous, et ce de manière durable.

Une histoire de mots

Les mots ci-dessous comportent peut-être des erreurs. Retrouvez la bonne orthographe quand c'est nécessaire.

1. **dinamite** ....
2. **argil** ....
3. **dancingue** ....
4. **synthèse** ....
5. **architechte** ....
6. **orfeivre** ....
7. **bissepse** ....
8. **rallye** ....
9. **oxygène** ....
10. **chinpansé** ....
11. **apostrofe** ....
12. **ivoir** ....

Solution p. 337

Ma mémoire et…
ma liste de courses

Faire une liste de courses n'est pas un signe de paresse mnésique si vous ne gardez pas le nez dessus une fois dans le magasin. C'est avant tout faire l'inventaire de ce que l'on veut. Ordonner sa liste en fonction du chemin emprunté dans les rayons du magasin est un bon moyen de la mémoriser. N'hésitez pas à la lire à haute voix plusieurs fois, et, au fil des semaines, vous pourrez acheter ainsi plus de trente produits sans y avoir systématiquement recours. Rien ne vous empêche de toute façon de la garder dans votre poche et de la sortir juste avant de passer en caisse pour vérifier que vous n'avez rien oublié.

Vous avez dû trouver ce petit exercice assez simple. Même si l'orthographe exacte ne vous revient pas dans l'instant, vous sentez certainement quand quelque chose ne va pas ! Vous auriez en effet bien du mal à oublier votre orthographe… Pendant toute notre enfance, nous avons intégré notre rapport au monde en le mettant sous forme de mots. Le langage (sens des mots, orthographe, images associées aux mots) s'est inscrit dans notre mémoire et a façonné notre vision de la vie et nos relations aux autres. En somme, il a structuré notre personnalité. Il s'agit là d'un apprentissage d'ordre cognitif.

Certains événements personnels nous structurent aussi, et il nous est impossible de les oublier. Ce sont les grands changements de notre vie – séparation, perte d'un travail, mort d'un être cher… Nous perdons quelque chose, qu'allons-nous retrouver ?

Notre mémoire entreprend alors un **travail de deuil.** Ce processus intime, actif et très intense, permet au souvenir lié à la perte de devenir moins douloureux. Il se déroule en **cinq étapes** au cours desquelles s'effectue un travail de séparation puis de reconstruction.

- **Le choc.** Résultant de l'annonce de la perte, il a pour effet de paralyser tout le fonctionnement psychoaffectif, avec parfois un déni de la réalité – « Non, ce n'est pas vrai ! »
- **La prise de conscience et l'élaboration mentale.** Le souvenir de l'objet perdu prend toute la place. On réalise l'irréversibilité de la perte. C'est une étape marquée par la recherche d'explications et la volonté de comprendre, c'est le temps des « pourquoi ? », des « si j'avais fait ou dit cela »….
- **L'assimilation.** C'est un travail d'idéalisation avec remémoration des bons souvenirs. Les sentiments de culpabilité et d'agressivité s'atténuent, la douleur se fait diffuse, une dépression est possible, autorisant un désinvestissement progressif de ce que l'on a perdu.
- **Le réinvestissement ou la recherche de modèles.** Si l'image de l'objet perdu est suffisamment positive, on va pouvoir réinvestir le présent et se tourner vers l'extérieur.
- **La rééquilibration ou la reconstruction.** La blessure se cicatrise, l'énergie va à nouveau pouvoir se diriger vers la vie.

Ce travail de deuil demande beaucoup d'énergie. La mémorisation des informations du présent peut s'en trouver affectée. C'est pourtant au prix de ce travail, qui nous permet d'intérioriser la perte et de la rendre supportable, que nous pouvons continuer à vivre.

Le théâtre. Observez attentivement cette scène et retrouvez les personnages, animaux et objets présentés ci-contre.

Livret jeux 2

PROVERBES MÊLÉS — RECONNAISSANCE/CULTURE

Les mots composant trois proverbes ont été mélangés.
À vous de démêler l'écheveau pour reconstituer les proverbes d'origine.

AMOUR · AU · MALHEUREUX · LA · ABAT · FÊTE · VENT · GRAND · SAINT · ADIEU · HEUREUX · EN · LE · PLUIE · JEU · PETITE · PASSÉE

1. ....
....
....

2. ....
....
....

3. ....
....
....

SANS FAUTE — ATTENTION

Observez ces bavoirs pendant quelques minutes, puis cachez-les.

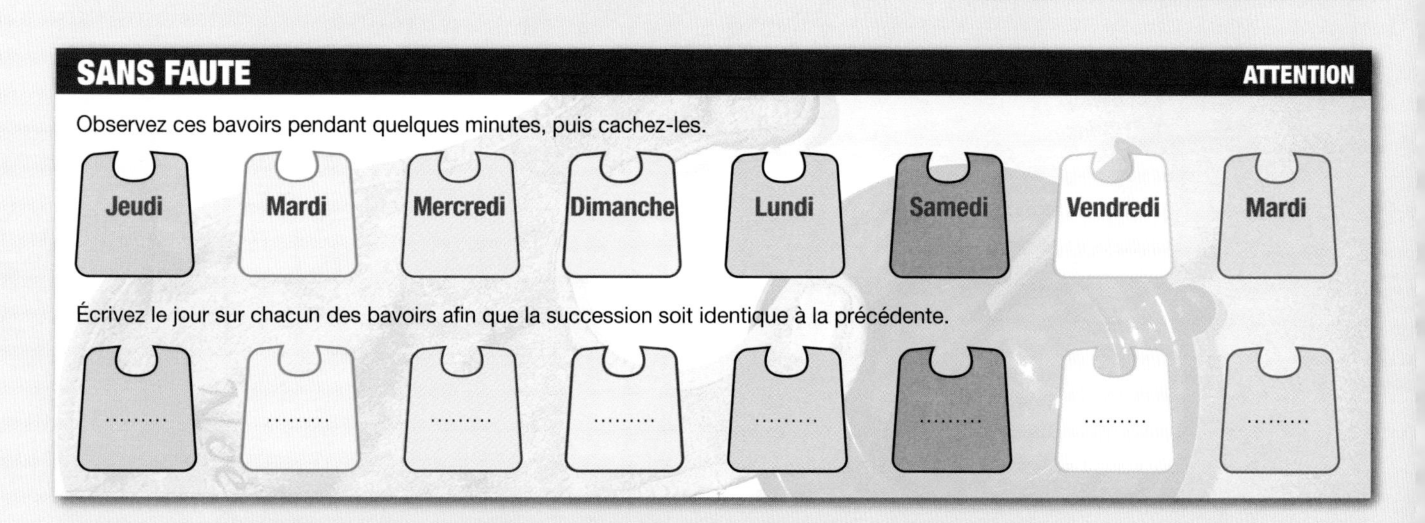

Écrivez le jour sur chacun des bavoirs afin que la succession soit identique à la précédente.

....

L'ENQUÊTE — LOGIQUE

Vous vous souvenez du numéro (le 13), mais vous avez oublié l'arrondissement et le nom de la rue. Retrouvez-le en procédant par élimination à l'aide des indices lus dans l'ordre.

Indices

1. Sur la plaque ne figure aucun accent grave, aigu ou circonflexe.
2. Les lettres figurant dans le rectangle de la plaque ne sont pas au nombre de 17.
3. Le numéro de l'arrondissement est supérieur au nombre de lettres du dernier mot désignant la rue.
4. Sur la plaque ne figure qu'un seul T.
5. Parmi les plaques restantes, éliminez le numéro d'arrondissement le plus élevé.
6. Parmi les deux restantes, la bonne adresse est celle où le plus de lettres doublées apparaissent sur la dernière ligne.

ANAGRAMMES

STRUCTURATION

Trouvez les instruments de musique dont les mots suivants sont des anagrammes.

1. **FLUET** ....
2. **OPINA** ....
3. **PHARE** ....
4. **ROUGE** ....
5. **URGEAIT** ....
6. **MASCARA** ....
7. **BIMÉTAL** ....
8. **CHARITÉ** ....
9. **CABOSSÈRENT** ....
10. **CENTRALITÉ** ....

REPÈRES CHRONOLOGIQUES

TEMPS

Ces seize événements peuvent être associés deux à deux (ils se sont déroulés la même année). Arriverez-vous à reformer les bons couples ?

A Séisme en Arménie : 55 000 morts

B Ben Johnson est convaincu de dopage

C Création de l'Unesco

D Début de la prohibition aux États-Unis

E Début du IIe Reich avec Bismarck

F George Washington premier président des États-Unis

G Jean-Baptiste Poquelin prend le nom de Molière

H Jeux Olympiques à Moscou

I Le premier 14-Juillet en France

J Les Français Réard et Heim inventent le Bikini

K Mort de Beethoven

L Mort de Steve McQueen

M Naissance de Fellini

N Naissance de Proust

O Naissance de Stradivarius

P Victor Hugo publie *Cromwell*

.... / ....
.... / ....
.... / ....
.... / ....
.... / ....
.... / ....
.... / ....
.... / ....

DESSINER DE MÉMOIRE

ATTENTION

Observez la cible de gauche pendant quelques minutes pour mémoriser les formes disposées à l'intérieur. Cachez-la, puis complétez celle de droite.

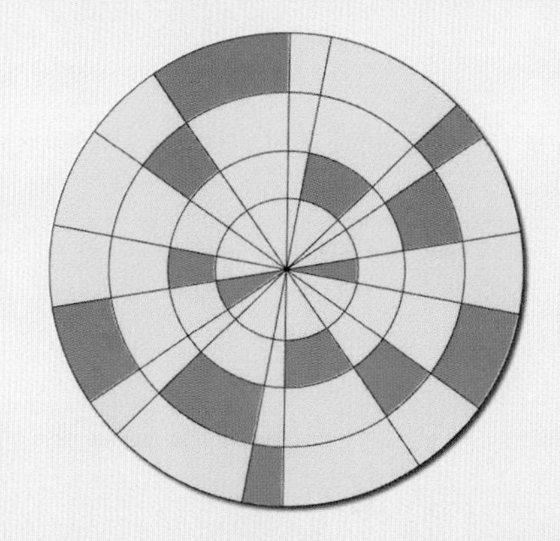

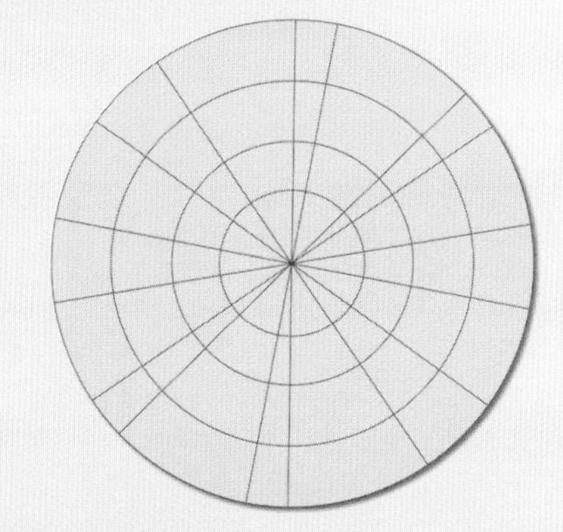

JEU DES 7 ERREURS

ATTENTION

Il existe sept différences entre ces deux photos. Pouvez-vous les retrouver ?

QUIZ PROGRESSIF — RECONNAISSANCE/CULTURE

Essayez d'aller le plus loin possible dans ce quiz progressif sur Jean de La Fontaine.

1. Quel animal des champs invite son homologue des villes ?
2. Dans quelle fable lit-on : « La raison du plus fort est toujours la meilleure » ?
3. Qui va cotillon simple et souliers plats, pour finir gros Jean comme devant ?
4. À quel siècle a vécu Jean de La Fontaine ?
5. Dans *le Petit Poisson et le pêcheur*, petit poisson deviendra grand. Mais quelle est la morale ?
6. Terminez cette phrase des *Animaux malades de la peste* : « Selon que vous serez puissant ou misérable, les jugements de cour vous rendront… »
7. Dans quelle fable lit-on : « Ils sont trop verts, dit-il, et bons pour des goujats » ?
8. Quel oiseau de quatre lettres se pare des plumes du paon en train de muer ?
9. Complétez ses ultimes vers : « Cette leçon sera la fin de ces Ouvrages : Puisse-t-elle être utile aux siècles à venir ! Je la présente aux Rois, je la propose aux Sages : Par où saurais-je mieux …? »
10. De quelle femme La Fontaine devint-il le protégé à 51 ans ?

PUZZLE — ESPACE

Formez à chaque fois un cercle en assemblant trois des quatre pièces.

1.

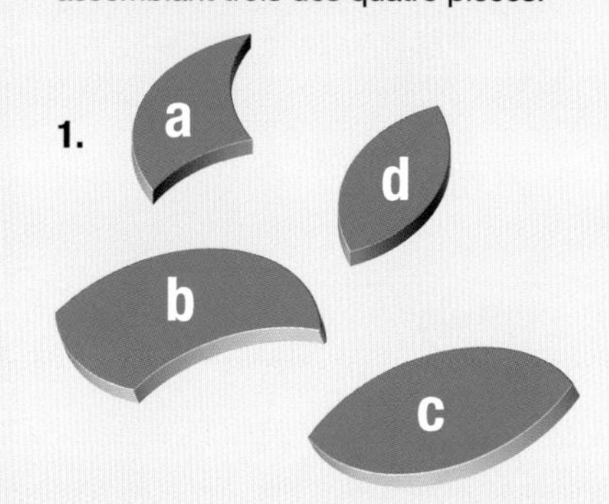

2.

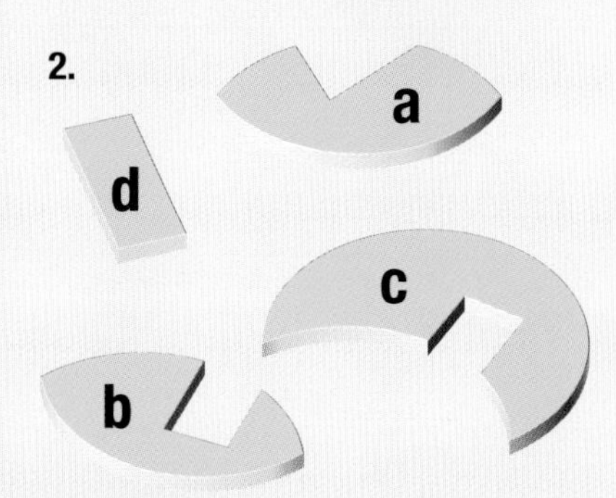

RECOLLE-MOTS — STRUCTURATION

Regroupez deux à deux les mots suivants pour obtenir phonétiquement le nom de neuf villes du monde.

CASE-CHIFFRES — LOGIQUE

Chaque brique d'un case-chiffres est la somme des deux briques situées juste en dessous.

Question

Quel chiffre identique doit être placé à la base de cette pyramide pour que le sommet vaille 320 ?

320

N N N N N

LE COUPLE IDÉAL

ASSOCIATION

Observez ces dix photos regroupées deux à deux pendant quelques minutes, puis cachez-les.

Pourriez-vous recomposer les couples de photos ?

Réponses

...... et ......
...... et ......
...... et ......
...... et ......
...... et ......

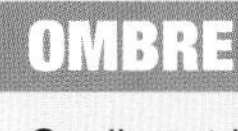

OMBRE

ESPACE

Quelle est l'ombre inversée de ces animaux ?

SANDWICH

STRUCTURATION

Retrouvez dans la troisième colonne une définition proposée pour l'« apéro » par Antoine Blondin en complétant les mots horizontaux de cinq lettres. Plusieurs solutions sont envisageables parfois, mais une seule vous mènera à la bonne citation.

L	O		O	S
A	P		R	O
P	O		T	E
E	N		O	L
R	I		N	S
O	C		E	R
S	E		P	E
E	D		N	S
L	I		S	E
O	N		E	S
N	I		E	S
B	E		O	T
L	I		N	S
O	R		E	R
N	E		T	E
D	I		M	S
I	N		A	S
N	A		T	E

UN DE TROP

ATTENTION

Observez ces huit calendriers pendant quelques minutes, puis cachez-les.

Lequel ne figurait pas précédemment ?

LA BONNE PLACE

ATTENTION

Observez ce parking 45 secondes, puis cachez-le.

Remettez chaque voiture à sa place.

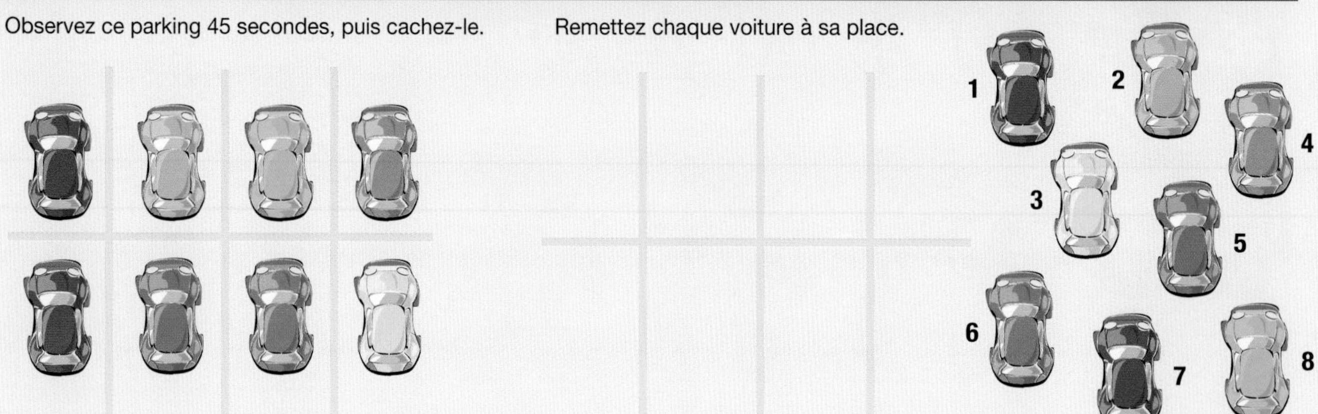

MOTS EN ZIGZAG

STRUCTURATION

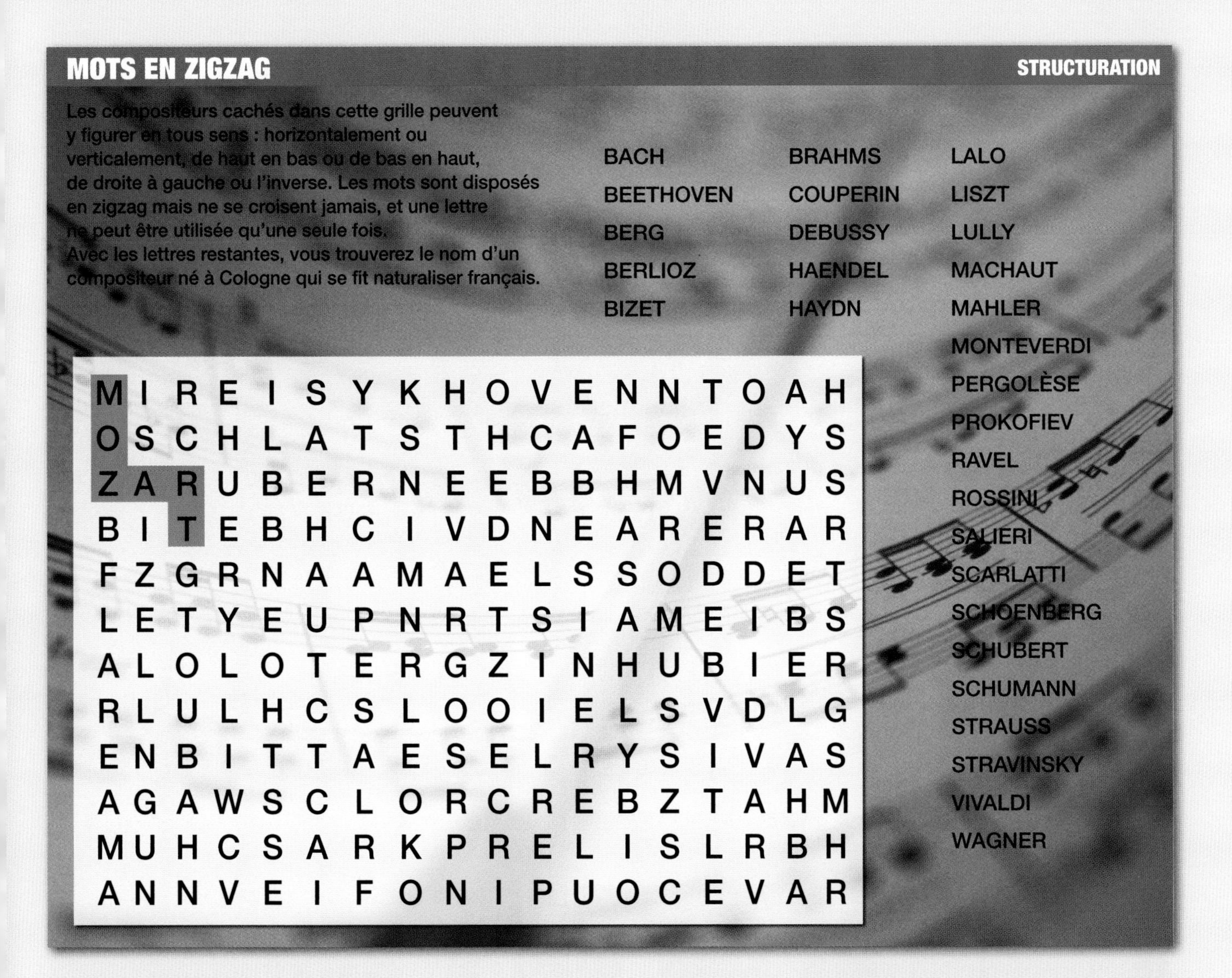

Les compositeurs cachés dans cette grille peuvent y figurer en tous sens : horizontalement ou verticalement, de haut en bas ou de bas en haut, de droite à gauche ou l'inverse. Les mots sont disposés en zigzag mais ne se croisent jamais, et une lettre ne peut être utilisée qu'une seule fois.
Avec les lettres restantes, vous trouverez le nom d'un compositeur né à Cologne qui se fit naturaliser français.

BACH
BEETHOVEN
BERG
BERLIOZ
BIZET
BRAHMS
COUPERIN
DEBUSSY
HAENDEL
HAYDN
LALO
LISZT
LULLY
MACHAUT
MAHLER
MONTEVERDI
PERGOLÈSE
PROKOFIEV
RAVEL
ROSSINI
SALIERI
SCARLATTI
SCHOENBERG
SCHUBERT
SCHUMANN
STRAUSS
STRAVINSKY
VIVALDI
WAGNER

M	I	R	E	I	S	Y	K	H	O	V	E	N	N	T	O	A	H
O	S	C	H	L	A	T	S	T	H	C	A	F	O	E	D	Y	S
Z	A	R	U	B	E	R	N	E	E	B	B	H	M	V	N	U	S
B	I	T	E	B	H	C	I	V	D	N	E	A	R	E	R	A	R
F	Z	G	R	N	A	A	M	A	E	L	S	S	O	D	D	E	T
L	E	T	Y	E	U	P	N	R	T	S	I	A	M	E	I	B	S
A	L	O	L	O	T	E	R	G	Z	I	N	H	U	B	I	E	R
R	L	U	L	H	C	S	L	O	O	I	E	L	S	V	D	L	G
E	N	B	I	T	T	A	E	S	E	L	R	Y	S	I	V	A	S
A	G	A	W	S	C	L	O	R	C	R	E	B	Z	T	A	H	M
M	U	H	C	S	A	R	K	P	R	E	L	I	S	L	R	B	H
A	N	N	V	E	I	F	O	N	I	P	U	O	C	E	V	A	R

TRIPLETS D'EXPRESSIONS

LANGAGE

Trouvez, pour chacune des séries, le mot qui s'emploie avec les trois autres pour former des mots composés et des expressions courantes.

1. **Épices**
   Saisons
   Quarts
   ....
2. **Filet**
   Semblant
   Sens
   ....
3. **Orchestre**
   Sandwich
   Grenouille
   ....
4. **Neige**
   Muraille
   Oreille
   ....
5. **Jour**
   Enquête
   Allée
   ....
6. **Avions**
   Fenêtre
   Drapeau
   ....

SYLLABES MANQUANTES

STRUCTURATION

Six mots ont été tronqués d'une ou de plusieurs de leurs syllabes. En utilisant celles qui vous sont proposées, reconstituez ces mots. Attention, plusieurs solutions sont parfois possibles, mais une seule combinaison permet de compléter tous les mots.

1. .... **LIN** ....
2. .... **FOUR** ....
3. .... **TIN**
4. **PU** .... **TE**
5. .... **MIL** ....
6. .... **BRI** ....

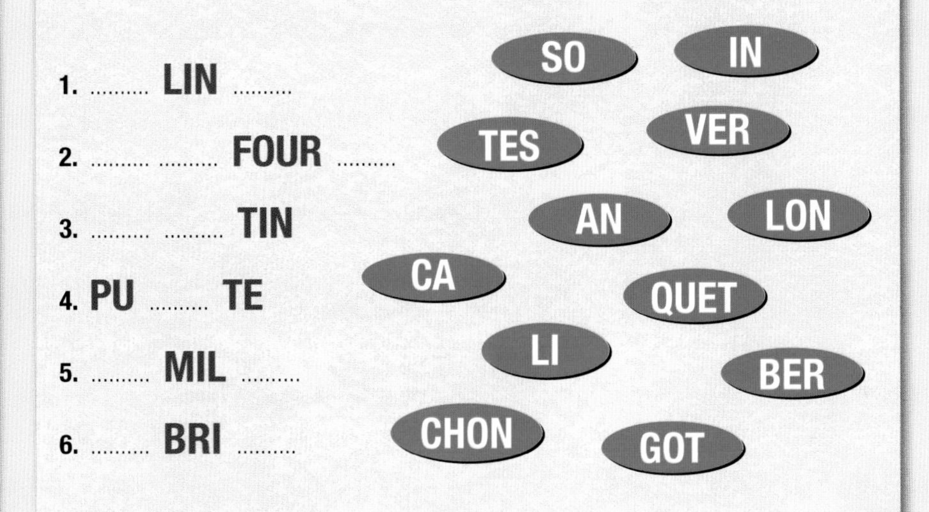

MOTS CASÉS

ESPACE

Replacez dans la grille tous les noms de divinités suivants.

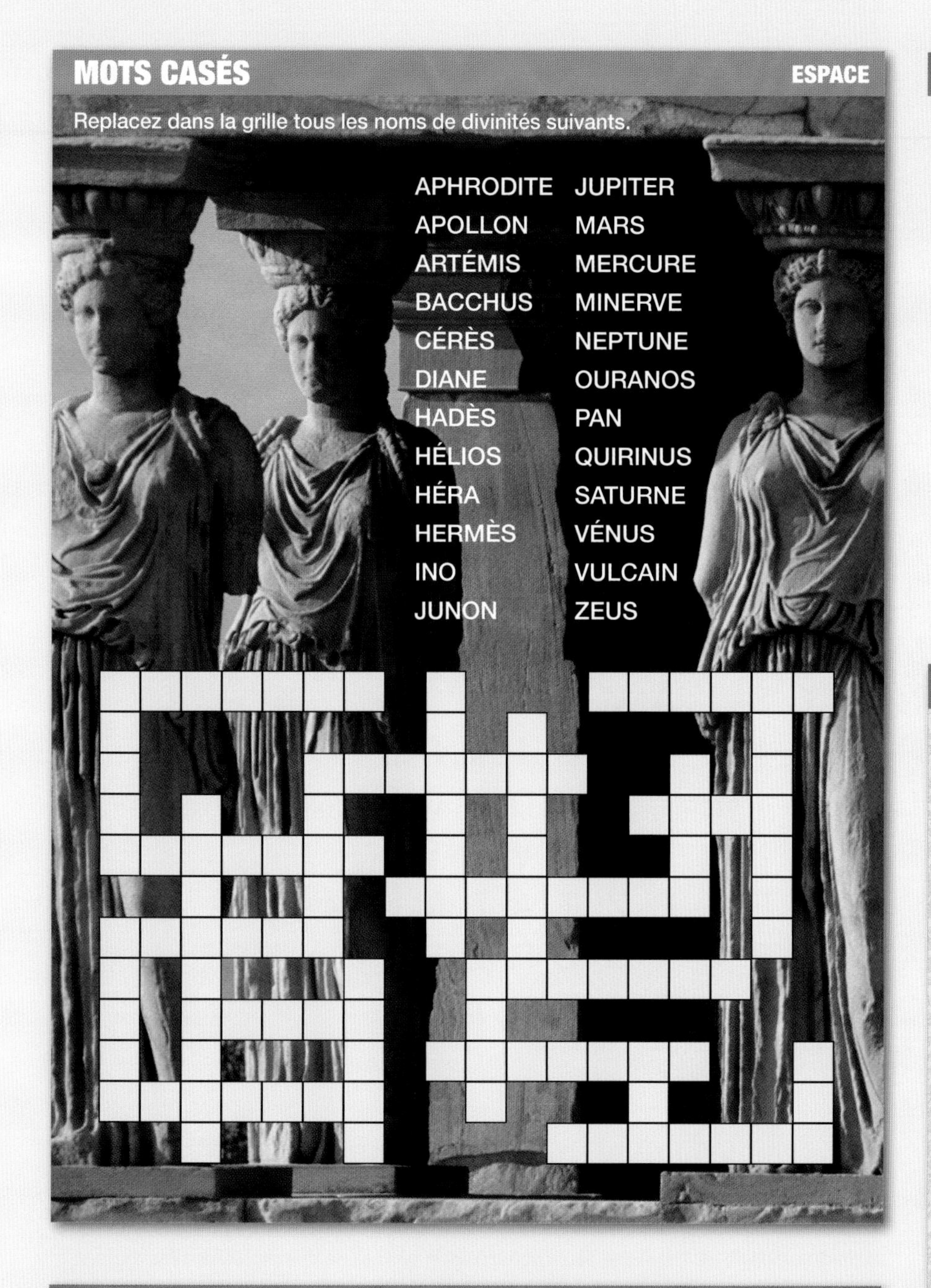

ESCALETTRES

STRUCTURATION

Ajoutez une à une les lettres indiquées afin de former de nouveaux mots. Toute forme conjuguée est interdite, sauf les participes.

RAT

+I _ _ _ _

+O _ _ _ _ _

+F _ _ _ _ _ _

+T _ _ _ _ _ _ _

+P _ _ _ _ _ _ _ _

+N _ _ _ _ _ _ _ _ _

CHENILLE

STRUCTURATION

Passez de VAMPIRE à DRACULA dans cette chenille en opérant la substitution indiquée (par exemple, T remplace V à la première ligne) et en modifiant l'ordre des lettres, sans utiliser de forme conjuguée, sauf les participes.

VAMPIRE

-V +T _ _ _ _ _ _ _

-M +D _ _ _ _ _ _ _

-I +A _ _ _ _ _ _ _

-T +U _ _ _ _ _ _ _

-E +C _ _ _ _ _ _ _

-P +L DRACULA

SYLLABES MANQUANTES

STRUCTURATION

Six noms ont été tronqués d'une ou de plusieurs de leurs syllabes. En utilisant celles qui vous sont proposées, reconstituez ces mots. Attention, plusieurs solutions sont parfois possibles, mais une seule combinaison permet de reconstituer tous les mots.

1. .... NE ....
2. .... TÉ
3. .... DI .... TE
4. .... DI ....
5. FA ....
6. .... GIS ....

LI – CAP – HAN – TI – GUER – NET – BER – MI – SOL – ROU – TOUR – SANT

MOTS CACHÉS — STRUCTURATION

Les 36 noms de couleurs cachés dans cette grille peuvent y figurer en tous sens : horizontalement ou verticalement, en diagonale, de haut en bas ou de bas en haut, de droite à gauche ou l'inverse. Les mots se croisent, et une même lettre peut être utilisée plusieurs fois. Avec les lettres restantes, vous formerez un mot évoquant plusieurs tons d'une même couleur.

T	E	N	U	A	J	A	D	E	I	C	A
O	R	A	N	G	E	E	M	P	E	A	M
C	C	N	O	R	R	A	M	A	C	E	B
I	O	A	I	P	G	E	A	S	N	E	R
R	F	M	R	E	E	B	G	T	A	D	E
B	A	U	N	M	R	C	H	E	R	U	E
A	O	T	C	O	I	E	H	L	A	A	N
P	A	I	N	H	R	N	E	E	G	R	R
R	A	Z	U	R	S	T	D	B	L	E	U
U	E	R	I	O	V	I	I	I	I	M	B
N	C	U	M	S	E	F	A	C	G	E	E
E	N	A	Z	E	L	A	A	J	I	O	R

ABRICOT
ACIER
ALEZAN
AMANDE
AMBRÉ
AZUR
BAI
BLEU
BRONZE
CAFÉ
CARMIN
CITRON
ÉBURNÉ
ÉCRU
ÉMERAUDE
FUCHSIA
GARANCE
GRÈGE
INDIGO
IVOIRE
JADE
JAIS
JAUNE
MAGENTA
MARRON
MENTHE
NOIR
OCRE
ORANGE
PARME
PASTEL
PÊCHE
POURPRE
PRUNE
ROI
ROSE

MARIONS-LES — ASSOCIATION

Essayez d'associer chaque animal au verbe qui désigne son cri.

Corbeau	A	A.......	1 Glouglouter
Aigle	B	B.......	2 Pleurer
Cigale	C	C.......	3 Glatir
Grenouille	D	D.......	4 Glapir
Goéland	E	E.......	5 Coasser
Oie	F	F.......	6 Cacarder
Renard	G	G.......	7 Siffler
Chat-huant	H	H.......	8 Croasser
Marmotte	I	I.......	9 Striduler
Dindon	J	J.......	10 Ululer

MOTS EMMÊLÉS — STRUCTURATION

Identifiez six noms de comiques, qui ont été mêlés deux à deux.

CROLOBUCHINE
1

BIDGEVARDOS
2

PARALYMANDAUDE
3

L'INTRUS — LOGIQUE

Quel est l'intrus ?

A

B

C

D

E

F

LA FACE CACHÉE — ESPACE

1. Un seul cube peut être obtenu avec la figure dépliée. Lequel ?

2. Deux cubes peuvent être obtenus avec la figure dépliée. Lesquels ?

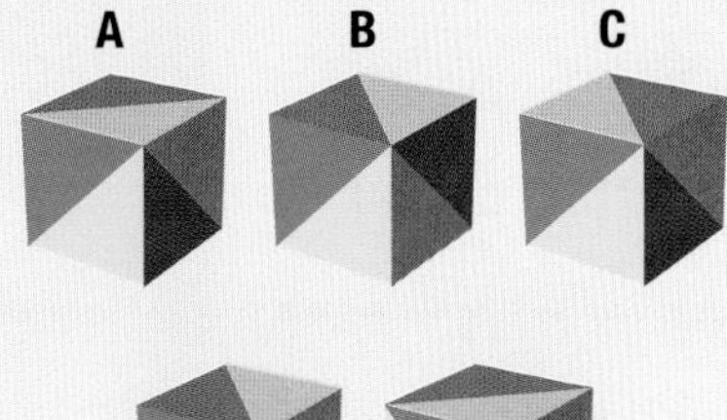

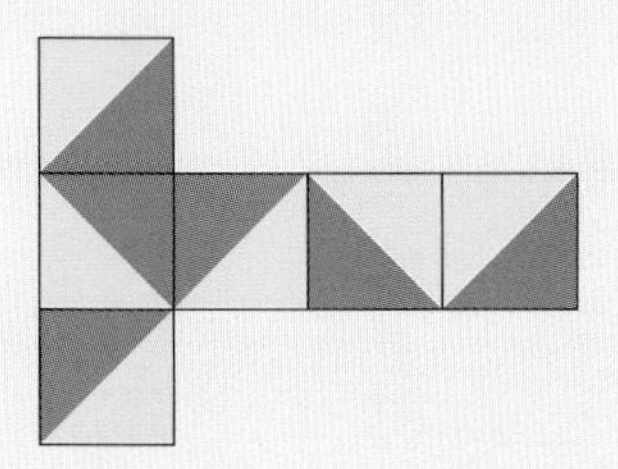

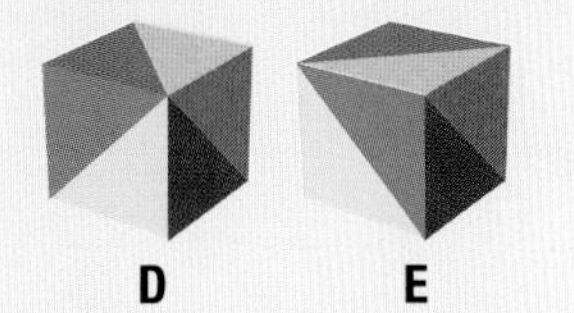

3. Deux cubes peuvent être obtenus avec la figure dépliée. Lesquels ?

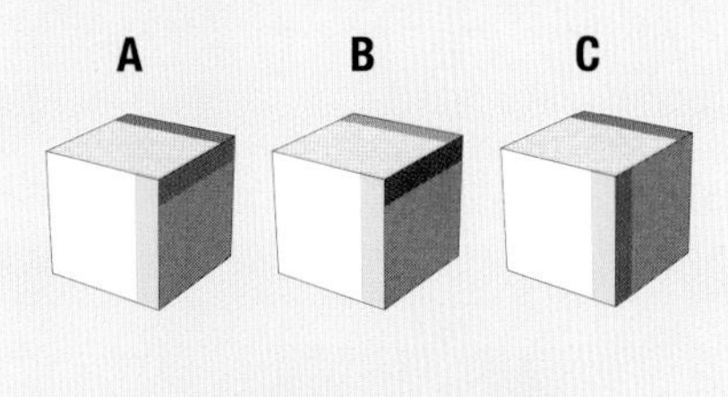

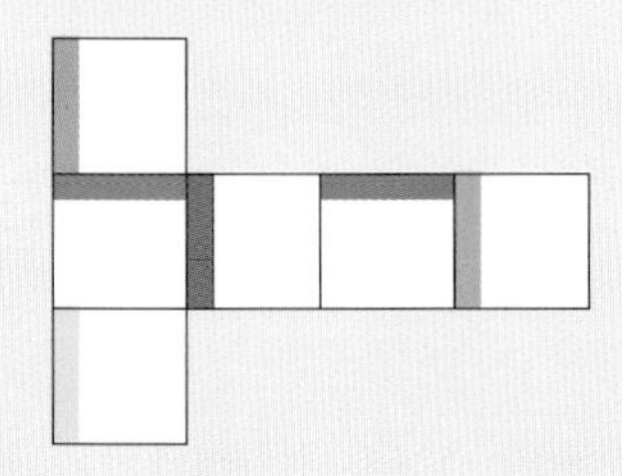

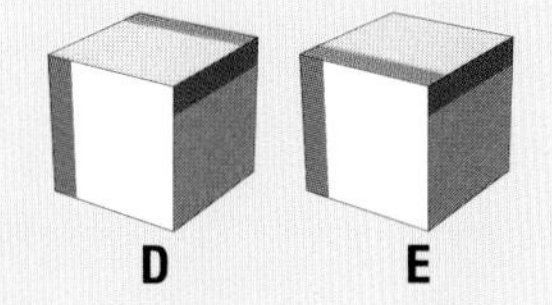

ANAGRAMMES — STRUCTURATION

Trouvez les îles dont les mots suivants sont des anagrammes :

1. Ubac ....
2. Hiait ....
3. Métal ....
4. Forée ....
5. Madrée ....
6. Salutaire ....
7. Marisques ....
8. Valdisme ....
9. Acariens ....
10. Galérèrent ....

L'HEURE EXACTE — LOGIQUE

À l'heure qu'indique chacune de ces horloges, il est 13 heures à Paris. Mais l'une se trouve à Los Angeles, une autre à Pékin, une troisième à Rio de Janeiro et une quatrième à Sydney. Rendez chaque horloge à sa ville.

LE COMPTE EST BON — LOGIQUE

Atteignez la somme de 49 dans toutes les directions avec ces seize numéros du Loto en les plaçant chacun dans une figure dont la forme lui correspond.
Indication : la somme des quatre figures placées au centre donne également 49.

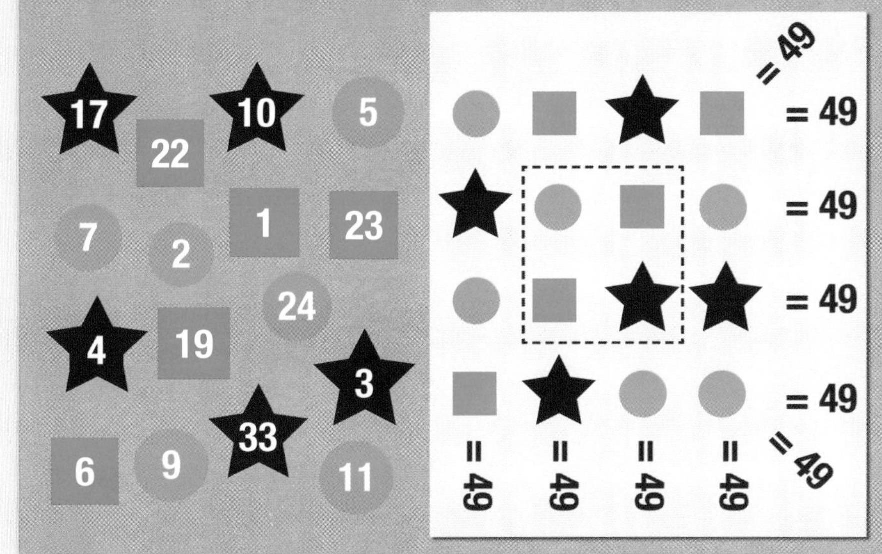

BOUCHE-TROUS — LANGAGE

Remplacez chaque tiret par une lettre pour transformer ces chiffres en mots usuels.

1. _ _ _ D I _ _ _ _ X
2. T _ R _ _ O I S _
3. _ _ _ _ _ D E U X
4. _ S _ I _ _ X
5. _ _ S _ E P _ _ T
6. _ H U _ I _ _ _ _ T

MARIONS-LES — ASSOCIATION

Essayez d'associer ces dix rois de France à leur surnom.

Louis Ier	A	A	1 Le Bien-Aimé
Louis V	B	B	2 Le Gros
Louis VI	C	C	3 Le Sage
Louis VII	D	D	4 Le Pieux
Louis IX	E	E	5 Le Grand
Louis X	F	F	6 Le Jeune
Louis XIII	G	G	7 Le Hutin
Louis XIV	H	H	8 Saint Louis
Louis XV	I	I	9 Le Juste
Charles V	J	J	10 Le Fainéant

LETTRES MANQUANTES — STRUCTURATION

Replacez toutes les lettres disponibles dans la grille de manière à lire sept mots horizontaux.
Si vous faites les bons choix, vous découvrirez verticalement deux œuvres d'un écrivain né à Besançon en 1802.

E R A N I A R U N Y B S L H

A	B		O	R		E	S
C	R		A	T		R	E
S	U		P	A		E	S
C	A		N	A		I	S
H	I		T	A		E	S
M	A		G	E		N	T
L	A		C	I		E	S

PUZZLE — ESPACE

Quelle pièce complète la première pour former un carré ?

1.

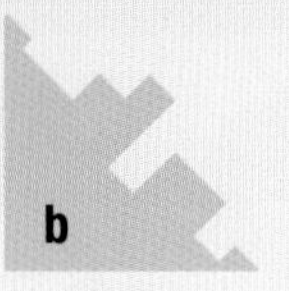
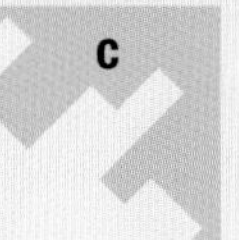
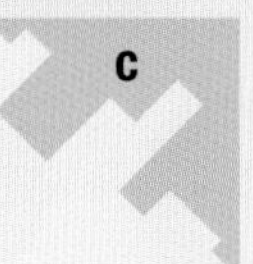

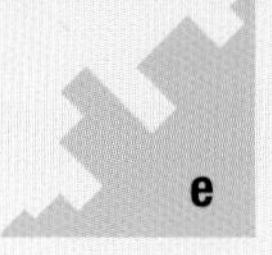

2.

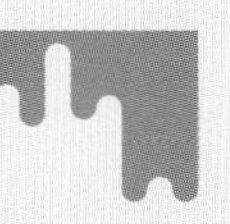
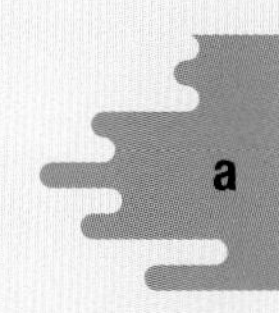

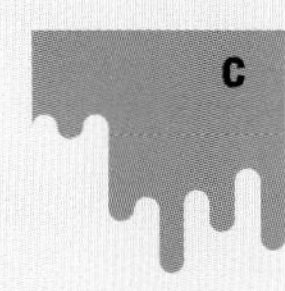

GRILLE À THÈME

Remplissez la grille thématique à l'aide des définitions suivantes.

1. Le thème de cette grille.
2. À la p(o)ursuit(e) du camembert.
3. Jeu de boules blanches et noires.
4. Une combinaison à deviner en quelques étapes.
5. Une variante du huit américain.
6. Jaune, c'est un jeu de cartes très ancien.
7. Interdiction d'y prononcer certains mots.
8. 102 lettres pour 225 cases.
9. Peuvent être pipés.
10. Jouet qu'on lance en l'air et qu'on rattrape sur une ficelle.
11. Fait deviner en dessinant.
12. Jeu de collection et de stratégie très populaire chez les ados.
13. Cherchez l'assassin, le lieu et l'arme du crime.
14. Son cube à faces colorées en a fait s'énerver plus d'un.
15. Six numéros pour la fortune.
16. Ce qu'on touche quand on est superchanceux.
17. Petit cheval à ramener à la maison.
18. Jack, c'est le vingt-et-un au casino.
19. L'occasion d'acheter des maisons et des hôtels pour pas trop cher.
20. Vingt-huit rectangles ornés de 0 à 6 points.
21. Un jeu dont le nom évoque l'avenir glorieux de pions.
22. Jeu de cartes où bluff flirte avec statistiques.
23. Jeu où les fous peuvent terrasser les rois.
24. Jeu de cartes à prendre en cocktail avec un gin.
25. Jeu de hasard tirant son nom d'une île qui a donné le sien à la Tanzanie.
26. Animal menacé, héros du jeu Wild Life.
27. Jeu de retournement, pratiqué en son temps par Iago…
28. Se dit d'un joueur qui n'arrive plus à se passer de son loisir favori.
29. Jeu de cartes le plus populaire.
30. Quand elle est Bonne, c'est un jeu de société abordant l'économie familiale.
31. Jeu d'encerclement de pions d'origine japonaise.

CRYPTOGRAMME — ASSOCIATION

Les lettres de la citation à découvrir ont été classées dans quatre catégories correspondant chacune à une figure géométrique. Essayez de la décrypter en vous aidant des lettres déjà positionnées.

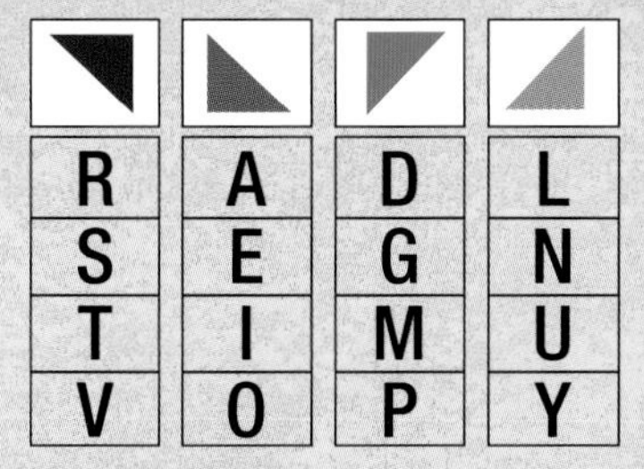

PROBLÈME — LOGIQUE

Vous disposez de 76 biscuits pour nourrir chaque jour les 14 animaux de tous vos voisins partis en vacances. Il n'y a que des chats et des chiens, et les chiens mangent chacun deux biscuits de plus que les chats. Sachant qu'il ne vous reste aucun biscuit à la fin de votre tournée et que tous les animaux ont mangé, quelles peuvent être les deux configurations d'animaux nourris ?

DESSINER DE MÉMOIRE — ATTENTION

Observez ces huit perles pendant quelques minutes, puis cachez-les.

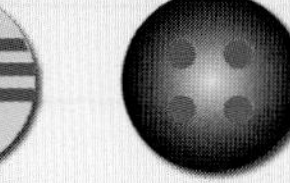
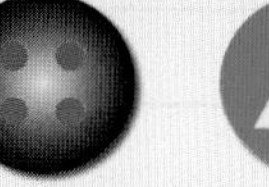

Essayez de les dessiner dans l'ordre sur le fil.

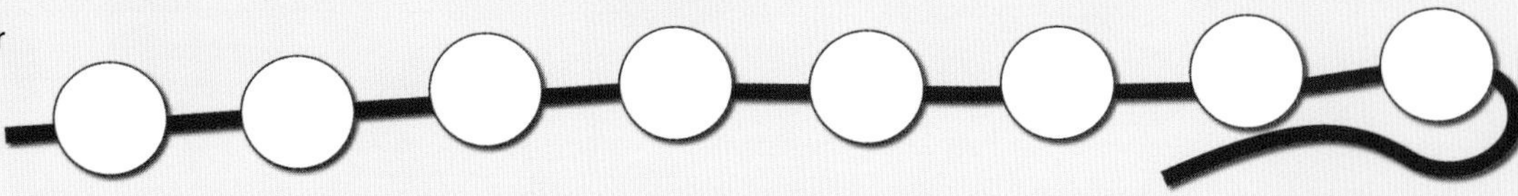

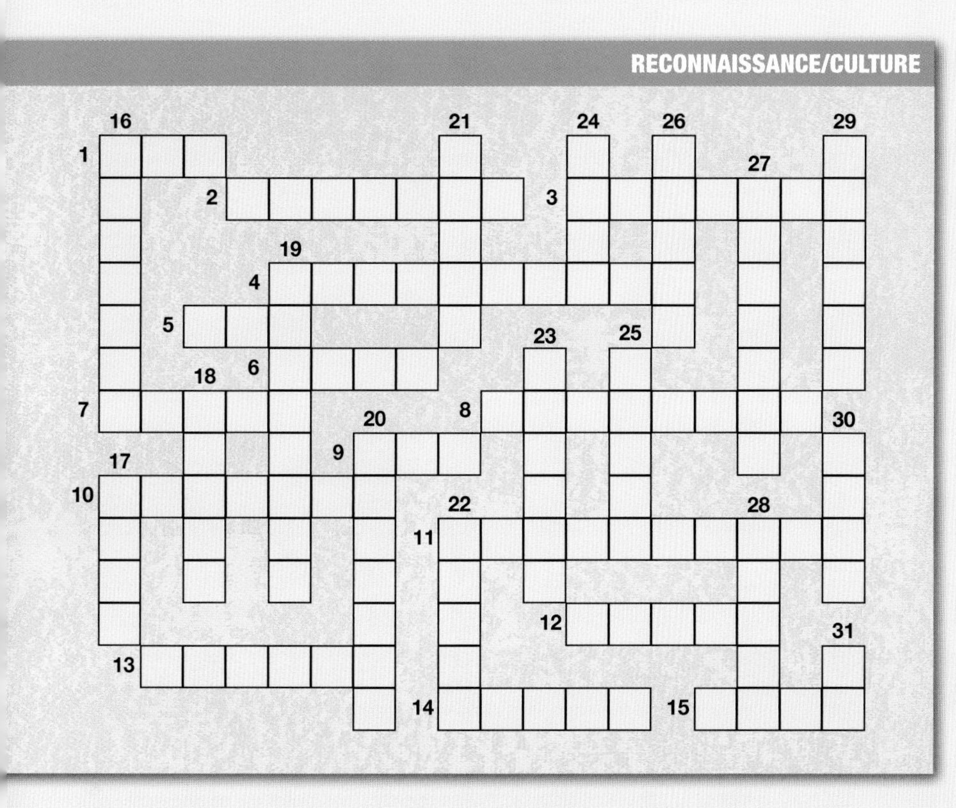

LE POINT COMMUN

ASSOCIATION

Trouvez, pour chacune des séries, un mot qui se rapporte directement à chacun des trois autres.

1. **Salut**
   Bande dessinée
   Fakir
   ....

2. **Tambour**
   Casserole
   Pile
   ....

3. **Bagages**
   Exposition
   Taupinière
   ....

4. **Pierre**
   Insigne
   Saucisson
   ....

5. **Dollar**
   Irlande
   Chlorophylle
   ....

6. **Soldat**
   Fabuleux
   Acariâtre
   ....

ROSACE

STRUCTURATION

Remplissez la fleur en formant des mots à partir des lettres ci-dessous.
Inscrivez toujours vos solutions en partant de l'extérieur de la fleur vers le centre.
Attention, certaines séries autorisent plusieurs anagrammes, mais une seule permet de compléter la grille en croisant les mots dans les deux sens.
Plusieurs mots peuvent être entendus à la Scala de Milan.

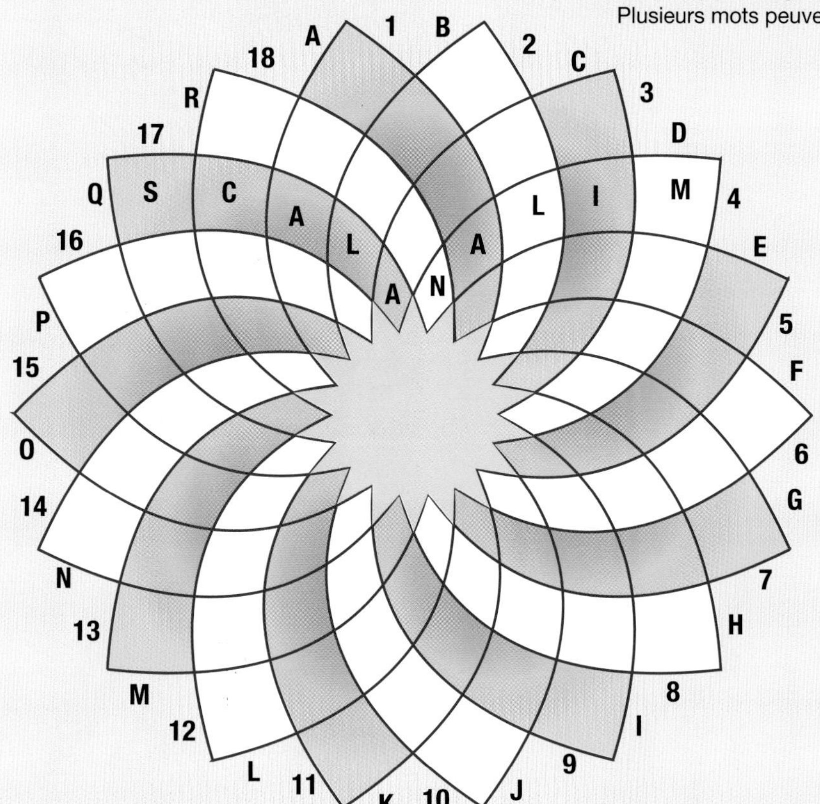

Dans le sens des aiguilles d'une montre :

A. ACERS	G. AIOPR	M. ACEHP
B. AILPS	H. ABDNE	N. ACHNT
C. EEIMR	I. DEIRV	O. AAIRS
D. EMRTY	J. NOSTU	P. CEELT
E. EILSS	K. AEOPR	Q. AACLS
F. IORRS	L. AAHNS	R. CEINR

Dans le sens inverse des aiguilles d'une montre :

1. ACSST	7. EOPST	13. CEHIN
2. EELPR	8. ABESS	14. ACHRS
3. AAIMR	9. AEIRV	15. AAAHN
4. AILMN	10. ENORT	16. ACPRS
5. CILRY	11. DIORU	17. EEINS
6. EIRRS	12. ADEOP	18. ACELT

RECOLLE-TITRES

RECONNAISSANCE/CULTURE

Décortiquez les titres fantaisistes suivants, puis reformez ceux de quatre vraies chansons composées par Renaud.

Ma copine leur a plu…

Étudiant, j'habite chez le vent.

Viens dès que soufflera une chanson.

Pas chez moi, poil aux dents !

1. ....
2. ....
3. ....
4. ....

CARRÉ MAGIQUE

LOGIQUE

Voici une méthode pour remplir un carré magique dont chaque côté est composé d'un nombre impair de cases – ici, 7 cases. Au centre de la rangée du haut, on commence par écrire 1. Puis on remplit en allant toujours vers le haut et vers la droite (en diagonale donc) en respectant les contraintes suivantes :

- Quand on atteint un bord, on continue vers la case qui serait là si on ajoutait un carré (voyez le passage du 1 au 2, du 4 au 5, du 10 au 11, du 12 au 13) ; on reporte ensuite ce chiffre (le 2, le 5...) à l'autre bout de la colonne ou de la ligne.
- Quand une case que l'on devrait remplir est déjà occupée, on remplit celle qui se trouve juste au-dessous de la dernière case que l'on vient de remplir (regardez le passage du 7 au 8), puis on reprend la progression normale en diagonale. Si vous atteignez le bord haut et droit du carré, inscrivez de même le chiffre suivant dans la case située au-dessous.

			1	10		
		7	9			
	6	8				
5	14	16				
13	15					4
					3	12
				2	11	

Avec ces conseils, arriverez-vous à terminer ce carré magique ?
La somme de chaque ligne, colonne ou grande diagonale est de 175.

OBJETS CACHÉS

ATTENTION

Pour délivrer la princesse, le chevalier doit trouver six objets : une clef, une chaussure, un marteau, une montre-bracelet, une bouteille et une scie.

L'INTRUS

LOGIQUE

Quel est l'intrus ?

MOTS CASÉS

ESPACE

Replacez dans la grille tous les noms de fruits suivants.

ABRICOT
AIRELLE
ANANAS
ARGAN
CERISE
CITRON
COING
FRAISE
GRENADE
ICAQUE
KAKI
KIWI
MANGUE
MÛRE
NOIX
OLIVE
ORANGE
PÊCHE
PIMENT
POIRE
POMME
PRUNE
TAMARIN
TOMATE

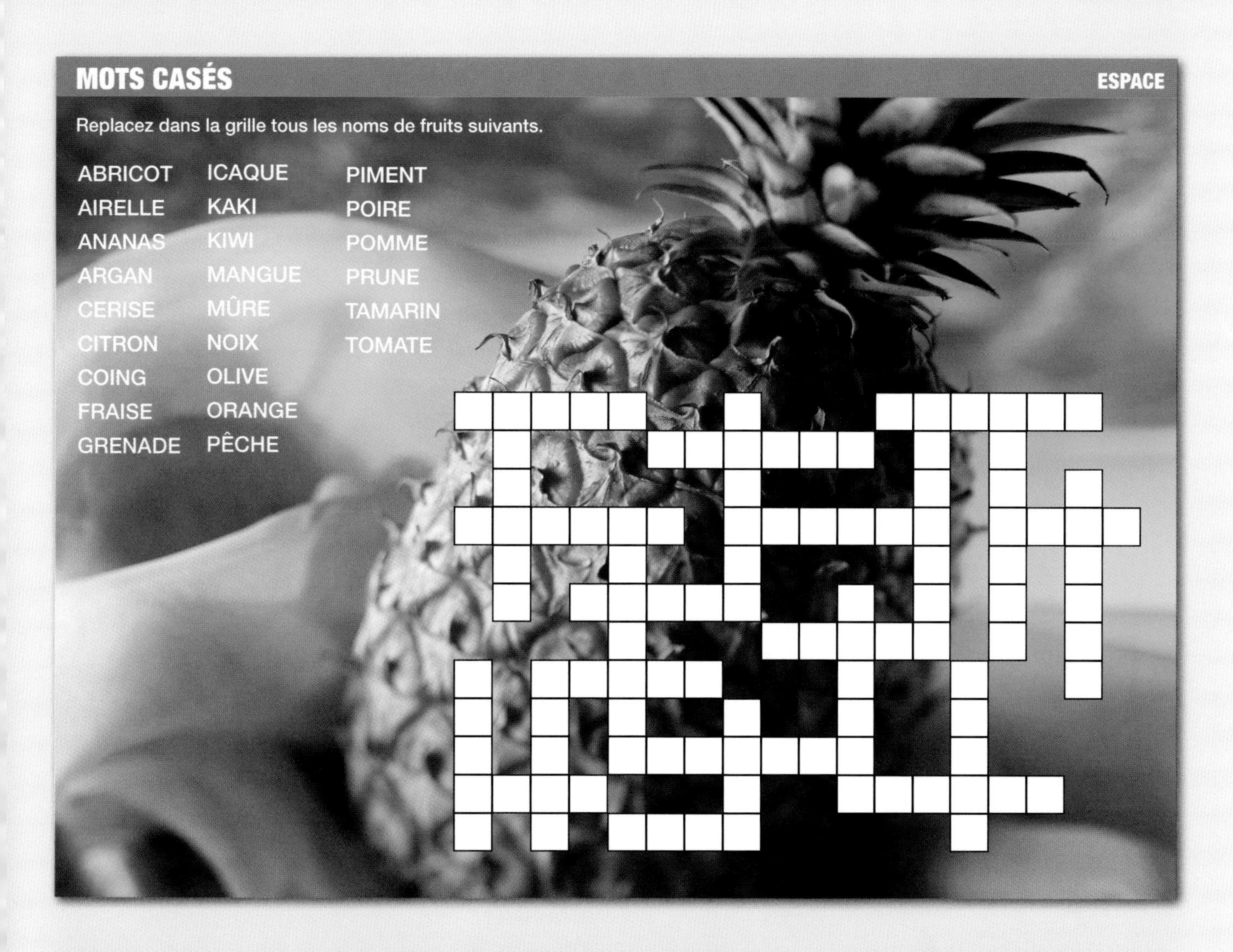

JEU DES 7 ERREURS

ATTENTION

Il existe sept différences entre ces deux photos.
Pouvez-vous les retrouver ?

QUIZ APRÈS OBSERVATION — ATTENTION

Observez ces quatre menus pendant quelques minutes, puis cachez-les et répondez aux questions.

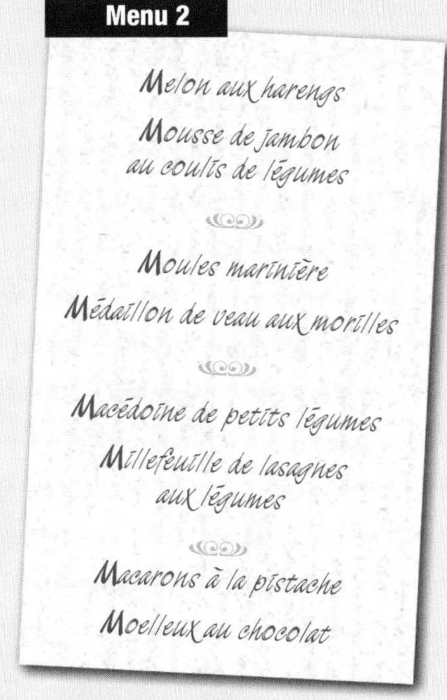

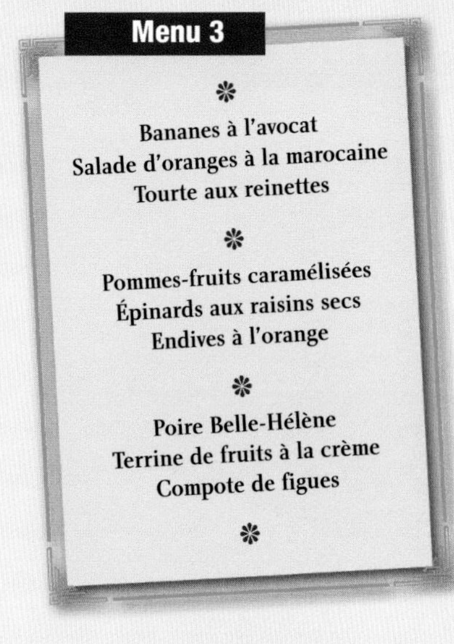

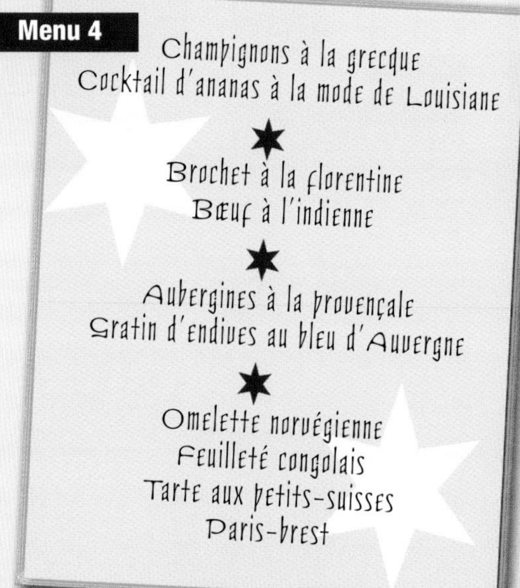

Questions

1. Par quelle lettre commencent tous les plats proposés dans le menu 2 ?
2. À la mode de quel endroit est accommodé le cocktail d'ananas du menu 4 ?
3. De combien de sauces s'accompagnent les asperges du menu 1 ?
4. Quels champignons accompagnent le veau dans le menu 2 ?
5. Quel fruit est proposé en compote dans le menu 3 ?
6. Citez les deux légumes préparés en gratin dans deux menus différents.
7. Quel fruit est préparé en salade à la marocaine en entrée ?
8. Avec quoi sont servis les harengs ?
9. Quel symbole sépare les plats entre eux dans le menu 4 ?
10. Dans quel menu lit-on le mot caramélisées ?
11. De tous les menus, quel est le plat qui a le nom le plus court ?

HOMOPHONES — LANGAGE

Trouvez les homophones (mots ayant la même prononciation mais des sens différents) qui complètent les phrases suivantes.

1. Ils voulaient grimper sur cet énorme chêne. Je leur ai dit « _ _ _ _ _ _, et quand vous serez au _ _ _ _ _, ce sera la _ _ _ _ ».
2. Cette visite à l'_ _ _ _ _ _ _ ne s'annonçait pas sous les meilleurs _ _ _ _ _ _ _ _. Pépé ne voulait même pas nous recevoir !
3. N'y aurait-il pas moyen de régler ce _ _ _ _ _ _ _ _ _ en utilisant un médiateur _ _ _ _ _ _ _ _ _ de celui de la dernière fois, qui n'a fait qu'aggraver les choses ?
4. Je suis plutôt _ _ _ _ _ _ _ _ _ quant à la nécessité de faire installer cette fosse _ _ _ _ _ _ _ _.

FIGURES ENTREMÊLÉES

ATTENTION

Combien de cercles voyez-vous ?

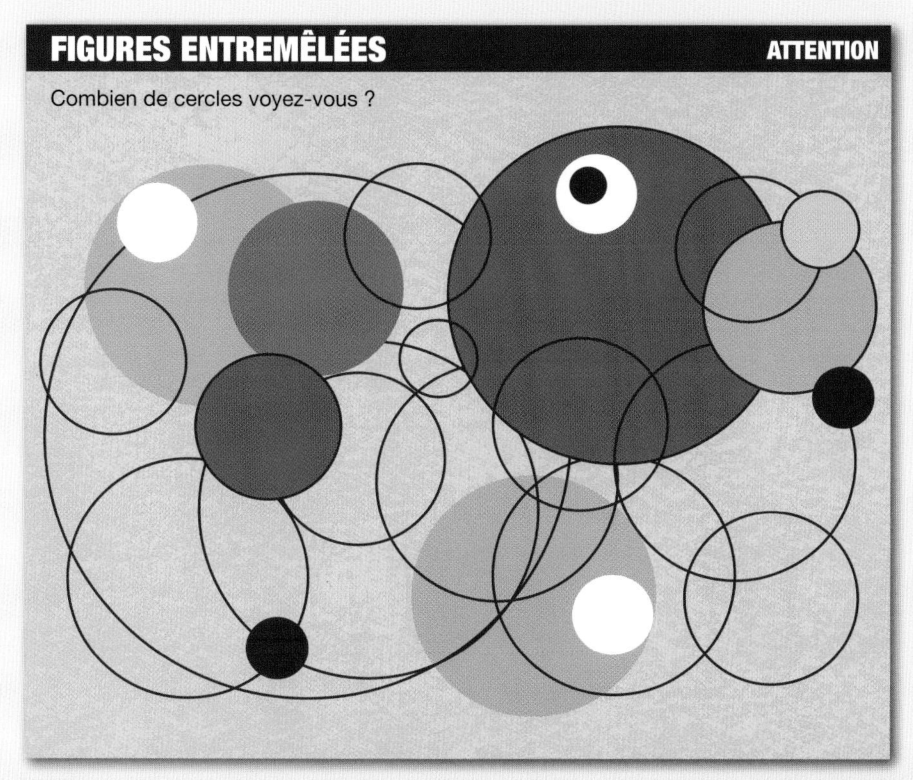

ANAPHRASES

STRUCTURATION

Utilisez toutes les lettres indiquées entre parenthèses pour former des anagrammes qui complètent la phrase en lui donnant un sens.

1. **(ACEILMRSU)**
   À Lourdes, je croyais voir de vrais _ _ _ _ _ _ _ _ _, mais je n'ai vu qu'un _ _ _ _ _ _ _ _ _ de procession religieuse.

2. **(EIORSTUV)**
   Parmi tous les voleurs de _ _ _ _ _ _ _ _ du milieu, c'est un véritable _ _ _ _ _ _ _ _.

3. **(ACEIQTTU)**
   Grâce à la subtile _ _ _ _ _ _ _ _ de son avocat, il a fini par être _ _ _ _ _ _ _ _.

LA FACE CACHÉE

ESPACE

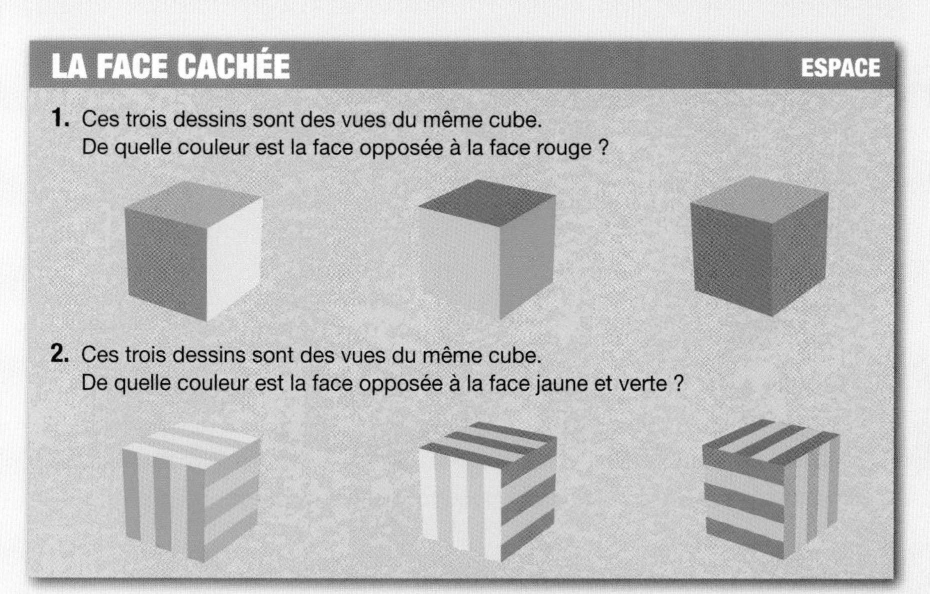

1. Ces trois dessins sont des vues du même cube.
   De quelle couleur est la face opposée à la face rouge ?

2. Ces trois dessins sont des vues du même cube.
   De quelle couleur est la face opposée à la face jaune et verte ?

DOMINOLETTRES

STRUCTURATION

Trouvez l'ordre dans lequel ranger ces dominos de façon à lire horizontalement les noms de deux jeux de cartes simples, dans le sens traditionnel de lecture pour l'un, de droite à gauche pour l'autre.

REPÈRES CHRONOLOGIQUES

TEMPS

Ces affirmations sont-elles vraies ou fausses ?

1. On utilisait le papyrus en Égypte bien avant l'âge du fer au Proche-Orient. .... Vrai Faux
2. Le mathématicien grec Pythagore était contemporain de Jésus-Christ. .... Vrai Faux
3. Copernic émit l'hypothèse que la Terre tournait autour du Soleil. Mais Aristarque de Samos l'affirmait déjà au IIIe siècle av. J.-C., soit dix-huit siècles avant Copernic ! .... Vrai Faux
4. Le premier chien domestiqué le fut 200 ans av. J.-C. .... Vrai Faux
5. L'Antiquité commence 600 ans av. J.-C. .... Vrai Faux
6. C'est Ptolémée qui, au IIe siècle, a enseigné la maîtrise du feu aux hommes. .... Vrai Faux

VISITE GUIDÉE

ATTENTION

Observez attentivement ce plan du centre de Pékin, puis cachez-le.

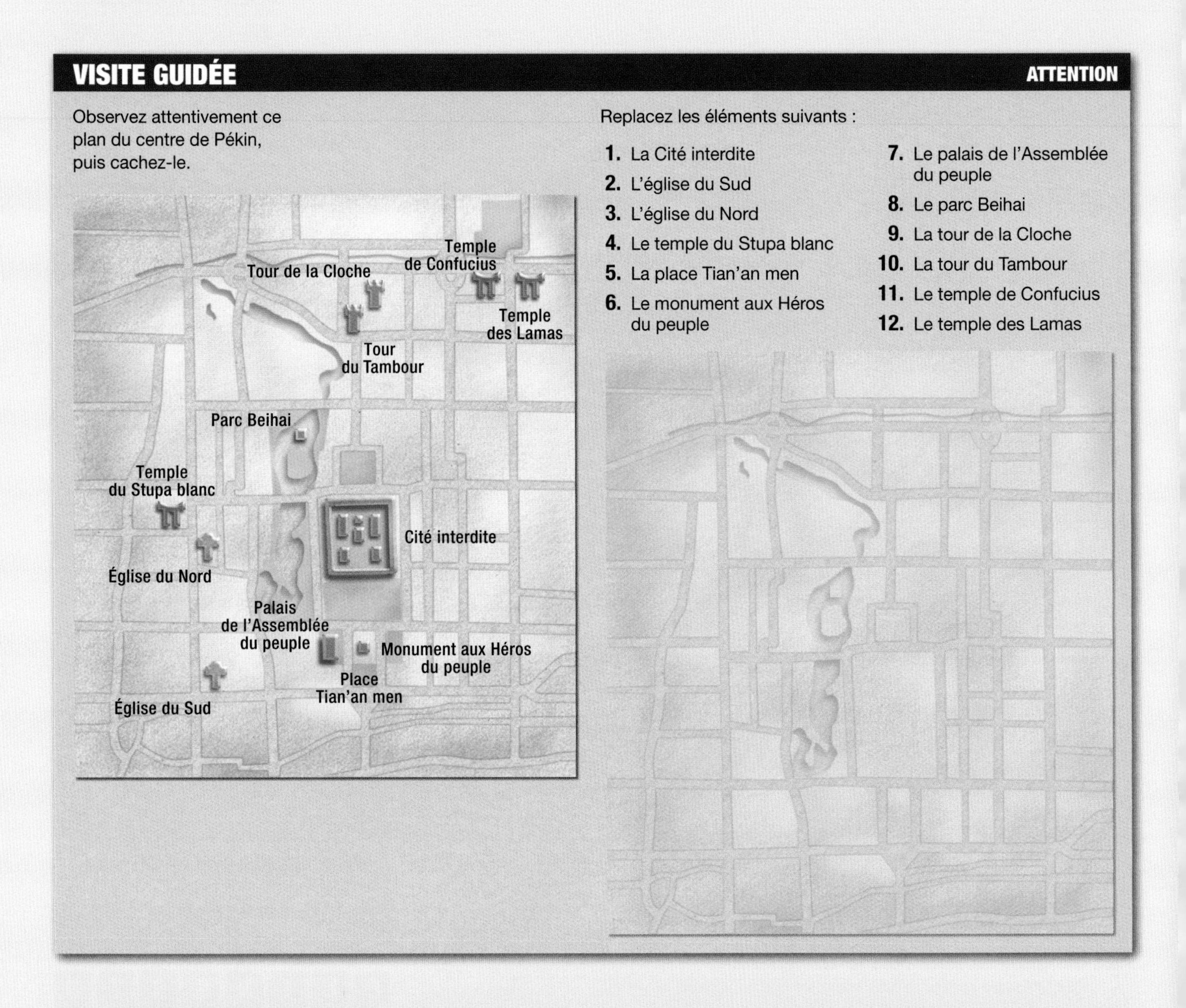

Replacez les éléments suivants :

1. La Cité interdite
2. L'église du Sud
3. L'église du Nord
4. Le temple du Stupa blanc
5. La place Tian'an men
6. Le monument aux Héros du peuple
7. Le palais de l'Assemblée du peuple
8. Le parc Beihai
9. La tour de la Cloche
10. La tour du Tambour
11. Le temple de Confucius
12. Le temple des Lamas

DÉFI

ATTENTION

Observez ces groupes de mots pendant quelques minutes, puis essayez d'en restituer le plus grand nombre en une minute. Vous faites ainsi travailler votre mémoire à court terme. Pour prolonger l'exercice, laissez passer 10 minutes et essayez à nouveau sans consulter la liste.

Ouvrage **Miniature**
Nouvelle **Canette**
Récit **Fillette**

Computer **Loup**
Rocking-chair **Teckel**
Talkie-walkie **Brebis**

Veston
Aviron
Chaton

1. Juste après : ....

2. 10 minutes après : ....

FIGURES MANQUANTES — ATTENTION

Observez cette chaîne pendant quelques minutes, puis cachez-la.

Reproduisez de mémoire les formes manquantes dans la chaîne ci-dessous afin qu'elle soit identique à la précédente.

ALLUMETTES — LOGIQUE

Voici une pelle en allumettes contenant de la poussière.
Comment, en ne déplaçant que deux allumettes, faire passer la poussière hors de la pelle tout en conservant la forme de cette dernière ?

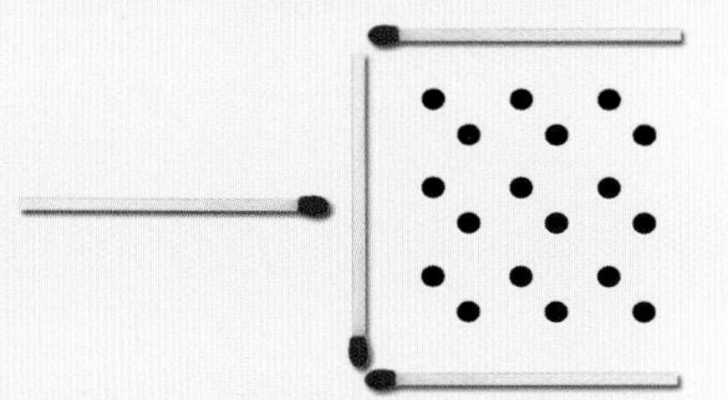

ANAGRAMMES — STRUCTURATION

Trouvez les parties du corps humain dont les noms suivants sont des anagrammes.

1. ÉCROU ....
2. TOILER ....
3. ÉPERON ....
4. RÊVENT ....
5. HUMEURS ....
6. COURLIS ....
7. ÉVACUER ....
8. DOUCE ....
9. COTÂMES ....
10. MUNSTER ....

LABYRINTHE — ESPACE

En tournant la manette (en haut, à gauche) dans le sens de la flèche, trouver dans quel sens tournera l'aiguille (en bas, à droite).

LOGIGRAMME — LOGIQUE

BLA BLA BLA

Cinq adolescentes un peu bavardes au téléphone sont surveillées par leurs parents. Ceux-ci déclenchent leur chronomètre au moment où elles appellent leur meilleure amie et se préparent à leur présenter la facture dès qu'elles auront raccroché… Retrouvez les noms des cinq amies à qui Catherine, Charlotte, Isabelle, Lucie et Manon téléphonent, leur sujet de conversation et la durée du coup de fil à l'aide des indices ci-dessous.

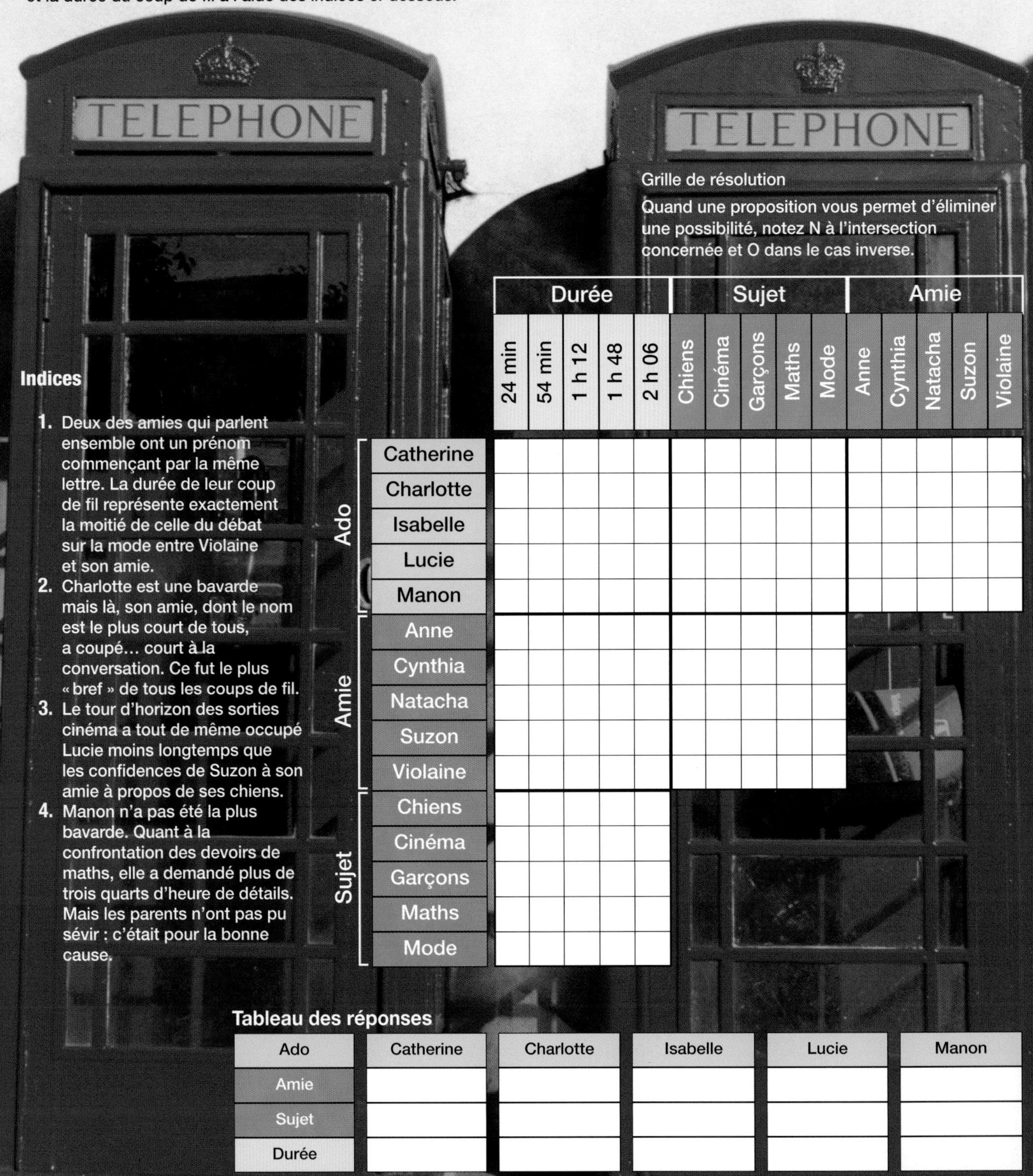

Grille de résolution

Quand une proposition vous permet d'éliminer une possibilité, notez N à l'intersection concernée et O dans le cas inverse.

Indices

1. Deux des amies qui parlent ensemble ont un prénom commençant par la même lettre. La durée de leur coup de fil représente exactement la moitié de celle du débat sur la mode entre Violaine et son amie.
2. Charlotte est une bavarde mais là, son amie, dont le nom est le plus court de tous, a coupé… court à la conversation. Ce fut le plus « bref » de tous les coups de fil.
3. Le tour d'horizon des sorties cinéma a tout de même occupé Lucie moins longtemps que les confidences de Suzon à son amie à propos de ses chiens.
4. Manon n'a pas été la plus bavarde. Quant à la confrontation des devoirs de maths, elle a demandé plus de trois quarts d'heure de détails. Mais les parents n'ont pas pu sévir : c'était pour la bonne cause.

		Durée					Sujet					Amie				
		24 min	54 min	1 h 12	1 h 48	2 h 06	Chiens	Cinéma	Garçons	Maths	Mode	Anne	Cynthia	Natacha	Suzon	Violaine
Ado	Catherine															
	Charlotte															
	Isabelle															
	Lucie															
	Manon															
Amie	Anne															
	Cynthia															
	Natacha															
	Suzon															
	Violaine															
Sujet	Chiens															
	Cinéma															
	Garçons															
	Maths															
	Mode															

Tableau des réponses

Ado	Catherine	Charlotte	Isabelle	Lucie	Manon
Amie					
Sujet					
Durée					

FIGURES MANQUANTES — ATTENTION

Observez cette chaîne pendant quelques minutes, puis cachez-la.

Reproduisez de mémoire les formes manquantes dans la chaîne ci-dessous afin qu'elle soit identique à la précédente.

PUZZLE — ESPACE

Formez à chaque fois un carré en assemblant trois pièces.

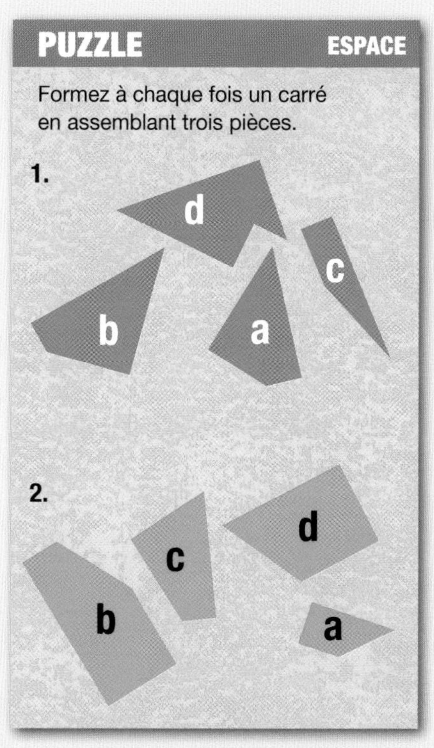

LETTRE BONUS — STRUCTURATION

Utilisez les lettres du mot de départ et ajoutez-y la lettre bonus (dans ce jeu, le P) pour former, en mélangeant les lettres, un nouveau mot correspondant à l'indice.

			Indice
1. LAS	+ P	....	Intervalle de temps
2. OUIR	+ P	....	Corrompu
3. AZOTE	+ P	....	Pierre fine jaune
4. ROUGIE	+ P	....	Fan
5. TARAMAS	+ P	....	Sucre
6. ADHÉRAIT	+ P	....	Discrimination

DOMINOLETTRES — STRUCTURATION

Trouvez l'ordre dans lequel ranger ces dominos de façon à lire horizontalement les noms de deux genres littéraires, dans le sens traditionnel de lecture pour l'un, de droite à gauche pour l'autre.

CRYPTOGRAMME — ASSOCIATION

Décryptez logiquement la citation mystère en remplaçant ces fleurs par la lettre qui leur correspond, au choix. Pour vous aider, commencez par les voyelles, les E étant déjà placés.

— ' E — — É — — E — — E E — —

— — — É — — — — E — E

— E — — — — — — — — E — — — — E — .

❀ (1)	❀ (2)	❀ (3)
A	B	N
I	C	P
O	D	R
U	H	S
	L	T
	M	X

ANAPHRASES

STRUCTURATION

Utilisez toutes les lettres indiquées entre parenthèses pour former des anagrammes qui complètent la phrase en lui donnant un sens.

1. (AEGIIMNR)
À force d'entendre ma femme me dire qu'elle a la _ _ _ _ _ _ _ _ _ , je commence à _ _ _ _ _ _ _ _ qu'elle a quelqu'un d'autre dans sa vie !

2. (EEIMNRV)
Quand même, _ _ _ _ _ _ _ , c'est la déesse protectrice de Rome, ce n'est pas de la _ _ _ _ _ _ _ !

3. (AEILMOR)
Il faisait le _ _ _ _ _ _ _ et disait qu'il n'irait jamais chez le dentiste, mais maintenant qu'il a une _ _ _ _ _ _ _ sur deux cariée, il _ _ _ _ _ _ _ sur son sort.

COUPE-LETTRES

STRUCTURATION

Rayez une lettre dans chacun des huit mots de la grille de façon que celles qui restent continuent à former un mot existant. Reportez la lettre biffée en bout de ligne pour lire verticalement le nom d'une toile apparue en 1974 et qui s'est bien étendue depuis.

D	E	D	A	I	N	S	
C	O	P	I	N	E	R	
L	A	C	H	E	T	E	
M	A	L	I	E	N	S	
P	O	T	I	R	O	N	
G	R	A	T	I	N	S	
C	A	N	E	T	O	N	
O	U	T	I	L	L	E	

QUELLE EST LA SUITE ?

LOGIQUE

Trouvez à chaque fois la figure numérotée qui continue logiquement la série.

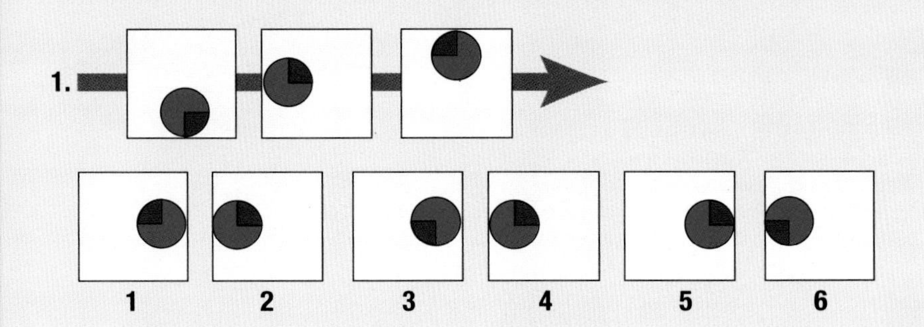

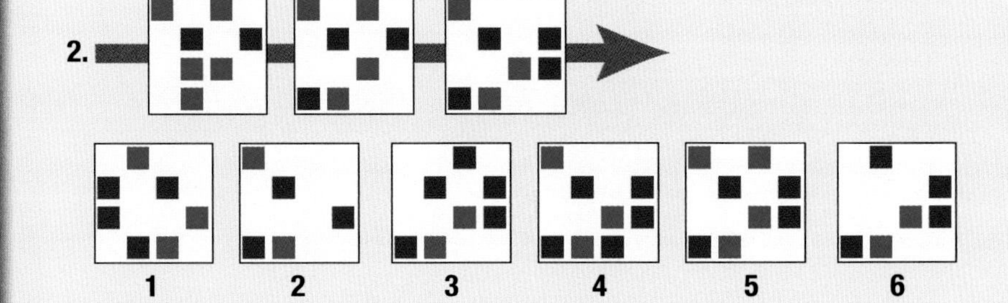

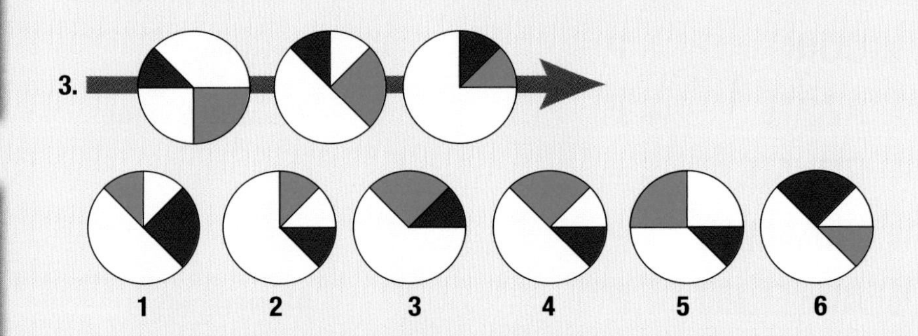

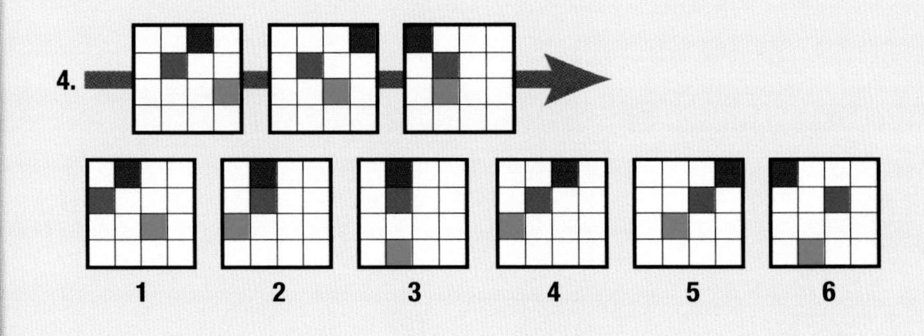

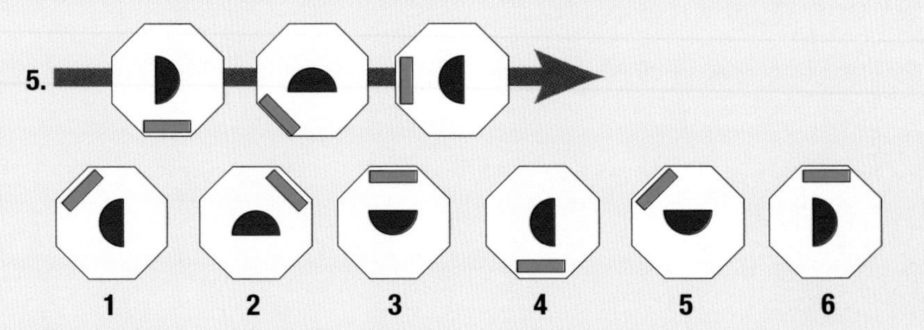

LES MOTS DE L'IMAGE

LANGAGE

Trouvez au moins vingt mots commençant par les lettres PA, et dont l'illustration ou l'idée figure dans ce dessin.

REPÈRES CHRONOLOGIQUES

TEMPS

Classez ces dix événements dans l'ordre chronologique du plus ancien au plus récent.

A	Bataille d'Iéna	1	....
B	Conflit en ex-Yougoslavie	2	....
C	Guerre de Cent Ans	3	....
D	Guerre de Sécession	4	....
E	Guerre de Trente Ans	5	....
F	Guerre du Golfe	6	....
G	Guerre du Kippour	7	....
H	Guerre du Viêt Nam	8	....
I	Première croisade	9	....
J	Première Guerre mondiale	10	....

LE POINT COMMUN

ASSOCIATION

Trouvez, pour chacune des séries, un mot qui se rapporte directement à chacun des trois autres.

1. Ordinateur
Agneau
Tapette
....

2. Salade
Crabes
Basket
....

3. Monnaie
Poids
Recueil
....

4. Chèque
Chaussure
Croûton
....

5. Son
Vignette
Patch
....

6. Palais
Bateau
Burqa
....

QUI SUIS-JE ?

Découvrez un à un les renseignements sur le personnage mystère à l'aide d'un cache coulissant et essayez de l'identifier en utilisant le minimum d'indices.

Qui suis-je ?

1. Je suis un écrivain, prix Nobel de littérature en 1907.
2. Je suis né à Bombay en 1865.
3. Dans mes livres, j'évoque souvent mon enfance dans les colonies.
4. Mon fils, John, à qui j'ai écrit un poème resté célèbre, est mort sur le front avant ses 18 ans.
5. *Tu seras un homme mon fils* est le titre de ce poème.
6. Je suis l'auteur du *Livre de la jungle*.

Qui suis-je ?

1. Je suis un maréchal de France prénommé Jacques.
2. J'ai servi Louis XII et François Ier.
3. En vérité, mon patronyme a donné naissance à un nom commun.
4. Je fus un héros des guerres d'Italie et de Marignan, mais la bataille de Pavie me fut fatale.
5. Voulant rapporter que je m'étais battu jusqu'à la dernière heure, mes soldats composèrent une chanson dont on ne retint que la naïveté d'un vers.
6. « Un quart d'heure avant sa mort, il était encore en vie. »

Qui suis-je ?

1. Je suis né en 1946 à Cincinnati, dans l'Ohio.
2. Entre 1971 et 1975, deux films aux titres anglais de quatre lettres me propulsent parmi les stars de ma profession.
3. J'ai réalisé ou produit de nombreux films où les animaux sont rois.
4. Mon divorce s'est avéré le plus cher du monde.
5. Pour *la Couleur pourpre*, je reçus onze nominations aux Oscars.
6. Je suis le papa d'*ET* et d'*Indiana Jones*.

A. ....

B. ....

C. ....

QUIZ APRÈS OBSERVATION

ATTENTION

Observez ce dessin pendant quelques minutes, puis cachez-le et répondez aux questions.

Questions

1. Quelles sont les 3 opérations écrites sur le tableau ?
2. Y a-t-il un lavabo dans la classe ?
3. La maîtresse est en jupe : vrai ou faux ?
4. Combien y a-t-il de tables ?
5. Combien de manteaux et de bonnets sont accrochés sur les porte-manteaux à droite de l'image ?
6. Un des dessins accrochés au mur représente un soleil : vrai ou faux ?
7. L'enfant en bas à droite de l'image pleure en regardant son dessin : vrai ou faux ?

RECONNAISSANCE/CULTURE

Qui suis-je ?

1. Je suis né le 28 octobre 1955 à Seattle et j'ai étudié à Harvard.
2. J'ai publié en 1995 *la Route du futur*, où j'exprime ma vision sur l'avenir des technologies de l'information dans la société.
3. J'ai déjà fait don de plus de 3 milliards de dollars à des œuvres caritatives.
4. Je connais beaucoup plus de langages que de langues.
5. En 1975, j'ai rebaptisé ma compagnie, Traf-0-Data, et j'ai inventé le basic.
6. Microsoft est le nouveau nom de cette compagnie.

D. ....

Qui suis-je ?

1. Je suis le fils d'un tapissier, étudiant chez les jésuites à Clermont.
2. Je deviens un protégé de Louis XIV à partir de 1659.
3. Je figure dans les dictionnaires tout près de Popeye !
4. Mes études de droit me porteront vers des scènes autres que les tribunaux.
5. Je ne suis ni avare, ni ridicule, ni misanthrope, mais j'en parle.
6. On raconte à tort que je suis mort sur scène, en jouant *le Malade imaginaire*.

E. ....

SYNONYMES — LANGAGE

Trouvez huit synonymes du mot « joyeux » en vous aidant des indices entre parenthèses et, le cas échéant, des initiales.

1. _ _ _ (comme le laboureur)
2. **R _ _ _ R** (comme un oiseau)
3. **E _ _ _ _ É** (souriant)
4. **G _ _ _ _ _ _ _ T** (vif)
5. **E _ _ _ _ _ _ _ _ E** (grisé par le bonheur)
6. **H _ _ _ _ _ X** (qui comme Ulysse)
7. **J _ _ _ _ L** (comme un hamster)
8. **A _ _ _ _ _ E** (comme un ministre)

REPÈRES CHRONOLOGIQUES — TEMPS

Replacez les personnages ci-dessous dans la frise chronologique en inscrivant leur lettre dans la bonne case.

A Alexandre le Grand
B Attila
C Bouddha
D César
E Charlemagne
F Clovis Ier
G Confucius
H Frédéric Ier Barberousse
I Gengis Khan
J Guillaume Ier le Conquérant
K Jean Calvin
L Jeanne d'Arc
M Machiavel
N Mahomet
O Nabuchodonosor II
P Néron
Q Ramsès II
R Richelieu
S Salomon
T Socrate

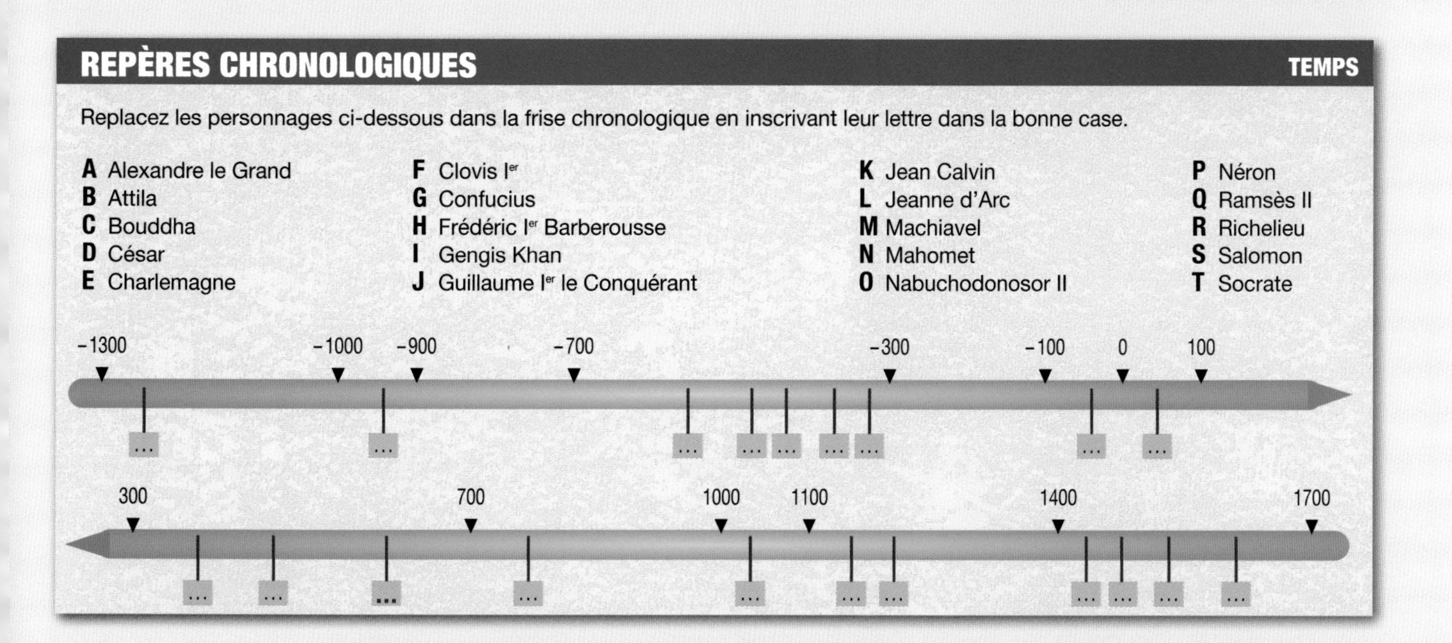

MOT EN TROP — LOGIQUE

Dans chacune des séries suivantes, biffez le mot qui ne présente pas la même particularité que les autres.
Observez bien les lettres qui composent chaque mot, les ajouts ou substitutions possibles.

1. **Assoyions Coyote Cyclecar Loyalement Mareyage Mayonnaise**
2. **Angulaire Athlète Carbonate Fouiller Jumeau Porteur**
3. **Alcool Concert Espérant Express Sombre Vidé**

LA CARTE EN QUESTIONS

ESPACE

Retrouvez vingt noms de villes, pays, reliefs, cours d'eau et mers d'Europe centrale et balkanique à l'aide des indices du bas et de leur situation sur la carte.

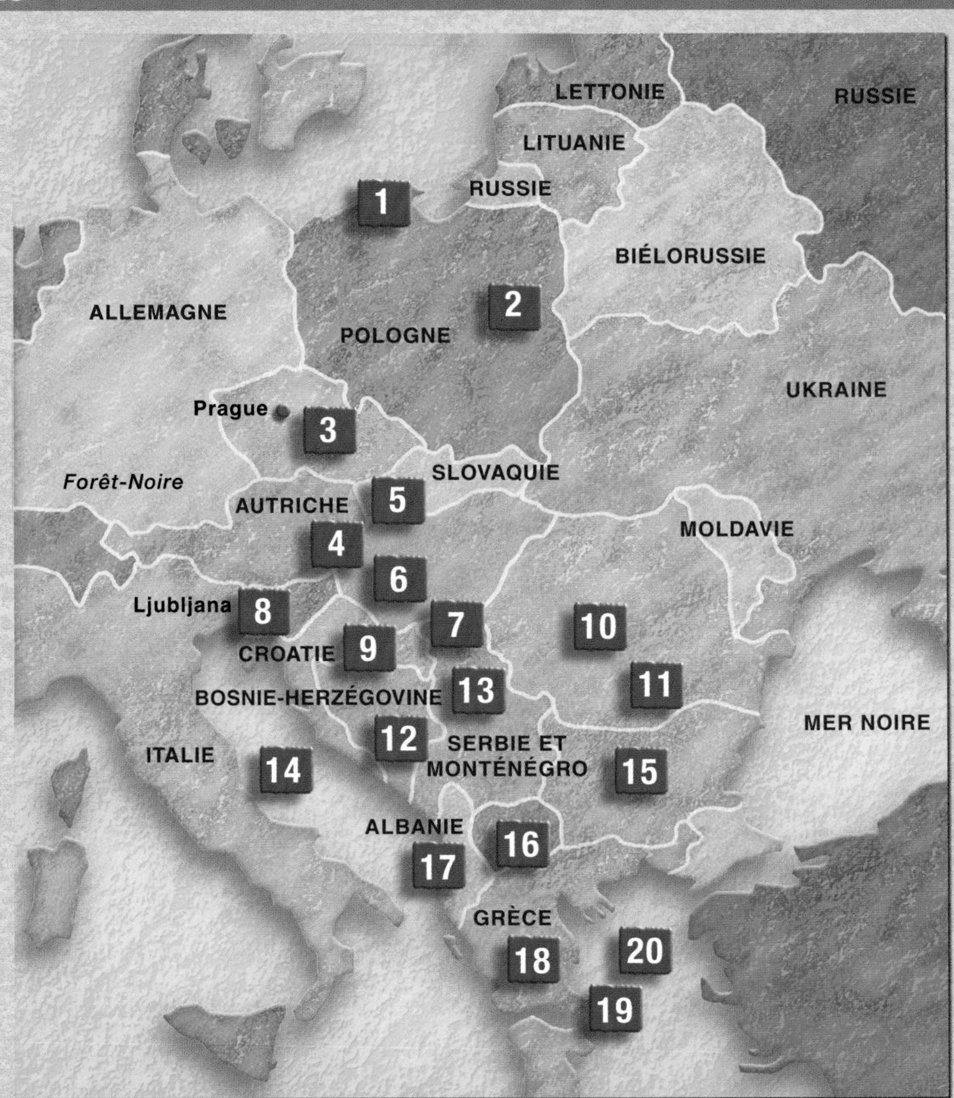

1. Je suis située sur la mer Baltique et érigée en ville libre depuis 1918. Mon corridor a attiré bien des convoitises.

2. Capitale de mon pays, j'ai donné mon nom à un pacte, une alliance militaire de l'Union soviétique avec différents pays, signé en 1955.

3. Je suis un pays de 10 millions d'habitants dont le point culminant se trouve à 1 602 m, dans les monts des Géants, en Bohême.

4. Je suis une chaîne de montagnes en arc de cercle culminant à 2 655 m et qui cache, dit-on, des vampires…

5. Je suis la capitale de la Slovaquie.

6. Mon drapeau est rayé horizontalement de trois couleurs : rouge, blanc et vert. Ma monnaie est le forint.

7. Je mesure 2 850 km de long de la Forêt-Noire à la mer Noire.

8. Ma capitale est Ljubljana et j'ai proclamé mon indépendance en juin 1991.

9. Je suis la capitale de la Croatie et mon nom commence par les deux lettres les plus éloignées de l'alphabet.

10. Je suis un pays de 237 000 km^2 dont le nom est fait des lettres d'aumônier.

11. Je suis la capitale du pays précédent. Ne me confondez pas avec la capitale du pays voisin, dont le nom est très proche du mien.

12. J'ai été ville olympique en 1984, puis le siège de violents combats à partir de mai 1992.

13. Je suis la capitale de mon pays, et mes quatre premières lettres sont aussi les quatre premières d'un pays limitrophe de la France.

14. Je baigne les côtes occidentales de la région mais aussi la côte est de l'Italie.

15. Je suis un pays à population essentiellement slave et orthodoxe, et ma capitale évoque un prénom féminin.

16. Ma capitale est Skopje. Mon nom se trouve aussi dans la partie noms communs du dictionnaire et évoque la cuisine.

17. Capitale de mon pays, j'ai dû accueillir un afflux massif de Kosovars.

18. Je suis une ville de Grèce, ancienne capitale d'un royaume latin. On me désigne aussi en rajoutant THES devant mon nom.

19. Je suis le port d'Athènes.

20. Mer, je porte le nom d'un père qui crut à tort que son fils était mort en Crète.

HOMOGRAPHES

LANGAGE

Trouvez les couples d'homographes (mots ayant une orthographe identique mais des sens différents) qui complètent les phrases suivantes.

1. Comment peut-il se déclarer non _ _ _ _ _ _ _ alors que lui et toute sa bande agressent et _ _ _ _ _ _ _ des êtres sans défense à longueur d'année ?

2. Quand nous travaillions pour Médecins sans frontières, nous ne _ _ _ _ _ _ _ jamais une occasion d'augmenter les _ _ _ _ _ _ _ de riz distribuées.

3. Il est clair que quand vous arrivez à _ _ _ _ en plein été, vous _ _ _ _ forcément à grosses gouttes.

4. Cela fait trois fois que le rédacteur en chef du journal demande à son _ _ _ _ _ _ _ _ de _ _ _ _ _ _ _ _ la parution de cet article. Maintenant, ça suffit !

REPÈRES CHRONOLOGIQUES

TEMPS

Classez ces huit inventions de la plus ancienne à la plus récente.

Alphabet Morse

Fer à repasser

Cadran solaire

Parachute

Four à micro-ondes

Machine à calculer

Cœur artificiel

Code-barres

1. ....
2. ....
3. ....
4. ....
5. ....
6. ....
7. ....
8. ....

DESSINER DE MÉMOIRE

ATTENTION

Regardez ces dessins attentivement. Fermez les yeux et essayez de les visualiser en repérant leur position les uns par rapport aux autres. Si l'un d'eux vous échappe, regardez-le de nouveau pour bien le fixer.

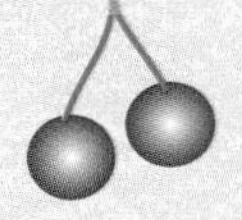

Cachez les dessins et essayez de les reproduire de mémoire.

PROBLÈMES

LOGIQUE

1. Combien de mois de l'année comportent 31 jours et combien en comportent 28 ?

2. Mme Oiselle écrit une carte postale à une personne dont elle est la sœur, et qui pourtant n'est pas sa sœur. Est-ce possible ?

3. Aux États-Unis, un homme peut-il hériter de la sœur de sa veuve ?

À L'IDENTIQUE

Quels sont les deux textes parfaitement identiques ?

A

Pêches rôties aux framboises

Allumez le gril. Beurrez un plat à four et saupoudrez-le de sucre. Disposez les oreillons dans le plat, face bombée dessous. Parsemez avec le reste de sucre, le beurre en parcelles et les amandes. Répartissez 100 g de framboises autour des oreillons. Faites griller 5 min. Garnissez chaque oreillon avec 1 framboise et servez.

B

Pêches rôties aux framboises

Allumez le gril. Beurrez un plat à four et saupoudrez-le de sucre. Disposez les oreillons dans le plat, face bombée dessous. Parsemez avec le reste de sucre, le beurre en parcelles et les amandes. Répartissez 100 g de framboises autour des oreillons. Faites griller 5 min. Garnissez chaque oreillon avec une framboise et servez.

C

Pêches rôties aux framboises

Allumez le gril. Beurrez un plat à four et saupoudrez-le de sucre. Disposez les oreillons dans le plat face bombée dessous. Parsemez avec le reste de sucre, le beurre en parcelles et les amandes. Répartissez 100 g de framboises autour des oreillons. Faites griller 5 min. Garnissez chaque oreillon avec 1 framboise et servez.

L'ENQUÊTE

LOGIQUE

Sept, un chiffre porte-bonheur, dit-on… Mais pas au casino de Manchoville ! Les visages de ces sept femmes sont placardés sur tous les murs de la ville, elles sont soupçonnées d'avoir monté une arnaque à la table de roulette. Elles étaient trois dans la combine et l'une d'elles était même armée. Retrouvez les trois arnaqueuses et identifiez celle qui portait une arme grâce aux déclarations de trois témoins :

« Les deux complices qui portaient des boucles d'oreilles avaient les cheveux blonds. »

« Parmi les trois arnaqueuses, la seule qui portait une arme avait les cheveux bruns. »

« La seule arnaqueuse qui portait un collier avait aussi des boucles d'oreilles. »

1

2

3

4

5

6

7

TRIPLETS D'EXPRESSIONS

LANGAGE

Trouvez le terme qui se marie parfaitement avec les trois mots de chaque ligne de façon à former des expressions courantes.

Ex : mobilière, ajoutée, marchande fera deviner VALEUR.

1. **Payant, état, provisionnel**
   ……………………………………
2. **Repas, argile, continental**
   ……………………………………
3. **Manivelle, couches, flamme**
   ……………………………………
4. **Points, séance, hydraulique**
   ……………………………………
5. **Choix, gastrique, financier**
   ……………………………………
6. **Cuite, battue, ferme**
   ……………………………………

ATTENTION

D

Pêches rôties aux framboises

Allumez le gril. Beurrez un plat à four et saupoudrez-le de sucre. Disposez les oreillons dans le plat face bombée dessous. Parsemez avec le reste de sucre, le beurre en parcelles et les amandes. Répartissez 100 g de framboises autour des oreillons. Faites griller 5 min. Garnissez chaque oreillon avec 1 framboise et servez.

E

Pêches rôties aux framboises

Allumez le gril. Beurrez un plat à four et saupoudrez-le de sucre. Disposez les oreillons dans le plat face bombée dessous. Parsemez avec le reste de sucre, le beurre en parcelles et les amandes. Répartissez 100 g de framboises autour des oreillons. Faites griller 5 minutes. Garnissez chaque oreillon avec 1 framboise et servez.

F

Pêches rôties aux framboises

Allumez le gril. Beurrez un plat à four et saupoudrez-le de sucre. Disposez les oreillons dans le plat face bombée dessous. Parsemer avec le reste de sucre, le beurre en parcelles et les amandes. Répartissez 100 g de framboises autour des oreillons. Faites griller 5 min. Garnissez chaque oreillon avec 1 framboise et servez.

ROSACE

STRUCTURATION

Remplissez la rosace en formant des mots à partir des lettres ci-dessous.
Inscrivez toujours vos solutions en partant de l'extérieur de la fleur vers le centre.
Attention, certaines séries autorisent plusieurs anagrammes, mais une seule permet de compléter la grille en croisant les mots dans les deux sens.
Plusieurs des mots font référence à l'Asie.

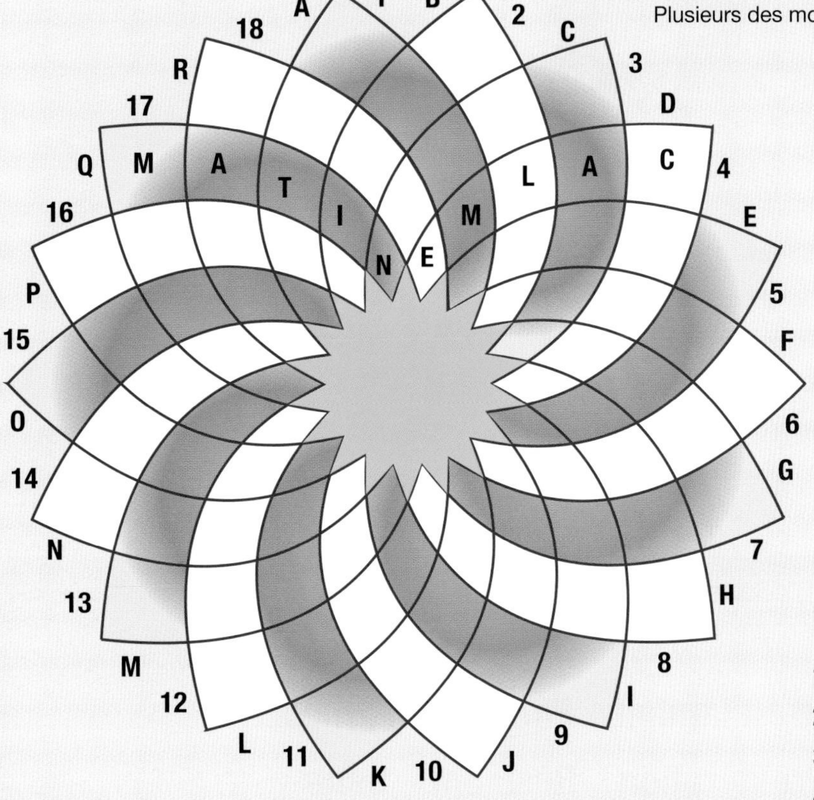

Dans le sens des aiguilles d'une montre :

A. EEFMM
B. LLPSU
C. AEILS
D. CEHIN
E. CEEIR
F. BEENR
G. EGORU
H. ACERT
I. DJOSU
J. AEPRR
K. BEELT
L. AILSU
M. GINOR
N. EIKNP
O. ALNOS
P. AKOPS
Q. AIMNT
R. EEJRU

Dans le sens inverse des aiguilles d'une montre :

1. FNOTU
2. EIPRS
3. ELMNU
4. ACELM
5. CEHIL
6. BEIRS
7. EINRS
8. CEEOR
9. AEJNU
10. EGPRU
11. ABDEE
12. ELORT
13. AEGST
14. EIPRR
15. ELOSU
16. AIKKS
17. AILMN
18. AJNOP

SUPERPOSITION — ATTENTION

Quels fragments numérotés peuvent se superposer à la grille A ?
Les pièces doivent être prises telles quelles, sans être tournées.

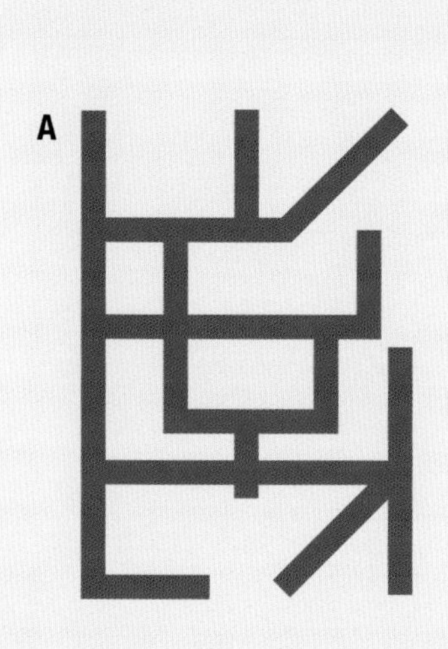

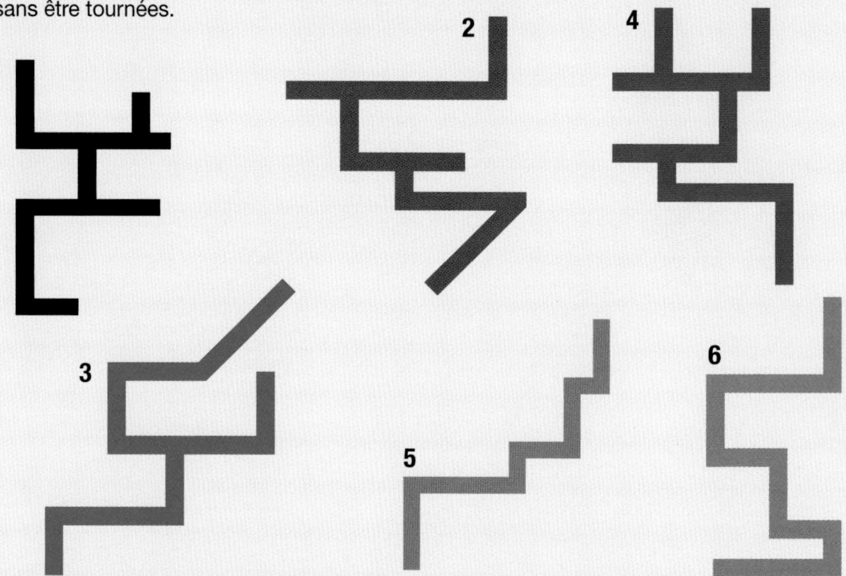

REPÈRES CHRONOLOGIQUES — TEMPS

Voici huit films et huit acteurs. Retrouvez pour chacune des années l'œuvre qui a obtenu le César du meilleur film et le comédien qui a reçu le César du meilleur acteur. Attention, ce dernier ne joue pas forcément dans le film primé.

Films		
1. *Au revoir les enfants*	1982	....
2. *Cyrano de Bergerac*	1988	....
3. *La Guerre du feu*	1991	....
4. *La Vie rêvée des anges*	1999	....
5. *Le Fabuleux Destin d'Amélie Poulain*	2000	....
6. *Le Goût des autres*	2001	....
7. *Le Pianiste*	2002	....
8. *Vénus Beauté (Institut)*	2003	....

Acteurs		
A. Adrien Brody	1982	....
B. Daniel Auteuil	1988	....
C. Gérard Depardieu	1991	....
D. Jacques Villeret	1999	....
E. Michel Bouquet	2000	....
F. Michel Serrault	2001	....
G. Richard Bohringer	2002	....
H. Sergi Lopez	2003	....

IMAGE ZOOMÉE — ATTENTION

Identifiez l'objet, l'animal ou le personnage que notre dessinateur s'est amusé à transformer.

MOT EN TROP — LOGIQUE

Dans chacune des séries suivantes, biffez le mot qui ne présente pas la même particularité que les autres.
Observez bien les lettres qui composent chaque mot, les ajouts ou substitutions possibles.

1. **Facteur Fautant Flamand Flamant Forages Futiles**
2. **Assistance Dire Lieu Prolifération Résident Sens**
3. **Abcès Bijoux Chintz Dehors Effort Volige**

CITATIONS MÊLÉES — RECONNAISSANCE/CULTURE

Les mots composant trois citations ont été mélangés. À vous de démêler l'écheveau pour reconstituer les citations d'origine, attribuées l'une à François Ier, la deuxième à Henri IV et la troisième à Napoléon Ier.

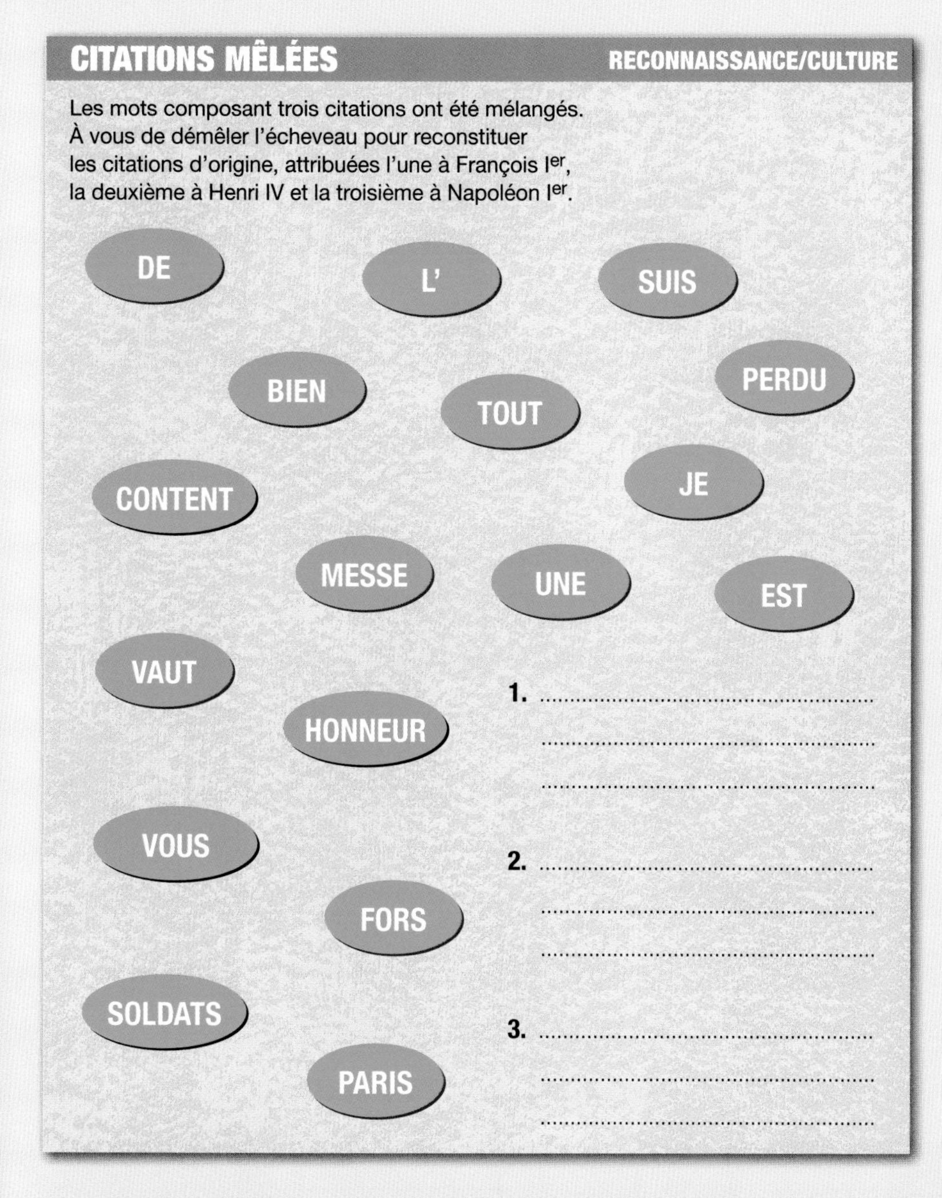

1. ....

2. ....

3. ....

SUPERPOSITION — ATTENTION

Imaginez que les plaquettes ci-dessous soient en carton. Trouvez les trois qu'il faut superposer pour obtenir la figure A, ainsi que l'ordre de superposition.

UN DE TROP — ATTENTION

Observez ces neuf personnages pendant quelques minutes, puis cachez-les.

Lequel ne figurait pas précédemment ?

LOGIGRAMME

LOGIQUE

VACANCES EN ASIE

Cinq amateurs de sport et de voyages ont décidé d'aller pratiquer leur activité favorite en Asie. Retrouvez la destination choisie par Alexandre, Alicia, Audrey, Marine et Olivier, le sport qu'ils ont pratiqué et le coût de leur séjour à l'aide des indices donnés.

Indices

1. Parmi les trois vacanciers dont le prénom commence par la même lettre, celui qui est allé en Thaïlande a payé son séjour aussi cher que les vacances des deux autres réunis. Aucun de ces trois sportifs n'a fait de catamaran.
2. Les deux amateurs de ski ont dépensé autant à eux deux qu'Olivier et la personne partie en Indonésie réunis. Olivier est celui qui a consommé le plus gros budget des quatre vacanciers cités dans cet indice.
3. La personne fan de parachute ascensionnel a dépensé moins que celle qui découvrait le Viêt Nam, mais plus que la jeune fille qui a choisi le saut à l'élastique.
4. Marine n'est pas allée en Birmanie. Audrey a dépensé moins en Malaisie qu'Alexandre, qui n'a pas pratiqué le ski nautique.

Grille de résolution

Quand une proposition vous permet d'éliminer une possibilité, notez N à l'intersection concernée et O dans le cas inverse.

		Coût					Sport					Pays				
		1 400 €	1600 €	2 600 €	3 000 €	4 200 €	Catamaran	Jet-ski	Parachute ascensionnel	Saut à l'élastique	Ski nautique	Birmanie	Indonésie	Malaisie	Thaïlande	Viêt Nam
Vacancier	Alexandre															
	Alicia															
	Audrey															
	Marine															
	Olivier															
Pays	Birmanie															
	Indonésie															
	Malaisie															
	Thaïlande															
	Viêt Nam															
Sport	Catamaran															
	Jet-ski															
	Parachute ascensionnel															
	Saut à l'élastique															
	Ski nautique															

Tableau des réponses

Vacancier	Alexandre	Alicia	Audrey	Marine	Olivier
Pays					
Sport					
Coût					

LES DEUX FONT LA PAIRE — ASSOCIATION

Trouvez dix mots se terminant par –INE et directement liés aux indices donnés (une lettre par tiret).

1. « Un, deux, trois, nous irons au bois » ➤ _ _ _ _ _ INE
2. Animal à blanche fourrure hivernale ➤ _ _ _ _ INE
3. Réserve d'énergie dans les muscles ➤ _ _ _ _ _ INE
4. Alcaloïde du tabac ➤ _ _ _ _ _ INE
5. Grille empêchant l'engorgement des gouttières ➤ _ _ _ _ _ _ _ INE
6. Prénom et petite cousine de l'orange ➤ _ _ _ _ _ _ _ INE
7. Spécialité marocaine, ou le plat dans lequel elle cuit ➤ _ _ _ INE
8. Du monde par Courbet ➤ _ _ _ _ INE
9. Tout mais pas ça pour Ray Ventura ➤ _ _ _ _ _ _ _ INE
10. Rassurant et monotone ➤ _ _ _ _ INE

BOUCHE-TROUS — LANGAGE

Remplacez chaque tiret par une lettre pour transformer ces villes en mots usuels.

1. _ _ _ R I _ O
2. _ _ P A _ _ R I S
3. _ O _ S _ L _ _ O
4. _ O S _ _ L _ O _
5. T _ U _ N _ _ I S
6. _ _ A _ L _ _ G E R

IMAGE ZOOMÉE — ATTENTION

Identifiez l'objet, l'animal ou le personnage que notre dessinateur s'est amusé à transformer.

DESSINS EN MIROIR — ESPACE

Reproduisez ces dessins en miroir.

LABYRINTHE — ESPACE

Ces deux plans perpendiculaires forment, en commun, un labyrinthe. On évolue dans les creux du plan orange et sur les pleins du plan bleu, le passage du creux au plein (et réciproquement) se faisant à l'intersection verticale. Les parties cachées sont à négliger. Trouvez l'unique chemin qui relie les deux flèches.

GRILLE À THÈME — RECONNAISSANCE/CULTURE

Les noms qui composent cette grille sont ceux de 21 vainqueurs du Tour de France cycliste. Certaines lettres clefs ont été disposées de façon à vous guider. Parviendrez-vous à identifier et à replacer tous ces champions ?

SUPERPOSITION — ATTENTION

Imaginez que les plaquettes ci-dessous soient en verre et trouvez les trois qu'il faut superposer pour obtenir la figure A.

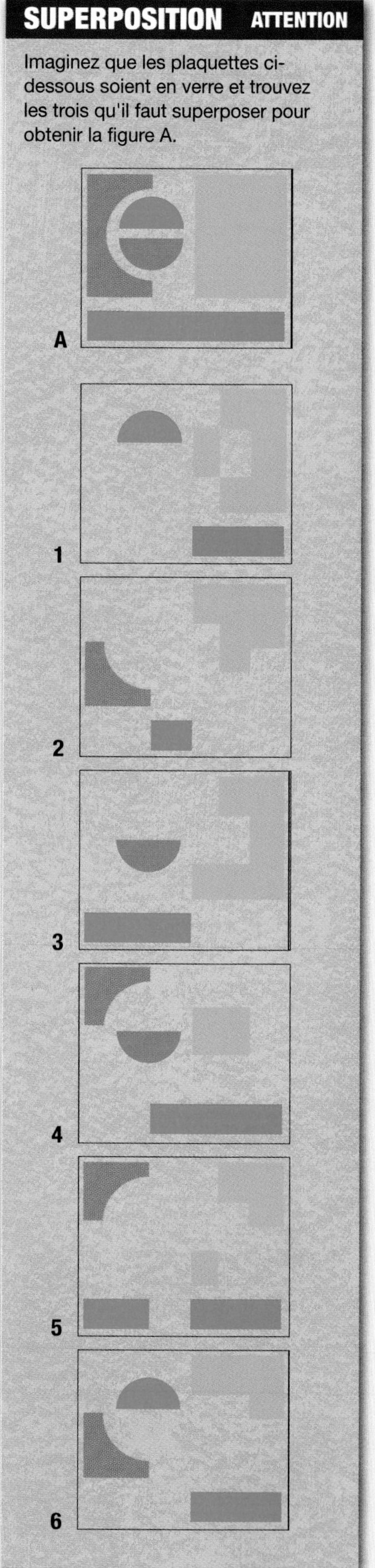

À L'IDENTIQUE

ATTENTION

Quelles sont les deux photos parfaitement identiques ?

A

B

C

D

E

F

MOTS CROISÉS À THÈME

RECONNAISSANCE/CULTURE

Remplissez cette grille de mots croisés littéraires à l'aide des définitions suivantes.

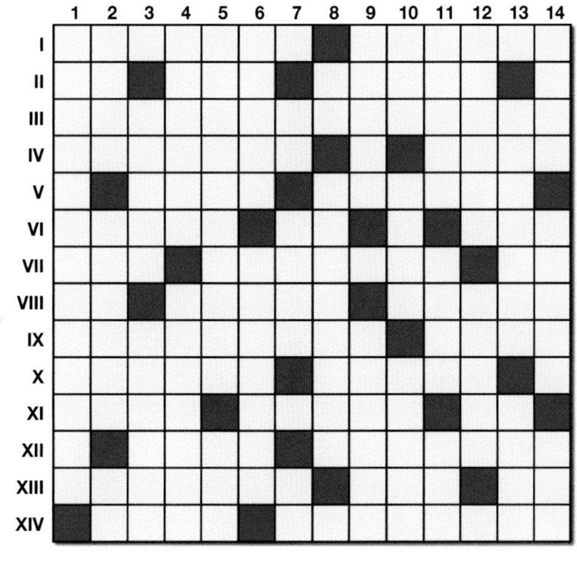

Horizontalement :

I Un grand pas vers le Bon Dieu lui a valu le prix Goncourt 1989 ; Goncourt 1968 pour *les Fruits de l'hiver*.

II Pour Auxerrois amateur de foot ; assure les migrations parisiennes ; détoxiquée.

III Commes certaines campagnes russes.

IV Doivent être usés pour décrocher le Goncourt ; sur le cadastre.

V Accusation canine ; Goncourt 1939 pour *les Enfants gâtés*.

VI Base de discussion entre physiciens ; source d'énergie dans la région du Nil ; moyen de paiement ou pourboire d'Américain.

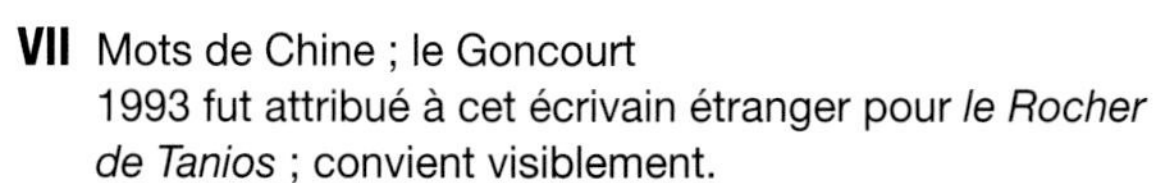

VII Mots de Chine ; le Goncourt 1993 fut attribué à cet écrivain étranger pour *le Rocher de Tanios* ; convient visiblement.

VIII Début d'Empire ; Jean-Louis Bory, le lauréat 1945 pour *Mon village à l'heure allemande,* l'était ; producteur d'or.

IX Originaire de Méditerranée orientale ; humoristes ou ratés.

X Amateur de grands airs ; Goncourt 1913 pour *le Peuple de la mer*.

XI Ne manque jamais de souffle ; Goncourt 1949 pour *Week-end à Zuydcoote* ; symbole de richesse.

XII Philosophe de la pensée libérale ; droit négociable contre quelques graines.

XIII Lauréate 1944 pour *Le premier accroc coûte 200 francs,* et épouse d'Aragon, membre du cinquième couvert de l'Académie Goncourt ; protecteur du globe ; récité.

XIV Prénom de la lauréate 1962, Langfus, pour *les Bagages de sable* ; amatrices de clowns.

Verticalement :

1. Lauréat 1994 du Goncourt pour *Un aller simple*.

2. Pseudo utilisé par le Goncourt 1975 pour *la Vie devant soi* ; Ce qui suit le Chasseur, dans le titre de Pascal Roze primé en 1996, en est un ; roulement de tambour.

3. Ville de naissance de Jules Huot de Goncourt ; *Le Rire du ...*, épopée paysanne, manqua d'une voix le Goncourt 1920, attribué à Pérochon, pour *Nêne*.

4. Goncourt 1938 pour *l'Araigne* ; cotte de mailles ou chaîne de cou.

5. Changement de décor ; soulèvement de masse.

6. Con rendu célèbre par Aragon ; saison des prix littéraires dont le Goncourt.

7. Laborde s'est intéressé à celui de Dionysos ; femme de riche Indien ; possessif.

8. Sur une borne ; flairera le gibier.

9. Tente de se reproduire ; Tuvalu, au nord des Fidji.

10. On espère que l'œuvre qui reçoit le Goncourt l'est du jury ; grand plaisir de pirate ; toile.

11. Répété à la messe ; alcool ; mesure d'échecs.

12. Ordre de comparution d'un juge devant un supérieur ; elle obtint le Goncourt 1984 pour *l'Amant*.

13. Plutôt chaud donc ; château de la Loire.

14. Plus d'un écrivain s'estime tel à l'annonce des résultats ; *Un homme se penche sur son ...*, est le titre de l'œuvre de Maurice Constantin-Weyer primée en 1928 ; roulés.

QUI SUIS-JE ?

Lisez un à un les indices pour identifier le mot mystère en un minimum de temps.

Qui suis-je ?

1. On me prend généralement avec de l'expérience.
2. J'interviens dans une expression décrivant une situation confuse, embrouillée.
3. Je suis aussi le nom d'un artiste associé au Café de la Gare.
4. Où que je sois, je suis souvent dans les environs de liège.
5. Je peux contenir du gaz ou du liquide.
6. Mon nom vient du latin *buttis*, le tonneau.

A. ....

Qui suis-je ?

1. Je suis un effort musculaire puissant et vif.
2. Mais je suis aussi un état de repos agréable.
3. J'apparais dans une expression avec le mot dur.
4. J'évoque une période de l'histoire entre URSS et États-Unis.
5. Je peux être double dans le cas d'un argument qui produit son effet en deux temps.
6. J'interviens dans le mécanisme d'une arme à feu.

B. ....

Qui suis-je ?

1. J'ai sauvé Rome.
2. Je peux être blanche, façon de parler.
3. Mon pas n'a rien de nonchalant.
4. Les enfants adorent jouer avec moi.
5. Libre, je vole à de très hautes altitudes.
6. Je suis malheureusement très souvent présente à Noël et au Jour de l'an.

C. ....

COUPLES DE MOTS — ASSOCIATION

Mémorisez ces huit couples de mots quelques minutes. Utilisez tous les moyens mnémotechniques. Puis cachez cette liste et répondez aux six questions.

passager – ver	**verre – voyageur**
locomotive – poil	**automobile – lit**
canapé – voiture	**wagon – parade**
faitout – paradis	**siège – marmite**

Questions

1. Quel mot est associé à paradis ? ....
2. Combien de mots commencent par un V ? ....
3. Le mot train est-il associé à un terme évoquant le voyage ? ....
4. À quel terme est jumelé le seul mot de quatre lettres ? ....
5. Citez deux objets utilisés pour faire cuire dans cette liste.
   ....
6. Quels mots sont associés à passager et voyageur ?
   ....

DESSINER DE MÉMOIRE — ATTENTION

Observez ce damier pendant quelques minutes pour mémoriser les figures disposées à l'intérieur. Cachez-le, puis replacez les figures au bon endroit dans le damier vierge.

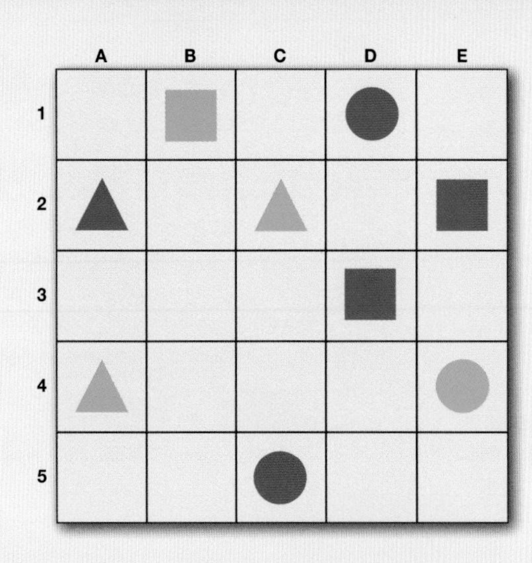

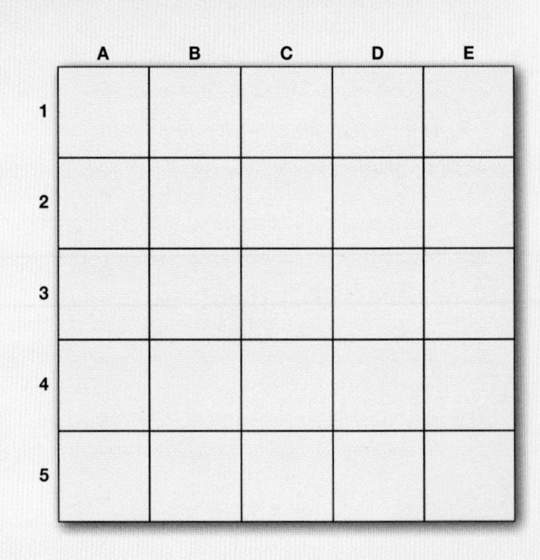

RECONNAISSANCE/CULTURE

Qui suis-je ?

1. Quand on ne voit que moi, on ne voit rien.
2. Si je suis long, je suis raté.
3. Je suis aussi un adjectif pas très gai.
4. Je peux être sacré, de Saint-Elme ou de Saint-Antoine.
5. Mon coup signale une activité intense, un départ ou parfois une fin sanglante.
6. J'arrête, ralentis ou laisse passer les automobiles.

D. ....

Qui suis-je ?

1. Je suis quelquefois une réunion festive.
2. Je suis toujours là en cas de besoins.
3. Si je suis plein, je vais à toute vitesse.
4. Je suis synonyme de chance.
5. Quand je suis de-vin, il vaut mieux qu'on ne me trouve pas aux roses.
6. Je reçois les fleurs et les gaz d'échappement des voitures.

E. ....

PROBLÈME

LOGIQUE

Le gromphe et la gromphette étaient des hybrides qui vivaient en harmonie à Gromphland voici quelques milliers d'années.
Sachant que, au sein du même sexe, tous les individus étaient identiques, que gromphes et gromphettes possédaient un nombre total de membres (pieds + mains) identique et que, quand un gromphe batifolait avec trois gromphettes, il y avait autant de mains que de pieds en action alors que la gromphette avait deux fois plus de pieds que le gromphe, trouvez combien de mains et de pieds avaient le gromphe et la gromphette dans leur version minimale.

RÉCITATION

RECONNAISSANCE/CULTURE

Essayez de vous souvenir des fins de ligne de ce grand classique d'Arthur Rimbaud.

Le Dormeur du val

	a.	b.	c.
C'est un trou de verdure où chante	*un nymphéa*	*une herbe folle*	*une rivière*
Accrochant follement aux herbes	*ses chansons*	*des haillons*	*un papillon*
D'argent ; où le soleil, ...	*pour les épicéas*	*d'une lumière molle*	*de la montagne fière*
Luit : c'est un petit val qui mousse	*de frissons*	*de rayons*	*de bouillons*
Un soldat jeune, bouche ouverte, ...	*port altier*	*tête nue*	*joues de miel*
Et la nuque baignant dans le frais cresson	*bleu*	*fou*	*doux*
Dort ; il est étendu dans l'herbe, ...	*tout entier*	*sous la nue*	*face au ciel*
Pâle dans son lit vert où la lumière	*pleut*	*bout*	*troue*
Les pieds dans les glaïeuls, il dort.	*Au jeune homme*	*Pour cet homme*	*Souriant comme*
Sourirait un enfant malade, il fait	*un somme*	*bonhomme*	*tout môme*
Nature, berce-le chaudement :	*il dort déjà*	*il a froid*	*il ne dort pas*
Les parfums ne font pas	*soulever sa poitrine*	*frissonner sa narine*	*embaumer sa pèlerine*
Il dort dans le soleil, la main sur	*sa poitrine*	*sa pèlerine*	*sa narine*
Tranquille. Il a deux trous rouges	*et un cœur froid*	*au côté droit*	*peut-être trois*

Arthur Rimbaud

QUELLE EST LA SUITE ? LOGIQUE

Trouvez à chaque fois la figure numérotée qui continue la série.

A

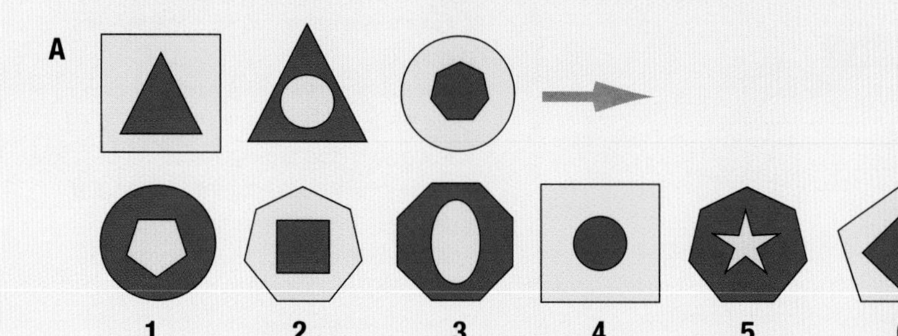

B

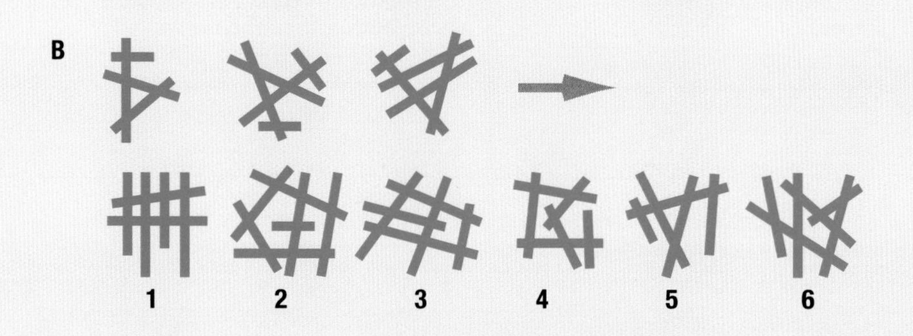

C

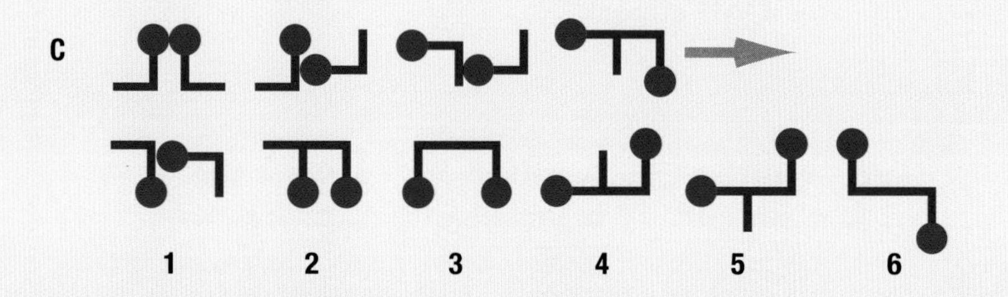

D

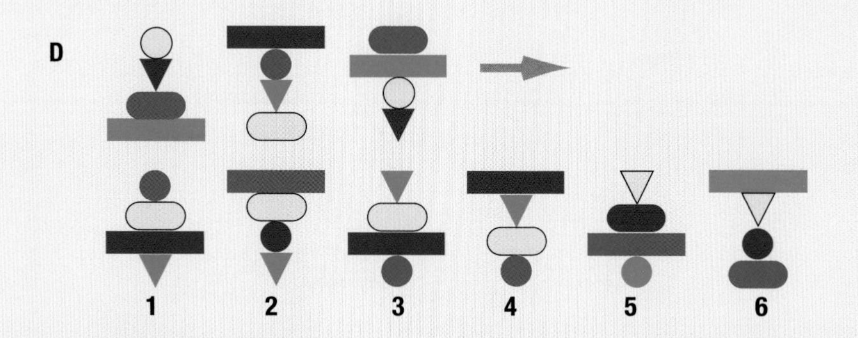

E

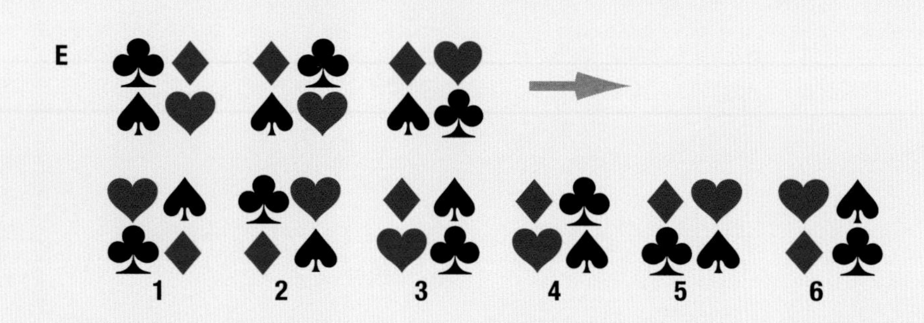

ÉCHELLE STRUCTURATION

À l'aide des six croisillons, reconstruisez l'échelle en formant des mots évoquant le sport.

	M	
F	I	N
	N	

	I	
A	G	E
	H	

	B	
L	O	N
	B	

	T	
D	O	P
	N	

	B	
B	A	L
	D	

	S	
A	L	E
	E	

L'HEURE EXACTE LOGIQUE

Entre Paris et Londres, il y a une heure de vol et une heure de décalage horaire aussi, si bien qu'on décolle et qu'on atterrit à la même heure. Julien dispose d'un magnétoscope programmable à distance, mais l'horloge de sa machine s'est décalée et a pris une heure de retard. Dans son hôtel à Londres, l'horloge anglaise indique 22 heures et Julien veut enregistrer chez lui à Paris la rediffusion nocturne d'une émission qui passera entre 1 heure et 2 h 30 du matin. Son répondeur français couplé au magnétoscope lui demande dans combien de minutes commencera l'émission et quelle en sera la durée. Parmi les quatre réponses suivantes, y en a-t-il au moins une qui lui permette de voir l'émission ?

	Début dans...	Durée
A.	60	90
B.	120	90
C.	90	120
D.	180	120

MARIONS-LES — ASSOCIATION

Essayez d'associer ces dix acteurs à un film auquel ils ont participé.

A. Philippe Noiret :	....	**F.** Bourvil :	....
B. Yves Montand :	....	**G.** Jean Gabin :	....
C. Daniel Auteuil :	....	**H.** Gérard Depardieu :	....
D. Michel Piccoli :	....	**I.** Patrick Dewaere :	....
E. Lino Ventura :	....	**J.** Michel Serrault :	....

1

2

3

4

5

6

7

8

9

10

VRAI OU FAUX — RECONNAISSANCE/CULTURE

Essayez de deviner si les affirmations suivantes concernant les dinosaures sont vraies ou fausses. Entourez les lettres correspondant à vos réponses et vous lirez le nom d'un paléontologue qui découvrit en 1795 dans la Meuse les ossements d'un reptile géant disparu.

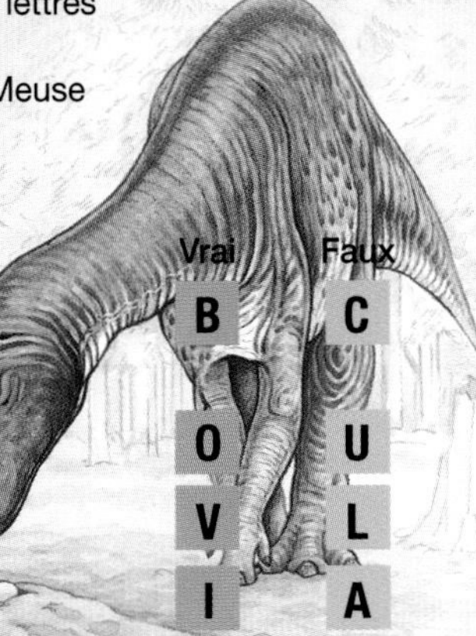

	Vrai	Faux
1. Le dragon de Komodo est une espèce de dinosaure.	B	C
2. Les hommes de Cro-Magnon se nourrissaient de certains petits dinosaures.	O	U
3. Les dinosaures pondaient des œufs.	V	L
4. On ne sait pas de quelle couleur était leur peau.	I	A
5. On connaît aujourd'hui environ 30 espèces de dinosaures.	R	E
6. Les dinosaures sont évoqués dans les manuscrits de la mer Morte.	D	R

PROBLÈMES — LOGIQUE

1. Combien d'animaux de chaque espèce Moïse a-t-il fait monter sur l'arche ?
2. Une échelle est accrochée à un bateau. Le premier barreau est au niveau de l'eau et les barreaux sont espacés de 10 cm. Si la marée monte de 20 cm à l'heure, au bout de combien de temps l'eau atteindra-t-elle le sixième barreau ?
3. Un fumeur, effrayé de la hausse des prix du tabac, conserve précieusement ses mégots. Avec quatre mégots, il reconstitue une cigarette. Combien pourra-t-il ainsi en fumer à partir des quinze mégots qu'il a conservés ? Et combien de mégots lui restera-t-il ?
4. Démontrez que un ôté de dix-neuf donne vingt.

QUIZ PROGRESSIF

RECONNAISSANCE/CULTURE

Essayez de répondre à un maximum de questions sur ces chanteuses des années 1950 à nos jours.

1. En 1961, qui triomphe avec *Mon truc en plumes* en digne meneuse de revue à l'Alhambra ?
2. Qui Serge Gainsbourg apostrophe-t-il en 1986 sur le plateau de Michel Drucker, en lui faisant comprendre qu'elle est… désirable ?
3. Zeffirelli réalise en 2002 un film avec Fanny Ardant en hommage à une cantatrice disparue en 1977. De qui s'agit-il ?
4. En 1952, quelle chanteuse débute au côté de Bourvil dans l'opérette *la Route fleurie ?*
5. Qui minaude *Fais-moi mal Johnny* en 1956, sur des paroles de Boris Vian ?
6. Quelle chanteuse faisait partie des Supremes dès 1961 ?
7. Qui interprète la chanson d'*Un homme et une femme* avec Pierre Barouh ?
8. En 1952, quelle chanteuse fait débuter Georges Brassens dans son cabaret ?
9. Quel est le vrai nom de la regrettée Dalida ?
10. Le 14 juillet 1989, quelle cantatrice américaine entonne *la Marseillaise* à Paris, place de la Concorde ?

RECOLLE-MOTS

STRUCTURATION

Regroupez deux à deux les mots de cinq lettres suivants pour former dix nouveaux mots de dix lettres.

ACCRO, CARRE, ANTES, BIENS, ALITÉ, BARRI, PARTI, FAINE, CORON, TIERS, CHANT, BEIGE, CADES, CACAO, ARIEN, PAINS, ÂTRES, MASSE, AMPHI, FOURS

1. .... /................
2. .... /................
3. .... /................
4. .... /................
5. .... /................
6. .... /................
7. .... /................
8. .... /................
9. .... /................
10. .... /................

QUELLE EST LA SUITE ?

LOGIQUE

Trouvez le chiffre qui complète logiquement les séries suivantes :

1. 1 2 5 10 20 50 100 200 ?
2. 18 63 621 2 421 2 484 ?
3. 2 6 12 20 30 42 56 ?
4. III 3 XII 4 XIV 5 XXII 6 XXVII ?*

* Attention, la réponse n'est pas 7…

PROBLÈME

LOGIQUE

M. Martin, M. Dubois et M. Durand possèdent chacun un chien : l'un a un bichon, un autre a un yorkshire, le dernier a un pitbull. Pour dissuader les cambrioleurs sans pour autant mentir, chacun a écrit sur sa porte :

Seul celui d'entre nous qui a un pitbull dit la vérité.

Puis chacun a ajouté un message personnel.
Au n° 1, M. Martin a écrit :

M. Durand a un yorkshire.

Au n° 2, M. Dubois a écrit :

M. Martin a un yorkshire.

Au n° 3, M. Durand a écrit :

M. Dubois a un bichon.

Qui a un pitbull ?

....

LE COUPLE IDÉAL — ASSOCIATION

Observez ces dix couples de dessins pendant quelques minutes, puis cachez-les.

Voici un élément de chaque couple.
À vous de retrouver l'élément manquant.

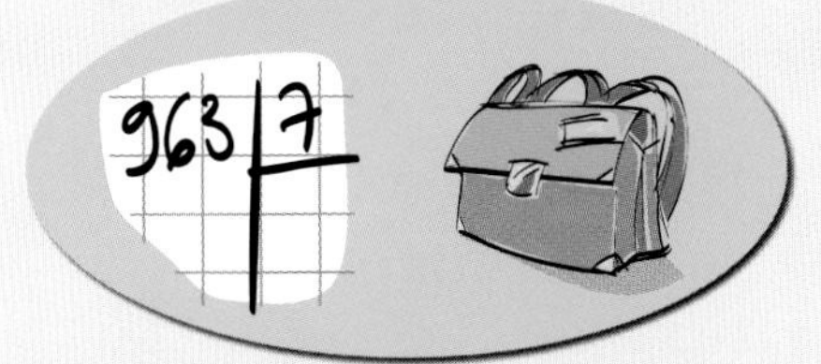

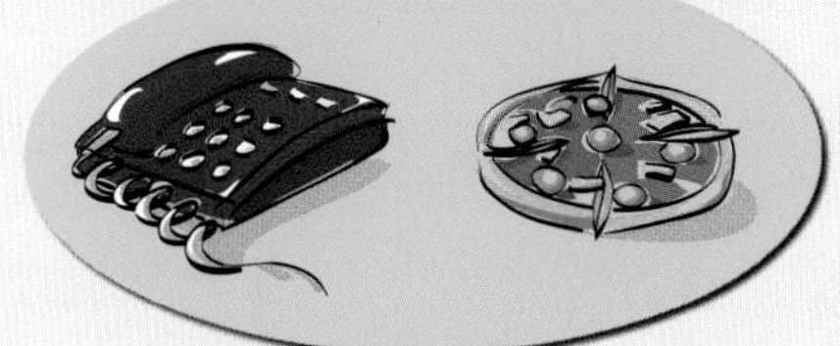

ITINÉRAIRE — STRUCTURATION

Complétez horizontalement les noms de lieux suivants pour relier verticalement, dans la première et la dernière colonne, deux villes du sud de l'Europe.

	U	A	N	S	H	Y	
	S	T	A	N	B	U	
	I	L	I	G	U	R	
	E	R	G	E	R	A	
	K	L	A	H	O	M	
	E	W	H	A	V	E	
	I	E	U	P	O	R	
	R	Y	T	H	R	E	

L'INTRUS — LOGIQUE

Dans chacune de ces séries, quelle figure n'a pas sa place ?

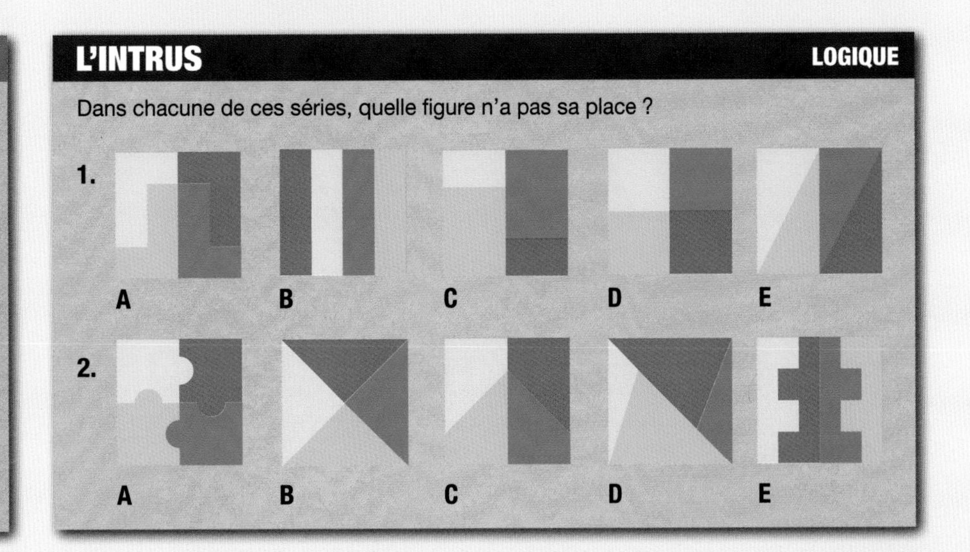

LE COMPTE EST BON — LOGIQUE

Atteignez le 90 dans toutes les directions imaginables (même les diagonales) avec ces seize chiffres, en les plaçant chacun dans une figure dont la forme lui correspond.

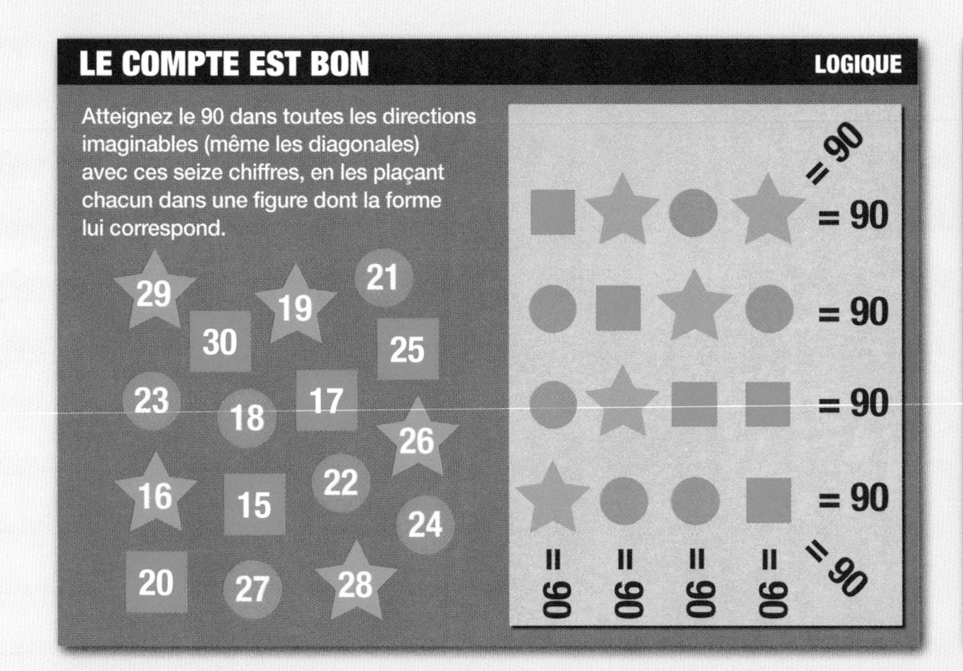

BACCALAURÉAT

Trouvez un mot commençant par chaque syllabe dans chacune des huit catégories. Si vous arrivez à remplir au moins la moitié des cases, vous obtiendrez la moyenne, et donc votre baccalauréat. Attention, tout doit être terminé en 10 minutes et aucun mot ne peut être utilisé plusieurs fois.

LES DEUX FONT LA PAIRE — ASSOCIATION

Trouvez dix mots se terminant par –AVE et directement liés aux indices donnés (une lettre par tiret).

1. Fruit exotique à chair rouge ➤ _ _ _ AVE
2. Plante servant à fabriquer du sucre ➤ _ _ _ _ _ _ AVE
3. Du nord de l'Europe ➤ _ _ _ _ _ _ _ AVE
4. Assemblée de cardinaux ➤ _ _ _ _ _ AVE
5. A son grand lac au Canada ➤ _ _ _ _ AVE
6. Doux et agréable ➤ _ _ AVE
7. Annonce les crues à Paris ➤ _ _ _ AVE
8. Do à do ➤ _ _ _ AVE
9. Tunique des sénateurs romains ➤ _ _ _ _ _ _ AVE
10. Joue avec le feu ➤ _ _ _ _ _ _ AVE

QUELLE EST LA SUITE ? — LOGIQUE

Trouvez le chiffre qui complète logiquement les séries suivantes :

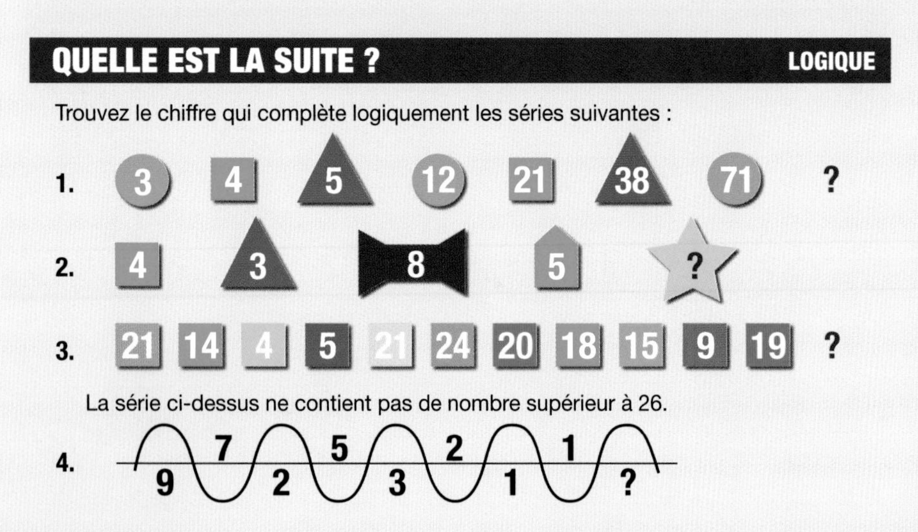

CASE-CHIFFRES — LOGIQUE

Chaque brique du case-chiffres est la somme des deux briques situées juste en dessous d'elle. Reconstituez la totalité de la pyramide en respectant les chiffres déjà placés.

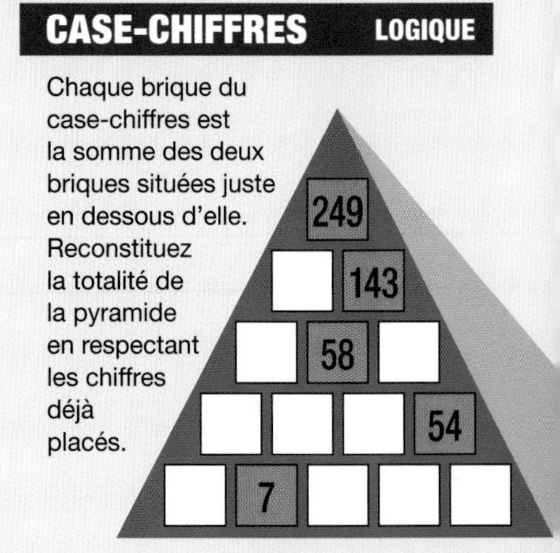

RECONNAISSANCE/CULTURE

	PA	BO	TA	BE	MA	DO
Ville d'Europe hors France						
Marque connue (publicité)						
Actrice française						
Titre de livre (sans article devant)						
Animal volant						
Sportif célèbre						
Personnage historique (dans la partie noms propres de votre dictionnaire)						
Jeu						

PARONYMES — LANGAGE

Les paronymes sont des mots ayant des formes très semblables mais des sens différents (exemple : collision et collusion). Trouvez les couples de paronymes qui complètent les phrases suivantes.

1. On ne peut pas s'engager dans la _ _ _ _ _ _ et être certain d'en ressortir sans aucune _ _ _ _ _ _, physique ou psychologique.
2. On confond trop souvent la _ _ _ _ _ _ _ _ _ _, qui n'est qu'une hypothèse, une supposition, avec la _ _ _ _ _ _ _ _ _ _ _, qui désigne la situation économique, sociale, etc., à un moment donné.
3. Avouez que ce n'est guère _ _ _ _ _ _ _ _ pour un chanteur comme Bruel d'entamer une chanson douce pendant que ses fans hurlent « _ _ _ _ _ _ _ ».
4. C'est pendant la dernière _ _ _ _ _ _ _ _ du procès que l'avocat a enfin montré qu'il avait une véritable _ _ _ _ _ _ _ _ à faire acquitter ses clients.

PROBLÈME — LOGIQUE

En Bizarrie, les pièces en circulation sont de 1 bizar, 6 bizars et 17 bizars. Et il existe des billets de 3 bizars, 11 bizars et 25 bizars. Un Américain de passage échange 50 dollars et se retrouve avec 173 bizars.

Questions

1. A-t-il intérêt à se faire payer tout en pièces ou tout en billets pour que le bureau de change lui donne le moins d'objets possible ?
2. De combien de façons différentes le banquier peut-il lui verser 173 bizars tout en billets ?
3. De combien de façons différentes le banquier peut-il lui verser 173 bizars en 23 billets ?

ESCALETTRES — STRUCTURATION

Ajoutez une à une les lettres indiquées afin de former de nouveaux mots. Toute forme conjuguée est interdite, sauf les participes.

TOI
+T _ _ _ _
+E _ _ _ _ _
+P _ _ _ _ _ _
+R _ _ _ _ _ _ _
+A _ _ _ _ _ _ _ _
+N _ _ _ _ _ _ _ _ _ _

ALLUMETTES — LOGIQUE

Comment, en ajoutant trois allumettes à ce 6, atteindre le chiffre 11 (toutes opérations permises) ?

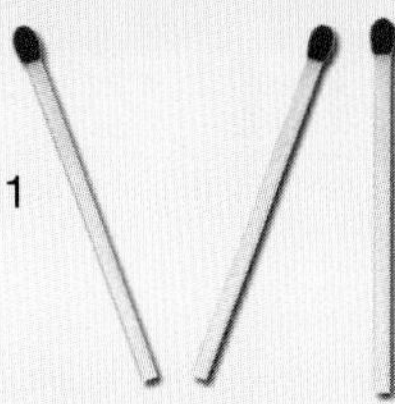

CUBES — STRUCTURATION

Formez trois noms de personnes ayant présenté la météo à la télévision en prenant chaque fois une lettre différente sur une des faces des cubes.

1. ....
2. ....
3. ....

CUBES — STRUCTURATION

Formez trois noms de présidents de la République française en prenant chaque fois une lettre différente sur une des faces des cubes.

1. .... 2. .... 3. ....

VRAI OU FAUX — RECONNAISSANCE/CULTURE

Essayez de deviner si les affirmations suivantes concernant la diététique sont vraies ou fausses. Entourez sous les symboles V et F les lettres correspondant à vos réponses, et remettez les six lettres obtenues dans l'ordre pour former le nom d'un aliment régulant notamment le transit intestinal.

	Vrai	Faux
1. Le miel est plus énergétique que le sucre.	F	A
2. Poisson et viande apportent en moyenne autant de protéines.	O	H
3. La margarine est plus légère que le beurre.	C	U
4. Le sucre roux est meilleur pour la santé que le blanc.	I	R
5. Le persil est très riche en fer.	T	E
6. Trop de citron nuit à la qualité des os.	P	Y

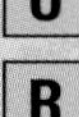

TRIPLETS D'EXPRESSIONS — LANGAGE

Trouvez le terme qui se marie avec les trois mots de chaque ligne de façon à former des expressions courantes.

Ex : mobilière, ajoutée, marchande fera deviner VALEUR.

1. **Ordre du jour, feu, index**
   ....
2. **Commun, église, arbre**
   ....
3. **Cran, ligne, point**
   ....
4. **Pied, son, escalade**
   ....
5. **Coude, peinture, essentielle**
   ....
6. **Juste, propriété, participation**
   ....

ITINÉRAIRE — STRUCTURATION

Retrouvez les noms de lieux horizontalement pour découvrir verticalement deux villes françaises distantes de 350 km par la route.

	V	I	A	
	A	R	N	
	O	U	E	
	I	L	A	
	D	I	N	
	E	R	E	

BACCALAURÉAT — RECONNAISSANCE/CULTURE

Trouvez un mot commençant par chaque syllabe ou groupe de consonnes dans chacune des huit catégories. Si vous arrivez à remplir au moins la moitié des cases, vous obtiendrez la moyenne, et donc votre baccalauréat. Attention, tout doit être terminé en 10 minutes et aucun mot ne peut être utilisé plusieurs fois.

	CA	PO	SH	GA	GO	DE
Chanteur français						
Marque connue (publicité)						
Mot de huit lettres avec six consonnes						
Titre de chanson (sans article devant)						
Lieu à plus de 5 000 km de Paris						
Animal à quatre pattes						
Écrivain						
Mot évoquant l'argent ou une monnaie						

QUELLE EST LA SUITE ? LOGIQUE

Pour chaque série suivante, la figure a est à la figure b ce que la figure c est à la figure 1, 2, 3, 4, 5 ou 6.

A

a b c

1 2 3 4 5 6

B

a b c

1 2 3 4 5 6

C

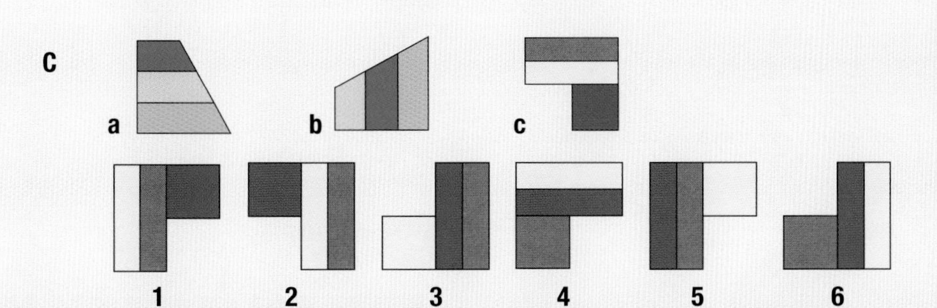

a b c

1 2 3 4 5 6

D

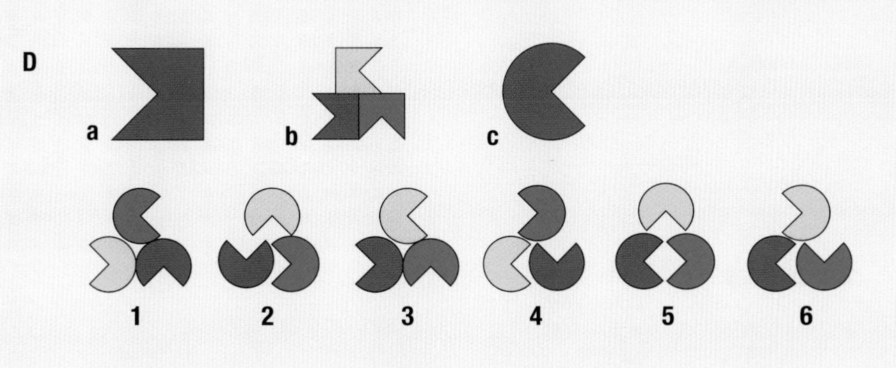

a b c

1 2 3 4 5 6

E

a b c

1 2 3 4 5 6

COUPE-LETTRES STRUCTURATION

Rayez une lettre dans chacun des neuf mots de la grille de façon que celles qui restent continuent à former un mot existant. Reportez la lettre biffée en bout de ligne pour lire verticalement le nom de celui qui, en 1564, décida que le premier jour de l'année serait désormais le 1er janvier et non plus le 25 mars, comme la tradition chrétienne l'imposait.

O	R	A	C	L	E	S	
V	A	H	I	N	E	S	
F	R	A	I	S	E	E	
C	R	O	Q	U	E	S	
C	L	O	C	H	E	R	
M	A	R	T	I	E	N	
C	O	U	S	I	N	E	
M	O	I	T	E	U	R	
S	E	X	I	S	M	E	

CHENILLE STRUCTURATION

Passez de AVANCER à RECULER dans cette chenille en opérant la substitution indiquée (par exemple, D remplace N à la première ligne) et en modifiant l'ordre des lettres.

AVANCER

- N + D _ _ _ _ _ _ _
- A + R _ _ _ _ _ _ _
- V + I _ _ _ _ _ _ _
- E + O _ _ _ _ _ _ _
- R + L _ _ _ _ _ _ _
- D + E _ _ _ _ _ _ _
- A + E _ _ _ _ _ _ _
- O + L _ _ _ _ _ _ _
- I + U _ _ _ _ _ _ _
- L + R RECULER

Solutions des jeux

Pages 148-149

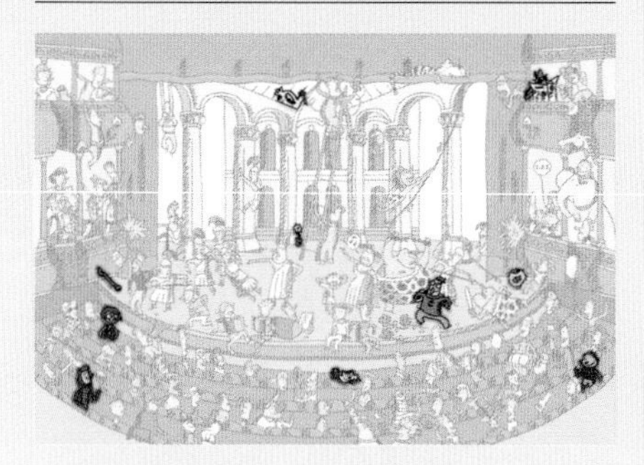

Pages 150-151

PROVERBES MÊLÉS

1. Petite pluie abat grand vent.
2. La fête passée, adieu le saint.
3. Heureux au jeu, malheureux en amour.

L'ENQUÊTE

L'indice 1 élimine la rue de l'Hôtel-de-Ville, la rue du Général-de-Gaulle, la rue de l'Église, la rue Jean-Jaurès et la rue des Maraîchers.
L'indice 2 élimine la rue des Petits-Pains et la rue Camille-Claudel (17 lettres).
L'indice 3 élimine la rue Arthur-Rimbaud (6 n'est pas supérieur aux 7 lettres de Rimbaud), la rue des Oubliettes (10 n'est pas supérieur aux 10 lettres d'Oubliettes), la rue Canaveira (5 < 9) et la rue des Chaudrons (3 < 9).
L'indice 4 élimine la rue des Journalistes, car le nom de cette rue comporte un T et il y en a déjà un dans le mot Arrt !
Il reste trois rues dans les 7ᵉ, 8ᵉ et 12ᵉ arrondissements. L'indice 5 élimine celle qui se trouve dans le 12ᵉ, la rue des Pavois.
Il reste la rue de la Loire et la rue de Messine. Pour l'indice 6, la Loire contient une lettre doublée, le L, alors que Messine contient deux lettres doublées, le E et le S. C'est donc au 13, rue de Messine que vous devez vous rendre.

ANAGRAMMES

1. Flûte
2. Piano
3. Harpe
4. Orgue
5. Guitare
6. Maracas
7. Timbale
8. Cithare
9. Contrebasse
10. Clarinette

REPÈRES CHRONOLOGIQUES

1644 : G/O (Molière, Stradivarius)
1789 : F/I (Washington, Révolution)
1827 : K/P (Beethoven, Hugo)
1871 : N/E (Proust, Bismarck)
1920 : M/D (Fellini, prohibition)
1946 : C/J (Unesco, Bikini)
1980 : H/L (Moscou, McQueen)
1988 : A/B (Arménie, Johnson)

JEU DES 7 ERREURS

Pages 152-153

QUIZ PROGRESSIF

1. Le rat
2. *Le Loup et l'agneau*
3. Perrette
4. XVIIᵉ siècle
5. Un tiens vaut mieux que deux tu l'auras
6. Blanc ou noir
7. *Le Renard et les raisins*
8. Le geai
9. Finir
10. Mme de La Sablière

PUZZLE

1

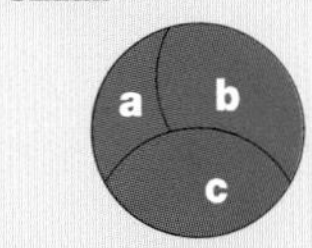

2

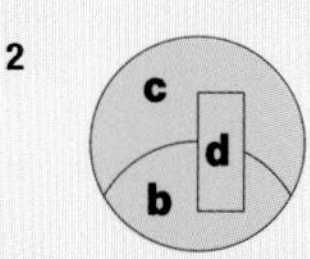

RECOLLE-MOTS

Hamster, Dames (Amsterdam) – Nerf, Hobby (Nairobi) – Calque, Utah (Calcutta) – Thé, Errant (Téhéran) – Riz, Gars (Riga) – Même, Fils (Memphis) – Lamait, Que (La Mecque) – Bang, Coque (Bangkok) – Baie, Route (Beyrouth).

CASE-CHIFFRES

Puisque les chiffres de la base sont identiques, appelons N ce nombre. On obtient la pyramide suivante. Pour que 16 fois N vaille 320, il faut que N soit égal à 20.

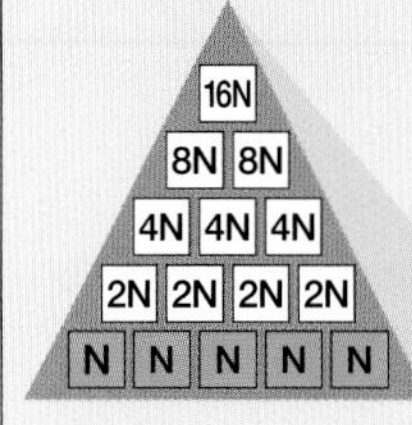

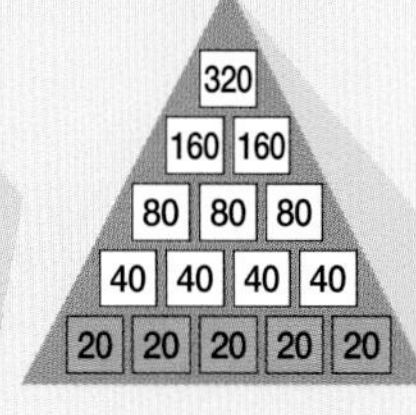

OMBRE

C'est le 5.

SANDWICH

Les verres de contact.

L	O	L	O	S
A	P	E	R	O
P	O	S	T	E
E	N	V	O	L
R	I	E	N	S
O	C	R	E	R
S	E	R	P	E
E	D	E	N	S
L	I	S	S	E
O	N	D	E	S
N	I	E	E	S
B	E	C	O	T
L	I	O	N	S
O	R	N	E	R
N	E	T	T	E
D	I	A	M	S
I	N	C	A	S
N	A	T	T	E

Pages 154-155

MOTS EN ZIGZAG

Offenbach

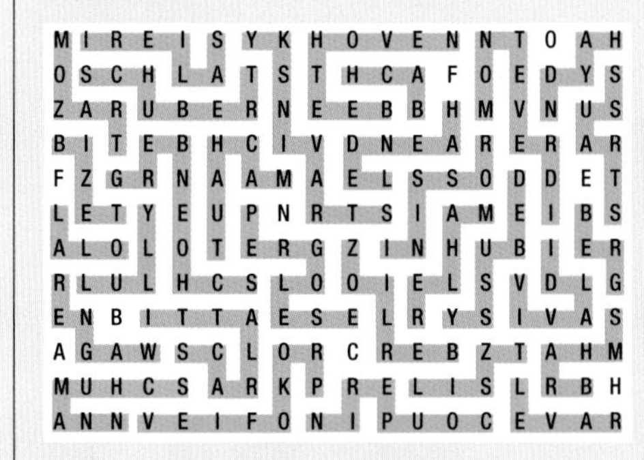

TRIPLETS D'EXPRESSIONS

1. Quatre
2. Faux
3. Homme
4. Perce
5. Contre
6. Porte

SYLLABES MANQUANTES

1. Berlingot
2. Califourchon
3. Intestin
4. Puante
5. Vermillon
6. Sobriquet

Pages 156-157

MOTS CASÉS

J	U	P	I	T	E	R		B				H	E	L	I	O	S
U								A		M						U	
N					V	U	L	C	A	I	N			Z		R	
O		A			E			C		N			H	E	R	A	
N	E	P	T	U	N	E		H		E				U		N	
		H			U		Q	U	I	R	I	N	U	S		O	
H	E	R	M	E	S			S		V						S	
A		O				C			M	E	R	C	U	R	E		
D		D	I	A	N	E			A								
E		I				R		A	R	T	E	M	I	S			P
S	A	T	U	R	N	E			S				N				A
		E				S					A	P	O	L	L	O	N

ESCALETTRES

RAT
\+ I TARI
\+ O RATIO
\+ F RAFIOT
\+ T ROTATIF
\+ P PORTATIF
\+ N PROFITANT

SYLLABES MANQUANTES

1. Tournesol
2. Liberté
3. Midinette
4. Handicap
5. Fatiguer
6. Rougissant

CHENILLE

VAMPIRE
PRIMATE
DEPARTI
ADAPTER
DRAPEAU
CRAPAUD
DRACULA

MOTS CACHÉS

Le mot caché est Camaïeu.

MARIONS-LES

A8 – B3 – C9 – D5 – E2 – F6 – G4 – H10 – I7 – J1.

MOTS EMMÊLÉS

1. Coluche, Robin
2. Bigard, Devos
3. Palmade, Raynaud

L'INTRUS

C, la tomate. Le nom des autres objets ou l'idée qu'ils évoquent se terminent par la syllabe « di » (radis, caddie, tragédie, après-midi, midi).

Pages 158-159

LES CUBES

1. C
2. B et D
3. A et D

ANAGRAMMES

1. Cuba
2. Haïti
3. Malte
4. Féroé
5. Madère
6. Australie
7. Marquises
8. Maldives
9. Canaries
10. Angleterre

L'HEURE EXACTE

Il est 4 heures à Los Angeles, 9 heures à Rio de Janeiro, 20 heures à Pékin et 22 heures à Sydney.

LE COMPTE EST BON

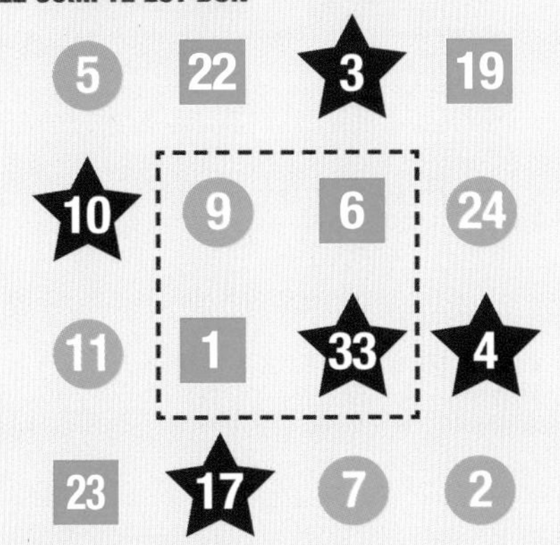

BOUCHE-TROUS

1. Prodigieux (ou khédiviaux !)
2. Turquoise (ou turinoise)
3. Hasardeux (ou cafardeux)
4. Essieux
5. Passeport
6. Ahurissant

MARIONS-LES

A4 – B10 – C2 – D6 – E8 – F7 – G9 – H5 – I1 – J3.

LETTRES MANQUANTES

Hernani et *Ruy Blas*, deux œuvres de Victor Hugo.

A	B	H	O	R	R	E	S	
C	R	E	A	T	U	R	E	
S	U	R	P	A	Y	E	S	
C	A	N	N	A	B	I	S	
H	I	A	T	A	L	E	S	
M	A	N	G	E	A	N	T	
L	A	I	C	I	S	E	S	

PUZZLE

1.

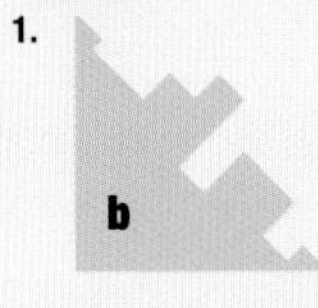

2.

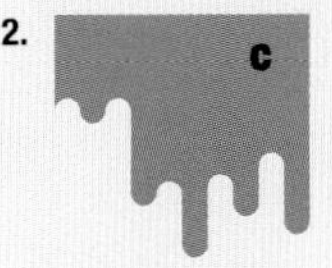

Pages 160-161

GRILLE À THÈME

	16								21			24		26				29
1	J	E	U						D			R		P		27		B
	A		2	T	R	I	V	I	A	L	3	A	B	A	L	O	N	E
	C				19				M			M		N		T		L
	K			4	M	A	S	T	E	R	M	I	N	D		H		O
	P	5	U	N	O				S		23		25	A		E		T
	O		18	6	N	A	I	N			E		Z			L		E
7	T	A	B	O	O		20		8	S	C	R	A	B	B	L	E	30
	17		L		P	9	D	E	S		H		N			O		P
10	D	I	A	B	O	L	O		22		E		Z			28		A
	A		C		L		M	11	P	I	C	T	I	O	N	A	R	Y
	D		K		Y		I		O		S					C		E
	A						N		K		12	M	A	G	I	C		31
	13	C	L	U	E	D	O		E							R		G
							S	14	R	U	B	I	K	15	L	O	T	O

CRYPTOGRAMME

La mémoire n'est-elle pas un voyage dans le temps ?

Jacques Lacarrière, *Le Monde de l'éducation.*

PROBLÈME

Soit x le nombre de chats, y le nombre de chiens et n le nombre de biscuits mangés par chaque chat.
On sait que $x + y = 14$ et que $nx + (n + 2) y = 76$.
$x = 14 - y$ et $n (14 - y) + (n + 2) y = 76$.
On en déduit que $2y = 76 - 14n$, soit $y = 38 - 7n$.
Pour les valeurs de n = 1, 2 ou 3, y est supérieur à 14, ce qui est impossible.
Pour $n = 4$, on trouve $y = 10$ et donc $x = 4$.
Et pour $n = 5$, on obtient $y = 3$ et $x = 11$.
Soit 10 chiens ont mangé chacun 6 biscuits et 4 chats 4 biscuits.
Soit 11 chats ont mangé chacun 5 biscuits et 3 chiens 7 biscuits.

LE POINT COMMUN

1. Planche
2. Batterie
3. Galerie
4. Rosette
5. Vert
6. Dragon

ROSACE

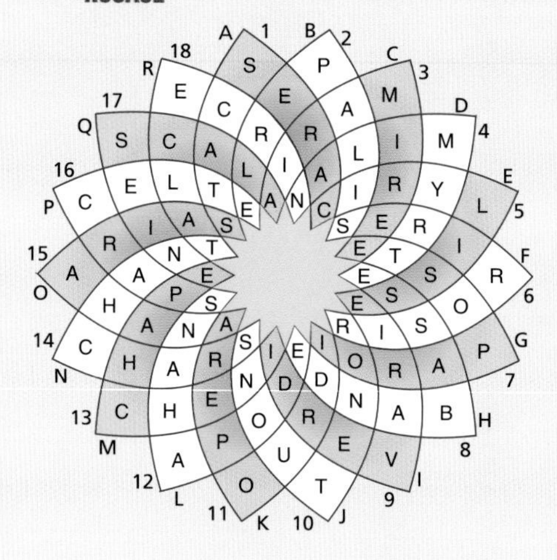

Pages 162-163

RECOLLE-TITRES

1. *Dès que le vent soufflera*
2. *Ma chanson leur a pas plu*
3. *Étudiant, poil aux dents*
4. *Viens chez moi, j'habite chez une copine*

CARRÉ MAGIQUE

	31	40	49	2	11	20	
30	39	48	1	10	19	28	30
38	47	7	9	18	27	29	38
46	6	8	17	26	35	37	46
5	14	16	25	34	36	45	5
13	15	24	33	42	44	4	13
21	23	32	41	43	3	12	21
22	31	40	49	2	11	20	

OBJETS CACHÉS

L'INTRUS

Tous sont des oiseaux, mais seul le pingouin peut voler.

MOTS CASÉS

C	O	I	N	G			F				M	A	N	G	U	E	
	R				C	E	R	I	S	E		I		R			
	A						A					R		E		C	
A	N	A	N	A	S		I	C	A	Q	U	E		N	O	I	X
	G			B			S					L		A		T	
	E		P	R	U	N	E			P		L		D		R	
				I				O	L	I	V	E		E		O	
P		P	E	C	H	E				M			A			N	
O		O		O			K			E			R				
M		I		T	A	M	A	R	I	N			G				
M	U	R	E				K			T	O	M	A	T	E		
E		E		K	I	W	I						N				

JEU DES 7 ERREURS

Pages 164-165

HOMOPHONES

1. Faites, faîte, fête
2. Hospice, auspices
3. Différend, différent
4. Sceptique, septique

FIGURES ENTREMÊLÉES

26 cercles.

ANAPHRASES

1. Miraculés, simulacre
2. Voitures, virtuose
3. Tactique, acquitté

LA FACE CACHÉE

1. C'est la face jaune.
2. C'est la face orange et verte.

DOMINOLETTRES

REPÈRES CHRONOLOGIQUES

1. Vrai : 3000 av. J.-C. pour le papyrus, 1200 av. J.-C. pour l'âge du fer.
2. Faux : il est né près de six siècles av. J.-C.
3. Vrai : il a même estimé correctement la taille de la Lune.
4. Faux : la domestication du chien remonte à environ 14 000 ans av. J.-C.
5. Faux : elle commence 3 000 ans av. J.-C., mais l'apogée de la pensée grecque commence bien vers 600 av. J.-C. pour s'achever en 500 apr. J.-C.
6. Faux : il a développé les mathématiques et l'astronomie. Ne confondez pas avec le mythe de Prométhée.

Pages 166-167

DÉFI

Si vous avez retrouvé la moitié des mots, voire plus, en une minute, bravo ! Quelques minutes plus tard, il est normal que vous en reteniez un peu moins. Vous avez peut-être dit ordinateur pour computer, ou livre pour ouvrage, votre mémoire a fixé le sens des mots, mais pas leur forme. Elle a restitué le plus courant des noms correspondant à l'objet mémorisé.

ALLUMETTES

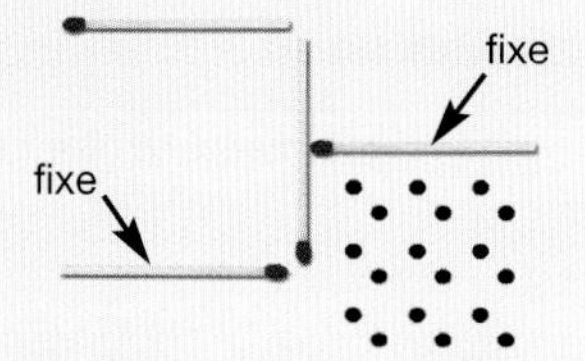

ANAGRAMMES

1. Cœur
2. Orteil
3. Péroné
4. Ventre
5. Humérus
6. Sourcil
7. Cerveau
8. coude
9. Estomac
10. Sternum

LABYRINTHE

Pages 168-169

LOGIGRAMME

Indice 1 : en observant les initiales des prénoms, on sait que Cynthia a parlé soit à Catherine, soit à Charlotte. La conversation de Cynthia a duré 54 minutes ; celle de Violaine (2 x 54 = 108 minutes = 1 h 48) parlait de mode.
Indice 2 : l'amie dont le nom est le plus court est Anne. Sa conversation avec Charlotte a duré 24 minutes (la plus courte). Catherine avait donc appelé Cynthia.
Indice 3 : Lucie n'a parlé ni à Cynthia, ni à Anne (indices 1 et 2), ni à Violaine qui parlait mode, ni à Suzon qui parlait chiens. Lucie a donc téléphoné à Natacha par élimination. Elles ont parlé cinéma. Les durées de conversation non encore identifiées sont 1 h 12 et 2 h 6. Celle de Lucie a donc duré 1 h 12, moins que celle de Suzon qui a parlé chiens pendant 2 h 6.
Indice 4 : Charlotte a parlé 24 minutes, Catherine 54, Lucie 1 h 12. Manon a donc téléphoné pendant 1 h 48, moins qu'Isabelle qui a donc été la plus bavarde. La conversation chiens a duré 2 h 6, celle sur la mode 1 h 48, celle sur le cinéma 1 h 12. Les maths auront donc occupé Cynthia et Catherine 54 minutes au téléphone (plus de 45 minutes), alors que 24 minutes auront suffi à Anne et à Charlotte pour évacuer les problèmes de garçons !

Tableau des réponses

Ado	Catherine	Charlotte	Isabelle	Lucie	Manon
Amie	Cynthia	Anne	Suzon	Natacha	Violaine
Sujet	Maths	Garçons	Chiens	Cinéma	Mode
Durée	54 min	24 min	2 h 6	1 h 12	1 h 48

PUZZLE

1.

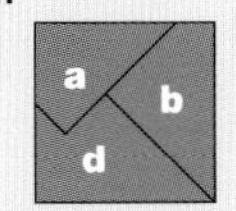

2.

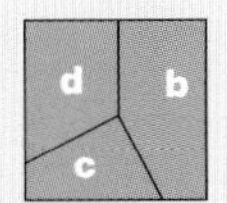

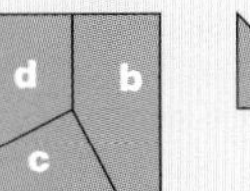

LETTRE BONUS

1. LAPS
2. RIPOU
3. TOPAZE
4. GROUPIE
5. ASPARTAM
6. APARTHEID

DOMINOLETTRES

CRYPTOGRAMME

L'expérience est la mémoire de beaucoup de choses.

Denis Diderot, *Hobbisme*.

Pages 170-171

ANAPHRASES

1. Migraine, imaginer
2. Minerve, vermine
3. Mariole, molaire, larmoie

QUELLE EST LA SUITE ?

1. **Figure 3 :** le cercle passe du milieu d'un côté à un autre dans le sens des aiguilles d'une montre et tourne sur lui-même d'un quart de tour à chaque étape dans le sens inverse.
2. **Figure 3 :** chaque figure reprend la précédente, mais avec un carré rouge de plus et un carré bleu de moins.
3. **Figure 3 :** le secteur rouge tourne d'un huitième de tour dans le sens des aiguilles d'une montre ; le secteur vert tourne également d'un huitième de tour, mais dans le sens inverse. Quand ils se superposent, le rouge recouvre le vert.
4. **Figure 2 :** les petits carrés rouges et verts progressent d'une case à chaque fois ; arrivés à un bord du grand carré, dans la figure suivante ils réapparaissent à l'autre bord. Rouge : déplacement horizontal vers la droite. Vert : déplacement horizontal vers la gauche. Le carré bleu ne bouge pas.
5. **Figure 5 :** le rectangle vert passe d'un bord à l'autre dans le sens des aiguilles d'une montre. La forme rouge tourne de 90° dans le sens inverse des aiguilles d'une montre.

COUPE-LETTRES

On peut enlever :
I (Dedans) – N (Copier) – T (Lâchée) – E (Malins) – R (Potion) – N (Gratis) – E (Canton) – T(Ouille) : INTERNET.

LES MOTS DE L'IMAGE

Voici quelques exemples : pain, panier, pastèque, parasol, part (de gâteau), papillon, paille (chapeau de), pas (marche), papa, pantalon, panoplie (l'enfant déguisé), page et papier, paysan, patte (d'un animal), paysage, palissade, parachutiste, parfum (pour les fleurs), pancarte ou panneau (pour Pêche interdite)…

REPÈRES CHRONOLOGIQUES

1. Première croisade (1096)
2. Guerre de Cent Ans (1337)
3. Guerre de Trente Ans (1618)
4. Bataille d'Iéna (1806)
5. Guerre de Sécession (1861)
6. Première Guerre mondiale (1914)
7. Guerre du Viêt Nam (1954)
8. Guerre du Kippour (1973)
9. Guerre du Golfe (1990)
10. Conflit en ex-Yougoslavie (1992)

LE POINT COMMUN

1. Souris
2. Panier
3. Livre
4. Talon
5. Timbre
6. Voile

Pages 172-173

QUI SUIS-JE ?

A. Rudyard Kipling.
B. La Palice, qui donna son nom à la lapalissade, vérité niaise.
C. Steven Spielberg.
D. Bill Gates.
E. Molière, qui figure aussi dans le dictionnaire à Poquelin (non loin de Popeye, donc).

SYNONYMES

1. Gai
2. Rieur
3. Enjoué
4. Guilleret
5. Euphorique
6. Heureux
7. Jovial
8. Allègre

REPÈRES CHRONOLOGIQUES

Dans l'ordre sur la frise :
Q Ramsès II (– 1304/– 1236)
S Salomon (– 970/– 931)
O Nabuchodonosor II (– 605/– 562)
C Bouddha (– 560/– 480)
G Confucius (– 552/– 479)
T Socrate (– 470/– 399)
A Alexandre le Grand (– 356/– 323)
D César (– 100/– 44)
P Néron (37/68)
B Attila (395/453)
F Clovis Ier (465/511)
N Mahomet (570-632)
E Charlemagne (742/814)
J Guillaume Ier le Conquérant (1028/1087)
H Frédéric Ier Barberousse (1122/1190)
I Gengis Khan (1167/1227)
L Jeanne d'Arc (1412/1431)
M Machiavel (1469/1527)
K Jean Calvin (1509/1564)
R Richelieu (1585/1642)

MOT EN TROP

1. On peut remplacer le Y par un C et former de nouveaux mots : associons, cocote, localement, marécage, mâconnaise (de Mâcon), sauf avec cyclecar.
2. S'il existe bien triangulaire, triathlète, trifouiller, trijumeau, triporteur, il faut se contenter de bi… carbonate !
3. Chaque mot peut se prolonger d'un « o » : alcoolo, concerto, espéranto, expresso, vidéo, sauf sombre. Il aurait fallu « sombrer » pour se couvrir d'un sombrero !

Pages 174-175

LA CARTE EN QUESTIONS

1. Gdansk
2. Varsovie
3. République tchèque
4. Carpates
5. Bratislava
6. Hongrie
7. Danube
8. Slovénie
9. Zagreb
10. Roumanie
11. Bucarest
12. Sarajevo
13. Belgrade (Belgique)
14. Mer Adriatique
15. Bulgarie
16. Macédoine
17. Tirana
18. Salonique
19. Le Pirée
20. Mer Égée

HOMOGRAPHES

1. Violent
2. Rations
3. Suez
4. Reporter

REPÈRES CHRONOLOGIQUES

1. Cadran solaire (1500 av. J.-C. en Égypte)
2. Fer à repasser (en Chine au IVᵉ siècle)
3. Machine à calculer (Pascal, 1639)
4. Parachute (Lenormand, 1783)
5. Alphabet Morse (Morse, 1840)
6. Cœur artificiel (Demikhov, 1937)
7. Four à micro-ondes (Spencer, 1945)
8. Code-barres (société Monarch, 1970)

PROBLÈMES

1. Sept mois contiennent 31 jours mais tous les mois comportent 28 jours, au minimum.
2. Oui, si cette personne est son frère !
3. Non, car s'il a une veuve, c'est qu'il est mort.

Pages 176-177

À L'IDENTIQUE

C et D.

L'ENQUÊTE

On identifie rapidement la 2 et la 7, qui ont des boucles d'oreilles et des cheveux blonds. La 2 a également un collier, donc la troisième est à rechercher parmi celles sans boucles d'oreilles ni collier et avec les cheveux bruns : c'est la 1 qui était armée.

TRIPLETS D'EXPRESSIONS

1. Tiers
2. Plateau
3. Retour
4. Suspension
5. Embarras
6. Terre

ROSACE

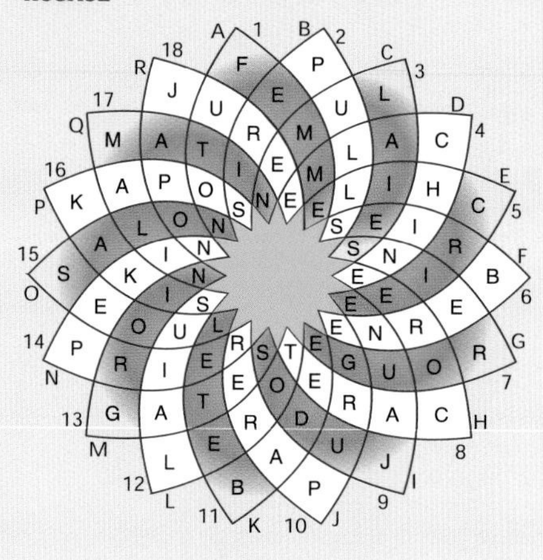

Pages 178-179

SUPERPOSITION

Les fragments 1, 2, 5 et 6.

REPÈRES CHRONOLOGIQUES

1982 **(3, F)** : *La Guerre du feu*, Michel Serrault.
1988 **(1, G)** : *Au revoir les enfants*, Richard Bohringer.
1991 **(2, C)** : *Cyrano de Bergerac*, Gérard Depardieu.
1999 **(4, D)** : *La Vie rêvée des anges*, Jacques Villeret.
2000 **(8, B)** : *Vénus Beauté (Institut)*, Daniel Auteuil.
2001 **(6, H)** : *Le Goût des autres*, Sergi Lopez.
2002 **(5, E)** : *Le Fabuleux Destin d'Amélie Poulain*, Michel Bouquet.
2003 **(7, A)** : *Le Pianiste*, Adrien Brody.

IMAGE ZOOMÉE

MOT EN TROP

1. Chaque F est facultatif. Acteur, autant, lamant, orages et utiles existent, mais pas lamand pour flamand.
2. Chaque mot peut être précédé de « non », sauf dire, qui serait plutôt utilisé avec « oui »... dans l'expression « par ouï-dire ».
3. Les cinq premiers mots sont formés de lettres rangées dans l'ordre alphabétique (A, B, C, E, S) alors que, pour volige, elles sont dans l'ordre inverse.

CITATIONS MÊLÉES

1. « Tout est perdu, fors l'honneur », François Iᵉʳ prisonnier après la défaite de Pavie.
2. « Paris vaut bien une messe », Henri IV converti au catholicisme pour accéder au trône de France (phrase attribuée aussi à son conseiller Rosny).
3. « Soldats, je suis content de vous », Napoléon après la victoire d'Austerlitz.

SUPERPOSITION

Les trois plaquettes à superposer sont : la 6, puis la 2 par-dessus et la 5 tout en haut.

Pages 180-181

LOGIGRAMME

Vacances en Asie

Indice 1 : cet indice concerne Alexandre, Alicia et Audrey. Ils ont dépensé globalement soit 1 400 + 1 600 = 3 000 €, soit 1 600 + 2 600 = 4 200 €. C'est en Thaïlande qu'a séjourné le plus dépensier des trois. C'est Marine ou Olivier qui a fait du catamaran.
Indice 2 : la seule équation respectant cet indice est 1 400 + 4 200 = 2 600 + 3 000 (= 5 600 €). Olivier a le plus gros budget des quatre, donc 4 200 €. Par conséquent, la personne qui est partie en Indonésie a dépensé 1 400 €. De plus, puisque Olivier ne commence pas par A, les budgets d'Alexandre, d'Alicia et d'Audrey sont donc (sans savoir encore quelle somme doit être affectée à chacun d'eux) de 1 400, 1 600 et 3 000 € (3 000 € pour la Thaïlande). Par élimination, le budget de Marine est de 2 600 €. Les deux adeptes de ski (ski nautique et jet-ski) ont d'après l'indice dépensé chacun soit 2 600, soit 3 000 €. On en déduit que ce n'est pas Marine qui a fait du catamaran (puisqu'elle a fait du ski), mais Olivier, pour 4 200 €.
Indice 3 : avec ce que nous venons d'établir, l'indice montre que les vacances consacrées au parachute ascensionnel ont coûté 1 600 € et que la jeune fille fan de saut à l'élastique (Alicia ou Audrey) n'a dépensé que 1 400 € (en Indonésie donc).

Indice 4 : ce dernier indice permet de conclure que Marine (budget 2 600 €) n'est allée ni en Birmanie, ni en Indonésie (1 400 €), ni en Thaïlande (3 000 €), ni en Malaisie (Audrey). Marine a donc choisi le Viêt Nam. La fille dont le prénom commence par A et qui a dépensé 1 400 € en Indonésie est alors Alicia. Audrey a payé 1 600 € son séjour en Malaisie et Alexandre 3 000 € son périple thaïlandais, tandis qu'Olivier était en Birmanie. Enfin, l'indice 4 permet de conclure que c'est Marine qui a pratiqué le ski nautique alors qu'Alexandre a préféré le jet-ski.

Tableau des réponses

Vacancier	Alexandre	Alicia	Audrey	Marine	Olivier
Pays	Thaïlande	Indonésie	Malaisie	Viêt Nam	Birmanie
Sport	Jet-ski	Saut à l'élastique	Parachute ascensionnel	Ski nautique	Catamaran
Coût	3 000 €	1 400 €	1 600 €	2 600 €	4 200 €

LES DEUX FONT LA PAIRE

1. Comptine
2. Hermine
3. Créatine
4. Nicotine
5. Crapaudine
6. Clémentine
7. Tajine
8. Origine
9. Scarlatine
10. Routine

BOUCHE-TROUS

1. Chorizo (ou prurigo)
2. Appauvris
3. Borsalino
4. Postillon
5. Tournevis
6. Challenger

IMAGE ZOOMÉE

DESSINS EN MIROIR

Pages 182-183

LABYRINTHE

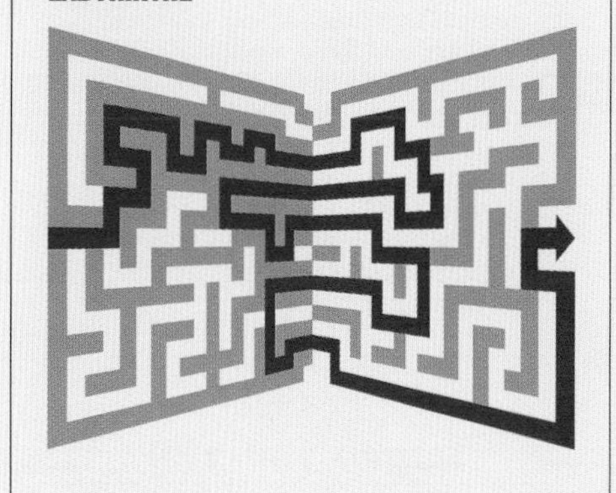

SUPERPOSITION

Ce sont les plaquettes 3, 4 et 6.

GRILLE À THÈME

V	A	N	I	M	P	E														R
					A			L	E	M	O	N	D				Z			I
F	I	G	N	O	N								E			C	O	P	P	I
	N				T								L				E			S
	D				A	R	M	S	T	R	O	N	G				T		H	
	U				N		E						A	N	Q	U	E	T	I	L
	R		O		I		R	O	B	I	C		D				M		N	
	A		C				C		O				O				E		A	
A	I	M	A	R			K	U	B	L	E	R		G	A	U	L		U	
	N		N				X		E								K		L	
		M	A	E	S				T	H	E	V	E	N	E	T			T	

À L'IDENTIQUE

B et E.

A

C

D

F

MOTS CROISÉS

	1	2	3	4	5	6	7	8	9	10	11	12	13	14
I	V	A	U	T	R	I	N	■	C	L	A	V	E	L
II	A	J	■	R	E	R	■	R	O	U	I	E	■	E
III	N	A	P	O	L	E	O	N	I	E	N	N	E	S
IV	C	R	A	Y	O	N	S	■	T	■	S	I	S	E
V	A	■	R	A	G	E	■	H	E	R	I	A	T	■
VI	U	N	I	T	E	■	R	A	■	H	■	T	I	P
VII	W	U	S	■	M	A	A	L	O	U	F	■	V	A
VIII	E	M	■	J	E	U	N	E	■	M	I	D	A	S
IX	L	E	V	A	N	T	I	N	E	■	N	U	L	S
X	A	R	I	S	T	O	■	E	L	D	E	R	■	E
XI	E	O	L	E	■	M	E	R	L	E	■	A	U	■
XII	R	■	A	R	O	N	■	A	I	N	E	S	S	E
XIII	T	R	I	O	L	E	T	■	C	I	L	■	S	U
XIV	■	A	N	N	A	■	A	N	E	M	O	N	E	S

Pages 184-185

QUI SUIS-JE ?

A. La bouteille
B. La détente
C. L'oie
D. Le feu
E. Le pot

COUPLES DE MOTS

Reportez-vous à la liste des couples de mots pour trouver la bonne réponse, mais attention il y a un piège à la question 3 : le mot train ne figure pas dans la liste !

PROBLÈME

Si A est le nombre de mains du gromphe et B son nombre de pieds, C le nombre de mains de la gromphette et D son nombre de pieds, on doit réaliser :
A + B = C + D d'une part (même nombre total de membres), A + 3C = B + 3D d'autre part (mains et pieds en nombre égal dans le mélange 1 gromphe + 3 gromphettes) et enfin D = 2B (double de pieds chez la gromphette). La solution minimale pour B = 1 conduit à un nombre de mains non entier pour la gromphette (1,5 !), mais pour B = 2 on aboutit rapidement à D = 4, C = 3 et A = 5. Donc le gromphe a 5 mains et 2 pieds, la gromphette 3 mains et 4 pieds.

RÉCITATION

c : une rivière – **b :** des haillons –
c : de la montagne fière – **b :** de rayons –

b : tête nue – **a :** bleu – **b :** sous la nue –
a : pleut –

c : Souriant comme – **a :** un somme –
b : il a froid –

b : frissonner sa narine – **a :** sa poitrine –
b : au côté droit.

Pages 186-187

QUELLE EST LA SUITE ?

A **Figure 5 :** la forme intérieure de la figure précédente devient la forme extérieure de la suivante.

B **Figure 6 :** le nombre d'intersections augmente de 1 à chaque fois (4, 5, 6 et 7 avec la figure 6).

C **Figure 3 :** considérer chaque figure comme l'assemblage de deux modules comprenant un rond rouge et un angle droit bleu. Chaque module tourne alternativement de 90° dans le sens inverse des aiguilles d'une montre.

D **Figure 3 :** la forme du bas de la figure précédente passe en haut, les autres formes descendant d'une place. La couleur du haut passe en bas, les autres couleurs montant d'une place.

E **Figure 5 :** le trèfle avance d'une place à chaque fois, en tournant dans le sens des aiguilles d'une montre. Le signe qui était à cet emplacement recule d'une place pour occuper la place précédente du trèfle.

ÉCHELLE

	B			B	
B	A	L	L	O	N
	D			B	
	M			S	
F	I	N	A	L	E
	N			E	
	T			I	
D	O	P	A	G	E
	N			H	

L'HEURE EXACTE

Quand il est 22 heures à Londres, il est 23 heures à Paris. Donc, le magnétoscope de Julien indique 22 heures. Il doit enregistrer une émission qui passe de 1 heure à 2 h 30, donc, dans son repère de temps, de 0 heure à 1 h 30. La programmation idéale est par conséquent la B. Mais la C lui permettra aussi de voir son émission.

MARIONS-LES

A8 – B2 – C10 – D6 – E4 – F9 – G5 – H3 – I7 – J1.

VRAI OU FAUX

1. Faux (C), le dragon de Komodo est un reptile qui vit encore aujourd'hui.
2. Faux (U), les dinosaures avaient disparu depuis longtemps.
3. Vrai (V), ils étaient ovipares.
4. Vrai (I), on l'imagine seulement semblable à celle des reptiles actuels.
5. Faux (E), plus de 600.
6. Faux (R), le mot dinosaure est apparu en 1842.

Le paléontologue recherché est Georges CUVIER.

PROBLÈMES

1. Zéro ! C'est Noé qui était sur l'arche, pas Moïse.
2. Jamais ! Le bateau va s'élever lui aussi avec la marée…
3. Il utilise douze mégots pour faire trois cigarettes, qu'il fume. Il lui restait trois mégots avant de fumer. Il en a maintenant six. Il peut refaire une cigarette, et il lui reste deux mégots. En tout, il a donc fumé quatre cigarettes et il lui reste… trois mégots (les deux qu'il avait déjà plus celui de la dernière cigarette fumée).
4. Écrivez dix-neuf en chiffres romains : XIX. Ôtez I, il reste XX.

Pages 188-189

QUIZ PROGRESSIF

1. Zizi Jeanmaire
2. Whitney Houston
3. Maria Callas
4. Annie Cordy
5. Magali Noël
6. Diana Ross
7. Nicole Croisille
8. Patachou
9. Yolanda Gigliotti
10. Jessye Norman

RECOLLE-MOTS

Barri, Cades – Amphi, Biens – Accro, Chant – Beige, Âtres – Cacao, Tiers – Carre, Fours – Coron, Arien – Faine, Antes – Masse, Pains – Parti, Alité.

QUELLE EST LA SUITE ?

1. C'est la suite des valeurs des pièces et billets en euros. Elle se poursuit par le billet de 500 €.
2. Le chiffre est multiplié par deux puis retourné (2 x 18 = 36, donc 63 ; 2 x 63 = 126, donc 621…). Le suivant sera 2 x 2 484 = 4 968 retourné, donc 8 694.
3. La suite est 1 x 2, 2 x 3, 3 x 4, 4 x 5, 5 x 6, 6 x 7, 7 x 8. Elle se complète par 8 x 9 = 72.
4. Le chiffre qui suit le chiffre romain est celui du nombre d'allumettes nécessaires pour le dessiner. Pour XXVII, il en faudra 8.

PROBLÈME

Si M. Martin a un pitbull, alors M. Durand a un yorkshire et M. Dubois un bichon, donc M. Durand dirait la vérité : impossible. Si M. Durand a un pitbull, alors M. Dubois a un bichon et M. Martin a un yorkshire, donc M. Dubois dirait la vérité : impossible également. Donc M. Dubois a le pitbull, M. Martin le yorkshire et M. Durand le bichon. Ne sonnez pas chez M. Dubois.

ITINÉRAIRE

Lisbonne – Alicante.

L	U	A	N	S	H	Y	A
I	S	T	A	N	B	U	L
S	I	L	I	G	U	R	I
B	E	R	G	E	R	A	C
O	K	L	A	H	O	M	A
N	E	W	H	A	V	E	N
N	I	E	U	P	O	R	T
E	R	Y	T	H	R	E	E

L'INTRUS

1. C ; **2.** D

Dans les deux cas, la figure intruse n'est pas composée de 4 formes équivalentes.

Pages 190-191

LE COMPTE EST BON

LES DEUX FONT LA PAIRE

1. Goyave
2. Betterave
3. Scandinave
4. Conclave
5. Esclave
6. Suave
7. Zouave
8. Octave
9. Laticlave
10. Pyrograve

QUELLE EST LA SUITE ?

1. Chaque figure contient la somme des nombres des trois figures qui la précèdent (ex : 71 = 12 + 21 + 38) ; donc la suivante sera 21 + 38 + 71 = 130. Les figures géométriques s'enchaînent régulièrement ; donc 130 sera dans un carré.
2. Chaque figure contient le nombre de segments nécessaires pour la dessiner. Pour l'étoile, il faut 10 segments.
3. Si vous considérez que chaque chiffre correspond au rang d'une lettre de l'alphabet, vous lirez U N D E U X T R O I S. Le chiffre suivant sera donc 17, rang de la lettre Q, initiale de « quatre ».
4. On reporte dans la vague l'écart entre les deux chiffres précédents. On reportera donc 0 (différence entre 1 et 1) sous la dernière ondulation.

CASE-CHIFFRES

Partez de 143. 143 – 58 = 85 à droite de 58. Puis 85 – 54 = 31 à gauche de 54, 58 – 31 = 27 à gauche de 31. Les chiffres de la base sont donc, après le 7 : 27 – 7 = 20, puis 31 – 20 = 11 et 54 – 11 = 43 au bout à droite. Repartez du sommet pour terminer ; au quatrième étage, il y aura 249 – 143 = 106, au troisième 106 – 58 = 48, au deuxième 48 – 27 = 21. Le premier chiffre de la base est donc 21 – 7 = 14.

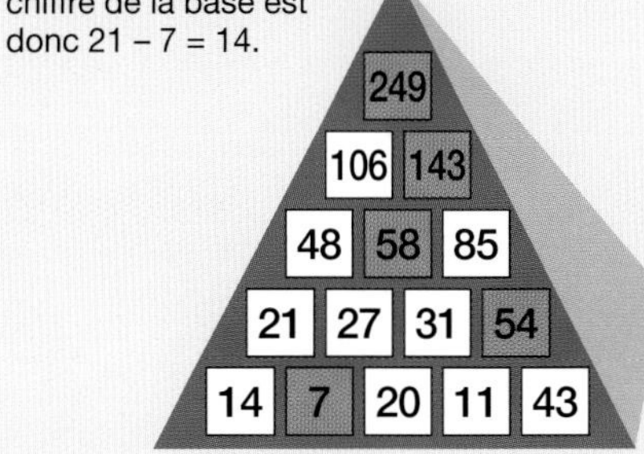

BACCALAURÉAT

PA Parme, Panzani, Pailhas, *Pantagruel*, Papillon, Papin, Pasteur, Pacman
BO Bonn, Bolino, Bohringer, *Boule de suif*, Bourdon, Bouttier, Bonaparte, Bowling
TA Tallinn, Tag Heuer, Tautou, *Tartuffe*, Taon, Tabarly, Talleyrand, Tarot
BE Berne, Benenuts, Béart, *Bel-Ami*, Bécasse, Beckham, Ben Gourion, Belote
MA Madrid, Mars, Marceau, *Madame Bovary*, Marabout, Mansell, Mandela, Marelle
DO Dortmund, Dom Pérignon, Dorléac, *Don Quichotte*, Doryphore, Doohan, Dostoïevski, Dominos

PARONYMES

1. Légion, lésion
2. Conjecture, conjoncture
3. Pratique, Patrick
4. Vacation, vocation

PROBLÈME

1. Mieux vaut qu'il se fasse donner des billets, car il n'en aura que 11 (6 x 25, 1 x 11 et 4 x 3) alors que s'il prend des pièces, il lui en faudra au minimum 14 (9 x 17, 3 x 6 et 2 x 1).
2. Notons (x, y, z) les triplets de billets de 25, 11 et 3 bizars (x billets de 25, y billets de 11, z billets de 3).
   Les triplets amenant à 173 sont au nombre de 21 :
   (6 ; 1 ; 4), (5 ; 3 ; 5), (5 ; 0 ; 16), (4 ; 5 ; 6), (4 ; 2 ; 17), (3 ; 7 ; 7), (3 ; 4 ; 18), (3 ; 1 ; 29), (2 ; 9 ; 8), (2 ; 6 ; 19), (2 ; 3 ; 30), (2 ; 0 ; 41), (1 ; 11 ; 9), (1 ; 8 ; 20), (1 ; 5 ; 31) ; (1 ; 2 ; 42), (0 ; 13 ; 10), (0 ; 10 ; 21), (0 ; 7 ; 32), (0 ; 4 ; 43), (0 ; 1 ; 54).
3. De deux façons (4 ; 2 ; 17) et (0 ; 13 ; 10) : 4 billets de 25, 2 billets de 11 et 17 billets de 3 bizars ou bien 13 billets de 11 et 10 billets de 3 bizars.

ESCALETTRES

T O I
+T T O I T
+E O T I T E
+P P E T I O T
+R T R I P O T É
+A P A T R I O T E
+N R E P T A T I O N

ALLUMETTES

Il suffit de les placer en miroir des premières pour voir apparaître un 11 romain !

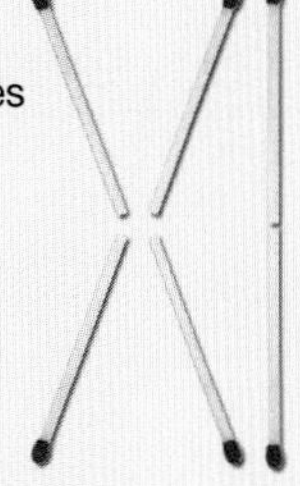

CUBES

Dhéliat – Laborde – Romejko.

Pages 192-193

CUBES

Auriol – Doumer – Lebrun.

VRAI OU FAUX

1. Faux (A), et son pouvoir sucrant est pourtant supérieur.
2. Vrai (O), environ 20 g pour 100 g.
3. Faux (U), 83 % de matières grasses chacun.
4. Faux (R), la couleur n'est due qu'à des impuretés.
5. Vrai (T), six fois plus que les épinards !
6. Faux (Y), il est riche en calcium.

L'aliment bon pour le transit est le YAOURT.

TRIPLETS D'EXPRESSIONS

1. Mise
2. Tronc
3. Mire
4. Mur
5. Huile
6. Titre

ITINÉRAIRE

Évreux – Nantes.

E	V	I	A	N
V	A	R	N	A
R	O	U	E	N
E	I	L	A	T
U	D	I	N	E
X	E	R	E	S

BACCALAURÉAT

CA Cabrel, Cadillac, Castrats, *Calling You*, Canberra, Caméléon, Carroll, Cash
PO Polnareff, Pontiac, Porchers, *Pour un flirt*, Port Moresby, Porc, Poe, Pognon
SH Sheller, Shopi, Shabbats, *She*, Shanghai, Shetland, Shakespeare, Shekel
GA Gainsbourg, Gan, Gagnants, *Gare au gorille*, Galápagos, Gavial, García Márquez, Galette
GO Gotainer, Go Sport, Gonflant, *Golden Eye*, Goa, Goret, Goethe, Gourde
DE De Palmas, Décathlon, Desserts, *Déshabillez-moi*, Delhi, Desman, Desnos, Devise

QUELLE EST LA SUITE ?

A **Figure 3 :** la figure entière est retournée par rapport à un axe vertical et les couleurs sont inversées.
B **Figure 4 :** la forme extérieure passe à l'intérieur, et inversement. La figure entière est réduite de 50 % et répétée quatre fois.
C **Figure 1 :** la figure est tournée de 90° dans le sens inverse des aiguilles d'une montre. La couleur qui était à la base demeure inchangée, mais les deux autres sont inversées.
D **Figure 6 :** la figure est réduite de 50 % et présentée trois fois. La première telle quelle, la seconde tournée de 90° dans le sens inverse des aiguilles d'une montre et en bleue, la troisième, au-dessus, tournée de 180° et en jaune.
E **Figure 3 :** les formes et les couleurs sont échangées sans changer de position (le losange devient la forme bobine et inversement, le vert devient bleu et inversement).

COUPE-LETTRES

On peut enlever :
C (Orales) – H (Vaines) – A (Frisée) – R (Coques) – L (Cocher) – E (Martin) – S (Couine) – I (Moteur) – X (Séisme).
On obtient : Charles IX.

CHENILLE

A V A N C E R
C A D A V R E
C R E V A R D
C R I A R D E
C O R R I D A
C O R D I A L
C A L O R I E
E C O L I E R
C E L L I E R
C R U E L L E
R E C U L E R

Améliorer sa mémoire

L'image mentale

Nos sens captent les informations pour en faire des images mentales. C'est ainsi que se fabriquent nos souvenirs. Il est important d'exercer notre faculté d'élaboration d'images mentales pour augmenter nos capacités de mémorisation.

Des images et des mots

J'ai la tête pleine d'images… et les mots s'y bousculent !

Que se passe-t-il quand notre esprit reçoit une information ? Nous élaborons des représentations. Il existe deux modes de représentation symbolique, l'un imagé et l'autre verbal, qui participent tous deux à la création d'une image mentale. L'information est en général enregistrée et reconnue dans **sa forme imagée** et simultanément transcrite dans notre esprit **sous forme de mots.** Comme nous sommes des êtres de langage, nous posons toujours des mots sur les choses. Mais, lorsque la perception d'une information s'est accompagnée d'une forte émotion, les images revenant à la conscience peuvent ne pas faire immédiatement l'objet d'une verbalisation. Le cas est poussé à l'extrême lors d'un choc traumatique : images et émotions sont revécues à l'infini, mais la personne reste incapable de trouver les mots pour les dire.

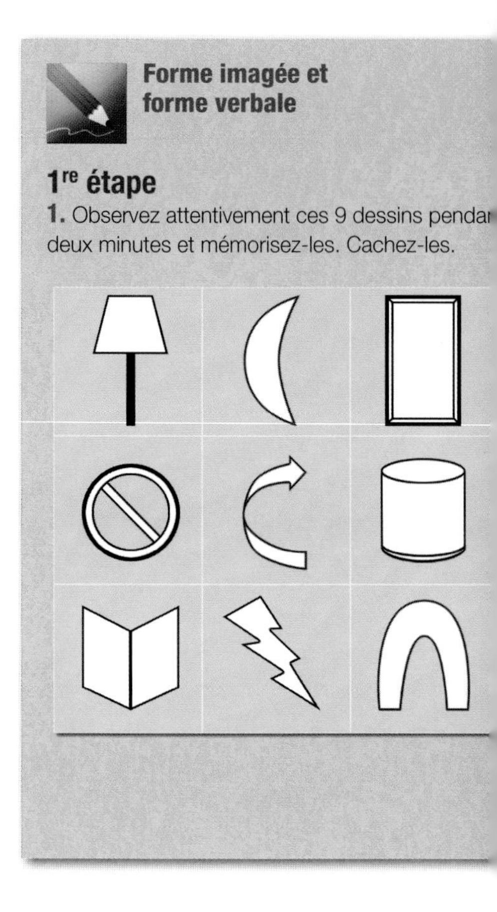

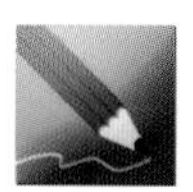

Les personnages connus

Notez toutes les caractéristiques, visuelles ou non, qui sont pour vous représentatives de chacun des personnages suivants.

Exemple du Père Noël : barbe blanche ; houppelande rouge et blanche ; bedaine ; bottes noires ; traîneau avec des rennes ; clochette ; hotte pleine de cadeaux ; cheminée, etc.

1. Louis XIV

....
....
....
....

2. Marilyn Monroe

....
....
....
....

3. Toutankhamon

....
....
....
....

4. Albert Einstein

....
....
....
....

5. Le Petit Chaperon rouge

....
....
....
....

6. Luciano Pavarotti

....
....
....
....

7. Alfred Hitchcock

....
....
....
....

8. Jules César

....
....
....
....

Dans cet exercice, vous avez visualisé mentalement le nom de chaque personnage – lorsque l'on n'a pas le nom sous les yeux, il peut s'agir d'une visualisation phonétique assez proche de l'orthographe exacte –, puis ses différentes caractéristiques, physiques ou autres, ont participé à la construction d'une image visuelle. Ces deux aspects – représentation verbale et représentation iconique – sont présents dans votre image mentale. C'est en quelque sorte le prolongement de la perception à l'intérieur de vous-même, en l'absence de l'objet. Cette incroyable activité de notre esprit rend symboliquement présent ce qui est visuellement absent. Selon les éléments de connaissance dont on dispose, les aspects verbaux ou imagés seront plus ou moins marqués. Lorsque vous entendez le nom de Toutankhamon, il est probable que votre image verbale est plus forte en l'absence de renseignements sur le personnage. En revanche, l'image iconique du Père Noël est certainement plus marquée que son image verbale.

2. Reproduisez-les dans la grille ci-contre. Sans effectuer de correction, passez à la deuxième étape de l'exercice.

2e étape

1. Regardez à nouveau ces dessins pendant une minute, avec la légende qui les accompagne. Cachez-les à nouveau.

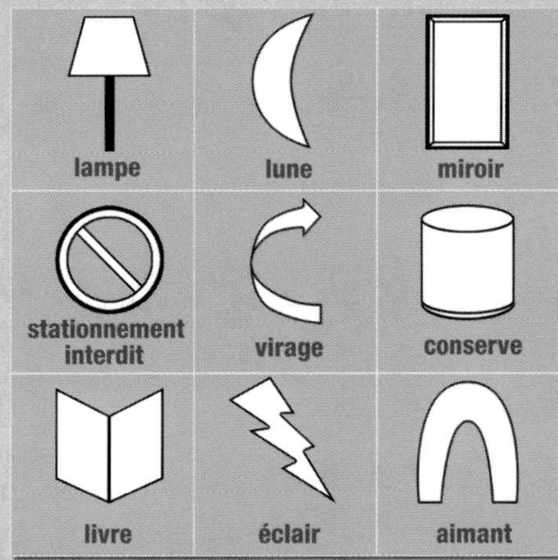

2. Reproduisez-les dans la grille ci-dessous.

Dans la première partie de cet exercice, les informations sont visuelles. Des images mentales iconiques s'impriment dans votre esprit. Dans la seconde partie, les informations sont visuelles et les objets sont nommés. L'image mentale se fait sous les deux formes, visuelle et verbale. Vous avez sans doute mieux mémorisé cette double représentation.

Image mentale, mémorisation et souvenirs

Mes souvenirs, ce sont des puzzles d'images mentales que patine le temps…

Plongez un instant dans vos souvenirs. Vous avez sûrement l'impression de voir des images défiler comme des photographies. Lorsque nous voulons retenir une information, ce sont nos sens qui la captent en premier. Si nous sommes attentifs, nous allons conserver en mémoire une image visuelle mais également auditive ou tactile. Si vous lisez un texte sans vous y intéresser vraiment, sans attention particulière, sans désir d'en retenir le contenu ni nécessité de vous resservir de cette information, aucune image mentale ne sera créée. Il n'y aura pas de mémorisation. En revanche, si ces trois éléments sont réunis – intérêt, attention, projet de transmission à un tiers –, un certain nombre d'images mentales naîtront dans votre esprit et le processus de mémorisation se mettra en marche.

Plus vos images mentales sont riches, plus votre mémorisation sera profonde. Mais ces images ne sont pas conservées dans la mémoire sous la forme de leur élaboration première, comme le ferait une vraie photographie : le temps leur fait subir quelques métamorphoses. Au moment du rappel d'une information, nous rassemblons tous ces éléments épars pour reconstruire une nouvelle image plus ou moins fidèle à l'image d'origine. C'est ainsi que se fabriquent nos souvenirs.

Ma mémoire et…
l'impression de déjà-vu

Pourquoi a-t-on parfois une brève impression de déjà-vu dans un endroit où l'on ne s'est pourtant jamais rendu ? Il ne s'agit ni d'une défaillance de la mémoire ni d'une confusion mentale. Ce que l'on croit connaître présente souvent une ressemblance avec un ou d'autres lieux dont l'image est présente dans notre esprit. Les paysages de campagne, notamment, ne sont pas toujours suffisamment caractéristiques pour que les images que nous en gardons ne se mélangent pas un peu. Mais la nouvelle vision chasse en général assez vite les anciennes images, et l'impression de déjà-vu disparaît.

Des images plein la tête

Élaborez une image mentale pour chacun de ces mots.

1. Tasse
2. Piano
3. Boîte
4. Valise
5. Montre
6. Tableau
7. Lit
8. Jeux
9. Bouteille
10. Gamelle
11. Coussin
12. Commode
13. Cravate
14. Chaussure

Écrivez maintenant tous les mots dont vous vous souvenez en faisant appel aux images que vous avez élaborées.

1. ....
2. ....
3. ....
4. ....
5. ....
6. ....
7. ....
8. ....
9. ....
10. ....
11. ....
12. ....
13. ....
14. ....

Moins la représentation imagée de ces mots sera banale et stéréotypée, plus elle sera riche et évocatrice, plus leur mémorisation sera facile. Vous pouvez aussi l'enrichir d'une multitude d'informations sensorielles (parfum, texture, forme, poids…).

Le point commun

Deux mots ayant un sens différent peuvent avoir un ou plusieurs points communs. Pour trouver le mot qui réunit les membres des couples suivants, visualisez chacun d'entre eux et créez-vous des images mentales.

Exemple : visualisez pin et couture. Leur élément commun est aiguille.

Plus on avance dans l'exercice, plus il est nécessaire d'enrichir ses images mentales d'éléments supplémentaires. Imaginez alors l'environnement de l'objet – composition, attributs, forme, usage, ce à quoi il vous fait penser... – et celui du mot – emploi, expressions, synonymes...

Niveau 1

stylo-pieuvre = encre

chaussure-chaise = ...

moulin-bateau = ...

zèbre-Dalton = ...

écriture-oiseau = ...

toilettes-astronomie = ...

cheveu-arbre = ...

théâtre-appartement = ...

bateau-mariée = ...

Niveau 2

prison-photo = cellule

désinfectant-apéritif = ...

journaliste-mare = ...

crabe-épilation = ...

vélo-viscère = ...

coq-montagne = ...

nœud-chenille = ...

chaussure-steak = ...

cuisine-multiplication = ...

Niveau 3

nœud-main = sac

informatique-cerveau = ...

vélo-supermarché = ...

palmier-calendrier = ...

papillon-char d'assaut = ...

montagne-horloge = ...

oreille-menuisier = ...

vêtement-service = ...

Solution p. 337

Images personnelles, images collectives

Quelle image surgit spontanément dans votre esprit à l'énoncé des mots suivants ? Faites cet exercice à plusieurs, à tour de rôle. Comparez ensuite les images mentales de chacun, repérez les points communs et les différences.

Chien Force

Volonté

Travail

Train

Ma mémoire et... mes itinéraires

Lorsque vous vous trouvez dans un lieu inconnu, chassez toute anxiété et regardez attentivement votre plan de ville ou votre carte routière. Donnez-vous des points de repère comme les grands axes, les carrefours, les rues à sens unique... et essayez d'en constituer une image mentale. D'une manière générale, partez toujours d'une vue d'ensemble de la carte pour aller vers les détails, car là aussi la mémoire a besoin d'ordre et de structuration pour fonctionner de manière optimale.

Les mots à contenu concret font facilement naître dans notre esprit une ou des représentations mentales, qui varient selon chacun. Le mot fleur, par exemple, entraînera chez certains l'image d'une rose, pour d'autres ce sera une tulipe ou encore une petite fille vêtue d'une robe en corolle. Pour certains mots, les différences de représentation sont minimes, et les images mentales sont donc à la fois individuelles et collectives.
C'est le cas par exemple pour le mot Gaulois, qui suscitera chez la plupart l'image d'Astérix.
Vous vous apercevrez que l'élaboration d'images mentales à partir de mots abstraits est plus délicate. D'où le recours à des images collectives à fort contenu symbolique : la balance pour la justice, la colombe pour la paix, le cœur pour l'amour, par exemple.

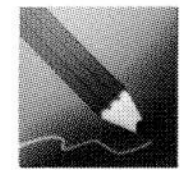

Méli-mélo de lettres

Observez attentivement ces lettres : à chaque couleur correspond un mot. Une fois les anagrammes résolues, fixez les mots dans votre esprit à l'aide d'une image mentale, puis cachez-les.

C M A N A
O P A E
P A P N R C N
R N O I E N
O T B V

Répondez maintenant aux questions suivantes :

1. Quel mot était écrit en :
ROUGE ....
VERT ....
ROSE ....
JAUNE ....
BLEU ....

2. Quel est le thème commun à ces 5 mots ?
....

Solution p. 337

Les couleurs en images

Une couleur peut inspirer des images mentales d'objets et parfois même des expressions. Trouvez en cinq minutes 7 objets de chacune de ces couleurs, ou auxquels on attribue ces teintes, et 3 expressions qui les utilisent.

	Mots	Expressions
Blanc	....	....
Rouge	....	....
Jaune	....	....
Vert	....	....
Noir	....	....
Bleu	....	....

Solution p. 338

Couples de mots
Voici 8 couples de mots arbitrairement associés.
Vous allez devoir les mémoriser en trois étapes.

1re étape : faites une phrase intégrant chaque couple de mots puis élaborez une image mentale de cette phrase.
Exemple : CADRE/ORDINATEUR.
Un cadre travaille devant son ordinateur.
Fermez les yeux et imaginez la scène.

2e étape : complétez les couples de mots, puis cachez-les.

3e étape : restituez tous les couples, dans l'ordre de présentation.

1re étape	2e étape	3e étape
canon / île	.... / île	.... / ....
marché / bâche	marché /	.... / ....
cacahuète / macaron	.... / macaron	.... / ....
violette / chapeau	violette /	.... / ....
chanson / marteau	.... / marteau	.... / ....
balançoire / hameçon	balançoire /	.... / ....
couvercle / bible	.... / bible	.... / ....
téléphone / tableau	téléphone /	.... / ....

La méthode des lieux

Directement issue du processus de formation de l'image mentale, la méthode des lieux est une stratégie mnémotechnique.

La première méthode de représentation mnémotechnique spatiale organisée est attribuée au poète Simonide de Céos. Seul rescapé de l'effondrement d'un bâtiment abritant un banquet, ce dernier dut se remémorer la place des convives pour permettre l'identification des victimes. Constatant combien il avait gardé une image vivace de chacun d'entre eux, il en conçut une méthode des lieux.

Cicéron quant à lui utilisait les divers lieux du forum pour « déposer » les différentes parties du discours qu'il s'apprêtait à prononcer. Il parcourait ensuite visuellement le forum en parlant, et retrouvait en chaque endroit, et dans l'ordre, les différents thèmes de son exposé. Cela explique pourquoi il commençait ses allocutions en disant : « En premier lieu, je vous parlerai de… »

À l'imitation de l'exemple illustré ci-contre, vous pouvez construire votre propre méthode des lieux en parcourant votre maison ou votre appartement.

Ma mémoire et… mes affaires

La méthode des lieux peut être très utile pour retenir l'endroit où vous avez posé vos affaires. Si vous perdez fréquemment vos clefs de voiture chez vous, par exemple, associez à ces clefs un lieu où vous les déposerez systématiquement. Ou encore, pour retrouver le parapluie que vous rangez près de la porte, créez-vous l'image mentale d'un porte-parapluies : cette astuce vous aidera.

Première phase : construire un parcours

- Sélectionnez un certain nombre de « lieux » – des éléments fixes dans une pièce – en suivant l'ordre géographique des objets dans la ou les pièces choisies ; numérotez-les.
Dans notre exemple, le « lieu » numéro 1 est le vase situé sur la table de l'entrée, le 2 est la table du salon et son plat en faïence, etc.
- Choisissez une fois pour toutes la direction que vous suivrez pour votre parcours.
- Faites plusieurs fois le tour de ces lieux mentalement, afin de parvenir à les retrouver spontanément dans l'ordre.

Deuxième phase : placer les éléments à retenir sur le parcours

Sur chaque objet-étape, placez mentalement la chose à retenir en établissant si possible une correspondance entre les deux. À l'objet-étape 1 (vase de l'entrée) est ici associée une bouteille d'eau minérale, l'eau étant leur point commun ; à l'objet-étape 3 (canapé du salon), le beurre (« J'étale du beurre sur un canapé »)… Plus le lien créé est imaginatif, plus l'image formée par l'ensemble s'ancrera dans votre mémoire. Visualisez-la bien. Procédez ainsi pour tous les éléments que vous devez retenir.

S'il s'agit d'une liste de courses, arpentez donc votre domicile en visualisant vos futurs achats à chaque étape.

Dans le magasin, vous referez mentalement ce parcours pour être sûr de ne rien oublier.

Cette méthode peut vous paraître fastidieuse. C'est en effet une vraie gymnastique qui demande un certain effort, mais elle permet de retenir un très grand nombre de choses, dépassant largement nos capacités habituelles. Vous pourrez vous servir maintes fois de ce parcours pour retenir des éléments de toute nature (mots, livres, courses, étapes d'un voyage, tâches à effectuer, etc.).

Pièces/ objets-étapes	Ma liste de courses
1. Entrée/vase	Eau minérale
2. Salon/table avec plat en faïence	Pommes
3. Salon/canapé	Beurre
4. Salon/fauteuils rouges	Tomates
5. Salon/bureau	Enveloppes
6. Cuisine/évier	Éponge
7. Cuisine/table	Papier absorbant
8. Cuisine/réfrigérateur	Œufs
9. Chambre/couette blanche	Lait
10. Chambre/tapis	Jambon
11. Salle de bains/transistor sur meuble	Piles
12. Buanderie/ lave-linge	Lessive

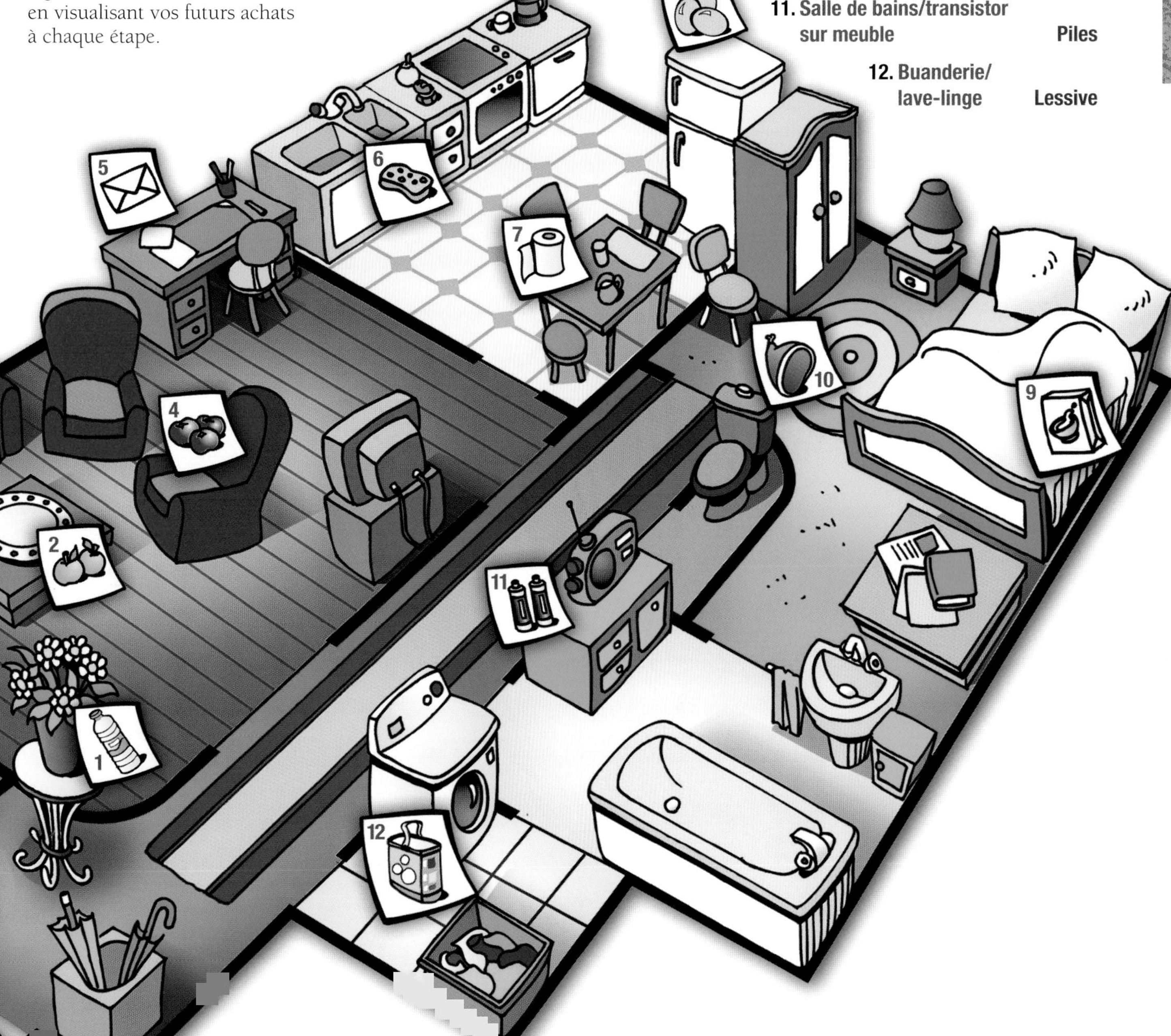

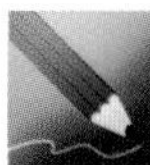

Le loft

1. Observez le dessin ci-dessous et mémorisez-le en utilisant la stratégie de la méthode des lieux. Décrivez précisément le loft à haute voix, repérez les objets en les associant à des éléments fixes – créez-vous des repères s'il n'y en a pas assez – et constituez-vous une image mentale pour chacune de ces associations. Quadrillez l'appartement comme si vous étiez un véritable décorateur et élaborez un parcours.

2. Fermez les yeux et visualisez le loft avec ses éléments ; refaites mentalement le parcours.

3. Cachez le dessin et allez sans attendre au dessin suivant.

4. Observez ce nouveau dessin et listez les 5 objets déplacés, les 5 objets ajoutés et les 5 objets retirés.

1. Objets déplacés

....
....
....
....
....

2. Objets ajoutés

....
....
....
....
....

3. Objets retirés

....
....
....
....
....

Solution p. 338

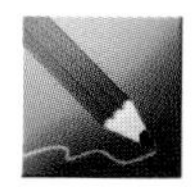

20 noms pour un champion

Pratiquez ce jeu à 3 ou 4 participants.

1. Chaque joueur dresse mentalement la liste de 5 personnages célèbres de son choix.
2. Le premier joueur énonce lentement ses 5 noms. Les autres participants ont alors trois minutes pour les mémoriser grâce à la méthode des lieux : il s'agit de créer un parcours qui s'appuie sur des objets de la pièce, chaque objet étant associé à l'un des noms à retenir. Tous les participants gardent ces 5 premiers noms en mémoire. Puis c'est au tour du deuxième joueur d'énoncer ses 5 noms, et ainsi de suite.
3. Quand tous ont donné leurs noms, chacun inscrit ceux dont il se souvient (20 noms s'il y a 4 joueurs) sur une feuille de papier. Accordez 1 point par nom restitué et un bonus de 10 points au joueur qui restitue les noms dans l'ordre initial. Le gagnant est celui qui a totalisé le plus de points.

Conseil : pour élaborer votre parcours mnémotechnique, vous pouvez faire un tour complet de la pièce à chaque série de noms ou vous cantonner d'abord à une portion de la pièce et progresser petit à petit.

Un parcours dans votre quartier

Formez deux listes de 10 mots chacune.
Pour mémoriser ces 20 mots, élaborez un itinéraire dans votre quartier, où vous choisirez 10 indices-étapes. Associez à chacun un des mots de la première liste et un des mots de la seconde.
Relisez l'ensemble, puis laissez cet exercice de côté.

Liste 1	Liste 2
1.	1. ....
2.	2. ....
3.	3. ....
4.	4. ....
5.	5. ....
6.	6. ....
7.	7. ....
8.	8. ....
9.	9. ....
10.	10. ....

Trois à quatre heures plus tard,

restituez vos deux listes. Puis, dans le tableau placé à la fin de l'exercice, notez le nombre de mots dont vous vous souvenez.

Liste 1	Liste 2
1.	1. ....
2.	2. ....
3.	3. ....
4.	4. ....
5.	5. ....
6.	6. ....
7.	7. ....
8.	8. ....
9.	9. ....
10.	10. ....

Vingt-quatre heures après,

restituez à nouveau vos listes. Notez le nombre de mots que vous avez retenus.

Liste 1	Liste 2
1.	1. ....
2.	2. ....
3.	3. ....
4.	4. ....
5.	5. ....
6.	6. ....
7.	7. ....
8.	8. ....
9.	9. ....
10.	10. ....

Une semaine plus tard,

recommencez. Essayez de retrouver les mots des deux listes. Notez le nombre de mots retenus.

Liste 1	Liste 2
1.	1. ....
2.	2. ....
3.	3. ....
4.	4. ....
5.	5. ....
6.	6. ....
7.	7. ....
8.	8. ....
9.	9. ....
10.	10. ....

Nombre de mots retenus	Liste 1	Liste 2
Le jour même	....	....
Le lendemain	....	....
Une semaine plus tard	....	....

L'utilisation de la méthode des lieux vous a certainement permis de retenir un grand nombre de mots. Entre vos indices-étapes et les mots à mémoriser, des correspondances se sont établies, qui vous ont permis de structurer les informations selon un fil conducteur et ont ainsi facilité le retour des données. Même si cette méthode ne correspond pas à votre mode de fonctionnement, testez-la. Elle fera travailler vos facultés d'association et de visualisation.

Logique et structuration

Être logique n'est pas donné à tout le monde. Et nous n'avons pas tous la même logique. La mémoire a cependant tout à gagner de cet effort de réflexion et de raisonnement qui nous permet de trouver une cohérence à des mots, des chiffres ou des images. En structurant intelligemment notre activité mentale, nous offrons à notre mémoire ce dont elle a le plus besoin : de l'ordre.

Test Êtes-vous plutôt intuitif ou plutôt logique ?

Répondez aux questions suivantes en entourant la lettre qui vous correspond le mieux.

1. Lorsque vous rencontrez une personne pour la première fois...
a. Vous tenez compte de vos émotions, qu'elles soient positives ou négatives.
b. Vous préférez approfondir la relation avant de vous faire une idée.

2. Quel jeu choisissez-vous plutôt ?
a. Le Monopoly
b. Le Scrabble

3. Face à une œuvre d'art...
a. Vos impressions vous suffisent.
b. Vous ressentez le besoin de comprendre.

4. Lorsque vous achetez des livres, vous préférez...
a. Les romans
b. Les essais

5. Vous avez un plat à préparer...
a. Vous improvisez un peu.
b. Vous suivez scrupuleusement la recette.

6. Des produits sont en promotion au supermarché...
a. Vous passez votre chemin.
b. Vous vous laissez tenter.

7. Vous vous promenez dans une ville inconnue...
a. Vous préférez vous munir d'un plan.
b. Vous vous laissez porter par l'inspiration.

Comptez le nombre de réponses a et de réponses b.

*** Vous avez au moins 5 a.**
Vous faites partie des personnes qui se fient d'abord à leur intuition quand elles ont des décisions importantes à prendre. Espérons pour vous qu'elle continuera à bien vous guider. Mais n'omettez pas de peser aussi le pour et le contre, certaines intuitions peuvent être trompeuses !

*** Vous avez au moins 5 b.**
Contrairement aux intuitifs, vous avez besoin d'analyser, de penser les choses avant de prendre une décision, car vous n'aimez pas vous sentir dépossédé de votre capacité de réflexion. Vous préférez être rationnel aux dépens de la créativité. Mais, attention, ne cherchez pas à tout prix à maîtriser toutes les situations et acceptez les imprévus. Le cerveau est un organe qui a besoin de souplesse pour fonctionner au maximum de ses capacités.

*** Vos réponses s'équilibrent (4 a et 3 b ou 3 a et 4 b).**
Votre volonté de comprendre votre environnement afin de vous y adapter au mieux n'a pas fermé la porte à vos envies et à votre désir d'imprévu. Vous êtes capable de vous laisser aller quand les circonstances s'y prêtent. Cela suscite vraisemblablement des conflits internes, mais cela en vaut la peine.

Une ou des logiques ?

Mon raisonnement n'est pas celui de mon voisin ; peu importe si nous parvenons tous deux à la solution !

Être logique, c'est **raisonner selon certaines règles.** La déduction – d'un ensemble de prémisses découle une conclusion – ou l'induction – des énoncés universels sont tirés de cas particuliers – nous permettent ainsi de trouver des solutions appropriées à bon nombre de problèmes. Depuis la première moitié du XXe siècle, époque où la psychologie s'est attachée à expliquer et à mesurer l'intelligence, on teste notamment les capacités de logique et de structuration pour mesurer le quotient intellectuel.
Les **mathématiques** incarnent traditionnellement cette **capacité à raisonner juste.** Dans ce domaine, de nombreuses études ont montré que nous ne partons pas tous avec le même capital. Certains ont de grandes facilités dans ce domaine, d'autres moins : la bosse des maths n'est pas donnée à tout le monde !

C'est durant l'enfance que s'acquièrent les bases de la logique. Toutes les **formes de logique sont issues d'un apprentissage** précis

La bonne figure

Laquelle de ces figures peut se superposer à une partie de la figure rose ?

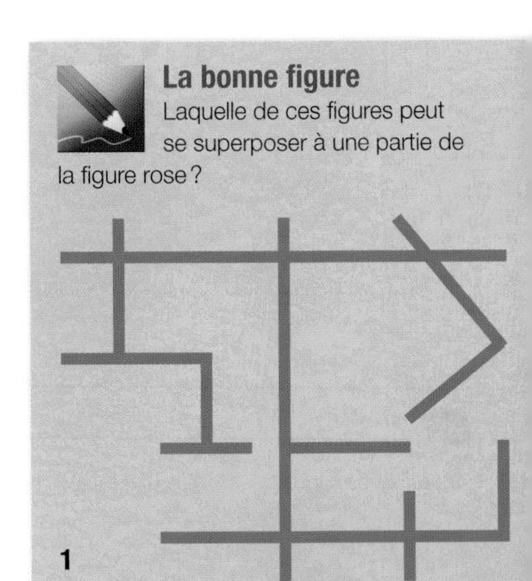

Ma mémoire et...
les mots compliqués

Pourquoi les mots compliqués ou techniques sont-ils si difficiles à retenir ? Parce que nous ne les entendons pas fréquemment. Pour les mémoriser, cherchez leur signification et transcrivez si possible leur définition dans un langage simple, avec vos mots à vous. Cherchez également un éventuel synonyme, plus accessible. Enfin, trouvez l'occasion de les employer dans une conversation !

– langage, jeux de construction, lecture, calcul, etc. D'où le rôle des éducateurs. L'enfant, puis l'adolescent, imite leurs raisonnements et développe ses capacités de réflexion dans le cadre des divers apprentissages, dont chacun repose sur un ensemble de règles établies qui fondent une logique – logique du langage, logique de construction, logique numérique, etc. Selon la manière dont ces logiques nous ont été inculquées, nous sommes plus ou moins à l'aise avec elles.

Ce bagage initial de règles et de méthodes s'enrichit ensuite des premières confrontations avec la réalité professionnelle, puis des leçons de la vie. De telle sorte que, placés devant une tâche à accomplir, nous utilisons cet héritage pour trouver **notre propre logique d'organisation.** Dans la vie courante, divers cheminements de pensée permettent d'arriver à un même résultat. Chacun s'est donc forgé sa logique et sa manière de résoudre les problèmes. Toute méthode paraîtra cohérente à qui l'a adoptée ; elle pourra sembler fantaisiste à d'autres.

Les exercices qui suivent sont destinés à mettre en application et à développer diverses formes de logique.

Les disques

Quels disques doit-on superposer pour obtenir le disque central ?

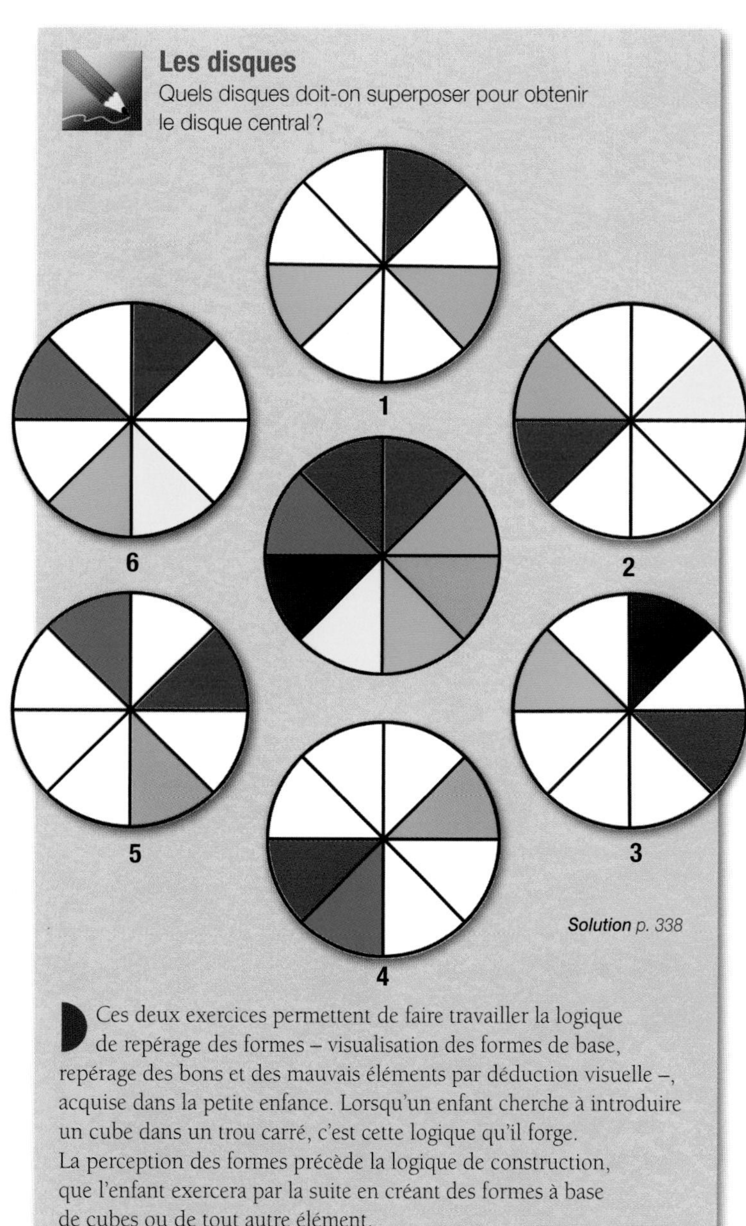

Solution p. 338

Ces deux exercices permettent de faire travailler la logique de repérage des formes – visualisation des formes de base, repérage des bons et des mauvais éléments par déduction visuelle –, acquise dans la petite enfance. Lorsqu'un enfant cherche à introduire un cube dans un trou carré, c'est cette logique qu'il forge. La perception des formes précède la logique de construction, que l'enfant exercera par la suite en créant des formes à base de cubes ou de tout autre élément.

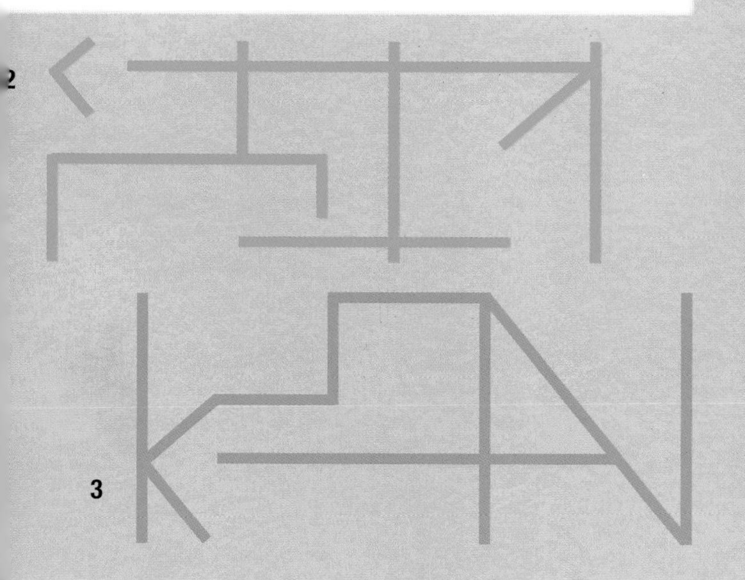

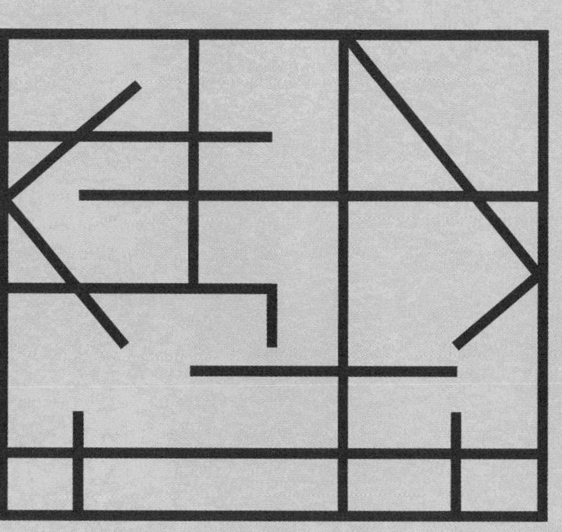

Solution p. 338

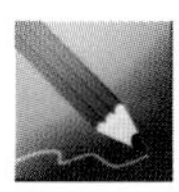

La farandole des cubes

Les figures suivantes sont composées de cubes empilés les uns sur les autres. Observez chacune d'entre elles afin d'en dénombrer les cubes. Attention, certains sont cachés !

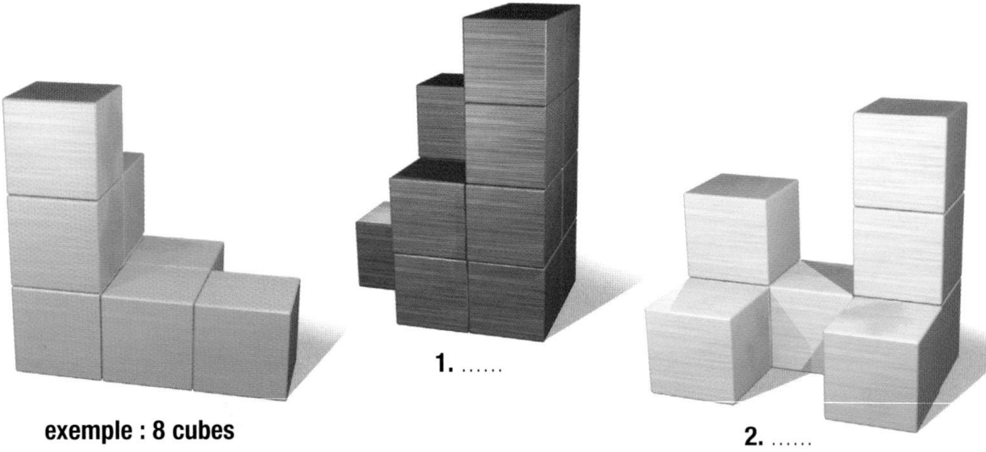

La réalisation de cet exercice exige une maturité neurologique – un enfant de moins de 8 ans ne pourrait le faire – permettant de se représenter mentalement un objet en trois dimensions. La perception d'un cube à l'arrière-plan nous permet de déduire la présence d'un deuxième, caché. Toute personne habituée à travailler sur des volumes, un architecte par exemple, sera très à l'aise dans ce type d'exercice. Mais chacun peut facilement développer cette logique de construction.

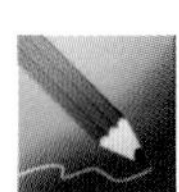

La danse des lettres

1. De gauche à droite, sélectionnez une lettre par cube pour retrouver 3 villes françaises de 8 lettres.

2. Retrouvez les noms de 8 fruits qui se sont entremêlés deux à deux.

1. **m b o a p n e m n a e** ....
2. **c i a r b e r s e i t o c** ....
3. **p e o h i c r e p e** ....
4. **r i e l m f c e s n a t e i n e** ....

Solution p. 338

La logique de construction des mots est issue des premiers apprentissages de la lecture et de l'écriture. Parallèlement nous avons intégré celle de la construction d'une phrase. S'il vous faut apprendre une langue étrangère qui n'est pas d'origine latine, vous devrez assimiler une autre logique dans la construction des phrases.

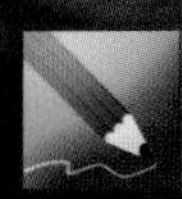

Le monde des animaux

Six amoureux des animaux se sont associés pour créer un zoo. Chacun d'entre eux a un animal favori, qui sera bien entendu présent le jour de l'ouverture. À vous de déterminer le chouchou de chacun !

Les chiffres de gauche indiquent le nombre d'animaux favoris figurant dans chaque rangée.
Les chiffres de droite indiquent le nombre d'animaux favoris placés sous la bonne personne.
Un conseil pour commencer : rayez les animaux de la cinquième rangée, puisque aucun animal favori n'y figure. Puis déduisez...

Exercice classique de logique qui fait travailler association et déduction, le logigramme exige de garder une attention vigilante tout au long de sa réalisation. Rayez les mots au fur et à mesure jusqu'à ce que des évidences s'imposent.

Solution p. 338

5. ......

6. ......

Solution p. 338

Suites logiques

Dans une suite logique, il faut d'abord trouver le lien existant entre les éléments et en tirer une règle. C'est cette règle qui permet de trouver l'élément manquant.

Solution p. 338

1. Complétez la série en remplissant le carré **D.**

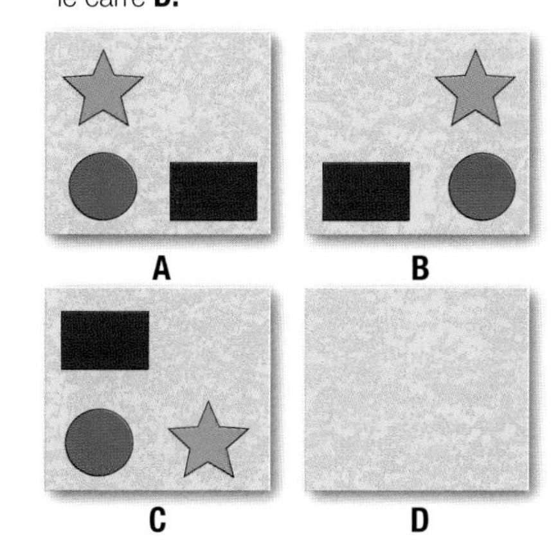

2. Sur ces 7 nombres, 6 ont un point commun. Lequel ?

5 - 2 - 7 - 14 - 28 - 52 - 56

3. Quelle lettre manque dans chacune des suites ci-dessous ?

Exemple : M - K - I - ...... - E

La réponse est **G** : on compte à rebours de 2 lettres en 2 lettres :

M (L) **K** (J) **I** (H) **G** (F) **E**

1. **A - D - B - E - ......**
2. **O - P - R - ...... - U**
3. **T - ...... - R - Q - P**
4. **A - E - ...... - M - Q**
5. **A - E - B - F - C - G - ...... - H**
6. **A - E - C - F - J - H - K - ...... - M - P - T - R**

La réussite dans la recherche d'un ordre logique dépend aussi des compétences et des goûts de chacun. La logique des formes paraîtra peut-être plus aisée aux personnes dont la perception est dite visuelle ; il faut aimer jongler avec les nombres pour les suites de chiffres ; et il faut aussi aimer compter pour réussir les suites de lettres.

	ÉRIC	LÉA	MARC	LUCIE	CHARLES	JUSTINE	
2	LOUP	PINGOUIN	FLAMANT ROSE	DROMADAIRE	OURS BLANC	AUTRUCHE	2
1	ZÈBRE	ÉLÉPHANT	PERROQUET	TIGRE	LÉMURIEN	LAMA	1
3	LOUP	LION	DROMADAIRE	FLAMANT ROSE	AUTRUCHE	OTARIE	2
1	GIRAFE	ZÈBRE	AUTRUCHE	LÉMURIEN	LAMA	FLAMANT ROSE	0
0	PERROQUET	PINGOUIN	RHINOCÉROS	DROMADAIRE	LÉMURIEN	TIGRE	0
2	ZÈBRE	TIGRE	LION	FLAMANT ROSE	LAMA	GIRAFE	1
1	PINGOUIN	PERROQUET	LÉMURIEN	GIRAFE	RHINOCÉROS	TIGRE	1
3	LION	GIRAFE	ZÈBRE	LÉMURIEN	OTARIE	LAMA	0

Logique, structuration et mémoire

Je réfléchis, je comprends, je raisonne, je trouve un ordre. C'est gagné : je retiens !

La faculté de raisonner logiquement est un critère d'intelligence communément admis, mais est-ce aussi un critère de bonne mémoire ?

Les exercices de ce module vous invitent à réfléchir, à raisonner, à dégager des rapports en vue de trouver des solutions logiques. Ils semblent développer davantage les capacités d'abstraction que la mémoire proprement dite. De fait, vous pouvez vous révéler très fort pour le raisonnement abstrait ou la logique numérique et posséder une bonne mémoire en ce domaine tout en souffrant d'une mauvaise mémoire pour d'autres types d'informations. Inversement, vous pouvez vous sentir à l'aise dans les activités strictement mnésiques et inefficace en matière de logique pure. Là encore, les chances sont inégales…

Cependant, plus vous réfléchissez, plus vous avez de chances de comprendre. Et **une bonne compréhension des informations aide à bien les retenir.** Parallèlement, vous entretenez et développez votre concentration. Réflexion et concentration concourent au maintien d'un niveau élevé d'activation cérébrale.

Mais, surtout, **raisonner avec logique entraîne l'esprit à structurer les données,** c'est-à-dire à trouver un ordre et du sens selon certaines règles. Et **de l'ordre, la mémoire en a besoin.** Il vous serait par exemple difficile de retenir telle quelle la combinaison de traits du dessin suivant…

Sauf si, avec ces huit traits, vous composiez cette figure :

Le même principe vaut pour les mots, les images, les listes. Il suffit de trouver un ordre, une logique afin de structurer les données pour leur donner un sens. La fixation en mémoire n'en sera que plus aisée. Et si les connaissances sont déjà engrangées selon une bonne logique, tout problème nouveau utilisera la structuration de ces données en mémoire pour élaborer une solution adéquate. Si vous entraînez vos facultés de logique et de raisonnement, votre cerveau, bien exercé, ne vous sera pas seulement utile pour des opérations intellectuelles, mais pour la vie de tous les jours. Et votre mémoire ne s'en portera que mieux.

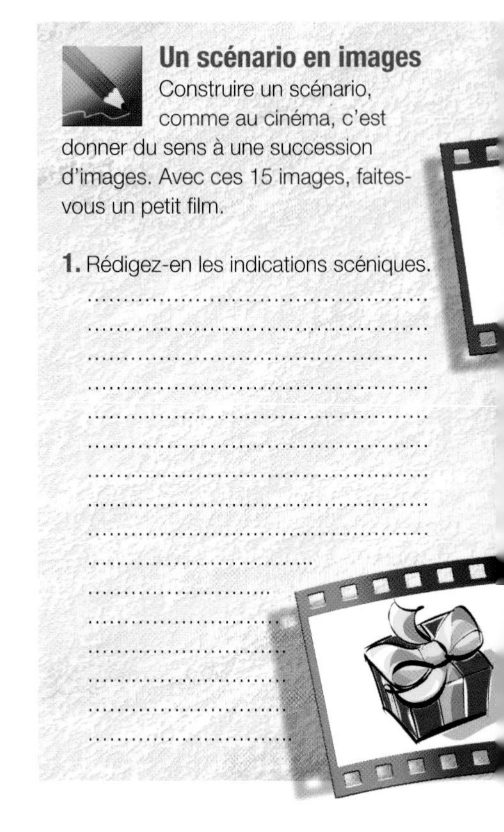

Un scénario en images

Construire un scénario, comme au cinéma, c'est donner du sens à une succession d'images. Avec ces 15 images, faites-vous un petit film.

1. Rédigez-en les indications scéniques.

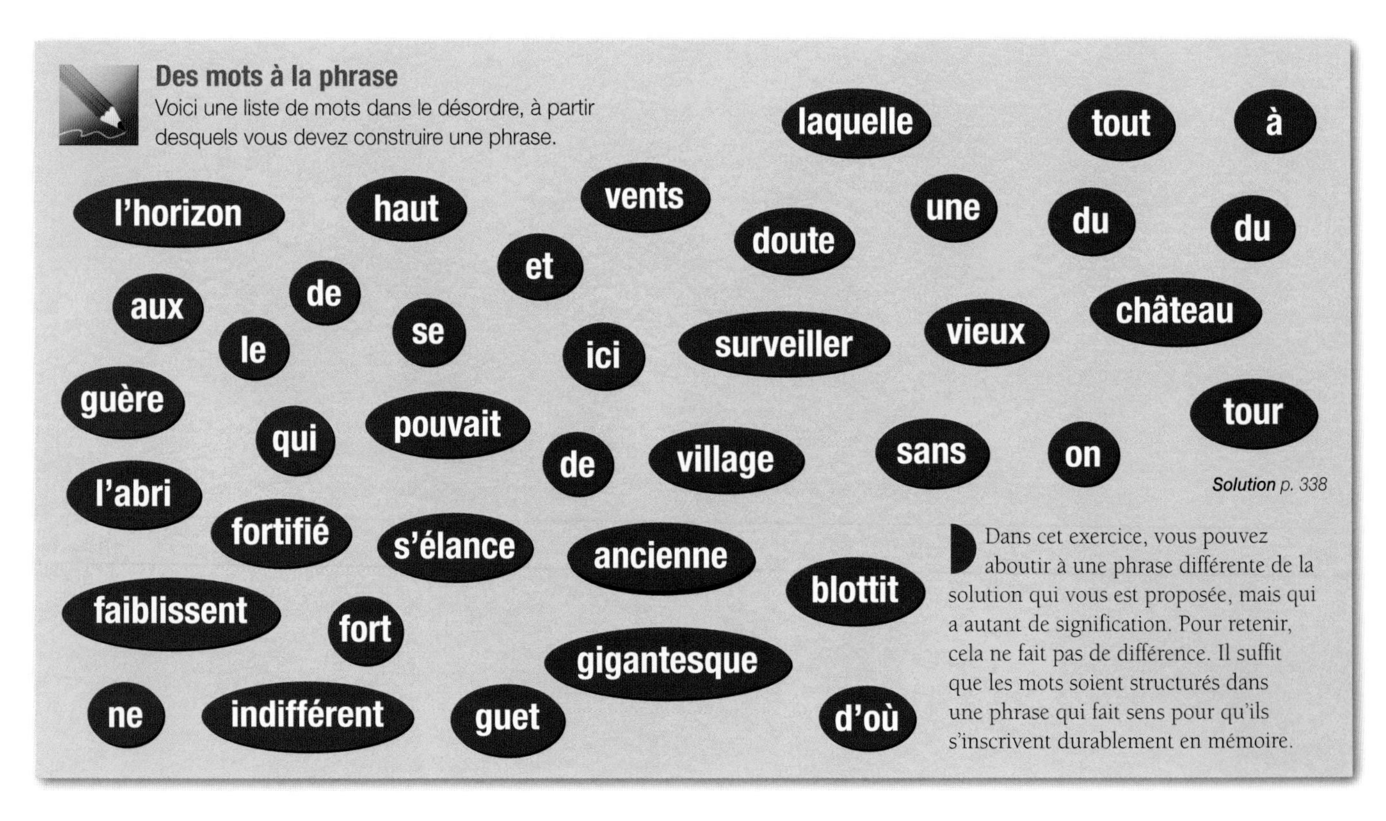

Des mots à la phrase

Voici une liste de mots dans le désordre, à partir desquels vous devez construire une phrase.

Solution p. 338

Dans cet exercice, vous pouvez aboutir à une phrase différente de la solution qui vous est proposée, mais qui a autant de signification. Pour retenir, cela ne fait pas de différence. Il suffit que les mots soient structurés dans une phrase qui fait sens pour qu'ils s'inscrivent durablement en mémoire.

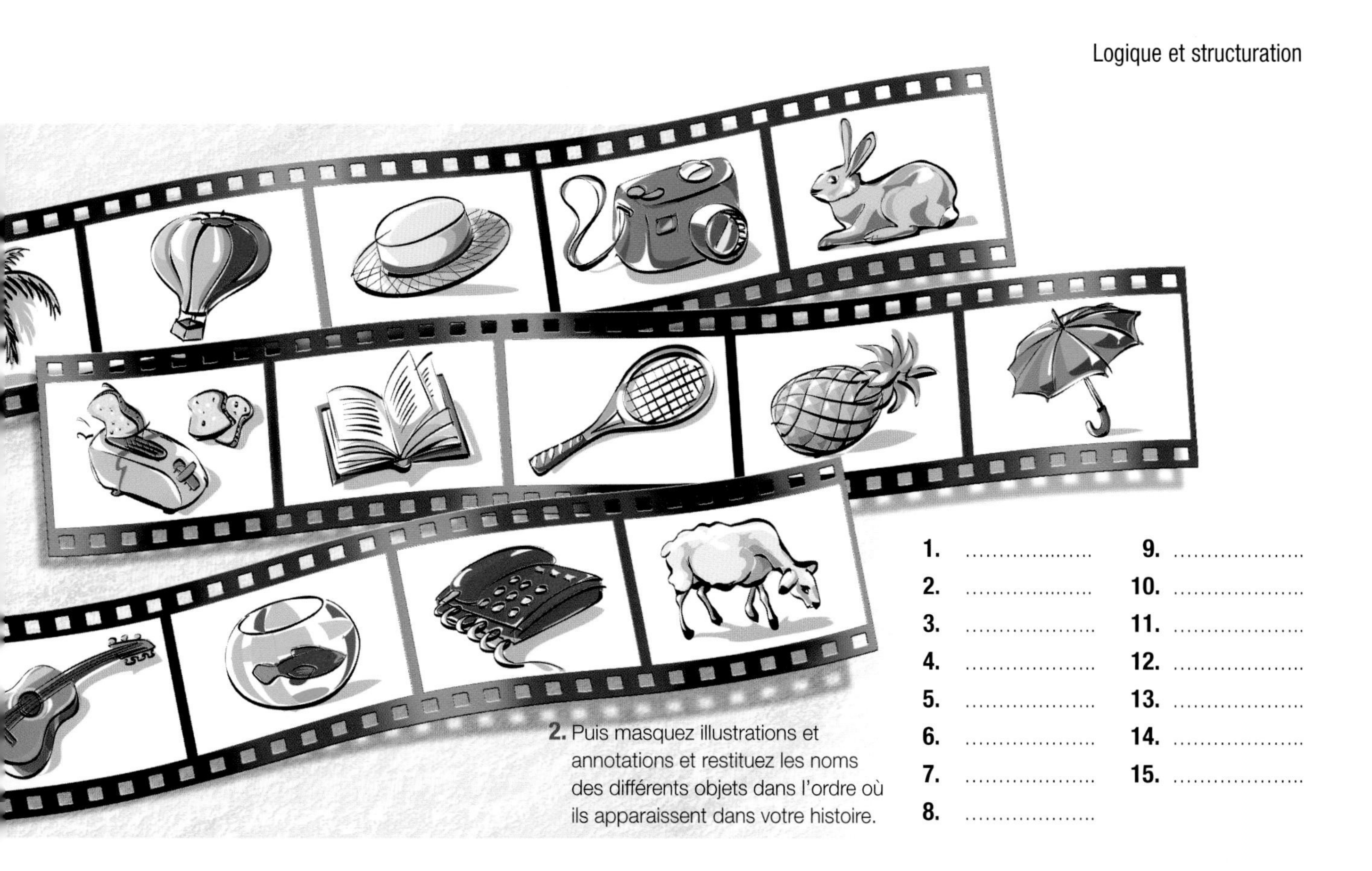

2. Puis masquez illustrations et annotations et restituez les noms des différents objets dans l'ordre où ils apparaissent dans votre histoire.

1. ……………………
2. ……………………
3. ……………………
4. ……………………
5. ……………………
6. ……………………
7. ……………………
8. ……………………
9. ……………………
10. ……………………
11. ……………………
12. ……………………
13. ……………………
14. ……………………
15. ……………………

Puzzle

Parmi ces 10 pièces, retrouvez les 9 pièces du puzzle et replacez-les au bon endroit afin de reconstituer l'image de départ.

Solution p. 338

Suites de chiffres

1. Déterminez avec quelle logique s'enchaînent les 6 premiers nombres afin de trouver le septième.

11 - 17 - 25 - 35 - 47 - 61 - ......

2. Quel est le chiffre manquant dans cette suite ?

7 - 23 - 71 - ...... **- 647**

3. Quels sont les nombres manquant dans les losanges vides ?

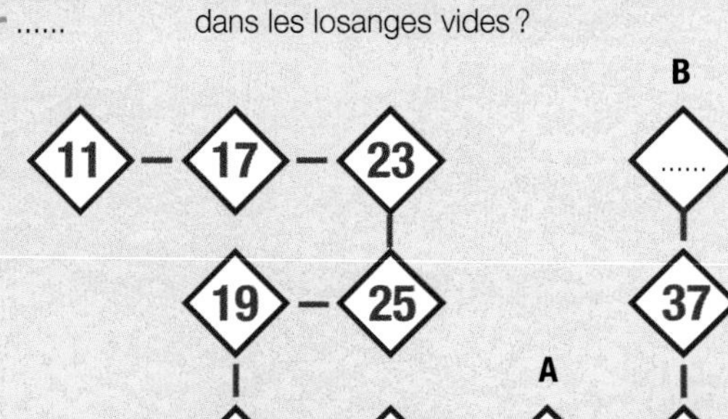

4. Quel est le chiffre manquant dans ce carré ?

2	4	5	1
7	13	14	8
9	21	16	9
9	3	2	......

Solution p. 338

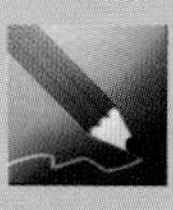

Suites de figures

1. Déterminez avec quelle logique s'enchaînent les figures suivantes et dessinez ensuite les figures manquantes.

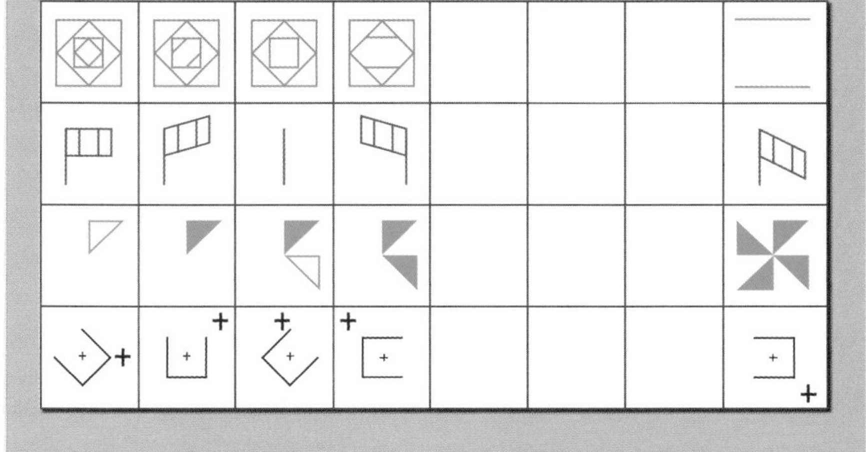

2. Observez cette suite de 5 cartes.

Parmi ces 4 cartes, laquelle continue logiquement la série ?

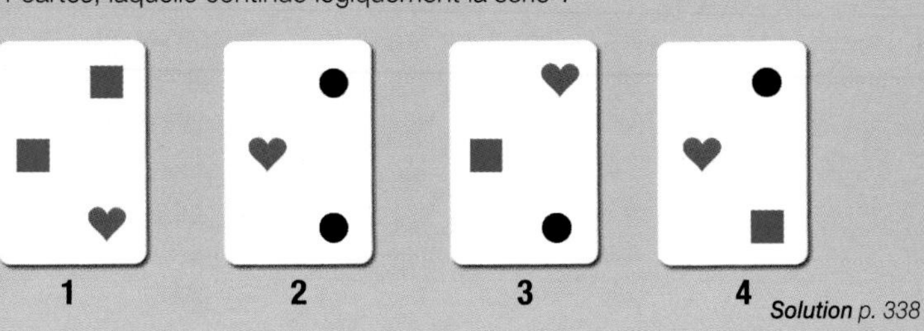

Solution p. 338

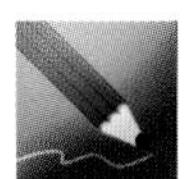

Palindromes

Le palindrome est un mot, un vers, une phrase, une combinaison de chiffres qui peut se lire dans les deux sens. Pour créer un palindrome, il faut toujours faire exception des accents, de la ponctuation phonique et des espaces entre les mots.

Exemples :
Un nom commun = selles
Un verbe = ressasser
Un prénom = Ève
Une ville = Laval
Une phrase = Ésope reste ici et se repose
Une date = 10.02.2001

Cherchez à votre tour deux palindromes pour chacune de ces catégories :

Noms communs ....
....

Verbes ....
....

Prénoms ....
....

Villes ....
....

Phrases ....
....

Dates ....
....

Solution p. 338

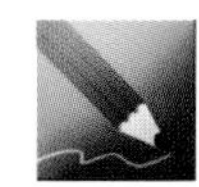

La séquence du spectateur

Retrouvez les titres de 10 films à partir des lettres suivantes. Ce sont tous des films étrangers, sauf un. Lequel? Avant de combler les espaces vides, remémorez-vous les titres de grands films classiques.

Exemple:

L_ ___t d_ l_
r_____e K___

= Le Pont de la rivière Kwaï

L■ ■u■■■e ■■■ é■■■■■s
E■■■■■■■ ■■■
O■■ of A■■■■■
L■■■ S■■■■
A■■■■■ en e■■■■■■ le ■■■■
■■■ S■■■ ■e■■■■■■■■■s
G■■■■■ e■ ■■■■
■■■■d H■■■■ r■■■■■■■■e ■■■■y
■■■■ b■■■e p■■■ ■■■
La ■■■■e V■■■

Solution p. 338

Quand la musique est bonne...

Dans sa jeunesse, Eddy a été trompettiste dans 4 groupes – les Funny, les Jacobs, les Rockers et les Cats. Aidez-le à retrouver l'ordre de création de ces groupes et le nombre de musiciens qui les composaient (4, 5, 6 ou 7).

Les indices:

- Les **JACOBS** étaient les plus nombreux et furent les premiers à monter sur scène.
- Le quatrième groupe ne s'appelait pas les **CATS** et comportait 6 musiciens.
- Eddy se souvient que, après avoir quitté le groupe des **FUNNY,** qui comportait 2 musiciens de moins que le premier groupe, il a fait partie des **CATS.**

Conseil: suivez l'énoncé pas à pas en exploitant chaque élément d'information. Formulez des hypothèses en mettant des croix dans les colonnes appropriées : vous les effacerez si nécessaire au fur et à mesure de vos déductions.

Solution p. 338

	Groupe 1	Groupe 2	Groupe 3	Groupe 4	4 musiciens	5 musiciens	6 musiciens	7 musiciens
FUNNY								
JACOBS								
ROCKERS								
CATS								

Organisation des données et catégorisation

La capacité d'organisation naturelle de la mémoire sémantique lui permet de conserver les stocks de nos connaissances tout en continuant à engranger de nouvelles informations. Pour bien les retenir, nous avons aussi grand avantage à faire de l'organisation et de la catégorisation une véritable stratégie.

De l'ordre en toute chose : regrouper

Retenir dans un certain ordre est une des clefs de la mémorisation. Les nouvelles informations rejoindront d'autant plus facilement les stocks de données déjà présents en mémoire. Face à des données disparates, il importe donc de **trouver un ordre là où il n'y en a pas.**

Regrouper est une des façons d'ordonner. Prenons l'exemple d'un numéro de téléphone composé de 10 chiffres : 0-1-8-5-9-6-3-2-8-7. Regrouper par paires, comme cela est communément fait, permet de n'avoir que 5 éléments à mémoriser, soit 01-85-96-32-87. Mais l'on peut aussi décider un regroupement de deux fois 2 chiffres et deux fois 3 chiffres – 01-85-963-287 –, ce qui ne représente alors que 4 éléments à mémoriser.

De la même manière, lorsqu'il s'agit de se rappeler des séries d'informations, il vaut mieux commencer par définir des groupes. Si vous devez, par exemple, nommer les os du squelette, il sera plus efficace de commencer par les os de la tête, puis ceux du thorax, ceux des membres supérieurs et ainsi de suite, plutôt que de les citer avec précipitation et dans le désordre.

Quelle histoire !

M. X a décidé de partir en vacances. Mais une bien étrange histoire lui est arrivée, illustrée ici sous forme d'images présentées en désordre. Vous devez la reconstituer afin de la raconter à sa sœur, qui n'a pas eu confirmation de son arrivée sur son lieu de vacances. Pour remettre ces images dans l'ordre et comprendre les péripéties du curieux voyage de M.X, soyez attentif aux détails.

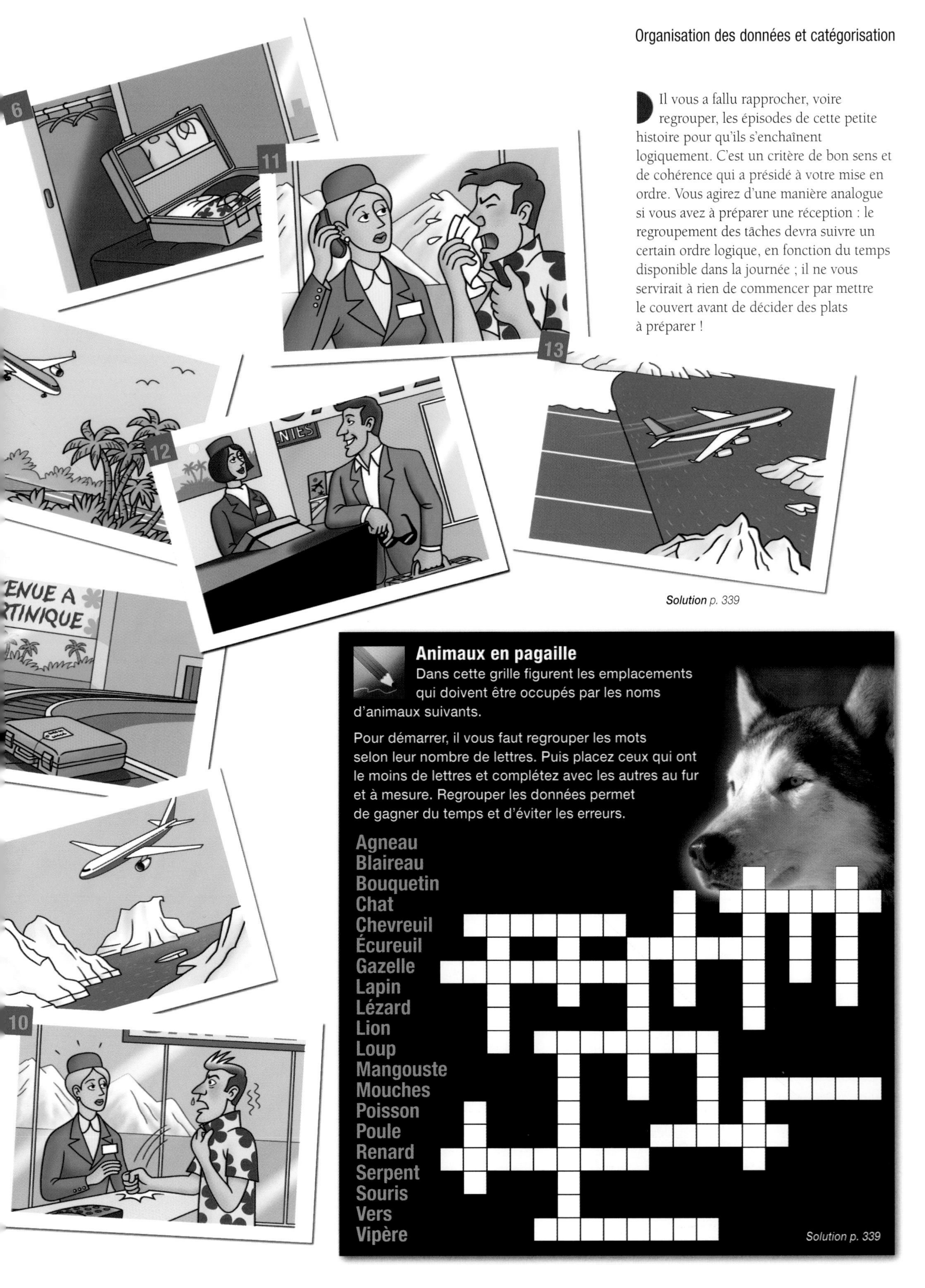

Il vous a fallu rapprocher, voire regrouper, les épisodes de cette petite histoire pour qu'ils s'enchaînent logiquement. C'est un critère de bon sens et de cohérence qui a présidé à votre mise en ordre. Vous agirez d'une manière analogue si vous avez à préparer une réception : le regroupement des tâches devra suivre un certain ordre logique, en fonction du temps disponible dans la journée ; il ne vous servirait à rien de commencer par mettre le couvert avant de décider des plats à préparer !

Solution p. 339

Animaux en pagaille

Dans cette grille figurent les emplacements qui doivent être occupés par les noms d'animaux suivants.

Pour démarrer, il vous faut regrouper les mots selon leur nombre de lettres. Puis placez ceux qui ont le moins de lettres et complétez avec les autres au fur et à mesure. Regrouper les données permet de gagner du temps et d'éviter les erreurs.

Agneau
Blaireau
Bouquetin
Chat
Chevreuil
Écureuil
Gazelle
Lapin
Lézard
Lion
Loup
Mangouste
Mouches
Poisson
Poule
Renard
Serpent
Souris
Vers
Vipère

Solution p. 339

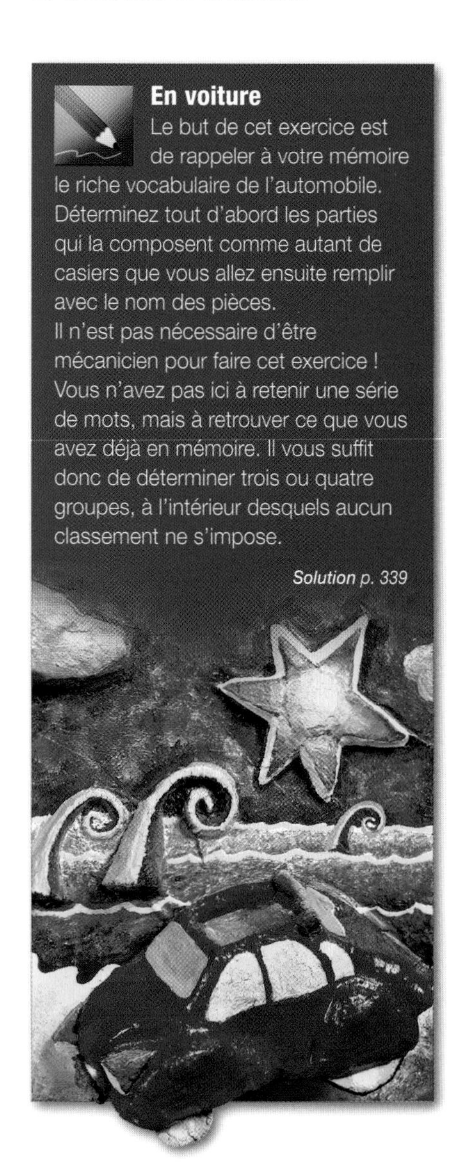

En voiture

Le but de cet exercice est de rappeler à votre mémoire le riche vocabulaire de l'automobile. Déterminez tout d'abord les parties qui la composent comme autant de casiers que vous allez ensuite remplir avec le nom des pièces.
Il n'est pas nécessaire d'être mécanicien pour faire cet exercice ! Vous n'avez pas ici à retenir une série de mots, mais à retrouver ce que vous avez déjà en mémoire. Il vous suffit donc de déterminer trois ou quatre groupes, à l'intérieur desquels aucun classement ne s'impose.

Solution p. 339

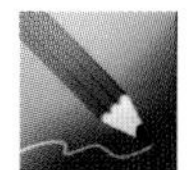

Visite guidée

Vous devez emmener un ami visiter ce quartier : observez attentivement le plan ci-dessous et mémorisez-le.

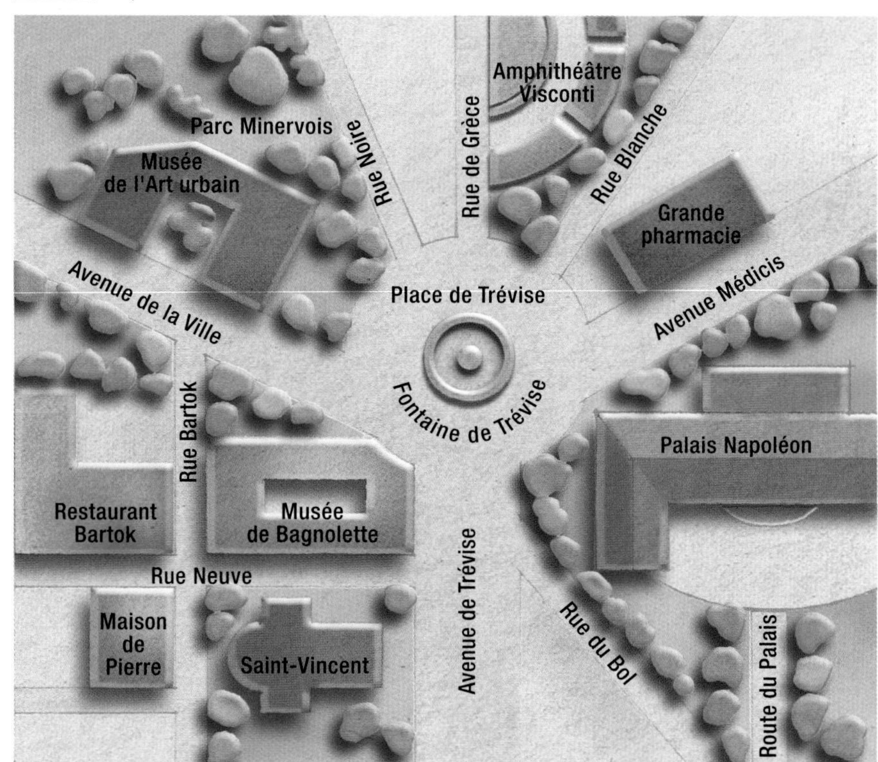

Cachez ce plan et restituez les lieux suivants : **Parc Minervois - Musée de l'Art urbain - Amphithéâtre Visconti - Grande pharmacie - Place de Trévise - Palais Napoléon - Maison de Pierre - Musée de Bagnolette**

Pour cela, élaborez un trajet logique qui vous assurera de ne rien rater. Construire un parcours visuel est un bon moyen d'ordonner des informations de ce type en vue d'une mémorisation.

Ma mémoire et…
ma collection

Faire une collection donne le goût de la recherche, captive l'attention et alimente l'intérêt pour un sujet. Et, quel que soit son âge, un collectionneur est habité par un projet, celui de constituer une collection de qualité, qui le pousse à entretenir des liens avec ses pairs et à rencontrer sans cesse de nouvelles personnes. Tous les facteurs sont réunis : les collectionneurs ont souvent une très bonne mémoire. Il est donc bénéfique de tout mettre en œuvre pour constituer sa collection, à condition cependant de ne pas vivre que pour elle…

Bien choisir ses critères

Le choix de critères adaptés est essentiel pour classifier efficacement des informations que l'on veut mémoriser. Pour être sûr de ne rien oublier dans une liste de courses, par exemple, regrouper les articles selon les rayons du magasin est un critère pertinent. On peut aussi rassembler des éléments selon leurs caractéristiques, leur nature, etc. Si des catégories pertinentes ne peuvent être dégagées, il faut avoir recours à une autre stratégie mnémotechnique.
Selon le type d'informations à retenir, on peut être amené à classifier en optant pour des critères plus ou moins pointus. La méthode de la catégorisation enseigne cependant par expérience qu'il est préférable de se limiter à sept catégories.

30 mots

Lisez attentivement ces 30 mots.
Sur une feuille, essayez de trouver des critères pour les ranger dans des catégories.

pain	**bergerie**	**poitrine**	**tanière**
terrier	**doigt**	**soupe**	**enclos**
salade	**niche**	**coude**	**hanches**
poulailler	**croissant**	**fromage**	**tomate**
truite	**fourmilière**	**pomme**	**nez**
tête	**ventre**	**steak**	**concombre**
orange	**écurie**	**pied**	
cou	**fémur**	**farine**	

Masquez cette liste et vos notes.
Restituez le plus de mots possible.

Vous avez sans doute été étonné par le nombre de mots que vous avez pu restituer. C'est en rapprochant certains termes que l'on peut établir leur appartenance à des domaines de connaissances qui constitueront des catégories. Dans cet exercice, on peut regrouper les mots qui désignent des aliments, ceux qui qualifient un habitat et enfin ceux qui ont trait au corps humain. Cette classification en trois catégories principales a facilité la mémorisation. Cette méthode permet en général de restituer de 16 à 20 mots et peut être efficace jusqu'à 50 mots. Dans ce cas, il est préférable de ne pas dépasser 7 catégories.
Si vous avez ajouté des mots ne faisant pas partie de la liste d'origine, posez-vous les questions suivantes.

- Avez-vous lu avec suffisamment d'attention, en vous représentant mentalement chacun des mots ?
- Les mots ajoutés ou oubliés ont-ils pour vous une charge affective particulière ? Si oui, laquelle ?

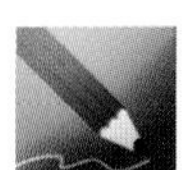

Les intrus

1. Observez ces 28 images. Trouvez des liens entre elles afin de former 7 groupes de 4 éléments ayant un thème commun.

THÈME	1	2	3	4	5	6	7
	....	....	....	....	....	....	....
	....	....	....	....	....	....	....
	....	....	....	....	....	....	....
	....	....	....	....	....	....	....
	....	....	....	....	....	....	....

2. Observez maintenant ces 50 images. Retrouvez en une minute celles qui figuraient à la page précédente.

Solution p. 339

Phrases à initiales

Créez des phrases cohérentes dont les mots commencent par les initiales suivantes. Vous pouvez utiliser une ponctuation.

Solution p. 339

Exemple :

A............ **C**............ **J**............ **D**............ **F**............

Avec **C**athy, **J**ustin **D**anse **F**ièrement
Aujourd'hui, **C**'est **J**our **D**e **F**ête
Anne-**C**atherine **J**oue **D**u **F**lamenco

L............ **T**............ **E**............ **R**............ **S**............

L............ **P**............ **V**............ **S**............ **M**............

L............ **M**............ **D**............ **N**............ **C**............

M............ **C**............ **E**............ **D**............ **R**............

Le maniement du langage repose aussi sur une organisation des données. Il faut en effet choisir les mots en fonction d'une organisation logique, celle de la phrase. Le travail sur la structure de notre langue est un fabuleux outil pour exercer sa mémoire.

Marabout-bout de ficelle

Formez 1 mot de 2 syllabes en utilisant la première syllabe fournie. Servez-vous ensuite de la deuxième syllabe de ce mot pour créer un second mot.
Une fois que vous avez trouvé le premier mot, votre mémoire va rappeler les mots commençant par la deuxième syllabe.
Vous effectuez ainsi une catégorisation selon un critère phonétique.

Exemple :

DES	**TIN**	➤➤➤	**TIN**	**TAMARRE**
POU	....	➤➤➤	....	....
AI	....	➤➤➤	....	....
CRI	....	➤➤➤	....	....
EN	....	➤➤➤	....	....
NI	....	➤➤➤	....	....
PA	....	➤➤➤	....	....
FRE	....	➤➤➤	....	....
BE	....	➤➤➤	....	....
BO	....	➤➤➤	....	....
YE	....	➤➤➤	....	....
ME	....	➤➤➤	....	....
PLA	....	➤➤➤	....	....
MEN	....	➤➤➤	....	....
POUS	....	➤➤➤	....	....
CHAN	....	➤➤➤	....	....
PLA	....	➤➤➤	....	....
PRO	....	➤➤➤	....	....
VEN	....	➤➤➤	....	....

Plus vous vous entraînerez à ce type de jeu, plus vous raviverez votre vocabulaire et plus votre expression orale gagnera en fluidité. D'une manière générale, les mots viennent plus vite lorsqu'on s'exprime souvent et le vocabulaire s'accroît par la même occasion.

Solution p. 339

Trouver une hiérarchie

Faire des groupes peut ne pas suffire lorsque chaque groupe comprend des informations trop différentes ou en trop grand nombre. Une seconde organisation est alors nécessaire, qui peut prendre la forme d'un classement plus ou moins complexe à l'intérieur de chaque groupe.
La pertinence des critères sera dans ce cas plus difficile à établir. À l'intérieur d'une catégorie très générale, on pourra classer les données de manière simple – liste alphabétique, par exemple – ou avoir recours à d'autres critères de classement permettant de définir une **logique de sous-catégorie.** Cette organisation gagnera en clarté si elle est hiérarchisée sous la forme d'une **arborescence pyramidale.**

L'organisation hiérarchique s'utilise entre autres dans les sciences de la nature (règne animal, règne végétal) pour permettre l'identification des espèces.

Voici un exemple d'arborescence pyramidale simple construite avec les mots suivants : chien - serin - cerf - pie - lapin - perruche - rouge-gorge - âne - mouton - perroquet - daim - vautour.

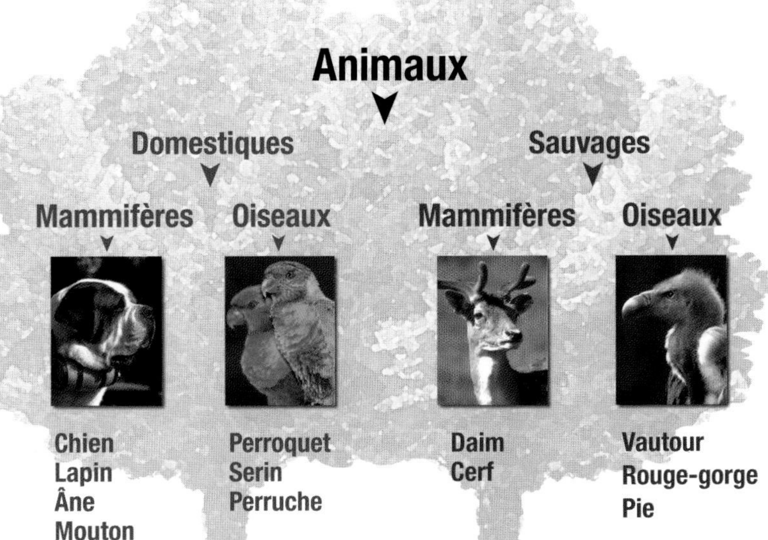

Tour du monde
Munissez-vous d'une feuille de papier et trouvez une organisation hiérarchique pour ces 36 noms propres.

Séville
Tarente
Boston
Yukon
Vancouver
González
Dallas
Aldo Moro
Salvador
Èbre
Rio de Janeiro
Seattle
Loire
Missouri
Brest
Sienne
Rhin
Vierzon
Montréal
Saint-Laurent
Valladolid
Trudeau
Assise
De Gaulle
Pô
Guadalquivir
Mississippi
Kennedy
Tibre
Lula
Amazone
Ottawa
São Paulo
Tolède
Nice
Rio Negro

Puis cachez la liste et vos notes.
Restituez le maximum de noms.

Solution p.339

La hiérarchisation des données permet d'accroître considérablement ses chances de mémorisation.
On ne peut cependant employer cette stratégie pour tous les types d'informations : il faut pouvoir trouver des critères pertinents pour aboutir à une pyramide logique.
En somme, plus on connaît le sujet, plus la catégorisation est aisée. Ainsi, vous aurez bien du mal à classifier une série de roches d'après des critères de forme, de taille, de couleur, etc. ; il sera plus judicieux de vous reporter à la classification minéralogique et de l'utiliser.

Ma mémoire et…
l'euro

Beaucoup d'entre nous convertissent encore les euros en francs pour apprécier correctement un prix. Ne plus le faire nous paraît très difficile, surtout quand la somme est importante. Cette réticence relève de la crainte légitime de perdre au change et de la force des habitudes. Nos repères sont anciens et resteront encore longtemps présents. N'incriminez donc pas votre mémoire. Elle fonctionne de la même manière avec une nouvelle monnaie. Il suffit de faire un effort…

La méthode du plan

La méthode du plan est une forme d'organisation qui permet de **faire ressortir les points importants d'un texte,** en facilitant de ce fait la mémorisation. Lire attentivement sans prendre de notes en est la première étape. Il faut ensuite **surligner les idées principales** : la structure d'ensemble du texte apparaît, et avec elle le cheminement de la pensée de l'auteur. Enfin, **souligner les mots clefs** permet de préciser le contenu des idées fortes, voire de les compléter. Cette méthode demande un peu plus de rigueur que d'apprendre par cœur, mais elle a fait ses preuves.

Lorsque vous souhaitez retenir l'essentiel d'un ouvrage, lire le sommaire est une bonne méthode pour avoir une vue d'ensemble des principales idées du livre ; elle permet de comprendre comment s'enchaînent les idées maîtresses.

Émile ou De l'éducation

Munissez-vous d'un surligneur et d'un crayon.
Lisez attentivement ce texte de Jean-Jacques Rousseau et appliquez la méthode du plan, définie à la page précédente.

« La lecture est le fléau de l'enfance, et presque la seule occupation qu'on sait lui donner. À peine à douze ans Émile saura-t-il ce que c'est qu'un livre ? Mais il faut bien au moins, dira-t-on, qu'il sache lire. J'en conviens : il faut qu'il sache lire quand la lecture lui est utile ; jusqu'alors elle n'est bonne qu'à l'ennuyer [...]

Par quel prodige cet art si utile et si agréable est-il devenu un tourment pour l'enfance ? Parce qu'on la contraint de s'y appliquer malgré elle, et qu'on le met à des usages auxquels elle ne comprend rien. Un enfant n'est pas fort curieux de perfectionner l'instrument avec lequel on le tourmente ; mais faites que cet instrument serve à ses plaisirs, et bientôt il s'y appliquera malgré vous.

On se fait une grande affaire de chercher les meilleures méthodes d'apprendre à lire ; on invente des bureaux, des cartes ; on fait de la chambre d'un enfant un atelier d'imprimerie. Locke veut qu'il apprenne à lire avec des dés. Ne voilà-t-il pas une invention bien trouvée ? Quelle pitié ! Un moyen plus sûr que tout cela, et celui qu'on oublie toujours, est le désir d'apprendre. Donnez à l'enfant ce désir, puis laissez là vos bureaux et vos dés, toute méthode lui sera bonne. L'intérêt présent, voilà le grand mobile, le seul qui mène sûrement et loin. »

Démonstration

« La lecture est le fléau de l'enfance, et presque la seule occupation qu'on sait lui donner. À peine à douze ans Émile saura-t-il ce que c'est qu'un livre ? Mais il faut bien au moins, dira-t-on, qu'il sache lire. J'en conviens : il faut qu'il sache lire quand la lecture lui est utile ; jusqu'alors elle n'est bonne qu'à l'ennuyer[...]

Par quel prodige cet art si utile et si agréable est-il devenu un tourment pour l'enfance ? Parce qu'on la contraint de s'y appliquer malgré elle, et qu'on le met à des usages auxquels elle ne comprend rien. Un enfant n'est pas fort curieux de perfectionner l'instrument avec lequel on le tourmente ; mais faites que cet instrument serve à ses plaisirs, et bientôt il s'y appliquera malgré vous.

On se fait une grande affaire de chercher les meilleures méthodes d'apprendre à lire ; on invente des bureaux, des cartes ; on fait de la chambre d'un enfant un atelier d'imprimerie. Locke veut qu'il apprenne à lire avec des dés. Ne voilà-t-il pas une invention bien trouvée ? Quelle pitié ! Un moyen plus sûr que tout cela, et celui qu'on oublie toujours, est le désir d'apprendre. Donnez à l'enfant ce désir, puis laissez là vos bureaux et vos dés, toute méthode lui sera bonne. L'intérêt présent, voilà le grand mobile, le seul qui mène sûrement et loin. »

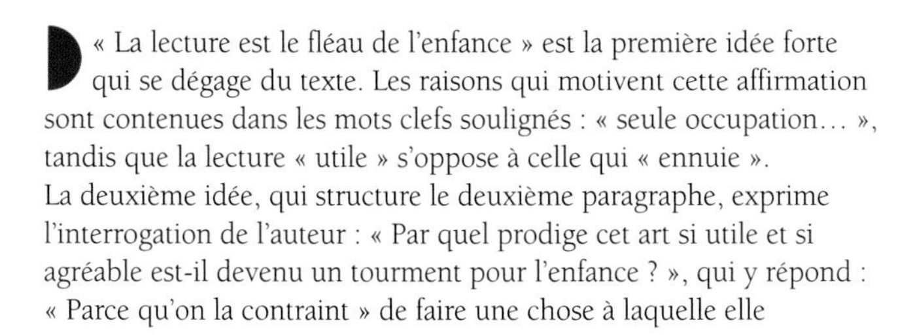

« La lecture est le fléau de l'enfance » est la première idée forte qui se dégage du texte. Les raisons qui motivent cette affirmation sont contenues dans les mots clefs soulignés : « seule occupation... », tandis que la lecture « utile » s'oppose à celle qui « ennuie ».
La deuxième idée, qui structure le deuxième paragraphe, exprime l'interrogation de l'auteur : « Par quel prodige cet art si utile et si agréable est-il devenu un tourment pour l'enfance ? », qui y répond : « Parce qu'on la contraint » de faire une chose à laquelle elle « ne comprend rien » – et qui en tire une conséquence : l'absence de curiosité. La transition avec l'autre idée principale du paragraphe se fait d'elle-même : « Mais faites que cet instrument serve à ses plaisirs ».
Dans le troisième paragraphe, l'idée principale est exprimée à la fin et sonne comme la conclusion d'une réflexion sur les « meilleures méthodes » d'apprentissage : « L'intérêt présent, voilà le grand mobile ». Et le moteur de tout cela, c'est le « désir d'apprendre ».

Relier les informations : l'association

Dans le cerveau, toute nouvelle information s'associe naturellement à une ancienne, déjà présente en mémoire. Vous pouvez donc utiliser cette faculté naturelle de la pensée qu'est l'association comme une stratégie de mémorisation. Pour vous y entraîner, il est important d'apprendre à libérer votre créativité.

Mémorisation et association

J'associe aussi naturellement que je respire.

Tout processus de mémorisation se déroule en trois étapes : l'encodage, le stockage et la récupération (voir p. 28). Pour qu'une nouvelle information soit retenue, il faut qu'elle soit transformée en « langage de cerveau ». Elle est comparée à toutes les autres déjà présentes en mémoire pour savoir si elle a déjà été mémorisée ou si elle apporte vraiment quelque chose de nouveau, un peu comme un ordinateur qui remet à jour ses fichiers. Si c'est le cas, le cerveau va chercher à quelle autre information l'associer. C'est l'encodage. L'histoire personnelle de chacun constitue le terreau du travail d'encodage. Ainsi, à chaque fois que vous êtes face à une donnée nouvelle, qu'il s'agisse d'un objet matériel ou d'une idée, vous allez automatiquement l'associer à ce que vous connaissez déjà. **L'association est une façon automatique de penser.** Il est fréquent de se trouver confronté à des questions dont on pense ne pas connaître la réponse. En réalité, c'est en constituant un réseau d'associations avec toutes les informations dont on dispose déjà que l'on est le plus apte à trouver des réponses aux questions nouvelles. Cette disposition est manifeste chez les personnes maniant leurs connaissances avec une surprenante dextérité, qui savent toujours rattacher une nouvelle donnée à ce qu'elles connaissent déjà : elles ont particulièrement développé le mécanisme naturel de l'association.

Les bonnes distances

Pour classer ces trajets du plus petit au plus grand, en France, en Europe et dans le monde, faites de votre mémoire une véritable banque de données et puisez dedans pour trouver les réponses. Certaines distances vous sont probablement connues. C'est en vous appuyant sur elles et en les associant à d'autres éléments – vos souvenirs d'école, vos notions de géographie, le temps nécessaire au parcours, etc. – que vous pourrez établir un ordre croissant.

En France

a - Paris-Lyon	1 .....
b - Paris-Strasbourg	2 .....
c - Paris-Toulon	3 .....
d - Paris-Lille	4 .....
e - Paris-Ajaccio	5 .....
f - Paris-Nantes	6 .....
g - Paris-Marseille	7 .....
h - Paris-Bordeaux	8 .....
i - Paris-Nice	9 .....

En Europe

a - Paris-Athènes	1 .....
b - Paris-Berlin	2 .....
c - Paris-Bruxelles	3 .....
d - Paris-Dublin	4 .....
e - Paris-Londres	5 .....
f - Paris-Madrid	6 .....
g - Paris-Prague	7 .....
h - Paris-Rome	8 .....
i - Paris-Helsinki	9 .....
j - Paris-Stockholm	10 .....
k - Paris-Zurich	11 .....
l - Paris-Copenhague	12 .....

Dans le monde

a - Paris-Saigon	1 .....
b - Paris-Washington	2 .....
c - Paris-Moscou	3 .....
d - Paris-Marrakech	4 .....
e - Paris-Istanbul	5 .....
f - Paris-Dakar	6 .....
g - Paris-Le Cap	7 .....
h - Paris-Rio de Janeiro	8 .....
i - Paris-Bagdad	9 .....
j - Paris-Alger	10 .....
k - Paris-Le Caire	11 .....
l - Paris-Sydney	12 .....

Solution p. 339

Associations réfléchies, associations spontanées

J'associe selon ma personnalité, mes connaissances, mon vécu…

L'association est un processus psychique qui permet à quelqu'un de **mettre en relation des personnes, des objets, des images, des idées, etc.**, qui ont un point commun ou qui évoquent une ou des caractéristiques identiques. Schématiquement, quand A me fait penser à B, je crée un lien entre eux, et quand A + B me font penser à C, cela signifie que A et B ont quelque chose qui les rapproche de C. Certains de ces liens sont perceptibles par tous, ce qui permet de classifier les types d'associations de la manière suivante.

Les associations phonétiques. Dans ce cas, les sons se ressemblent et les mots vont spontanément s'assembler. Exemple : tomate et tomette.

Les associations sémantiques. L'association s'effectue d'après le sens du mot et en fonction des connaissances que l'on possède à son propos. Exemple : tomate et fruit.

Les associations métaphoriques. B est associé à A parce que la signification de B n'est proche de celle de A qu'en vertu d'un transfert de sens par substitution analogique. Exemple : tomate et honte (rouge comme une tomate).

Les associations logiques. Deux éléments qui appartiennent à un univers commun sont mis en relation. Exemple : tomate et sauce.

Les associations de genre. Deux éléments possèdent une caractéristique commune (forme, taille, poids, couleur, odeur…). Exemples : tomate et poivron (couleur rouge) ; tomate et raisin (forme de la grappe).

Les associations d'idées. Deux éléments sont mis en relation sur la base d'un rapprochement d'ordre abstrait. Exemple : tomate et soleil.

Ma mémoire et... mon numéro de téléphone

Voici quelques astuces pour mémoriser facilement un numéro à 10 chiffres.

1. Regroupez les chiffres 3 par 3 ou 4 par 4. Au lieu d'essayer de retenir 08 00 40 32 29, tentez de mémoriser 0 800 403 229.

2. Associez les groupes de chiffres à des tailles, des dates personnelles, des numéros connus…

3. Écrivez régulièrement ce numéro.

4. Répétez-le plusieurs fois, à haute voix et dans votre tête, chaque jour pendant la première semaine.

La fréquente utilisation d'un numéro est la garantie d'une mémorisation solide.

Mais chacun d'entre nous établit aussi des liens **en fonction de son vécu et de son univers personnel.** Il faut donc ajouter deux autres types d'associations à cette liste.

Les associations subjectives. L'association ne peut être comprise que par la personne qui l'a faite, car il s'agit d'une allusion à l'un de ses souvenirs. Exemple : mer et angine – parce que la dernière fois que je suis allé à la mer, j'ai eu une angine.

Les associations inconscientes. L'association se fait en dehors de la conscience et son auteur ne peut pas l'expliquer.

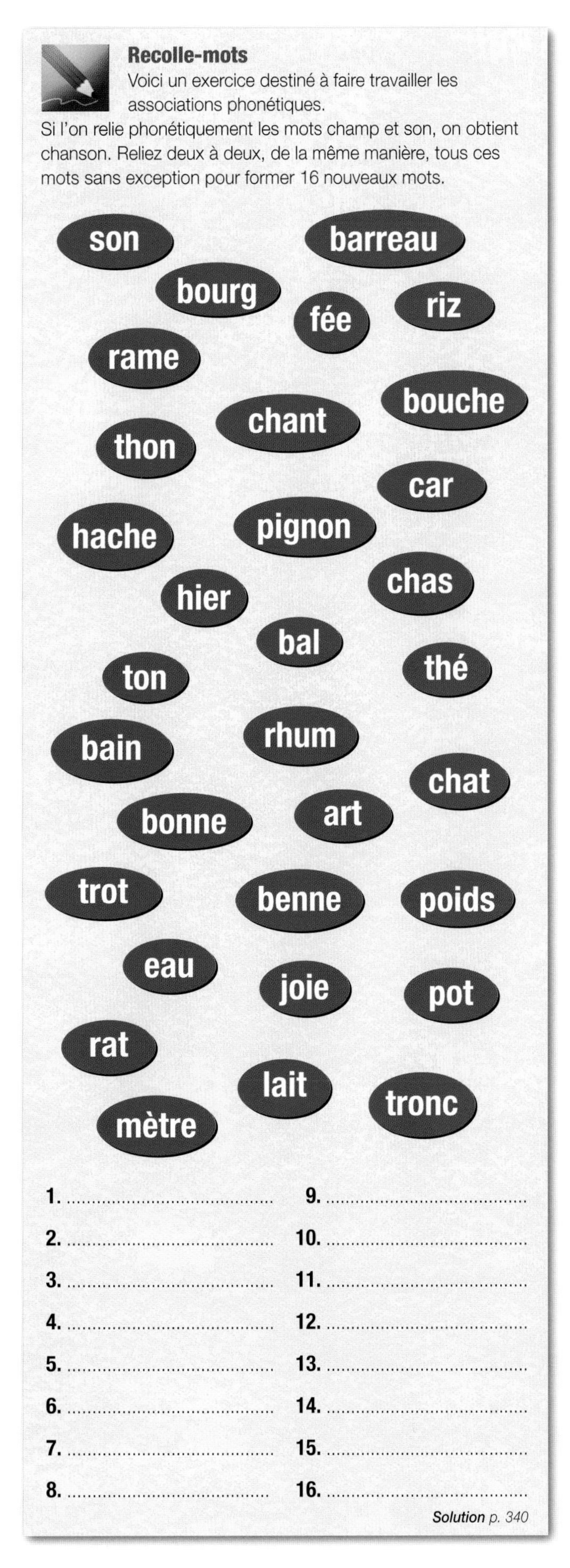

Les deux font la paire

Pour réussir cet exercice, vous devez associer le premier mot avec un nom commun ou un nom propre de votre choix finissant par **-in** ou **-ain** (association phonétique). Les deux mots doivent aussi avoir un rapport de sens ou un lien logique. Ainsi, le mot navigation peut être associé à marin, mais pas à matin.

docteur ....

tendresse ....

amitié ....

boulanger ....

tissu ....

enfant ....

poison ....

chanson ....

arbre ....

pluie ....

fromage ....

bourgade ....

haute couture ....

bijou ....

Daudet ....

élan ....

paratonnerre ....

papier ....

montgolfière ....

siège ....

tsar ....

Arthur ....

***Solution** p. 340*

Deux images pour un mot

Observez bien ces 12 paires d'images. Un lien, dont la nature peut être différente (genre, sens, logique), a permis de les associer. Ce point commun tient en un mot, trouvez-le !

champignon **pied**

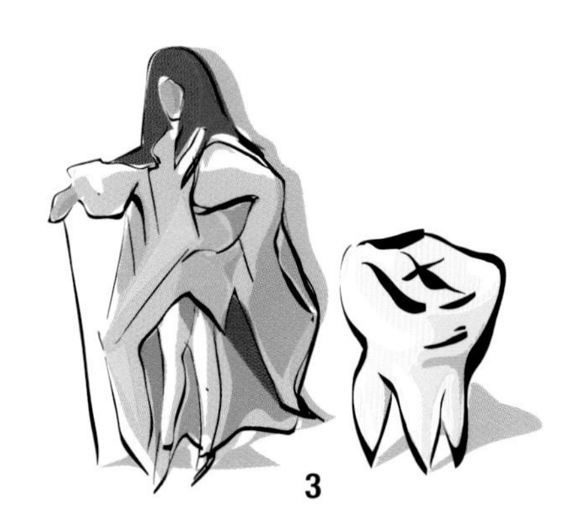

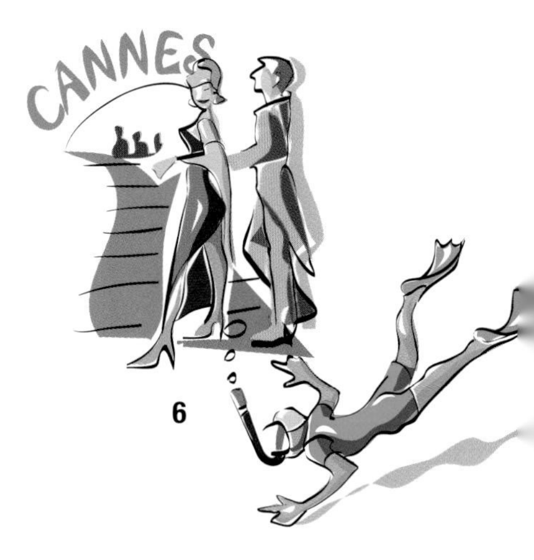

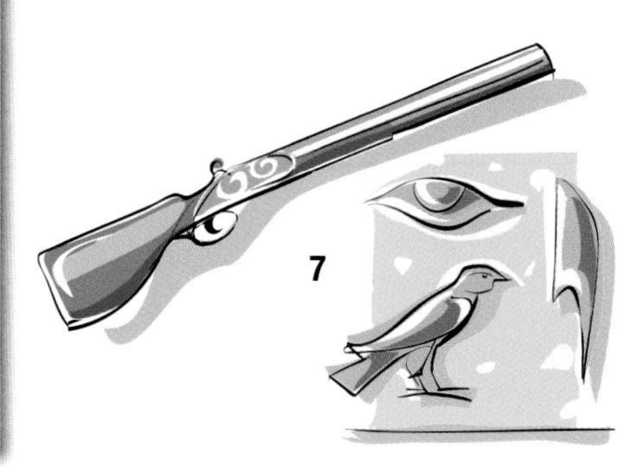

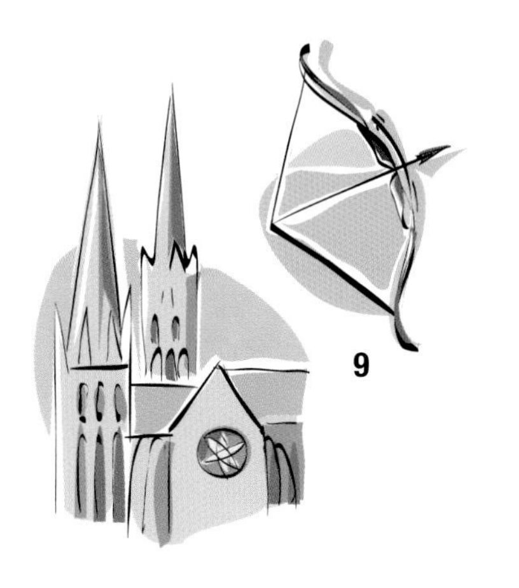

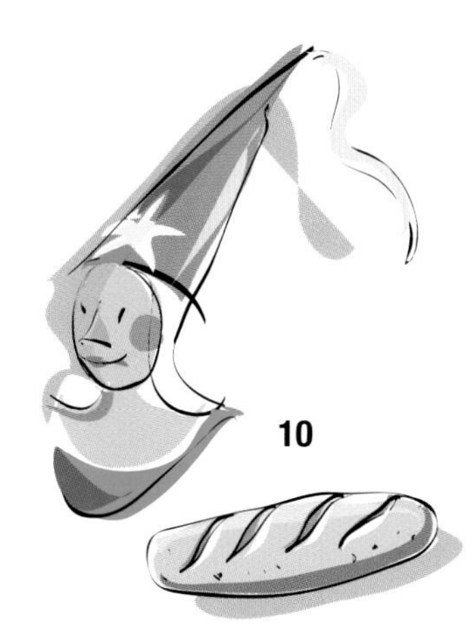

1. **mycose**
2. ....
3. ....
4. ....
5. ....
6. ....
7. ....
8. ....
9. ....
10. ....
11. ....
12. ....

Solution p. 340

Ma mémoire et...
les noms de famille

Soyez tout d'abord attentif aux caractéristiques physiques de la personne que vous rencontrez – détails de son visage, tenue vestimentaire, attitude, etc. Établissez un rapprochement entre certains détails et le nom de cette personne. Par exemple, M. Dupont (Du-Pont) a une tête portée par un long cou comme un pont entre son corps et sa tête. Ou encore en vous servant du caractère de la personne. Ainsi, si Mme Chipot vous apparaît comme quelqu'un de très pointilleux, pensez à « chipoter » !

À chacun ses références

Certaines associations entre les mots sont simples et construites en référence à des similitudes concrètes (association de genre) – panthère/chat – ou à des proximités évidentes de sens (association sémantique) – fraise/fruit. D'autres, en revanche, sont conditionnées par nos références culturelles et sont plus élaborées. Panthère peut alors être associée à rose en référence au dessin animé. Dans l'exercice suivant, essayez de retrouver ces deux types d'associations.

Mot	Association simple	Association élaborée
tomate	fruit, jus, sauce, salade	théâtre ou manifestation (lancer des tomates), *Beignets de tomates vertes* (film de Jon Avnet)...
taxi	....	....
nez	....	....
bicyclette	....	....
fantôme	....	....
soleil	....	....
or	....	....
souris	....	....
nuit	....	....
avion	....	....

Solution p. 340

Imaginer pour bien associer

Et si un oiseau me faisait penser à un chapeau… Pourquoi pas ?
À chacun ses associations…

La stratégie mnémotechnique de l'association permet de relier plusieurs choses entre elles tout en multipliant les chances de se rappeler chacune d'elles. Un entraînement régulier favorise la création de couples d'informations, et **plus ces associations seront originales, plus elles auront de chances d'être ancrées dans la mémoire.** Il vous faut donc laisser libre cours à votre imagination et favoriser l'émergence des images, des mots et des sensations qui vous viennent spontanément à l'esprit, sans les censurer. Sachez que **l'essentiel pour mémoriser est qu'une association vous parle,** c'est-à-dire que le lien que vous établissez entre deux choses ait du sens pour vous ou fasse naître une émotion.

Mémoriser la bonne définition

Voici une liste de mots rares dont il va vous falloir trouver et retenir le sens. Procédez en 3 étapes.

1. Cherchez à quoi le mot inconnu vous fait penser (mot associé).
2. Imaginez votre définition de ce mot inconnu en une phrase.
3. Cherchez l'exacte définition de ce mot.

Exemple : le mot **néré.**
Mot associé : **névé.**
Votre définition : fissure découverte dans une roche en été.
La définition exacte : nom masculin d'origine mandingue. Arbre africain dont les racines et les graines sont utilisées en médecine traditionnelle.

acquêt ....
alidade ....
champart ....
flipot ....
jaseran ....
marli ....
peilles ....
rhinanthe ....
sylepse ....
zain ....

Cette démarche, qui utilise l'association, est très efficace pour mémoriser les mots nouveaux ou difficiles. Lorsque vous rencontrerez à nouveau le mot inconnu, votre mémoire va automatiquement retrouver celui auquel vous l'aviez associé au départ et cheminer par ce biais jusqu'à son sens exact, même si vous lui en aviez donné un tout autre.

Solution *p. 340*

Ma mémoire et... les dates

Il est plus difficile de mémoriser une date qu'un mot, car les chiffres ne sont pas dotés d'un sens explicite. Pour retenir plus facilement les dates de l'Histoire, par exemple, il faut les associer à des dates personnelles, ou encore faire un parallèle avec des chiffres familiers (années de naissance, taille, poids…).
Un autre procédé mnémotechnique : la méthode dite de l'entonnoir. La date est décortiquée – siècle, année, saison, mois, jour – et rattachée à des repères.
Exemple : le 31 mars 1970. Troisième partie du XXe siècle, sept ans après la mort de Kennedy (1963), premier mois du printemps, dernier jour du mois ou un jour avant le poisson d'avril.

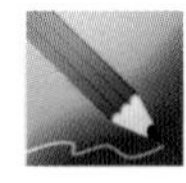

Jouons à saute-mouton

Le but de cet exercice est d'exercer votre faculté d'association en allant d'un mot à un autre. Le lien que vous allez ainsi établir se tisse à l'aide d'autres mots comme autant d'étapes logiques.
Ainsi, pour aller de chat à sport en deux étapes, l'on peut tout d'abord associer chat à agilité, puis agilité à gymnaste, et enfin gymnaste à sport. De la même façon, pour aller de livre à science, on peut passer par professeur et académie.
Pour corser l'exercice, il vous faudra aller d'un mot à l'autre en 3, 4 et enfin 5 étapes, en utilisant toujours ce processus d'associations successives.
Les solutions qui vous sont proposées n'ont qu'une valeur d'exemples. Chacun doit laisser libre cours à son imagination et à son ingéniosité afin que puisse émerger une logique d'association personnelle.

En 3 étapes

cigarette	fumée
télescope	....
coiffeuse	....
toilette	....
ordinateur	....

En 2 étapes

livre	couverture	carton	déménagement
thé	....	....	locomotive
automobile	....	....	fête foraine
téléphone	....	....	chirurgie
café	....	....	plage

En 5 étapes

chaîne	prison	barreaux	fer	arme	hache	tronc
ballon	....	....	....	....	....	cuisine
porte	....	....	....	....	....	plume
cercle	....	....	....	....	....	marin
animal	....	....	....	....	....	autoportrait

En 4 étapes

poids	balance	zodiaque	astrologie	ciel	étoile
savane	....	....	....	....	silhouette
poignet	....	....	....	....	climat
oiseau	....	....	....	....	mer
actualité	....	....	....	....	promesse

Solution p. 340

incendie	pompier	casque
....	....	champagne
....	....	jardinage
....	....	bouillabaisse
....	....	cerisier

Répétition et par cœur

Chacun, à un moment ou à un autre, a dû apprendre par cœur. Cette méthode soulève des débats passionnés entre ceux qui ont des facilités et ceux qui n'en ont pas – ces derniers criant à l'injustice ! Tout un chacun peut cependant consolider ce qu'il a appris par cœur grâce à la répétition.

Apprendre par cœur

Lorsque l'on en a perdu l'habitude, apprendre par cœur n'est pas facile. Cet apprentissage est en effet lié à la scolarité, voire aux études supérieures. Si vous avez passé la quarantaine, la première étape est bien de retrouver ce mécanisme : s'installer dans un endroit calme sans être dérangé et répéter l'information immédiatement un certain nombre de fois, selon un rythme soutenu.

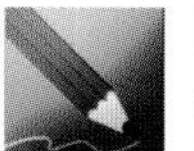

Mise à l'épreuve

Apprenez par cœur ce poème de Charles Baudelaire extrait des *Fleurs du mal*, en prenant le temps nécessaire – vous pouvez également choisir un autre texte, l'essentiel étant qu'il vous plaise et que vous ayez envie de le retenir. Puis n'y revenez plus pendant deux à trois semaines.

Les Chats

Les amoureux fervents et les savants austères
Aiment également, dans leur mûre saison,
Les chats puissants et doux, orgueil de la maison,
Qui comme eux sont frileux et comme eux sédentaires.

Amis de la science et de la volupté,
Ils cherchent le silence et l'horreur des ténèbres ;
L'Érèbe les eût pris pour ses coursiers funèbres,
S'ils pouvaient au servage incliner leur fierté.

Ils prennent en songeant les nobles attitudes
Des grands sphinx allongés au fond des solitudes,
Qui semblent s'endormir dans un rêve sans fin ;

Leurs reins féconds sont pleins d'étincelles magiques,
Et des parcelles d'or, ainsi qu'un sable fin
Étoilent vaguement leurs prunelles mystiques.

Quinze jours après, sans le relire, récitez le poème, ou notez tout ce dont vous vous souvenez.

On apprend généralement par cœur dans le but de restituer des informations à un moment déterminé, souvent assez proche dans le temps. La technique est efficace pour un contrôle ou un examen qui a lieu dans les jours qui suivent. Au bout de quinze jours, ce poème vous est peut-être resté intégralement en mémoire ; mais vous n'avez plus probablement pu restituer qu'une partie des vers. Nous ne sommes pas tous égaux en ce domaine.

Quoi qu'il en soit, la technique du par cœur n'est d'aucune efficacité pour que l'information s'inscrive dans le long terme : on ne manifeste pas toujours un intérêt constant pour tout ce que l'on doit apprendre et, d'autre part, une fois l'échéance passée, on ne prend plus la peine de répéter ce que l'on a révisé. Il est vrai que l'on apprend rarement par cœur pour pouvoir réciter de mémoire vingt ans après !

La courbe de l'oubli

La majorité des gens pensent que l'oubli s'installe petit à petit, de manière progressive et continue : au fil des jours, notre mémoire se viderait des choses qu'elle a apprises, comme un réservoir qui fuit. Cette image est complètement fausse.

C'est un psychologue allemand, Hermann Ebbinghaus (1850-1909), qui effectua les premières expériences destinées à expliquer les mécanismes de l'oubli. Il apprit par cœur une liste de syllabes dépourvue de sens, puis il mesura ce qui lui restait en mémoire quelques instants, quelques heures et quelques jours plus tard. À partir des résultats obtenus, il élabora un graphique, appelé **courbe d'Ebbinghaus,** qui nous renseigne sur la façon réelle dont notre cerveau oublie ce qu'il a auparavant emmagasiné.

La courbe supposée de l'oubli illustre l'idée fausse que nous nous faisons généralement du mécanisme de l'oubli. En réalité, l'oubli n'est pas une fonction linéaire, il obéit à une loi de ralentissement (courbe logarithmique) : rapide au début, il est de plus en plus lent à mesure que le temps

Tour de France

Apprenez par cœur cette liste de départements avec leur numéro, puis cachez-la.

N°	Département	N°	Département	N°	Département
01	Ain	32	Gers	65	Hautes-Pyrénées
02	Aisne	33	Gironde	66	Pyrénées-Orientales
03	Allier	34	Hérault	67	Bas-Rhin
04	Alpes-de-Haute-Provence	35	Ille-et-Vilaine	68	Haut-Rhin
05	Hautes-Alpes	36	Indre	69	Rhône
06	Alpes-Maritimes	37	Indre-et-Loire	70	Haute-Saône
07	Ardèche	38	Isère	71	Saône-et-Loire
08	Ardennes	39	Jura	72	Sarthe
09	Ariège	40	Landes	73	Savoie
10	Aube	41	Loir-et-Cher	74	Haute-Savoie
11	Aude	42	Loire	75	Paris
12	Aveyron	43	Haute-Loire	76	Seine-Maritime
13	Bouches-du-Rhône	44	Loire-Atlantique	77	Seine-et-Marne
14	Calvados	45	Loiret	78	Yvelines
15	Cantal	46	Lot	79	Deux-Sèvres
16	Charente	47	Lot-et-Garonne	80	Somme
17	Charente-Maritime	48	Lozère	81	Tarn
18	Cher	49	Maine-et-Loire	82	Tarn-et-Garonne
19	Corrèze	50	Manche	83	Var
2A	Corse-du-Sud	51	Marne	84	Vaucluse
2B	Haute-Corse	52	Haute-Marne	85	Vendée
21	Côte-d'Or	53	Mayenne	86	Vienne
22	Côtes-d'Armor	54	Meurthe-et-Moselle	87	Haute-Vienne
23	Creuse	55	Meuse	88	Vosges
24	Dordogne	56	Morbihan	89	Yonne
25	Doubs	57	Moselle	90	Territoire de Belfort
26	Drôme	58	Nièvre	91	Essonne
27	Eure	59	Nord	92	Hauts-de-Seine
28	Eure-et-Loir	60	Oise	93	Seine-Saint-Denis
29	Finistère	61	Orne	94	Val-de-Marne
30	Gard	62	Pas-de-Calais	95	Val-d'Oise
31	Haute-Garonne	63	Puy-de-Dôme		
		64	Pyrénées-Atlantiques		

Restituez tous les départements manquants dans le tableau ci-dessous.

N°	Département	N°	Département	N°	Département
01	....	32	....	65	....
02	....	33	....	66	....
03	....	34	....	67	....
04	....	35	....	68	....
05	....	36	Indre	69	....
06	....	37	....	70	....
07	....	38	....	71	....
08	....	39	....	72	....
09	....	40	....	73	Savoie
10	Aube	41	....	74	....
11	....	42	....	75	....
12	....	43	....	76	....
13	....	44	....	77	....
14	....	45	Loiret	78	....
15	....	46	....	79	....
16	....	47	....	80	....
17	....	48	....	81	....
18	....	49	....	82	Tarn-et-Garonne
19	Corrèze	50	....	83	....
2A	....	51	....	84	....
2B	....	52	....	85	....
21	....	53	....	86	....
22	....	54	Meurthe-et-Moselle	87	....
23	....	55	....	88	....
24	....	56	....	89	....
15	....	57	....	90	....
26	....	58	....	91	Essonne
27	Eure	59	....	92	....
28	....	60	....	93	....
29	....	61	....	94	....
30	....	62	....	95	....
31	....	63	....		
		64	Pyrénées-Atlantiques		

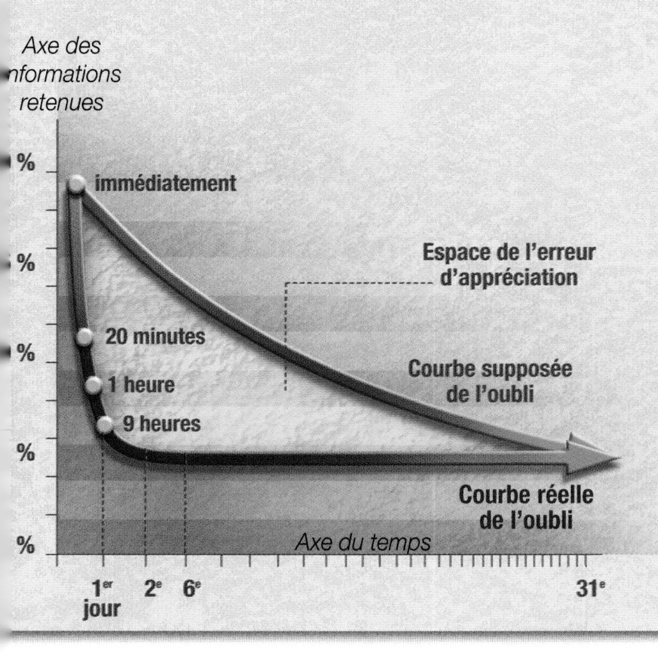

passe. On commence donc très vite à oublier après un apprentissage : quelques heures après, 70 à 80 % des choses échappent déjà à un rappel volontaire. **La courbe réelle de l'oubli subit une chute très brutale.**

La trame en bleu du graphique ci-dessus met en évidence l'importance de **l'erreur d'appréciation. Ne sachant pas comment fonctionne notre mémoire** ni comment elle oublie, **nous l'utilisons mal** et le rendement est mauvais.

Pour ancrer des données dans sa mémoire, il ne faut pas laisser l'oubli s'installer et donc **commencer très tôt les exercices de réapprentissage.** C'est ce qu'on appelle le **temps des renforcements.**

Mais Ebbinghaus avait également compris que certains facteurs influencent la récupération et l'oubli : on ne mémorise pas de la même façon une liste de syllabes dépourvue de sens et un poème, par exemple. Ainsi, le genre de matériel à récupérer, sa charge émotionnelle, la façon d'apprendre (en ayant recours à des stratégies de mémorisation – images mentales, associations....) jouent un rôle sur la fixation de l'information.

Le temps des renforcements : la répétition

Pour qu'une information encodée devienne un souvenir durable, il faut qu'elle fasse l'objet d'une image mentale forte, c'est-à-dire consolidée (voir p. 31). Il existe de **nombreux modes de consolidation des données :** l'intégration de nouvelles informations à de plus anciennes grâce à un processus d'association (voir p. 228-233), l'organisation et la catégorisation des données (voir p.220-227), leur organisation logique (voir p. 212-219). Et, dans tous les cas, une relation affective forte favorise la consolidation.

En présence de données simples, **la répétition constitue cependant le mode le plus classique de consolidation. Chaque répétition est un renforcement** – l'information déjà mémorisée est rafraîchie – ce qui contribue à une fixation plus durable. En outre, la répétition signale l'intérêt et l'importance accordés à une donnée, donc le besoin de la conserver : l'information a toutes les raisons de se maintenir en mémoire.

Si, en outre, on utilise les capacités du cerveau au cours de la nuit en lui confiant **avant le sommeil** les éléments dont on tient à se souvenir, on met de son côté toutes les chances pour une mémorisation durable. Il faut cependant les lui redemander le matin dès le réveil, avant que toute autre préoccupation n'ait pris le desssus.

Ma mémoire et...
mon rôle au théâtre

Apprendre un rôle est un casse-tête pour certains, un plaisir pour d'autres. La répétition mot à mot est fastidieuse alors que, pour s'imprégner de ce que l'on va jouer, il est important de comprendre le texte et ses points forts. Appropriez-vous chacun des mots en articulant longuement les phrases et travaillez votre gestuelle : votre corps doit accompagner le texte. Répétez à deux, c'est plus motivant. Récitez à voix haute, dans un espace calme. Enfin, chaque soir avant de vous endormir, relisez calmement ce que vous avez appris, le sommeil permettra de l'inscrire durablement dans votre mémoire.

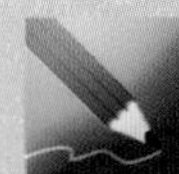

La Marseillaise

L'hymne national français est un chant dont on connaît souvent par cœur le premier couplet et le refrain. C'est une autre affaire que de l'apprendre en entier, et ce de façon durable.

Apprenez par cœur un couplet par jour. Le deuxième jour, répétez le premier couplet avant d'apprendre le second, et ainsi de suite jusqu'au sixième jour, en y ajoutant des répétitions régulières la journée. Le septième jour, récitez-en la totalité. Enfin, continuez vos répétitions tout un mois durant.

Parallèlement à cet exercice de répétition, interrogez-vous par exemple sur les points suivants.

1. Qui est l'auteur de *la Marseillaise* ?
2. Pour quelle raison ce chant fut-il nommé *la Marseillaise* ?
3. Dans quel contexte ce chant a-t-il été écrit ?
4. Qui était Bouillé, dont il est question au cinquième couplet ?
5. Pourquoi nomme-t-on la dernière strophe « la strophe des enfants » ?

Pêche à la ligne

Si vous habitez une grande ville, vous prenez peut-être souvent le métro. Et vous connaissez probablement par cœur le nom des stations de la ligne la plus proche de chez vous. Que vous soyez citadin ou non, nous vous proposons de mémoriser en trois fois une partie de la ligne 9 du métro parisien : à chaque étape, vous devez retenir les noms indiqués puis restituer les stations manquantes.À la fin, vous remarquerez que les noms vus précédemment deviennent plus faciles à retrouver. Alors prenez votre temps et, si vous le souhaitez, refaites l'exercice plusieurs fois, en respectant la progression, pour parvenir à un sans-faute.

M Première étape

Regardez attentivement les stations de cette ligne, mémorisez-les puis cachez le premier schéma et complétez le second en inscrivant les noms manquants à la place des points.

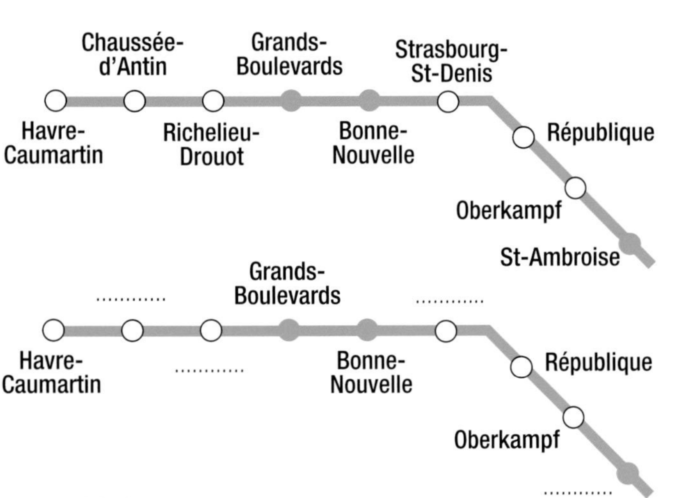

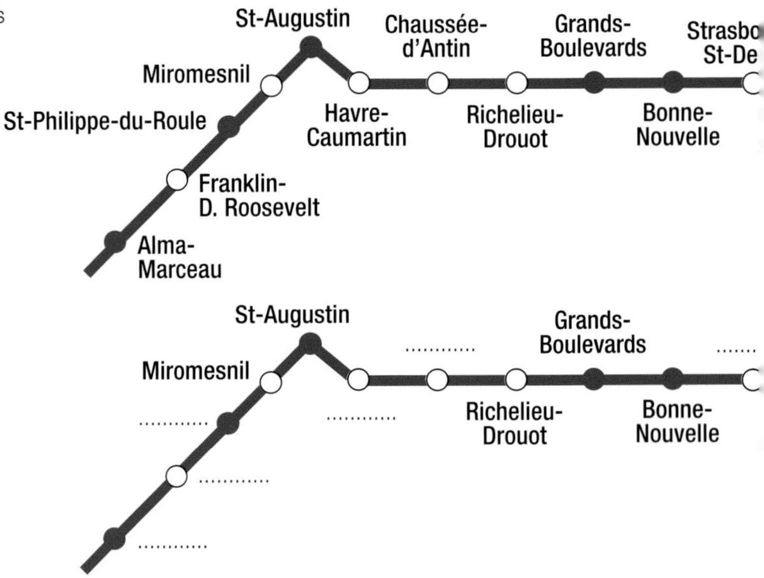

Allons enfants de la patrie,
Le jour de gloire est arrivé !
Contre nous de la tyrannie
L'étendard sanglant est levé ! (bis)
Entendez-vous dans les campagnes
Mugir ces féroces soldats ?
Ils viennent jusque dans nos bras
Égorger nos fils, nos compagnes.

Refrain
Aux armes, citoyens, formez vos bataillons !
Marchons ! Marchons !
Qu'un sang impur abreuve nos sillons !

Que veut cette horde d'esclaves,
De traîtres, de rois conjurés ?
Pour qui ces ignobles entraves,
Ces fers dès longtemps préparés ? (bis)
Français, pour nous, ah ! quel outrage !
Quels transports il doit exciter !
C'est nous qu'on ose méditer
De rendre à l'antique esclavage !

Refrain

Quoi ! ces cohortes étrangères
Feraient la loi dans nos foyers !
Quoi ! ces phalanges mercenaires
Terrasseraient nos fiers guerriers ! (bis)
Grand Dieu ! Par des mains enchaînées
Nos fronts sous le joug se ploieraient !
De vils despotes deviendraient
Les maîtres de nos destinées !

Refrain

Tremblez, tyrans ! et vous, perfides,
L'opprobre de tous les partis,
Tremblez ! Vos projets parricides
Vont enfin recevoir leur prix ! (bis)
Tout est soldat pour vous combattre.
S'ils tombent, nos jeunes héros,
La France en produit de nouveaux,
Contre vous tout prêts à se battre !

Refrain

Français, en guerriers magnanimes,
Portez ou retenez vos coups !
Épargnez ces tristes victimes,
À regret s'armant contre nous. (bis)
Mais ces despotes sanguinaires,
Mais ces complices de Bouillé,
Tous ces tigres qui, sans pitié,
Déchirent le sein de leur mère !

Refrain

Amour sacré de la Patrie,
Conduis, soutiens nos bras vengeurs !
Liberté, Liberté chérie,
Combats avec tes défenseurs ! (bis)
Sous nos drapeaux, que la victoire
Accoure à tes mâles accents !
Que tes ennemis expirants
Voient ton triomphe et notre gloire !

Refrain

(Strophe des enfants)
Nous entrerons dans la carrière
Quand nos aînés n'y seront plus ;
Nous y trouverons leur poussière
Et la trace de leurs vertus (bis)
Bien moins jaloux de leur survivre
Que de partager leur cercueil,
Nous aurons le sublime orgueil
De les venger ou de les suivre !

Refrain

Apprendre par cœur *la Marseillaise*, texte compliqué voire abscons, en s'attachant à en dégager le sens et à en connaître le contexte, permet de mieux le retenir et de le mémoriser de façon durable.

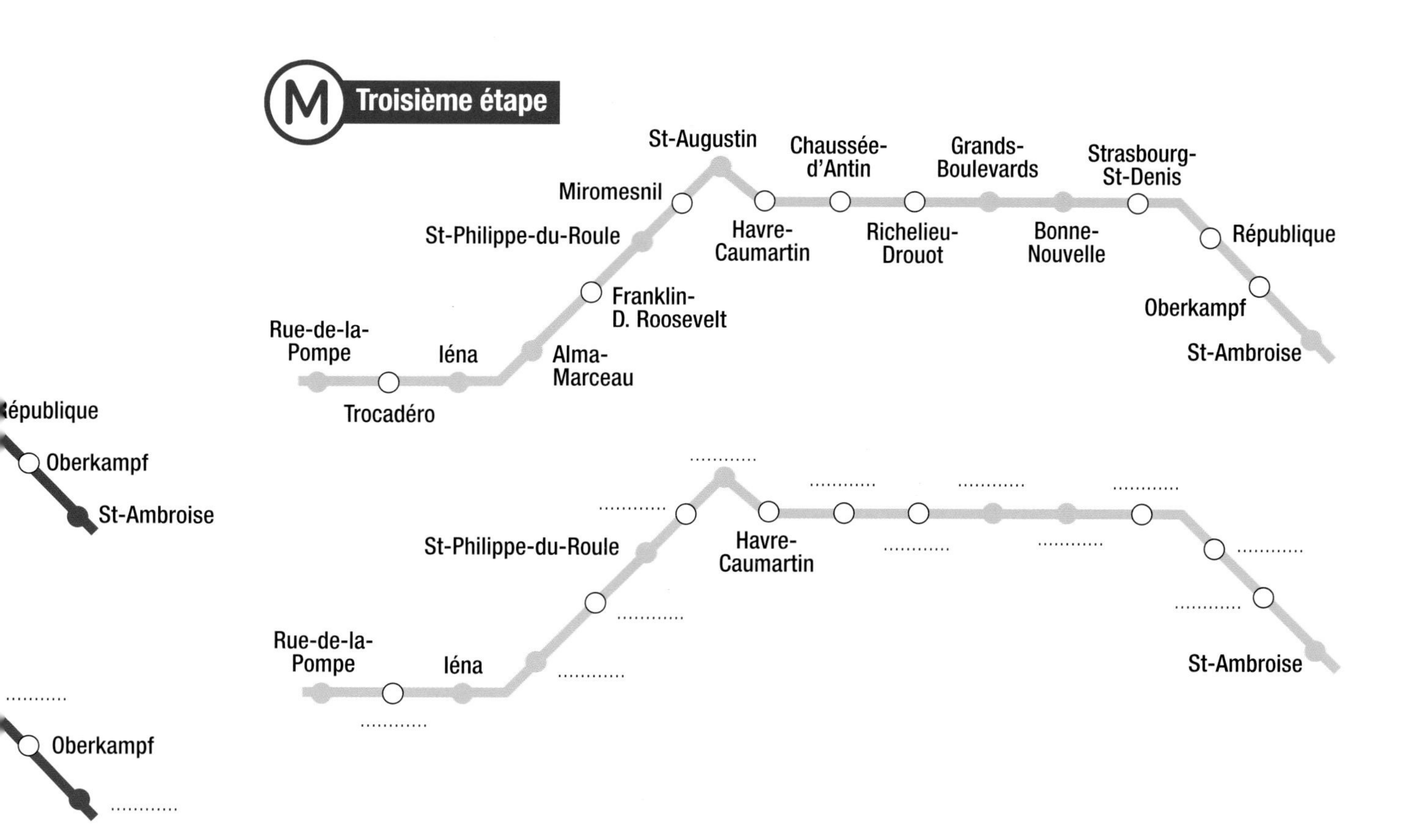

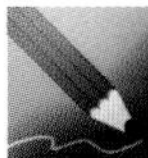

Les chaussettes de l'archiduchesse

1. Voici 15 phrases pièges obligeant à une diction impeccable. Seul ou à plusieurs, essayez de les répéter à haute voix. Vous allez sans doute constater que votre prononciation devient vite maladroite, ce qui donne des phrasés un peu grivois : alors attention aux oreilles chastes !

2. Maintenant, essayez de restituer de mémoire le plus de phrases possible.

Cinq chiens chassent six chats.

●

Tu t'entêtes à tout tenter, tu t'uses et tu te tues à tant t'entêter.

●

Un dragon gradé dégrade un gradé dragon…

●

Je veux et j'exige…

●

Trois gros rats gris dans trois gros trous ronds rongent trois gros croûtons ronds.

●

Tatie, ton thé t'a-t-il ôté ta toux ? disait la tortue au tatou. Mais pas du tout, dit le tatou, Je tousse tant que l'on m'entend de Tahiti à Tombouctou.

●

Dis-moi, gros gras grand grain d'orge, quand te dé-gros-gras-grand-grain-d'orgeriseras-tu ? Je me dé-gros-gras-grand-grain-d'orgeriserai quand tous les gros gras grands grains d'orge se seront dé-gros-gras-grand-grain-d'orgerisés.

●

Pruneau cuit, pruneau cru…

●

Un pâtissier qui pâtissait chez un tapissier qui tapissait dit un jour au tapissier qui tapissait : vaut-il mieux pâtisser chez un tapissier qui tapisse ou tapisser chez un pâtissier qui pâtisse ?

●

Seize jacinthes sèchent dans seize sachets secs.

●

Trois petites truites crues…

●

Douze douches douces…

●

Trois tortues trottaient sur un trottoir très étroit…

●

Suis-je bien chez ce cher Serge ?

●

Jésus loge chez Zachée…

Dans cet exercice, c'est la répétition mais aussi l'aspect ludique qui favorisent la bonne mémorisation de phrases dont la diction est complexe. La preuve : qui a oublié les fameuses chaussettes de l'archiduchesse ?

Allô !

Il est très important de connaître par cœur certains numéros de téléphone. La courte série de questions qui suit va vous permettre de vérifier si vous les avez bien mémorisés. Attention ! cet exercice doit être réalisé le plus rapidement et le plus spontanément possible : jouez seul et ne vous faites pas aider.

1. Le numéro à composer pour signaler une personne sans abri

....

2. Les renseignements téléphoniques

....

3. La police ou la gendarmerie

....

4. Les pompiers

....

5. Le Samu

....

6. Votre médecin

....

7. Le numéro du centre antipoison

....

8. Le numéro de téléphone de deux personnes de votre entourage qui peuvent vous aider en cas de besoin

....

....

Solution p. 340

La méthode du QQOQCPP

La méthode dite du QQOQCPP va vous permettre de mieux retenir un texte par cœur en structurant vos notes et en élaborant un plan de rappel. À chaque lettre du sigle correspond une question.

Qui ? Le sujet de l'action.

Quoi ? L'action.

Où ? Le lieu.

Quand ? Le temps, l'époque.

Comment ? Les moyens, la manière.

Pour quoi ? Le dessein.

Pourquoi ? La cause.

Au quotidien, posez-vous ces sept questions lors de chacune de vos lectures. Vous pourrez alors constater combien cette technique améliore la compréhension et donc la mémorisation. Utilisez ce système pour conduire un récit ou encore résumer un film, une aventure.

Les causes de la guerre de Zion

Appliquez la technique du QQOQCPP au texte suivant.

« En l'an 9600, Zion est une immense cité sur la planète Rana, de la constellation de l'Ours. Ses habitants, les Zionys, veulent venger le roi Taramac, gravement offensé par un habitant d'Olys, ville de la planète voisine, Mirvalum. Cette offense, c'est l'enlèvement de son épouse, la belle Perséphone, par Orus, prince d'Olys.

La légende affirme que les dieux jouèrent eux aussi un rôle dans cette histoire. Revenons en arrière. Au cours d'une fête, la fée Zizanie lança un anneau d'or au milieu de la salle et déclara aux convives qu'il appartiendrait à la déesse la plus belle. Prudents, les invités refusèrent de faire un choix. Les déesses qui participaient au concours s'impatientèrent. Zarma, épouse jalouse et rancunière d'Ervane, dieu des dieux, Irisa, déesse de la sagesse et de la victoire, Amoria, déesse de la beauté et de l'amour, voulaient toutes trois être l'élue.

À la fin, excédé, Ervane exigea l'avis du prince Orus, l'homme le plus beau de son époque, disait-on. Chacune des déesses tenta d'acheter la victoire en le couvrant de cadeaux. Orus se décida et couronna Amoria, qui lui avait promis l'amour de la plus belle femme du monde, Perséphone de Zion.

Orus s'embarqua aussitôt pour cette ville où le roi Taramac le reçut avec courtoisie. Mais, profitant d'une des absence de Taramac, le prince enleva la reine et la conduisit dans son palais d'Olys.

Taramac envoya des ambassadeurs au vieux roi Orulys, père d'Orus. Mais rien n'y fit : le jeune homme voulait garder Perséphone, et les Olysois pensaient que leurs puissants boucliers suffiraient à les protéger des attaques des soldats Zionys.

L'ambassade échoua. La guerre devint inévitable. »

Maintenant, répondez aux questions du tableau suivant.

Qui ? ....

Quoi ? ....

Où ? ....

Quand ? ....

Comment ? ....

Pour quoi ? ....

Pourquoi ? ....

Solution p. 340

Transmettre pour conserver

Répéter une information à un tiers avec ses propres mots est un moyen très efficace de la mémoriser. On retiendra beaucoup mieux le contenu d'un film, d'un livre, d'un conte, d'une poésie, etc., après l'avoir formulé. Et parler de son vécu permet de donner cohérence à sa propre histoire, de l'inscrire dans sa mémoire et dans la mémoire collective.

Communiquer, c'est retenir

J'ai raconté le film Titanic *à mes enfants le lendemain de sa sortie. Trois ans après, je m'en souviens encore très précisément !*

Il peut nous arriver à tous de regarder un film le soir à la télévision et de ne plus nous souvenir de son contenu le lendemain. Certaines personnes sont effrayées par cet oubli : elles ont peur de perdre la mémoire.

Il faut néanmoins dédramatiser et se poser la question suivante : est-ce que le film nous a réellement plu, intéressés ? N'oublions pas qu'avoir envie de retenir est l'un des composants essentiels d'une bonne mise en mémoire. Ainsi, si vous l'avez regardé uniquement pour vous détendre, sans y prêter beaucoup d'intérêt, il y a de fortes chances pour qu'il ne vous en reste pas grand-chose. Ce phénomène concerne également ceux qui se plaignent d'avoir oublié ce qu'ils ont lu la veille au soir. En effet, lorsque la lecture se transforme en rituel d'endormissement et devient une sorte de somnifère, l'attention nécessaire à la rétention de l'information n'est pas suffisante.

Raconter le contenu d'un film ou d'un livre peu de temps après l'avoir vu ou lu est une excellente **manière de le retenir**. Il faut **organiser les différents éléments de l'histoire**, les classer, **dégager l'essentiel** pour le rendre intelligible à son interlocuteur. Ce travail fait sur les informations à travers le récit facilite son encodage. **Le désir de transmettre optimise l'effort d'organisation du contenu** du film ou du livre, assurant par là même une fixation solide dans la mémoire. Par ailleurs, si l'on sait que l'on va raconter, on est plus attentif et concentré : on n'adopte pas une attitude passive face à l'histoire.

Lors d'un échange avec quelqu'un sur un événement culturel, la mémoire est un formidable outil de communication, qui transmet des informations, certes, mais surtout toute une palette de ressentis et d'émotions. Il n'y a **pas de communication vivante sans échange réel.** Rien à voir avec le dialogue avec un ordinateur, dont l'immense mémoire ne peut que déverser ses stocks de connaissances, sans aucune sensibilité.

Ma mémoire et... les histoires drôles

Rapporter une histoire drôle n'est pas toujours aisé : il faut s'en souvenir, savoir la raconter – voire utiliser plusieurs voix ou artifices – et, surtout, se l'approprier afin de capter son auditoire. Voici quelques conseils pour devenir un humoriste de talent.

1. Écoutez l'histoire plusieurs fois pour bien comprendre toutes ses nuances.
2. Repérez les personnages, les éléments charnières du récit puis les détails de la chute – étapes qui permettent de bien ordonner les informations.
3. Entraînez-vous seul et ajoutez vos propres mots à l'histoire : ainsi, chacun aura l'impression qu'il s'agit d'une création personnelle.

Le Petit Chaperon rouge

Vous connaissez sans aucun doute le conte du *Petit Chaperon rouge,* de Charles Perrault. Mais vous souvenez-vous précisément du déroulement de l'histoire ?

1. Masquez la page de droite et essayez d'écrire le contenu du conte, comme si vous deviez le raconter ensuite à un enfant, en précisant bien les différentes actions et en rapportant le maximum de détails.

Vous avez sûrement constaté que le simple fait de coucher ce conte sur le papier, en vous basant sur le seul souvenir que vous en aviez, vous a permis de retrouver des détails auxquels vous n'auriez peut-être pas pensé spontanément. En effet, mettre par écrit vous a obligé à vous concentrer et à soutenir votre attention. Ensuite, pour écrire l'histoire, vous avez dû faire l'effort de la rendre intelligible et cohérente. Vous l'avez donc organisée en la classant par étapes suivant un déroulement logique. C'est au cours de ce travail que vous sont revenues différentes anecdotes. Mesurons maintenant la fidélité de votre récit : comment peut-on décrire le Petit Chaperon rouge ? Pourquoi doit-elle aller voir sa grand-mère, et que doit-elle lui apporter ? Où rencontre-t-elle le loup ? Pourquoi ne la mange-t-il pas immédiatement ? Par où passe le Petit Chaperon rouge après avoir rencontré le loup ? Que fait le loup pour pénétrer chez la grand-mère ? Quelle expression emploie la grand-mère pour le faire entrer ? Où se cache-t-il ? Que dit le Petit Chaperon rouge au loup ? Et que lui répond ce dernier ? Quelle est la morale de cette histoire ?

2. Relisez maintenant le texte original page ci-contre.

Il était une fois une petite fille de village, la plus jolie qu'on eût pu voir. Sa mère en était folle et sa grand-mère plus folle encore. Cette bonne femme lui fit faire un chaperon rouge, qui lui seyait si bien que partout on l'appelait le Petit Chaperon rouge.
Un jour, la mère, ayant cuit et fait des galettes, lui dit :

– Va voir comme se porte ta mère-grand, car on m'a dit qu'elle était malade. Porte-lui une galette et ce petit pot de beurre.
Le Petit Chaperon rouge, ayant mis dans un panier la galette et le petit pot de beurre, partit aussitôt pour aller chez sa mère-grand, qui demeurait dans un autre village.
En passant dans un bois, elle rencontra compère le loup, qui eut bien envie de la manger ; mais il n'osa pas, à cause de quelques bûcherons qui étaient dans la forêt.
Il lui demanda où elle allait. La pauvre enfant, qui ne savait pas qu'il est dangereux de s'arrêter à écouter un loup, lui dit :
– Je vais voir ma mère-grand et lui porter une galette avec un petit pot de beurre que ma mère lui envoie.
– Demeure-t-elle bien loin ? lui dit le loup.
– Oh ! oui, dit le Petit Chaperon rouge, c'est par-delà le moulin que vous voyez tout là-bas, là-bas, à la première maison du village.
– Eh bien, dit le loup, je veux l'aller voir aussi. Je m'y en vais par ce chemin ici, et toi par ce chemin-là, et nous verrons qui plus tôt y sera.
Le loup se mit aussitôt à courir de toute sa force par le chemin qui était le plus court, tandis que la petite fille s'en allait par le chemin le plus long. Elle ne se pressait pas, au contraire, elle chantonnait et dansait gaiement le long du sentier, s'amusant à cueillir des noisettes, à courir après les papillons, et à faire des bouquets des petites fleurs qu'elle rencontrait.
Le loup ne fut pas long à arriver à la maison de la mère-grand. Il heurte. Toc, toc.

– Qui est là ?
– C'est votre petite-fille, le Petit Chaperon rouge, dit le loup en contrefaisant sa voix, qui vous apporte une galette et un petit pot de beurre que ma mère vous envoie.
La bonne mère-grand, qui était dans son lit, à cause qu'elle se trouvait un peu mal, lui cria :
– Tire la chevillette, et la bobinette cherra !
Le loup tira la chevillette, et la porte s'ouvrit. Il se jeta sur la bonne femme et la dévora en moins de rien, car il y avait plus de trois jours qu'il n'avait mangé. Ensuite, il ferma la porte, et s'alla coucher dans le lit de la mère-grand, en attendant le Petit Chaperon rouge, qui quelque temps après vint heurter à la porte. Toc, toc.
– Qui est là ?
Le Petit Chaperon rouge, entendant la grosse voix, eut peur, mais, croyant que sa mère-grand était enrhumée, répondit :
– C'est votre petite-fille, le Petit Chaperon rouge, qui vous amène une galette et un petit pot de beurre que ma mère vous envoie.
Le loup lui cria, en adoucissant un peu sa voix :
– Tire la chevillette, et la bobinette cherra !
Le Petit Chaperon rouge tira la chevillette et la porte s'ouvrit.

Le loup, la voyant entrer, lui dit en se cachant dans le lit :
– Mets la galette et le petit pot de beurre sur la huche et viens te coucher avec moi.
Le Petit Chaperon rouge se déshabille et va se mettre dans le lit, où elle fut bien étonnée de voir comment sa mère-grand était faite en son déshabillé. Elle lui dit :
– Ma mère-grand, que vous avez de grands bras !
– C'est pour mieux t'embrasser, ma fille.
– Ma mère-grand, que vous avez de grandes jambes !
– C'est pour mieux courir, mon enfant.
– Ma mère-grand, que vous avez de grandes oreilles !
– C'est pour mieux écouter, mon enfant.
– Ma mère-grand, comme vous avez de grands yeux !
– C'est pour mieux voir, mon enfant.
– Ma mère-grand, comme vous avez de grandes dents !
– C'est pour te manger !
Et, en disant ces mots, ce méchant loup se jeta sur le Petit Chaperon rouge et la mangea.

Moralité :
On voit ici que de jeunes enfants,
Surtout de jeunes filles,
Belles, bien faites, et gentilles
Font très mal d'écouter toute sorte de gens,
Et que ce n'est pas chose étrange
S'il en est tant que le loup mange.
Je dis le loup, car tous les loups
Ne sont pas de la même sorte ;
Il en est d'une humeur accorte,
Sans bruit, sans fiel et sans courroux,
Qui, privés, complaisants et doux,
Suivent les jeunes demoiselles
Jusque dans les maisons, jusque dans les ruelles ;
Mais hélas ! qui ne sait que ces loups doucereux,
De tous les loups sont les plus dangereux.

Le Petit Chaperon rouge symbolise en fait une jeune fille assez naïve qui se laisse embobiner par un « loup complaisant et doux » jusqu'à aller dans son lit après s'être déshabillée ! Il est probable que cette connotation morale sexuelle ne touche guère un enfant de 6 à 8 ans, voire un peu plus âgé. En revanche, l'idée forte selon laquelle « il ne faut pas écouter le loup » trouve des résonances à un âge où le besoin de sécurisation affective entraîne une méfiance spontanée envers les inconnus. Elle reste confusément en mémoire et constitue donc par la suite un indice pour retrouver l'enchaînement logique de l'histoire. À cela il faut ajouter les indices verbaux – bobinette, chevillette – ou visuels – le rouge du costume, la galette et le pot de beurre, le loup déguisé en grand-mère, etc. –, qui constituent des images hautes en couleur et en puissance dramatique fortement inscrites dans la mémoire.

Faites votre cinéma...

• Lors de votre prochaine séance de cinéma, choisissez une personne à qui vous allez raconter le film. Essayez de dégager l'essentiel de l'histoire mais aussi son intrigue, son ressort dramatique ou comique, ou bien encore ménagez le suspense, afin de rendre votre récit passionnant. Vous constaterez alors combien le souvenir de ce film restera vivace et précis dans votre mémoire !

• Regardez un film en famille puis demandez à chacun de formuler par écrit ce qu'il a retenu ; comparez ensuite les versions. Profitez-en pour repérer les différences de perception (auditive, visuelle, etc.) et de centres d'intérêt. Discutez ensemble de vos impressions et de ce que chacun a ressenti.

Paroles, paroles, paroles...

Les lettres des verbes ci-dessous – qui sont tous synonymes de parler et de transmettre – ont été mélangées. Pouvez-vous les remettre dans l'ordre ?

Exemple : **R E P A R L = PARLER**

1. **E D A R B A R V** ....
2. **S A A J C R S E** ....
3. **E I E D B T R** ....
4. **E R T M A P R L E E N** ....
5. **R R M R M U U E** ....
6. **Q I O S L L O U E R** ....
7. **B A R A R E L P** ....
8. **N E U R M M O C I U Q** ....
9. **F R A R E N S E R T** ....
10. **G R O P P E R A** ....
11. **L E U G E R D E** ....

Solution p. 341

Transmettre de soi pour la mémoire collective

Raconter sa vie et son histoire, c'est aussi l'occasion de relire le roman de son existence. On peut faire **le tri dans ses souvenirs pour en dégager ce qui semble être l'essentiel.** Transmettre de soi, comme le faisaient autrefois les aînés, c'est **assurer une continuité** dans une société où prime l'instant présent. L'accélération du cours de l'histoire de nos sociétés donne parfois l'impression de vivre coupé du passé, dans une sorte de fuite effrénée vers l'avenir. Nombreux sont ceux qui le ressentent comme une perte de repères, et cela peut générer un sentiment d'instabilité, voire d'insécurité. En évitant le piège de la nostalgie et la mythification du passé (tout n'était pas forcément mieux avant !), chacun peut **faire acte de construction en transmettant ses souvenirs,** son histoire personnelle et familiale. La sagesse populaire a raison quand elle dit que l'on ne peut décider où l'on souhaite aller que si l'on sait d'où l'on vient.

Il y a bien sûr tout **ce que l'on transmet de soi par les mots,** en dispensant des savoirs et des savoir-faire, en racontant des souvenirs, en exprimant des ressentis. Il y a aussi **tout ce que l'on lègue par les gènes.** Il suffit d'observer de près les membres de sa famille maternelle et paternelle pour s'apercevoir de la continuité de certaines caractéristiques physiques ou de certains traits de caractère. Mais il y a surtout **tout ce qui s'est transmis au-delà des mots,** de façon inconsciente, par les expressions du visage, par la façon de parler, de se comporter, de réagir face aux événements. Là aussi, une continuité est à l'œuvre.

Ma mémoire et... mon journal intime

Beaucoup d'adolescents passent du temps à rédiger un journal intime. C'est une très bonne façon de conserver la mémoire. Écrire permet d'inscrire durablement un souvenir, c'est indispensable pour ceux qui n'ont pas souvent l'occasion de transmettre oralement. À l'âge adulte, tenir un journal est utile lorsque l'on désire fixer des pensées, relater des événements. Souvent simple agenda au départ, le journal se transforme rapidement en confident, en outil de réflexion et, pourquoi pas, en « recueil de vie » à transmettre aux générations suivantes.

Tous à table !

Quel meilleur moment de convivialité et d'échanges que celui du repas ? Mais, pour bien communiquer avec chacun des convives, mieux vaut rapidement mémoriser à qui l'on a affaire : retenir le nom de ses voisins de table, et celui des voisins de ses voisins, ainsi que ce que les uns et les autres se disent...
La conversation devient aisée dès lors que l'on peut situer et identifier tous les participants.
Voici une table de convives : à vous de retenir le patronyme de chacun et sa place. Prenez tout le temps nécessaire, puis cachez le dessin et répondez aux questions ci-contre.

Ce que je transmets

● Repérez dans votre famille une caractéristique physique qui s'est transmise du côté maternel, et une du côté paternel. Trouvez également un trait de caractère qui semble hérité de votre ascendance.

● Réfléchissez ensuite aux souvenirs que vous racontez le plus souvent et à ce que vous exprimez de vous à ce moment-là. Penchez-vous aussi sur ce que vous pouvez transmettre inconsciemment. Toutes ces traces que vous laissez dans la mémoire d'autrui construisent votre perception de vous-même, tout comme votre histoire, et elles contribuent à l'élaboration de celle de vos proches.

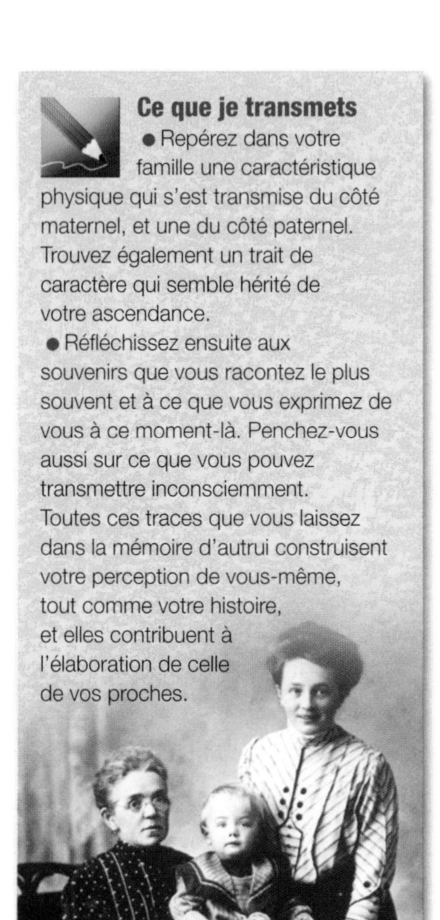

Les petits papiers

Retrouvez les mots du papier qui se cachent derrière les anagrammes suivantes, puis replacez-les dans la grille ci-dessous.

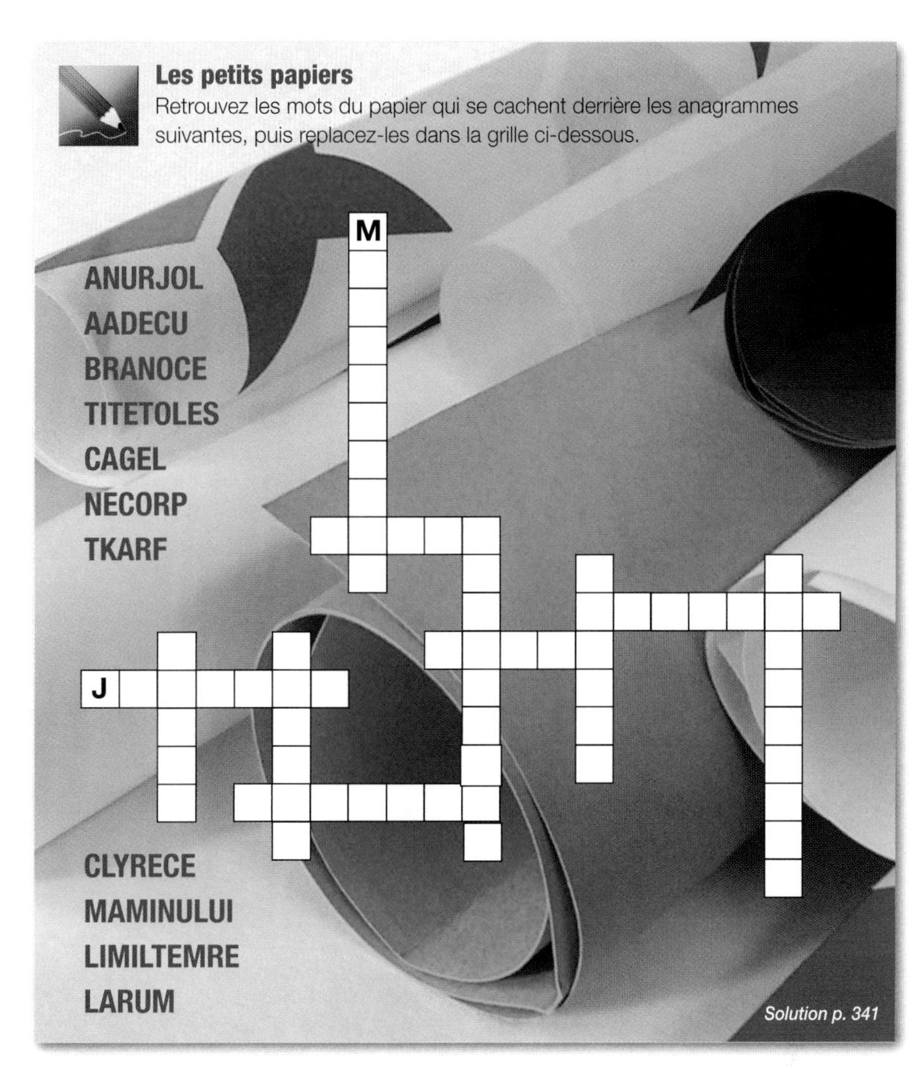

ANURJOL
AADECU
BRANOCE
TITETOLES
CAGEL
NECORP
TKARF
CLYRECE
MAMINULUI
LIMILTEMRE
LARUM

Solution p. 341

Barbara Bardeau

Charles Lagache

Laurette Delpèche

Christophe Blondin

Juliette Renard

bienne Dièse

Eddy Moine

Amélie Garros

Lucien Dièse

1. Qui se trouve à la droite de Paul Delpèche ?
2. Qui est face à Amélie Garros ?
3. Qui se trouve à droite de Christophe Blondin ?
4. Qui est placé à gauche de Laurette Delpèche ?
5. De qui est entourée Juliette Renard ?
6. Y a-t-il deux hommes face à face ?
7. Au total, combien y a-t-il de convives autour de la table ? Restituez leur nom.

L'association peut être une bonne stratégie de mémorisation des noms propres. On peut, par exemple, associer le nom aux caractéristiques physiques (Juliette Renard, Christophe Blondin) ou aux informations que l'on possède sur la personne (Lucien Dièse est musicien).

Le yacht. Observez attentivement cette scène et retrouvez les personnages, animaux et objets présentés ci-contre.

Livret jeux 3

PROVERBES MÊLÉS — RECONNAISSANCE/CULTURE

Les mots composant trois proverbes ont été mélangés.
À vous de démêler l'écheveau pour reconstituer les proverbes d'origine.

À — POINT — BIEN — BÊTE — OUVRIER — DIRE — MORTE — LAISSER — BON — FAIRE — LE — VENIN — DE — LA — MÉCHANT — ET — MORT — OUTIL

1. ....

2. ....

3. ....

L'ENQUÊTE — LOGIQUE

Voici Basile, Berthe, Édith, Erwan, Françoise et Frank, qui forment trois couples.

Retrouvez les couples, ainsi que le prénom de chacun, à l'aide des informations suivantes :

- Aucun membre d'un couple ne porte un vêtement de la même couleur que l'autre.
- Les prénoms de ceux qui forment un couple commencent par des lettres différentes.
- Françoise sort avec le garçon en rouge.
- Erwan, lui, sort avec la fille en vert.
- Frank et Berthe, qui ne portent pas de mauve, ne sortent pas ensemble.

CHENILLE — STRUCTURATION

Passez de CROUPIER à FLAMBEUR dans cette chenille en opérant la substitution indiquée et en modifiant l'ordre des lettres, sans utiliser de forme conjuguée (participes passés autorisés).

CROUPIER

- U + H _ _ _ _ _ _ _ _

- C + B _ _ _ _ _ _ _ _

- P + L _ _ _ _ _ _ _ _

- H + C _ _ _ _ _ _ _ _

- R + A _ _ _ _ _ _ _ _

- C + T _ _ _ _ _ _ _ _

- O + M _ _ _ _ _ _ _ _

- T + U _ _ _ _ _ _ _ _

- I + F **FLAMBEUR**

CARRÉ MAGIQUE — LOGIQUE

Voici un carré hypermagique d'ordre 8 aux propriétés exceptionnelles.
À vous de le compléter. Nous avons placé tous les nombres sauf les multiples de 7 (7, 14, 21...), qui sont à replacer dans les cercles jaunes, et les multiples de 8 (8, 16, 24...), qui sont à replacer dans les cercles bleus. Si vous n'arrivez pas à démarrer, lisez l'indice supplémentaire.

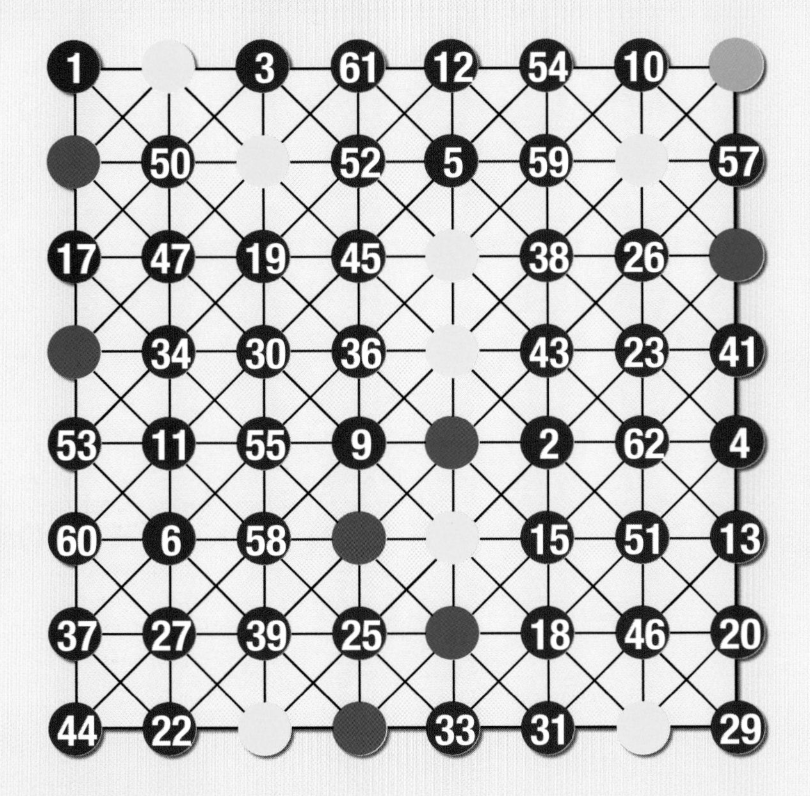

Indice supplémentaire : sachez que, outre les propriétés classiques des carrés magiques (la somme de chaque ligne et de chaque diagonale est la même), celui-ci respecte aussi des contraintes sur chaque carré intérieur de quatre nombres. Maintenant, le remplissage devient simple !

REPÈRES CHRONOLOGIQUES — TEMPS

Classez ces dix présidents de la République française dans l'ordre chronologique de leur mandat.

A	Adolphe Thiers	1	....
B	Albert Lebrun	2	....
C	Jean Casimir-Perier	3	....
D	Georges Pompidou	4	....
E	Félix Faure	5	....
F	Louis Napoléon Bonaparte	6	....
G	Paul Deschanel	7	....
H	Raymond Poincaré	8	....
I	René Coty	9	....
J	Vincent Auriol	10	....

SYNONYMES — LANGAGE

Trouvez huit synonymes du mot méchant grâce aux indices proposés.

1. **V _ _ _ E**
   (animal)
2. **C _ _ _ _ _ U**
   (animal)
3. **N _ _ _ _ _ _ E**
   (qui fait du tort)
4. **M _ _ _ _ _ _ _ _ _ T**
   (qui a la volonté de nuire)
5. **C _ _ _ _ _ _ F**
   (caustique comme un pamphlétaire)
6. **H _ _ _ _ _ _ X**
   (qui est d'humeur à insulter)
7. **F _ _ _ _ _ _ X**
   (plein de bile, d'acrimonie)
8. **A _ _ _ _ _ _ _ E**
   (du nom d'un évêque qui guérissait les fous)

TRIANGLE MAGIQUE — LOGIQUE

Essayez de placer tous les chiffres de 1 à 9 sur ce triangle de façon à obtenir la même somme, en l'occurrence 20, sur chacun des côtés. En cherchant un peu plus, arrangez-vous maintenant pour que la somme des carrés de ces chiffres soit identique et égale à 126. Procédez logiquement.

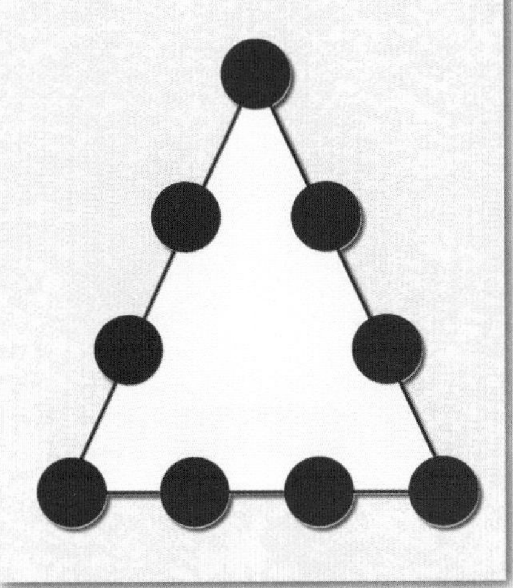

MOTS CACHÉS — STRUCTURATION

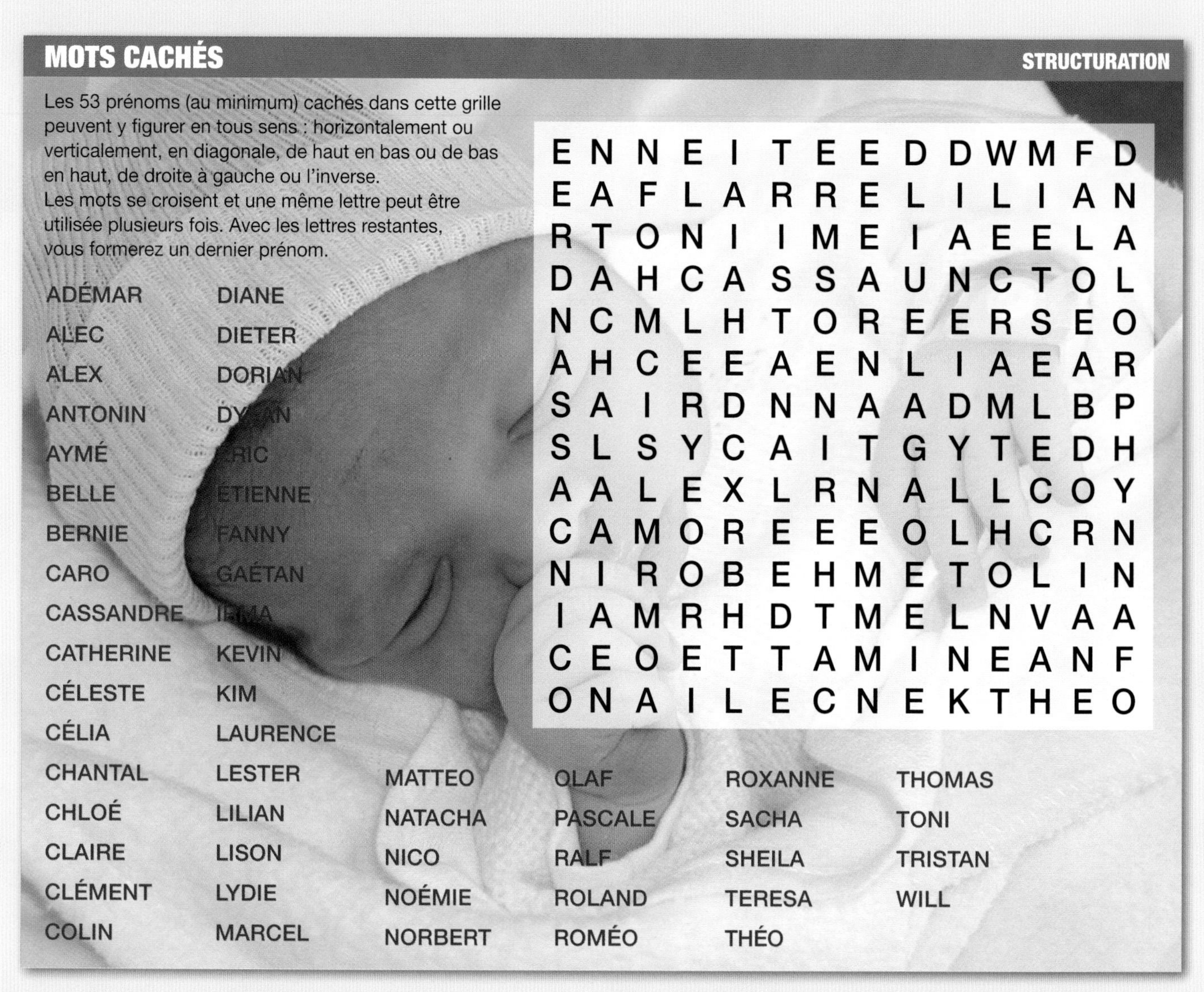

Les 53 prénoms (au minimum) cachés dans cette grille peuvent y figurer en tous sens : horizontalement ou verticalement, en diagonale, de haut en bas ou de bas en haut, de droite à gauche ou l'inverse.
Les mots se croisent et une même lettre peut être utilisée plusieurs fois. Avec les lettres restantes, vous formerez un dernier prénom.

E N N E I T E E D D W M F D
E A F L A R R E L I L I A N
R T O N I I M E I A E E L A
D A H C A S S A U N C T O L
N C M L H T O R E E R S E O
A H C E E A E N L I A E A R
S A I R D N N A A D M L B P
S L S Y C A I T G Y T E D H
A A L E X L R N A L L C O Y
C A M O R E E E O L H C R N
N I R O B E H M E T O L I N
I A M R H D T M E L N V A A
C E O E T T A M I N E A N F
O N A I L E C N E K T H E O

ADÉMAR, ALEC, ALEX, ANTONIN, AYMÉ, BELLE, BERNIE, CARO, CASSANDRE, CATHERINE, CÉLESTE, CÉLIA, CHANTAL, CHLOÉ, CLAIRE, CLÉMENT, COLIN, DIANE, DIETER, DORIAN, DYLAN, ÉRIC, ÉTIENNE, FANNY, GAÉTAN, IRMA, KEVIN, KIM, LAURENCE, LESTER, LILIAN, LISON, LYDIE, MARCEL, MATTEO, NATACHA, NICO, NOÉMIE, NORBERT, OLAF, PASCALE, RALF, ROLAND, ROMÉO, ROXANNE, SACHA, SHEILA, TERESA, THÉO, THOMAS, TONI, TRISTAN, WILL

RECOLLE-TITRES — RECONNAISSANCE/CULTURE

Découpez les titres fantaisistes suivants, puis reformez ceux de quatre vraies chansons interprétées par Francis Cabrel.

ELLE ÉCOUTE, JE PENSE...

TOI, À MA PLACE,

DANS LES FLEURS.

POUSSER ENCORE SAMEDI SOIR.

LE TRAFIC SUR LA TERRE.

REPÈRES CHRONOLOGIQUES — TEMPS

Ces affirmations sont-elles vraies ou fausses ?

1. Jeanne d'Arc a vécu au XVe siècle .... Vrai Faux
2. Léonard de Vinci est contemporain de Christophe Colomb .... Vrai Faux
3. Le Louvre a été construit pour Louis XIV .... Vrai Faux
4. L'obélisque de Paris a été amputé de son pyramidion à la Révolution .... Vrai Faux
5. Champollion aurait pu rencontrer Napoléon .... Vrai Faux
6. Iéna a eu lieu après Waterloo .... Vrai Faux

SYLLABES MANQUANTES — STRUCTURATION

Six mots ont été tronqués d'une ou plusieurs de leurs syllabes. En utilisant celles qui vous sont proposées, reconstituez-les. Attention, plusieurs solutions sont possibles parfois, mais une seule combinaison permet de reconstituer tous les mots.

1. .... ME ....
2. CON ....
3. RÉ ....
4. .... NI ....
5. .... VA ....
6. .... TÉS

MA – A – BER – VER – CHE – SANS – TOU – PU – TI – LAN – SER – CER – PAR

IMAGE ZOOMÉE — ATTENTION

Identifiez l'objet, l'animal ou le personnage que notre dessinateur s'est amusé à transformer.

L'ENQUÊTE — LOGIQUE

Donnez à Richard, Victor, Mathieu et Serge le couvre-chef qui leur revient grâce aux indications suivantes.

1. Le chapeau de Victor est soit le chapeau de cow-boy, soit le bonnet.
2. Si la casquette n'appartient pas à Richard, le chapeau de cow-boy appartient à Mathieu.
3. Si le chapeau melon appartient à Mathieu, alors le bonnet appartient à Richard.
4. Si la casquette n'appartient pas à Victor, alors le chapeau melon n'appartient pas à Serge.
5. Si le bonnet appartient à Richard ou à Mathieu, alors le chapeau melon appartient à Serge.

VRAI OU FAUX — RECONNAISSANCE/CULTURE

Essayez de deviner si les affirmations suivantes concernant les bougies sont vraies ou fausses. Cochez sous les symboles V et F les lettres correspondant à vos réponses, et vous lirez le nom d'un endroit où l'on trouve des bougies.

	Vrai	Faux
1. Le mot bougie vient du nom d'une ville algérienne, Bougie, qui exportait de la cire.	M	C
2. Le principe de la bougie a été découvert en 20 avant J.-C.	A	O
3. Un bœuf donnait assez de suif pour les besoins en éclairage d'une ferme pendant trois ans au XVIIIe siècle.	T	R
4. *Vente à la bougie* est le titre d'un roman de Simenon avec le commissaire Maigret.	E	M
5. La vente à la bougie est une vente aux enchères pratiquée avec une seule bougie.	E	U
6. En italien, quand on prononce bougie, cela signifie mensonges !	R	S

QUIZ PROGRESSIF — RECONNAISSANCE/CULTURE

Essayez d'aller le plus loin possible dans ce quiz de plus en plus difficile sur l'Académie française.

1. Par qui fut fondée cette académie en 1635, sous le règne de Louis XIII ?
2. De combien de membres se compose-t-elle ?
3. Qui a été le dernier élu, en décembre 2003 ?
4. Qui fut la première femme admise à l'Académie française, et en quelle année ?
5. Qui en est actuellement le secrétaire perpétuel, académicien depuis 1966 ?
6. Quel jour les académiciens se réunissent-ils régulièrement pour les séances du dictionnaire ?
7. Le cardinal Lustiger fait-il partie de l'Académie française ?
8. Quelle devise figure sur le sceau donné à l'Académie par son fondateur, devise qui justifie le surnom de ses membres ?
9. Combien de femmes y siègent au 1er janvier 2004, et qui sont-elles ?
10. Depuis la fondation de l'institution, combien de dictionnaires de l'Académie ont vu le jour ?

ANAGRAMMES — STRUCTURATION

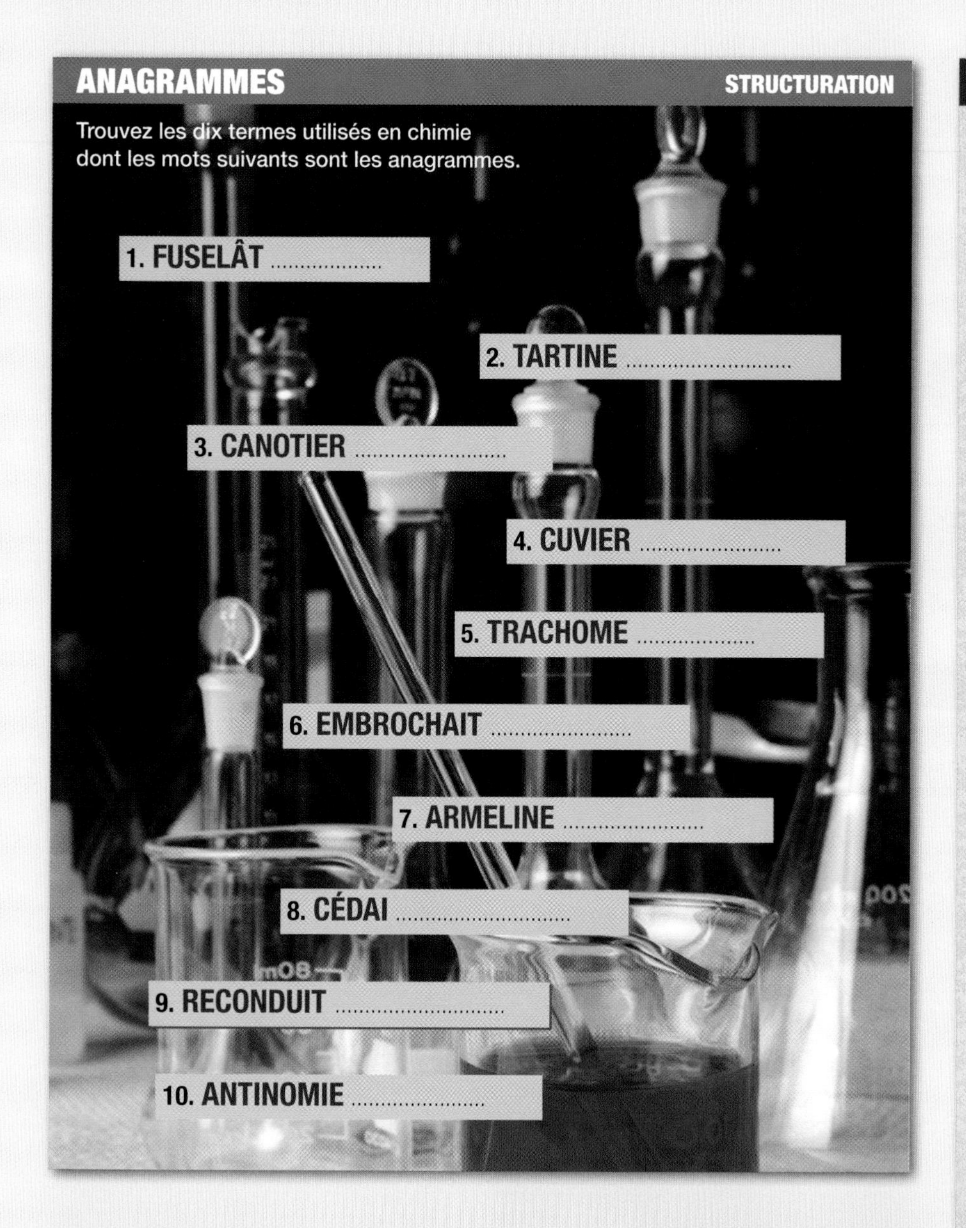

Trouvez les dix termes utilisés en chimie dont les mots suivants sont les anagrammes.

1. FUSELÂT ....
2. TARTINE ....
3. CANOTIER ....
4. CUVIER ....
5. TRACHOME ....
6. EMBROCHAIT ....
7. ARMELINE ....
8. CÉDAI ....
9. RECONDUIT ....
10. ANTINOMIE ....

DÉFI — ATTENTION

Observez la liste de ces vingt mots composés pendant quelques minutes, puis restituez-en le plus grand nombre en 1 minute environ. Vous travaillez ainsi votre mémoire à court terme.

Liste à mémoriser

Vol-au-vent	Perce-pierre
Paille-en-queue	Horse-guard
Tiers-point	Médecine-ball
Menu-carte	Patte-mâchoire
Scottish-terrier	Valence-gramme
Lance-amarre	Ponton-grue
Épluche-légumes	Marteau-piolet
Mêle-tout	Cent-garde
Passe-crassane	Guide-fil
Tibio-tarsien	Potron-jacquet

....	....
....	....
....	....
....	....
....	....
....	....
....	....
....	....
....	....
....	....

QUELLE EST LA SUITE ? — LOGIQUE

Les cartes à jouer ont été disposées selon une certaine méthode et la dernière a été remplacée par un joker.

Pouvez-vous trouver quelle doit être cette carte ?

DOMINOLETTRES — STRUCTURATION

Trouvez l'ordre dans lequel ranger ces dominos de façon à lire horizontalement deux noms de lieux évoquant les nabis ou Corot, l'un dans le sens traditionnel de lecture, l'autre de droite à gauche. Attention : deux dominos ont été inversés pour vous compliquer la tâche.

ANAPHRASES — STRUCTURATION

Utilisez toutes les lettres proposées pour former des anagrammes qui complètent la phrase en lui donnant un sens.

1. E I N O P R S T U

Combien d'étudiants .... devant le style .... ! On a beau leur dire qu'ils y .... des informations nécessaires à leur culture, ces phrases interminables leur déclenchent des .... de boutons !

2. A D E E I N R S T

Incroyable, toute la population .... a des problèmes .... et pourtant, l'information la plus .... , c'est qu'aucune des .... préconisées n'a été mise en place.

3. A E E E G N R S T

Avec leurs mèches rouges ou .... pour aller au lycée, toutes ces jeunes filles, des .... nous dit-on, sont des .... en puissance.

MARIONS-LES — ASSOCIATION

Essayez d'associer chacune des devises suivantes au pays, à la ville ou au personnage qui l'a adoptée.

Monaco **A**	A.........	**1**	Notre confiance est en Dieu.
Québec **B**	B.........	**2**	Moult me tarde.
États-Unis **C**	C.........	**3**	Battu par les flots, il ne sombre pas *(Fluctuat...)*.
Liberia **D**	D.........	**4**	Qui s'y frotte s'y pique.
Andorre **E**	E.........	**5**	Avec l'aide de Dieu.
Dijon **F**	F.........	**6**	Messire Dieu premier servi.
Paris **G**	G.........	**7**	Je me souviens.
Fouquet **H**	H.........	**8**	Touche-moi si tu oses.
Jeanne d'Arc **I**	I.........	**9**	Jusqu'où ne montera-t-il pas ?
Louis XI **J**	J.........	**10**	L'amour de la liberté nous a amenés ici.

PROBLÈME — LOGIQUE

Je priais paisiblement dans une petite église déserte du sud de la France lorsque firent irruption trois hommes en costume de soie, accompagnés chacun de trois femmes. Chacune portait trois paniers, dans chacun desquels dormaient trois chats sacrés. Combien d'êtres vivants se trouvaient alors dans l'église ?

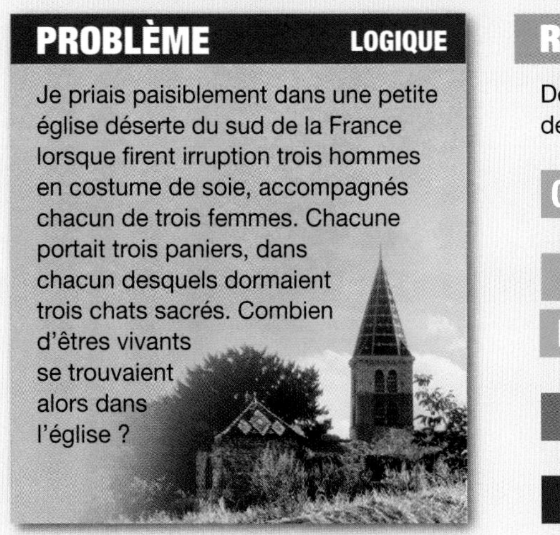

RECOLLE-TITRES — RECONNAISSANCE/CULTURE

Découpez les créations fantaisistes suivantes, puis reformez les titres de quatre vrais films tournés par Ettore Scola.

CENT AIMÉS ONT LA PLUS BELLE VIE .

TANT DE MILLIONS : NOUS SOMMES D'UN PAUVRE !

LE ROMAN DISPARU .

MA SOIRÉE , JEUNE HOMME : NOUS !

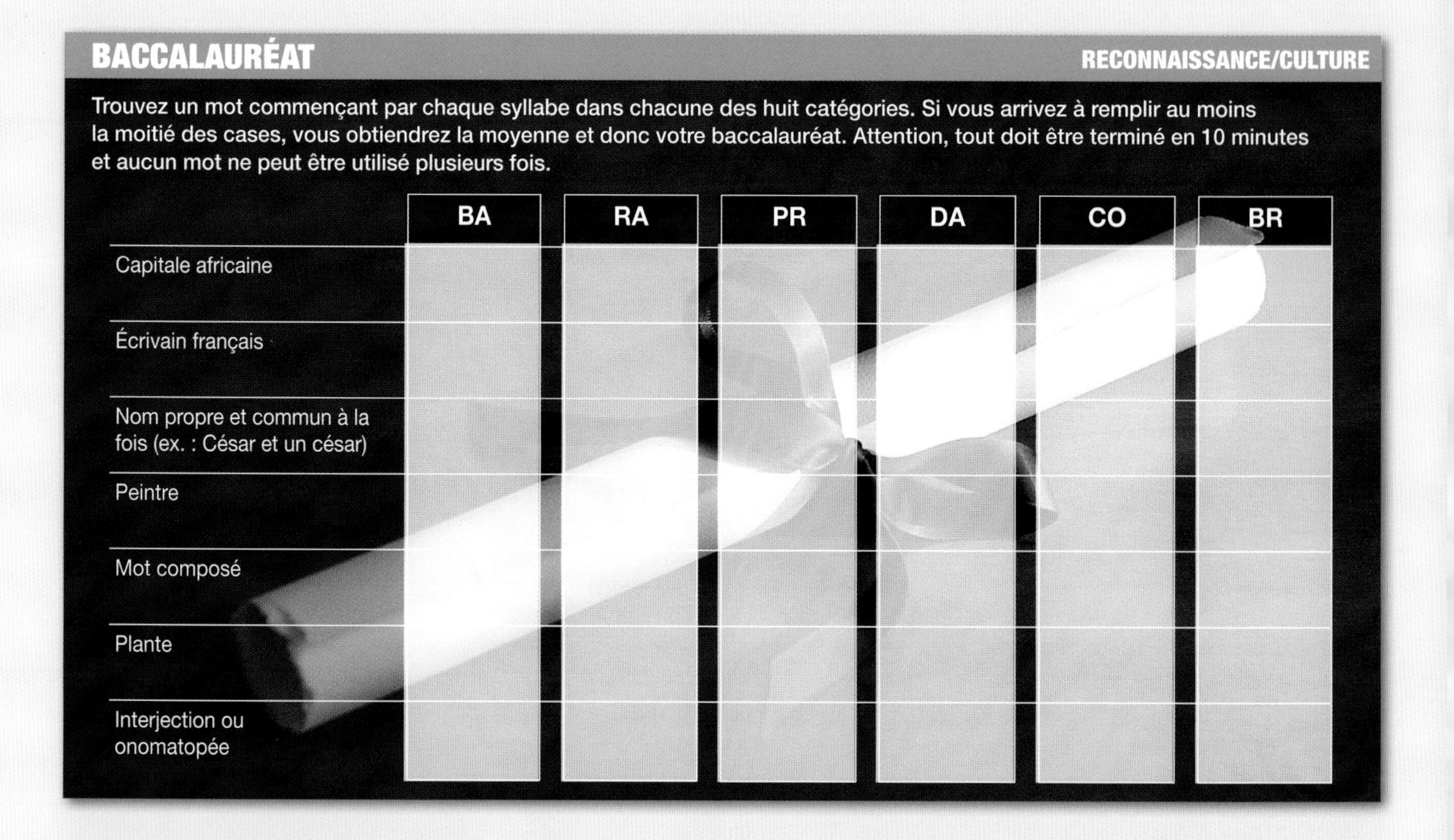

BACCALAURÉAT

RECONNAISSANCE/CULTURE

Trouvez un mot commençant par chaque syllabe dans chacune des huit catégories. Si vous arrivez à remplir au moins la moitié des cases, vous obtiendrez la moyenne et donc votre baccalauréat. Attention, tout doit être terminé en 10 minutes et aucun mot ne peut être utilisé plusieurs fois.

	BA	RA	PR	DA	CO	BR
Capitale africaine						
Écrivain français						
Nom propre et commun à la fois (ex. : César et un césar)						
Peintre						
Mot composé						
Plante						
Interjection ou onomatopée						

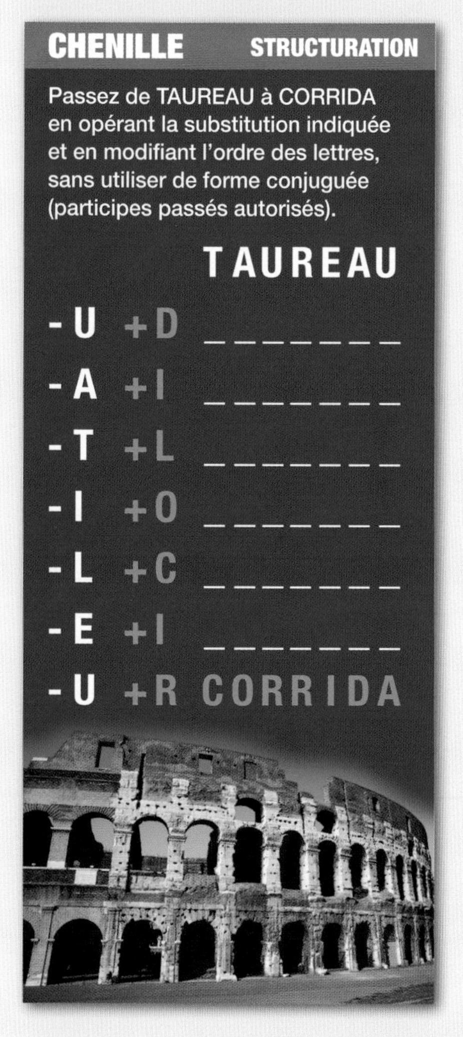

CHENILLE

STRUCTURATION

Passez de TAUREAU à CORRIDA en opérant la substitution indiquée et en modifiant l'ordre des lettres, sans utiliser de forme conjuguée (participes passés autorisés).

TAUREAU

- U + D _ _ _ _ _ _ _
- A + I _ _ _ _ _ _ _
- T + L _ _ _ _ _ _ _
- I + O _ _ _ _ _ _ _
- L + C _ _ _ _ _ _ _
- E + I _ _ _ _ _ _ _
- U + R CORRIDA

L'ENQUÊTE

LOGIQUE

Dans ce concours d'escrime, les cinq finalistes se sont rencontrés une fois chacun, avec la possibilité de trois résultats : une victoire (V), une défaite (D) ou une égalité (E). À l'aide du tableau récapitulatif, indiquez sous chaque match qui a gagné et qui a perdu, ou s'il s'agissait d'un match nul.

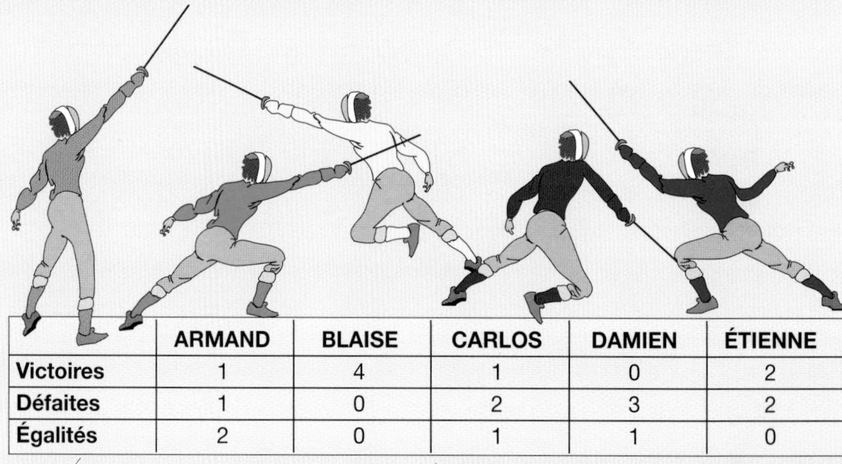

	ARMAND	BLAISE	CARLOS	DAMIEN	ÉTIENNE
Victoires	1	4	1	0	2
Défaites	1	0	2	3	2
Égalités	2	0	1	1	0

ARMAND	BLAISE

CARLOS	DAMIEN

ÉTIENNE	ARMAND

BLAISE	CARLOS

DAMIEN	ÉTIENNE

ARMAND	CARLOS

BLAISE	DAMIEN

CARLOS	ÉTIENNE

ARMAND	DAMIEN

BLAISE	ÉTIENNE

PROVERBES MÊLÉS — RECONNAISSANCE/CULTURE

Les mots composant trois proverbes ont été mélangés.
À vous de démêler l'écheveau pour reconstituer les proverbes d'origine.

1. ....
....
....

2. ....
....
....

3. ....
....
....

ITINÉRAIRE — STRUCTURATION

Complétez horizontalement les noms géographiques suivants pour relier verticalement, dans la première et la dernière colonne, deux villes de l'ouest de la France.

	Y	O	
	T	N	
	A	I	
	N	E	
	I	C	
	E	N	

CUBES — STRUCTURATION

Formez trois noms de héros pour enfants de toutes générations en prenant chaque fois une lettre différente sur une des faces des cubes.

A H C — E O L — B S R — A I C
N U T — L U O — E S R

1. .... 2. .... 3. ....

LE COMPTE EST BON — LOGIQUE

Atteignez le 130 sans le dépasser dans toutes les directions imaginables (même les diagonales) avec ces seize chiffres, en plaçant chacun d'eux dans une case identique à celle dans laquelle il est inscrit.

31 40 26 29
33
25 35
39 36
28 38 34
30 32 37 27

= 130
= 130
= 130
= 130
= 130
= 130
= 130 = 130 = 130 = 130
= 130

CARRÉ MAGIQUE — LOGIQUE

En sachant que tous les nombres qui composent ce carré magique peuvent s'écrire sous la forme $y = 2 + 5x$, avec x variant de 0 à 24, essayez de trouver les neuf valeurs manquantes.

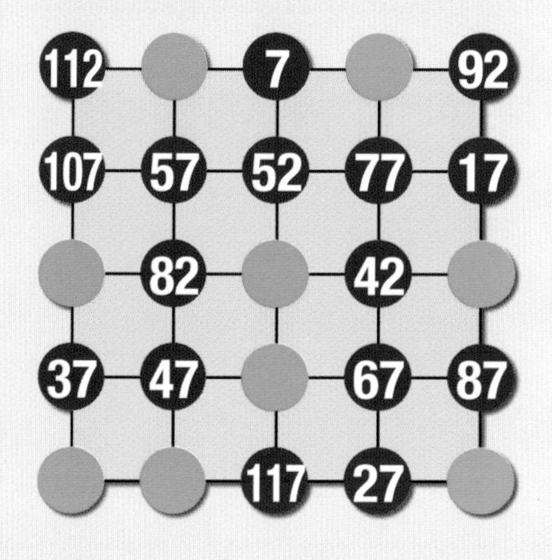

MOTS EN ZIGZAG

STRUCTURATION

Les films cachés dans cette grille peuvent y figurer en tous sens : horizontalement ou verticalement, de haut en bas ou de bas en haut, de droite à gauche ou l'inverse. Les mots forment des coudes mais ne se croisent jamais, et une même lettre ne peut être utilisée qu'une seule fois (attention aux chemins multiples). Avec les lettres restantes, vous formerez le nom d'un dernier film, sorti la même année que *le Parrain*.

S D I E R M I N A N E D A L P D E U
N I S A Y R E T T O R D T O M A G S
I D S R A C S A N D S I H O A E R E
S S A I W B U L T I N M E N E A A I
I M R D I C O P A T I L R G C S E R
N A E G C U M I N S E G A B N A A R
E L R L U L D C E A T P R T U D P A
N A C E T A R N I K I I R F O H O C
I S I X A N A C U S E T A L A S C C
H I E L C O R E L H G I H R O B O H
C N O I K E U N A L A D I V M N W I
O I S S A T D L O W N T T A A P O N
D N U H G E I L R E D A A H N R T A
N U N O R E W R N O E N D I V O A M
A R A S T B M A A V C N E S E U N M
M T A B T O C A S A A B Y S L L E E

ABYSS
AMADEUS
ASSASSINS
BATMAN
CARRIE
CASANOVA
CASINO
CHINATOWN
COPLAND
DIDIER
DIVA
DRACULA
DUNE
ELISA
EMMANUELLE
FLASHDANCE
GERMINAL
GHOST
GREASE
GREMLINS
HIDDEN
HIGHLANDER
INDOCHINE
MANHATTAN
MULAN
NIKITA
OUTRAGES
PIRATES
PLATOON
PROVIDENCE
RAMBO
RIDICULE
ROBOCOP
ROCKETEER
SUBWAY
TAXI
TERMINATOR
TITANIC
URANUS
WILLOW

PROBLÈME

LOGIQUE

Les deux premières balances sont en équilibre.
La troisième penchera-t-elle à gauche, à droite, ou est-elle elle aussi en équilibre ?
(Les cubes de même couleur ont le même poids.)

LES DEUX FONT LA PAIRE — ASSOCIATION

Trouvez dix mots contenant la séquence de lettres DON grâce aux définitions suivantes.

1. Éros grec pour les Romains ➤ _ _ _ _ _ _ _
2. Sujet de farce ➤ _ _ _ _ _ _
3. Maladresse de bridgeur ➤ _ _ _ _ _ _ _ _
4. Habitant de capitale européenne ➤ _ _ _ _ _ _ _ _ _
5. Grande balade ➤ _ _ _ _ _ _ _ _ _
6. Instrument pour tango ➤ _ _ _ _ _ _ _ _ _
7. Cépage blanc de Bourgogne et de Champagne ➤ _ _ _ _ _ _ _ _ _ _
8. Plante très vénéneuse des taillis ➤ _ _ _ _ _ _ _ _ _
9. Doctrine du plaisir roi ➤ _ _ _ _ _ _ _ _ _
10. Petit homme insignifiant ➤ _ _ _ _ _ _ _ _

ALLUMETTES — LOGIQUE

En déplaçant quatre allumettes de ces deux sabliers mis côte à côte, faites apparaître six triangles.

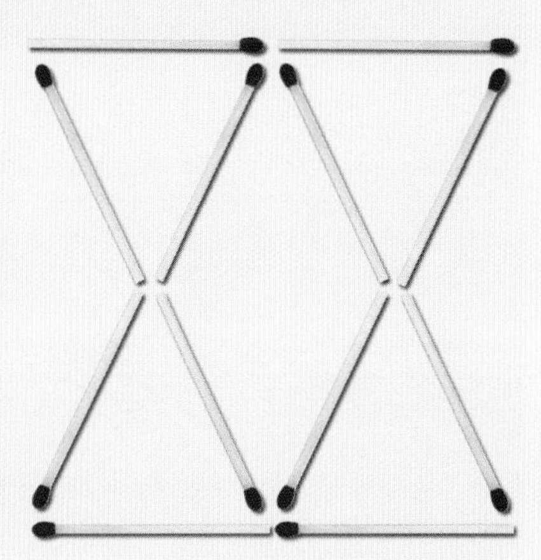

ANAGRAMMES — STRUCTURATION

Trouvez dix termes évoquant le même art et dont les mots suivants sont les anagrammes.

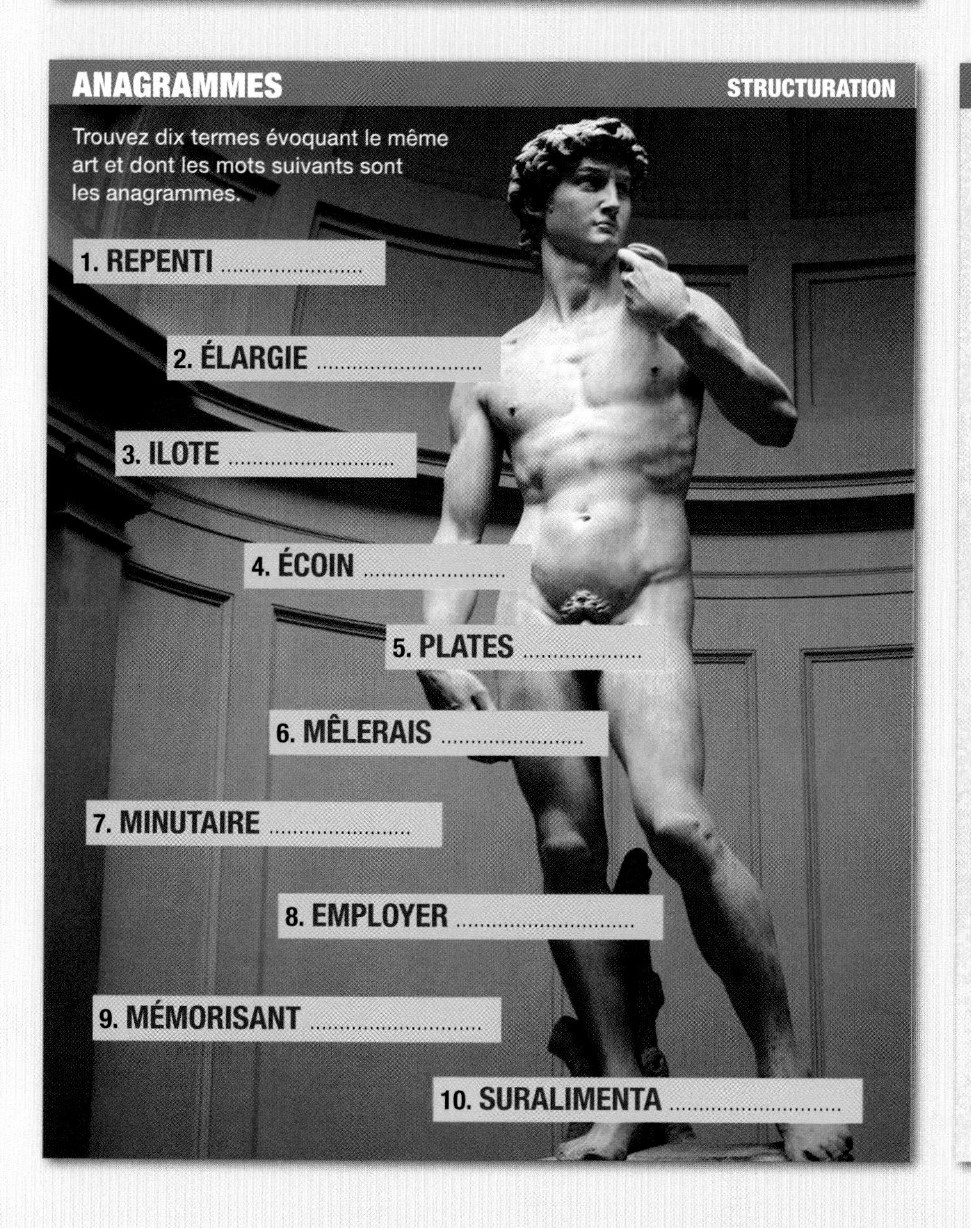

1. REPENTI ....
2. ÉLARGIE ....
3. ILOTE ....
4. ÉCOIN ....
5. PLATES ....
6. MÊLERAIS ....
7. MINUTAIRE ....
8. EMPLOYER ....
9. MÉMORISANT ....
10. SURALIMENTA ....

HOMOGRAPHES — LANGAGE

Trouvez les couples d'homographes (mots ayant une orthographe identique mais des sens différents) qui complètent les phrases suivantes en leur donnant un sens.

1. L'eucharistie, le baptême, la pénitence, le mariage, la confirmation, l'ordre... Grrr, il y en a sept pourtant. Il faut avoir une mémoire _ _ _ _ _ _ _ _ _ entraînée pour se rappeler le dernier _ _ _ _ _ _ _ _ _ de l'Église catholique.

2. Pour qu'un enfant soit _ _ _ _ _ _ _, il suffit que ses parents lui _ _ _ _ _ _ _ tous les soirs une histoire fabuleuse pour l'endormir.

3. Nous avions chaque jour des _ _ _ _ _ _ _ _ de plus en plus chiches à la cantine... Jusqu'à ce que nous _ _ _ _ _ _ _ _ l'affaire devant le proviseur du lycée.

4. Avec les 50 euros que je lui ai donnés, mon fils _ _ _ _ s'est acheté un _ _ _ _ troué !

LOGIGRAMME

LOGIQUE

NOUVEAUX ANIMAUX DE COMPAGNIE

Dans la petite communauté des Amateurs de nouveaux animaux de compagnie, l'ANAC, quatre citoyens d'Animotown, MM. Boa, Crocodile, Mygale et Varan, ont placé devant leur porte un petit écriteau mettant en garde les passants. Mais M. Coucou, ficheur de pagaille de la ville, a malicieusement tout mélangé pendant la nuit. Au matin, les huit fils Coucou, beaucoup plus sages que leur père et soucieux de rétablir la vérité, essaient de se rappeler les informations dont ils disposent de façon à reformer les messages qui figuraient sur les portes des quatre propriétaires d'animaux bizarres…

Seize mots sont à utiliser pour former quatre phrases.
Mot 1 : Boa, Crocodile, Mygale, Varan
Mot 2 : héberge, nourrit, refuse, vend
Mot 3 : trois, quatre, six, huit
Mot 4 : boas, crocodiles, mygales, varans

Indices recueillis auprès des fils Coucou

1. Mygale ne vend pas.
2. Boa et quatre sont dans la même phrase.
3. Héberge et mygales sont dans la même phrase.
4. Refuse et crocodiles ne sont pas dans la même phrase.
5. Mygales et Crocodile ne sont pas dans la même phrase.
6. Six et varans sont dans la même phrase.
7. Huit et crocodiles sont dans la même phrase.
8. Ni Boa ni Mygale ne nourrit ou n'héberge.

Tableau des réponses

	Phrase 1	Phrase 2	Phrase 3	Phrase 4
Mot 1				
Mot 2				
Mot 3				
Mot 4				

ANAPHRASES

STRUCTURATION

Utilisez toutes les lettres proposées pour former des anagrammes qui complètent la phrase en lui donnant un sens.

1. E E E I L L M M O R S

Avec tous les vins qui existent, il est certain qu'une parfaite connaissance de la .... demande de grandes capacités ....

2. B C D E E I I I L R T

Ce candidat aux élections, avec la politique totalement .... qu'il a menée lors de son dernier mandat, a aujourd'hui perdu toute ....

LES DEUX FONT LA PAIRE

ASSOCIATION

Trouvez dix mots contenant la séquence de lettres GAT grâce aux définitions suivantes.

1. Crocodile ➤ _ _ _ _ _ _ _ _ _
2. Oiseau des mers tropicales ➤ _ _ _ _ _ _ _
3. L'amour physique, familièrement ➤ _ _ _ _ _ _ _ _ _
4. Sacrifice de soi au bénéfice d'autrui ➤ _ _ _ _ _ _ _ _ _ _
5. Lieu de purification temporaire ➤ _ _ _ _ _ _ _ _ _ _
6. Amandes broyées et caramel ➤ _ _ _ _ _ _ _ _ _
7. Personne qui abjure son parti, sa religion ➤ _ _ _ _ _ _ _
8. Grosse pâte alimentaire en forme de tube ➤ _ _ _ _ _ _ _ _
9. Traduction latine de la Bible ➤ _ _ _ _ _ _ _
10. Genre littéraire japonais unissant contes courts et grands romans ➤ _ _ _ _ _ _ _ _ _ _

NOMBRE MAGIQUE

LOGIQUE

Choisissez un nombre de quatre chiffres, avec au moins deux chiffres différents (pas 2222…) Prenons par exemple 7584. Écrivez ce nombre par chiffres décroissants, ici **a** = 8754. Puis écrivez-le par chiffres croissants, ici **b** = 4578. Calculez alors **a – b**. Recommencez les opérations précédentes à partir du résultat de cette soustraction.

Réessayez en prenant d'autres exemples de chiffres et répétez l'opération jusqu'à observer un phénomène intéressant qui a passionné des générations de mathématiciens.

MOTS CACHÉS

STRUCTURATION

Les 56 mots relatifs à la musique cachés dans cette grille peuvent y figurer en tous sens : horizontalement ou verticalement, en diagonale, de haut en bas ou de bas en haut, de droite à gauche ou l'inverse. Les mots se croisent et une même lettre peut être utilisée plusieurs fois. Avec les lettres restantes, vous formerez un dernier mot, désignant un « instrument » utilisé en musique.

A	S	C	O	N	G	A	E	O	S	D	I	Y	I
C	L	I	P	T	A	S	H	A	P	D	B	A	E
E	V	L	T	F	L	C	C	E	R	L	W	T	R
R	E	I	E	A	E	A	E	E	O	I	A	S	Y
A	A	H	V	G	R	T	V	D	B	T	A	E	L
H	C	O	C	A	R	I	N	A	N	E	N	L	W
T	R	E	M	O	L	O	N	A	R	H	R	E	O
I	H	T	P	S	R	D	C	T	D	C	D	C	L
C	T	A	N	G	O	C	I	P	E	N	H	M	S
E	U	M	T	N	O	P	I	R	O	A	A	E	E
S	L	B	E	R	U	A	U	J	O	L	R	S	T
E	O	O	D	P	N	O	S	S	A	B	P	U	U
I	N	U	I	O	L	O	C	I	P	Z	E	R	L
D	N	R	L	V	I	O	L	O	N	J	Z	E	F

ACCORD
ALLEGRO
ALTO
ANDANTE
ARCHET
ARIA
BANDONÉON
BASSON
BIWA
BLANCHE
CANTATE
CÉLESTA
CHEF
CITHARE
CLÉ
CLIP
CONGA
CROCHE
DIÈSE
DOLBY
ÉCHO
FLÛTE
HARPE
JAZZ
JEU
LENTO
LIVE
LOURE
LUTH
LYRE
MARACAS
MESURE
NEY
OCARINA
ONDE
OPUS
PIANO
PICOLO
PONT
PORTÉE
PUPITRE
RAÏ
REBEC
RONDO
SCAT
SITAR
SLOW
SOUL
TAMBOUR
TANGO
TRÉMOLO
VALSE
VERDI
VIOLE
VIOLON
VIVALDI

COUPLES DE MOTS

ASSOCIATION

Mémorisez pendant 1 minute ces dix couples de mots. Utilisez tous les moyens mnémotechniques à votre disposition. Puis cachez-les et répondez aux six questions.

Superstar – Instigatrice

Fournisseur – Accessoiriste

Champion – Divertissement

Incognito – Conversion

Perversion – Vedette

Diversion – Vedettariat

Paf – Mûrissement

Hiéroglyphe – Verdeur

Instigateur – Superbement

Égyptien – Rougissement

Questions

1. À quel nom est associé le mot le plus court de la liste ?
2. À quel dérivé de version est associé incognito ?
3. Quel est le mot associé à l'écriture des Égyptiens ?
4. Quel mot figure juste avant divertissant ?
5. La forme masculine d'instigatrice est-elle associée à un nom féminin ?
6. Quels mots sont issus de la même souche étymologique, non encore citée dans les questions ?

LE POINT COMMUN

ASSOCIATION

Trouvez, pour chacune de ces séries, un mot qui se rapporte directement à chacun des trois autres.

1. promenade, évêque, bascule

2. sénateur, pneus, vie

3. cheval, billard, poisson

4. funéraire, coiffure, thé

5. Parthe, mot, trajectoire

6. dur, stationnement, lune

REPÈRES CHRONOLOGIQUES — TEMPS

Classez ces événements dans l'ordre chronologique.

A Assassinat de Caligula par des membres de la garde prétorienne

B Guerre de Troie

C Création de Carthage par les Phéniciens

D Fondation légendaire de Rome et assassinat de Remus par Romulus

E Assassinat de César, marquant le début de la 3e guerre civile

F Traversée des Alpes par Hannibal, qui y perd une grande partie de son armée

G Mort de Ramsès II ; son fils, Merenptah, lui succède

H Procès et mort de Socrate

1 ....
2 ....
3 ....
4 ....
5 ....
6 ....
7 ....
8 ....

PROBLÈME — LOGIQUE

Camille propose à Virgile le jeu suivant. Si Virgile atteint la cible A avec son pistolet à fléchettes, il gagne 1 euro. S'il touche la cible B, il obtient 3 euros. Mais, s'il tire à l'extérieur, il doit donner 2 euros à Camille. Après une heure et 70 lancers, Virgile se retrouve à la tête d'une somme comprise entre 30 et 40 euros. Il a tiré 10 flèches de plus sur la cible A qu'il n'en a raté (tiré à l'extérieur).

A = 1 €   B = 3 €

Combien de fois Virgile a-t-il touché chacune des zones (cible A, cible B ou extérieur) au cours de cette heure de jeu et combien a-t-il gagné exactement ?

LE POINT COMMUN — ASSOCIATION

Trouvez, pour chacune de ces séries, un mot qui s'emploie avec chacun des trois autres.

1. **corail – garde – dégel** ....
2. **fiscal – cheminée – rébellion** ....
3. **lait – primitive – populaire** ....
4. **rousse – miel – demander** ....
5. **pompier – courte – grandeur** ....
6. **réduit – mathématique – top** ....

SYLLABES MANQUANTES — STRUCTURATION

Six mots ont été tronqués de plusieurs de leurs syllabes. En utilisant celles qui vous sont proposées, reconstituez-les. Attention, plusieurs solutions sont possibles parfois, mais une seule combinaison permet de reconstituer tous les mots.

1. .... **TÉ**
2. **EN** ....
3. .... **LE**
4. .... **DER**
5. **A** ....
6. .... **FE** ....

LUE – DIO – BRI – CEN – SAC – CRI – MÉ – CU – FAR – PO – RIE – HY – SER

CHENILLE — STRUCTURATION

Passez de PAROLES à CHANSON dans cette chenille en opérant la substitution indiquée et en modifiant l'ordre des lettres, sans utiliser de forme conjuguée.

P A R O L E S

- E + A _ _ _ _ _ _ _
- L + N _ _ _ _ _ _ _
- P + I _ _ _ _ _ _ _
- R + M _ _ _ _ _ _ _
- O + C _ _ _ _ _ _ _
- M + E _ _ _ _ _ _ _
- A + H _ _ _ _ _ _ _
- E + O _ _ _ _ _ _ _
- I + N **C H A N S O N**

QUELLE EST LA SUITE ? LOGIQUE

Trouvez la figure qui complète logiquement chacune de ces suites.

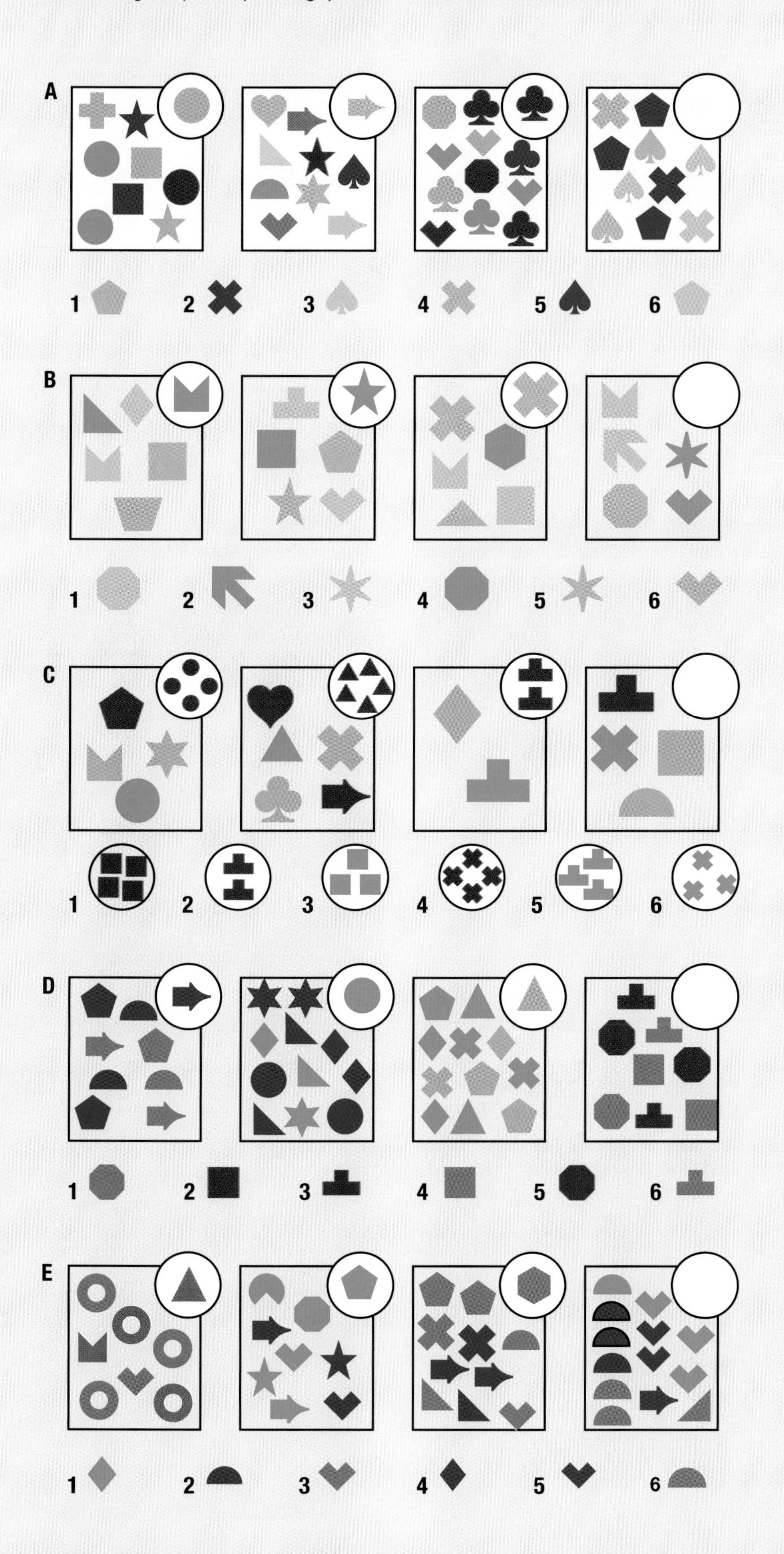

SANDWICH STRUCTURATION

Retrouvez dans la troisième colonne un proverbe danois sur les dangers de la fainéantise en complétant les mots horizontaux de cinq lettres. Plusieurs solutions sont envisageables parfois, mais une seule vous mènera au proverbe correct.

P	I		O	N
R	U		D	E
O	R		I	N
V	E		U	X
E	T		E	S
R	U		E	S
B	E		E	F
E	S		O	R
D	U		L	S
A	M		N	E
N	A		E	S
O	P		E	S
I	N		A	Y
S	T		R	E
P	A		L	E
O	M		G	A
U	S		N	E
R	E		U	S
T	E		L	E
I	D		A	L
R	I		E	S
E	N		O	S
A	L		N	E
U	R		U	S
F	O		E	S
L	I		N	E
A	M		L	E
N	U		L	E
C	H		R	S

CITATIONS MÊLÉES — RECONNAISSANCE/CULTURE

Les mots composant trois citations ont été mélangés. À vous de démêler l'écheveau pour les reconstituer. Toutes trois ont un rapport avec Talleyrand.

1. ....

....

....

2. ....

....

....

3. ....

....

....

QUELLE EST LA SUITE ? — LOGIQUE

1. Identifiez la façon dont cette suite est construite.

1 4 1 5 9 2 6 5 3 5

2. Trouvez le nombre qui complète logiquement la série suivante.

25 29 85 89 145 42 20 ?

3. Trouvez le nombre qui complète le plus logiquement possible la série suivante.

60 60 24 ? 52 100 10

4. Trouvez le nombre qui complète logiquement la série suivante.

29 56 44 85 17 33 ? 64

ITINÉRAIRE — STRUCTURATION

Complétez horizontalement ces noms de villes pour relier verticalement, dans la première et la dernière colonne, une ex-ville olympique et une ville française.

	E	M	O	U	R	
	U	X	E	R	R	
	R	I	G	N	A	
	U	T	E	U	I	
	A	I	R	O	B	
	R	L	E	A	N	

ESCALETTRE — STRUCTURATION

Ajoutez une à une les lettres indiquées afin de former de nouveaux mots. Toute forme conjuguée est interdite, sauf les participes.

L E M

+ **U** _ _ _ _
+ **A** _ _ _ _ _
+ **N** _ _ _ _ _ _
+ **B** _ _ _ _ _ _ _
+ **T** _ _ _ _ _ _ _ _
+ **A** _ _ _ _ _ _ _ _ _

TRIPLETS D'EXPRESSIONS — LANGAGE

Trouvez le terme qui se marie parfaitement avec les trois mots de chaque ligne de façon à former des expressions courantes.

Exemple : mobilière, ajoutée, marchande fera deviner **valeur**.

1. lion, scie, lait

....

2. change, complément, police

....

3. culotte, peinture, tard

....

4. couleuvre, affaire, perles

....

5. bénéficiaire, cahier, manœuvre

....

6. oie, éléphant, quatre

....

RECOLLE-MOTS STRUCTURATION

Regroupez deux à deux les mots de cinq lettres suivants (sans tenir compte des accents) pour obtenir douze nouveaux mots de dix lettres.

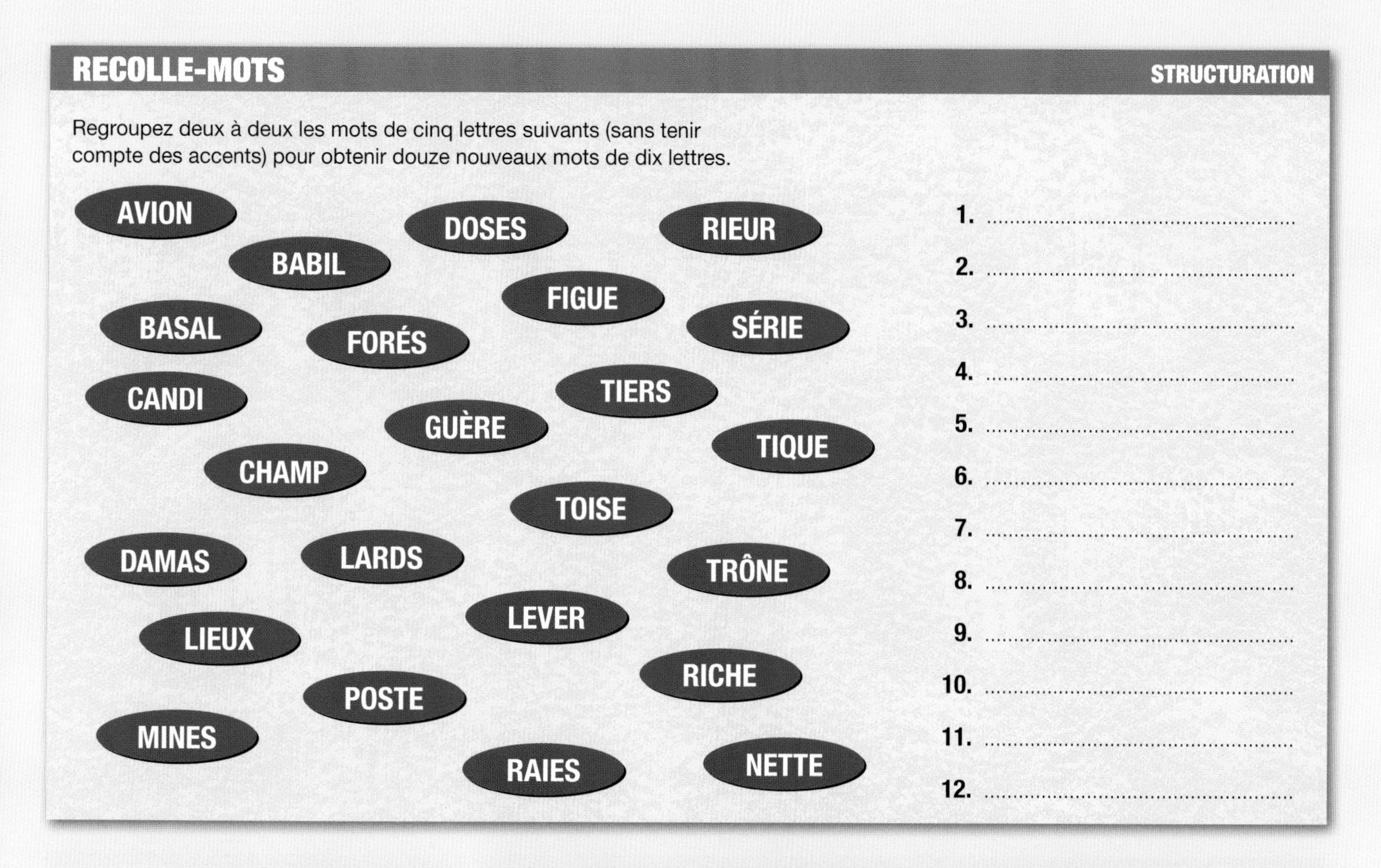

1. ....
2. ....
3. ....
4. ....
5. ....
6. ....
7. ....
8. ....
9. ....
10. ....
11. ....
12. ....

CASE-CHIFFRES LOGIQUE

Chaque brique du case-chiffres est la somme des deux briques situées juste en dessous.
Reconstituez la totalité de la pyramide en respectant les contraintes suivantes :

- a, b, c, d et e sont des nombres entiers positifs et b est plus grand que a.
- a = e.
- d = b – 1.
- c = b + 1.

Le sommet de la pyramide (S) vaut, à vous de trouver, 89, 90 ou 91.

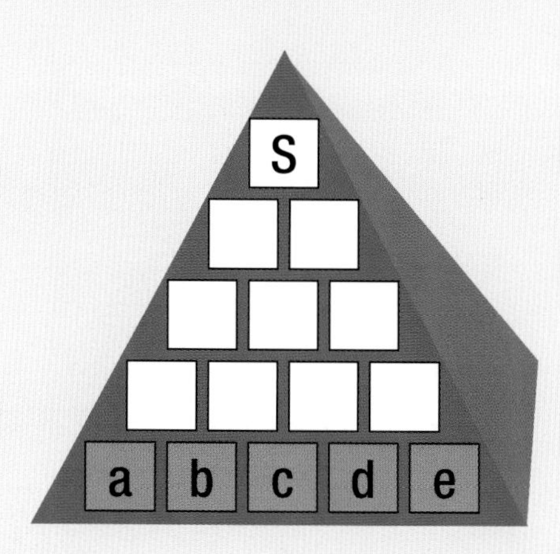

MOTS CASÉS ESPACE

Replacez dans la grille ces vingt-cinq noms de chanteurs.

ADAMO	BÉCAUD	CHEDID	ELSA	RENAUD
ANKA	BERGER	CLERC	FELDMAN	SHEILA
ARENA	BOWIE	CROISILLE	GOLDMAN	SHELLER
BARBARA	BREL	DION	LARA	SIMON
BASHUNG	BRUEL	DUTRONC	RÉGINE	TORR

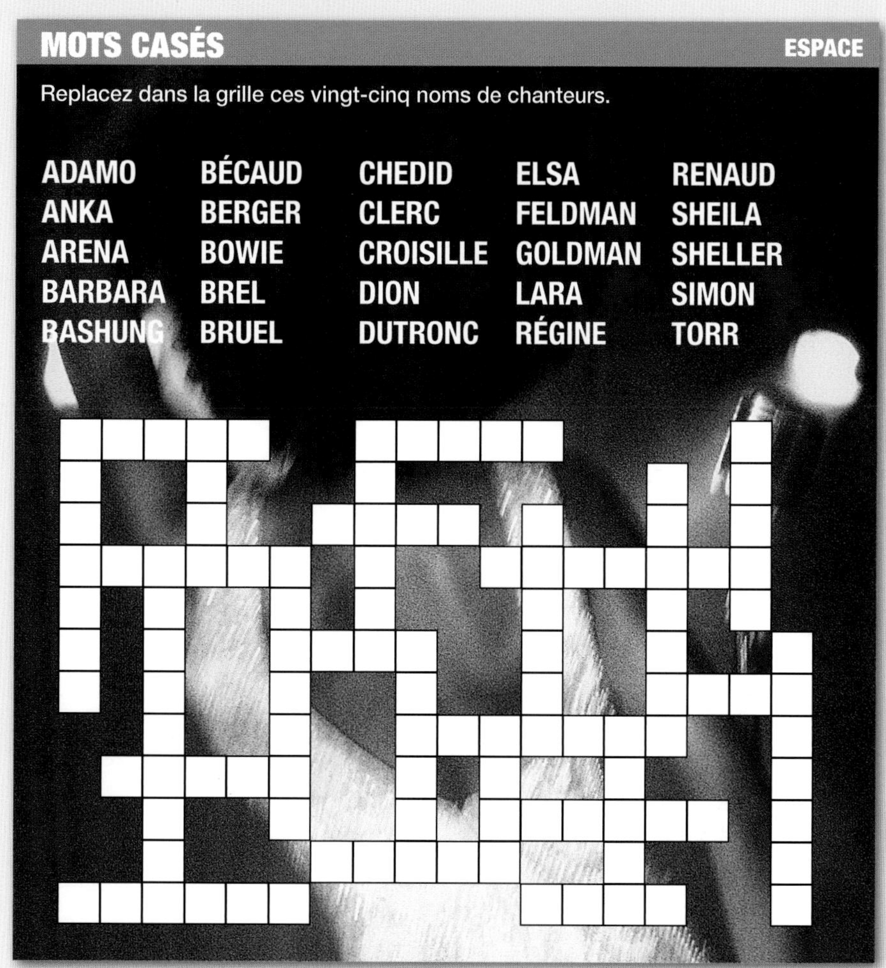

MOTS CROISÉS

Remplissez cette grille de mots croisés à l'aide des définitions suivantes

Horizontalement

I. Étymologiquement mises dans la merde !
II. Fleur ornementale originaire de Tanzanie. Demi-chanteuse.
III. Mal du siècle.
Message polluant les boîtes aux lettres électroniques.
IV. Un quart. Prénom d'un géologue français d'origine polonaise.
Bel pour Maupassant.
V. Arme anti-mirmillons et oiseaux. Frappant contre le quai.
VI. Dans l'arbre. Pour ceux qui se connaissent bien.
Se retrouve au panier.
VII. Une plaque à Amsterdam. Baisse de fréquence.
VIII. Dieu précolombien de la pluie. Faire sauter.
IX. Ville de Moldavie. Goderas.
X. Dans la gamme. À demi gâteux. Modèle d'amour conjugal.
Château des princes de Guise.
XI. Peuple du sud de l'Afrique, de langue bantoue.
Lourde à supporter. Affirmation paysanne.
XII. Amateurs de raies.
Provoque toujours un soulèvement, jamais une émeute.
XIII. Trépassée. Suffisamment dit.
Confirmation des lois de Newton.
XIV. Cheffesses.

Verticalement

1. Grand incompris, à son grand dam.
2. Ampère, Béjart ou Foucault. Début et fin de la fin.
3. À ne pas perdre pour être attentif. Cœur costaud.
Fait mine d'oublier.
4. Jamais. Fait ressortir la substantifique moelle.
5. État de mormons. Langue du groupe thaï. Plu.
6. Voisin du hareng. Tombent de haut. Métal dans métal.
7. Habitant de capitale. Mesure chinoise.
Rivière de Suisse.
8. Caractéristique d'un énoncé qui ne contient
aucune contradiction.
9. Occlusion intestinale. Bois détériorés par le feu.
10. Un 51 qui n'a rien à voir avec le pastis.
Fils d'un fleuve, il périt à cause de l'eau. Démonstratif.
11. Fourbu. Indique une multipropriété. Arrivé au terme.
12. Femme de chiffonnier. Le début des grandes eaux.
13. Fromage. Sacrée vache. Fait un état des lieux.
14. Relatives à notre plus proche parent. Envois en
express.

À L'IDENTIQUE

ATTENTION

Quelles sont les deux cartes parfaitement identiques ?

A

B

C

D

E

F

RECONNAISSANCE/CULTURE

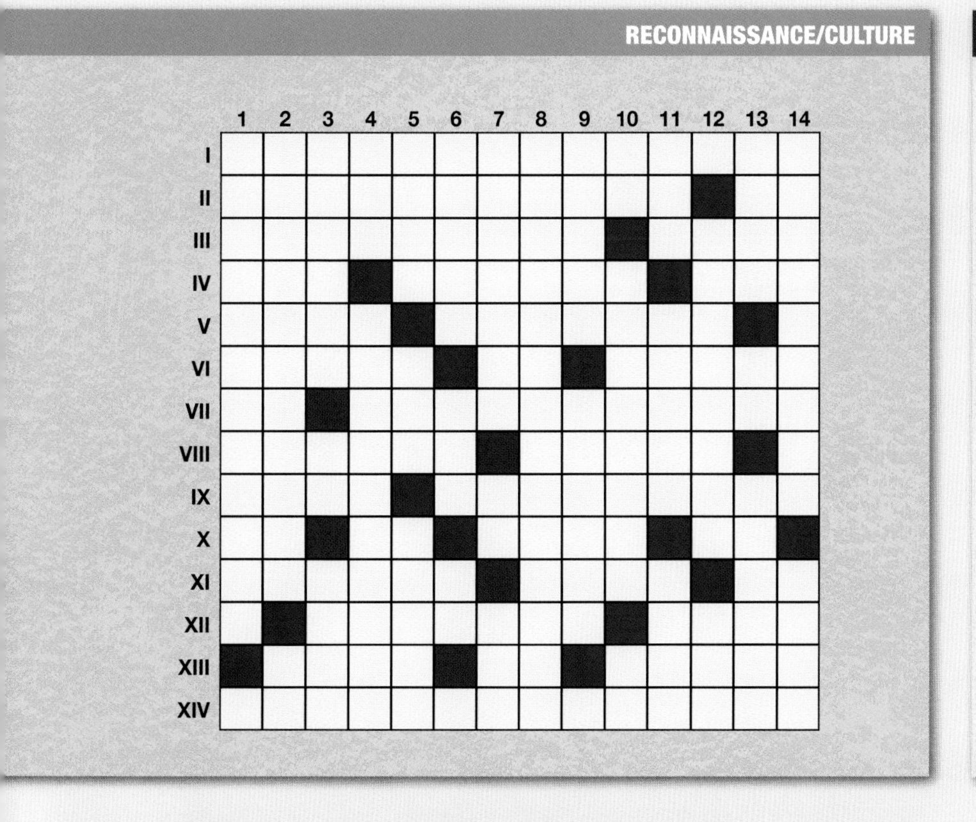

PROBLÈME

LOGIQUE

Coquette, une dame refuse de dévoiler son âge. Lasse d'être harcelée par les services administratifs, elle finit par envoyer aux importuns l'énigme suivante.

« J'ai entre 50 et 80 ans, et chacun de mes enfants a autant d'enfants lui-même qu'il a de frères et sœurs. Si vous voulez connaître mon âge, c'est simple : ce chiffre est égal à celui de ma descendance. »

Combien la coquette a-t-elle d'enfants, de petits-enfants, et combien de bougies aura-t-elle à souffler le jour de son prochain anniversaire ?

CUBES

STRUCTURATION

Formez trois noms appartenant au domaine religieux en prenant chaque fois une lettre différente sur une des faces des cubes.

1. .... 2. .... 3. ....

PARONYMES

LANGAGE

Trouvez le couple de paronymes (collision, collusion par exemple) qui complètent les phrases suivantes en leur donnant un sens.

1. J'ai été arrêté pour état d'ivresse dans ma voiture à Miami, sur _ _ _ _ _ _ _ _ _ des États-Unis, mais _ ' _ _ _ _ _ _ _ _ pratiqué aussitôt m'a disculpé.

2. Je ne sais pas si c'est la faute à Cupidon, comme tu le prétends. Mais qu'il ait _ _ _ _ _ _ _ sa flèche ou non ne t'autorisait pas à _ _ _ _ _ _ _ _ _ _ .

3. Vous lisez trop *Harry Potter*, élève Bougredane ! C'est un devoir sur l'eau et les _ _ _ _ _ _ _ _ _ au Moyen Âge que j'avais demandé, pas sur les _ _ _ _ _ _ _ _ .

4. Élève Bougredane, il n'y a pas un ministère de l' _ _ _ _ _ _ _ _ _ pour les personnes âgées… même si pour une fois vous avez inventé une jolie formule. Moi, je vous parle de celui de l' _ _ _ _ _ _ _ _ _ , qui dirige la police notamment !

ANAGRAMMES

STRUCTURATION

Trouvez les dix unités de mesure dont les mots suivants sont les anagrammes.

1. TERME ....
2. EMPARE ....
3. FARDA ....
4. TAELS ....
5. SCALPA ....
6. DÉCANAL ....
7. RÉMITTENCE ....
8. VÉRITÉS ....
9. PIEDROIT ....
10. RÉSIDANAT ....

LA CARTE EN QUESTIONS

ESPACE

Retrouvez vingt noms de la géographie africaine à l'aide des indices suivants et de leur localisation sur la carte. Pour être précis, indiquez également le nom du pays évoqué.

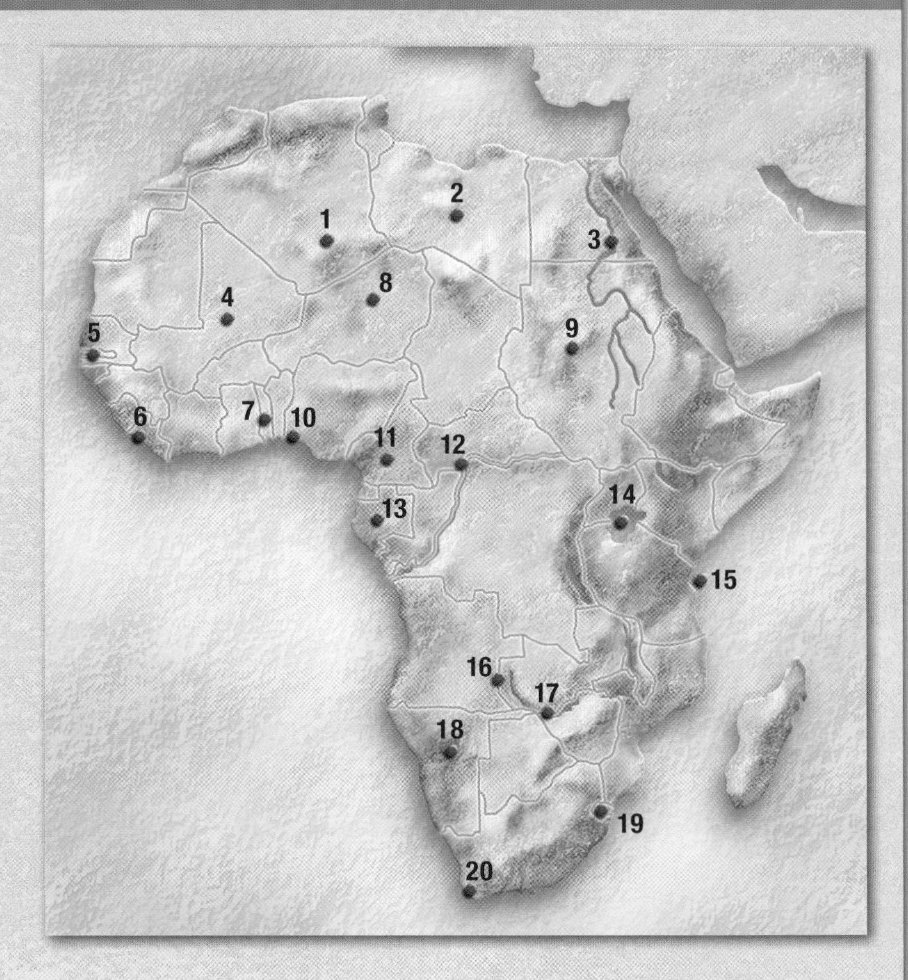

1. Je suis un massif volcanique habité par des Touaregs. Situé dans le pays abritant Constantine, je culmine à 2 918 m et ma ville principale est Tamanrasset.
2. La Tripolitaine, le Fezzan et la Cyrénaïque sont mes principales régions. Attention à l'orthographe de mon nom !
3. Je suis une ville sur le Nil et un barrage-réservoir (l'un des plus grands du monde) qui crée la retenue du lac Nasser.
4. Ville septentrionale du pays dont la capitale est Bamako, j'ai été un centre religieux et intellectuel important.
5. Je suis le plus petit pays d'Afrique continentale, ma monnaie est le dalasi et je me trouve au sud du Sénégal. Ma capitale est Banjul.
6. Je suis la capitale d'un pays dont le nom rappelle l'histoire de l'esclavagisme et qui tire l'essentiel de ses revenus du prêt de son pavillon (il possède la seconde flotte mondiale). Mon nom m'a été donné en l'honneur d'un président américain.
7. Je suis un pays formant une bande étroite qui donne sur le golfe de Guinée. Ma capitale, Lomé, se trouve sur l'océan.
8. Région du Sahara prisée des amateurs de rallyes et de déserts, je suis située dans un pays agité dont le président Baré Maïnassara a été assassiné en 1999.
9. Pays traversé par le Nil Bleu, j'abrite le désert de Nubie au nord et les montagnes du Darfour à l'ouest.
10. Je suis l'ancienne capitale de mon pays, et son port principal. J'ai été supplantée par Abuja.
11. Je suis membre du Commonwealth depuis 1995, et mon nom évoque un champion de tennis français vainqueur de Roland-Garros.
12. Je suis une rivière d'Afrique centrale et je passe dans une capitale qui porte le même nom que moi amputé de ses deux premières lettres.
13. Je suis un pays situé sur l'Atlantique, probablement peuplé de Pygmées à l'origine. Ma figure politique marquante est Omar Bongo et ma capitale, fondée en 1849, rappelle mon passé de colonie française.
14. Je suis un grand lac dont est issu le Nil. Observé de loin, mon pourtour est rose à cause… des flamants qui s'y rassemblent en masse.
15. Je suis une île de l'océan Indien proche de Pemba. Mon association au Tanganyika en 1964 a donné naissance au pays auquel j'appartiens désormais.
16. Je suis une frontière entre deux pays qui permet de relier les deux lettres extrêmes de l'alphabet. Quels sont ces pays ?
17. Fleuve impétueux de 2 660 km, le Zambèze est parsemé de chutes. Hautes de 108 m, nous sommes celles qui se trouvent aux confins des pays dont les capitales sont Lusaka et Harare.
18. Ma capitale est Windhoek et l'Orange délimite ma frontière avec l'Afrique du Sud. Je ne suis indépendante que depuis 1990.
19. Je suis un État de 17 000 km^2 dont la capitale est Mbabane et la monnaie le lilangeni.
20. Je suis le cap du sud de l'Afrique, découvert par Bartolomeu Dias en 1488 et doublé par Vasco de Gama en 1497. Mon ancien nom est cap des Tempêtes.

PROVERBES MÊLÉS — RECONNAISSANCE/CULTURE

Les mots composant trois proverbes ont été mélangés. À vous de démêler l'écheveau pour reconstituer les proverbes d'origine.

MAÎTRE — HERBE — CROÎT — CHEZ — D' — ENSEIGNE — BON — À — MAUVAISE — TOUJOURS — POINT — EST — SOI — VIN — CHARBONNIER

1. ....
....
....
....

2. ....
....
....
....

3. ....
....
....
....

ESCALETTRE — STRUCTURATION

Ajoutez une à une les lettres indiquées afin de former de nouveaux mots. Toute forme conjuguée est interdite, sauf les participes.

M I N

+ **I** _ _ _ _
+ **E** _ _ _ _ _
+ **T** _ _ _ _ _ _
+ **A** _ _ _ _ _ _ _
+ **T** _ _ _ _ _ _ _ _
+ **P** _ _ _ _ _ _ _ _ _

MARIONS-LES — ASSOCIATION

Rendez à chacun de ces auteurs la phrase qu'il a écrite.

Molière	A	A.........	1	Tout vient à point à qui sait attendre.
Musset	B	B.........	2	Oh ! n'insultez jamais une femme qui tombe.
Louis XVIII	C	C.........	3	Qu'importe le flacon pourvu qu'on ait l'ivresse !
Rabelais	D	D.........	4	L'appétit vient en mangeant, la soif s'en va en buvant.
Montaigne	E	E.........	5	L'exactitude est la politesse des rois.
Napoléon	F	F.........	6	Que diable allait-il faire dans cette galère ?
Marot	G	G.........	7	Ah ! non, c'est un peu court, jeune homme.
Corneille	H	H.........	8	Le temps est un grand maître, il règle bien des choses.
Hugo	I	I.........	9	(Les Bourbons) n'ont rien oublié, ni rien appris.
Rostand	J	J.........	10	Savoir par cœur n'est pas savoir.

MOT EN TROP — LOGIQUE

Dans chacune des séries suivantes, biffez le mot qui ne présente pas la même particularité que les autres.
Observez bien les lettres qui composent chaque mot, les ajouts ou substitutions possibles.

1. **Cléricaliseras – Collectionnite – Révolvérisions – Traînaillèrent**

2. **Achromatique – Alchimiste – Chamarrant – Colchiques – Mouchette – Romanche**

3. **Écarter – Édicule – Égaille – Essarts – Regagne – Ressert**

CITATIONS MÊLÉES

RECONNAISSANCE/CULTURE

Les mots composant trois citations ont été mélangés.
À vous de démêler l'écheveau pour les reconstituer.

AI · CŒUR · AU · CRIMES · DE · COMMET · JE · SOLDATS · EN · NOM · VISEZ · Ô · COMPRIS · QUE · ON · VOUS · LIBERTÉ · TON

1. ....
....
....

2. ....
....
....

3. ....
....
....

REPÈRES CHRONOLOGIQUES

TEMPS

Associez ces acteurs et actrices deux à deux. La règle : que les deux soient nés la même année. Puis essayez de les classer des plus âgés aux plus jeunes.

Chiara Mastroianni **A**
Daniel Auteuil **B**
Gaël Morel **C**
Isabelle Adjani **D**
Josiane Balasko **E**
Juliette Binoche **F**
Karin Viard **G**
Kevin Costner **H**
Michel Blanc **I**
Sabine Azéma **J**
Vincent Cassel **K**
Vincent Perez **L**

1. .... et ....
2. .... et ....
3. .... et ....
4. .... et ....
5. .... et ....
6. .... et ....

IMAGE ZOOMÉE

ATTENTION

Identifiez l'objet, l'animal ou le personnage que notre dessinateur s'est amusé à transformer.

CUBES

STRUCTURATION

Formez trois noms de boissons enivrantes en prenant chaque fois une lettre différente sur une des faces des cubes.

1. .... 2. .... 3. ....

PROBLÈME

LOGIQUE

Renaud a perdu beaucoup d'argent au poker cette année et il doit maintenant rembourser ses amis. Qu'il divise le montant dû par 2, 3, 4, 5, 6, 7, 8, 9 ou 10, dans tous les cas le résultat ne tombe pas juste et il reste un dollar après la division. Sentant là un signe du destin, il va jouer ce dollar fictif qui lui resterait au casino et regagne miraculeusement la totalité de ses pertes.
Quelle somme minimale Renaud avait-il perdue avant son coup de chance fabuleux ?

L'INTRUS — LOGIQUE

Trouvez l'intrus dans chacune de ces suites, c'est-à-dire la figure qui est la seule à ne pas partager certains éléments communs à toutes les autres.

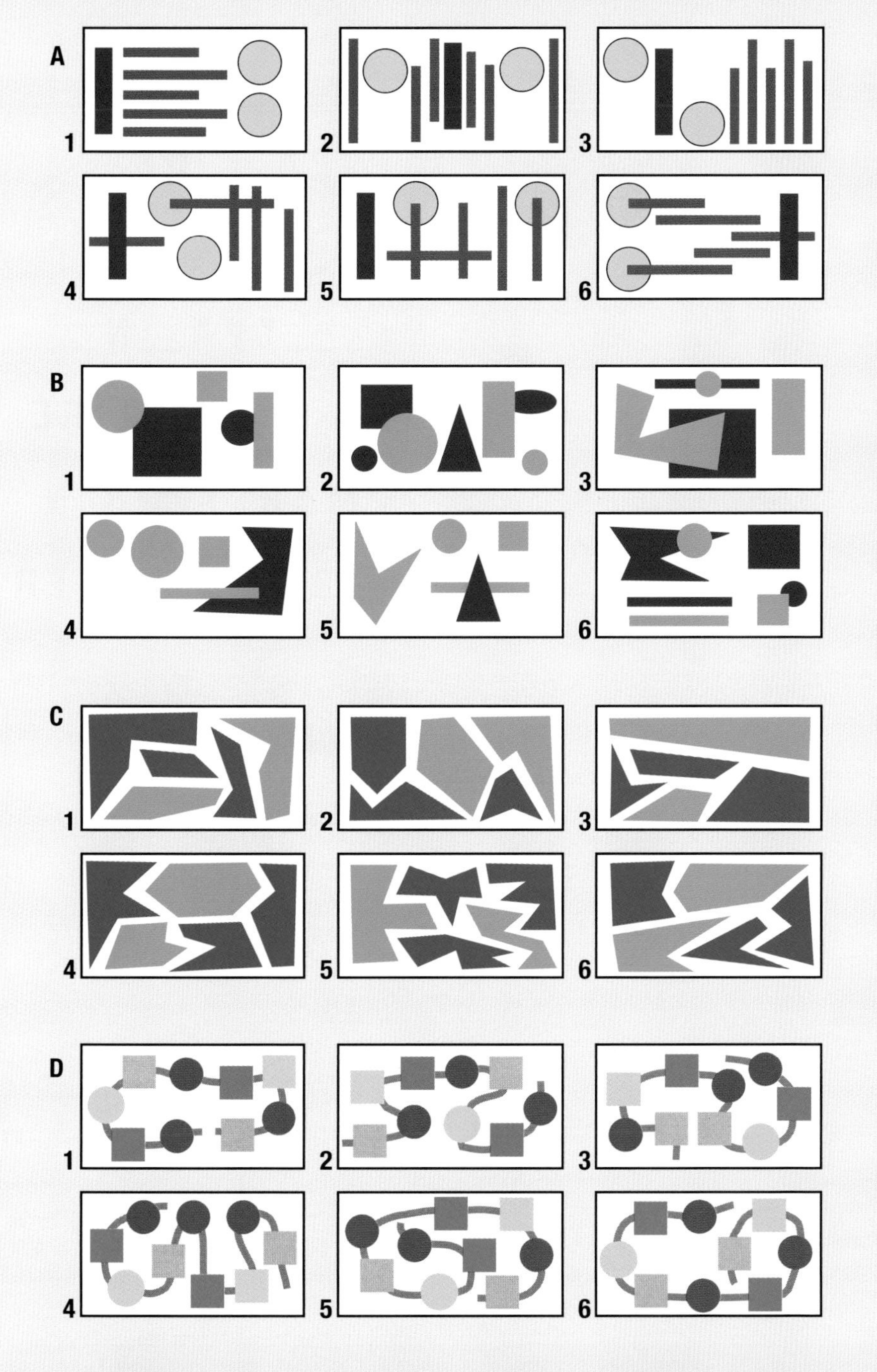

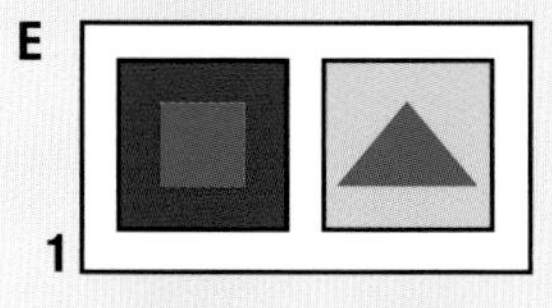

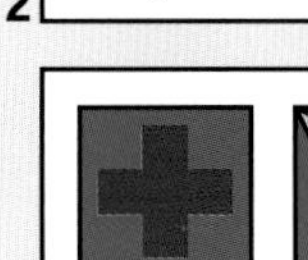

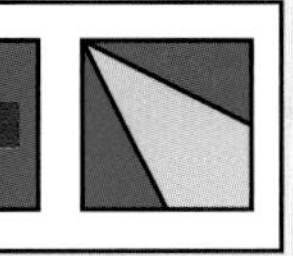

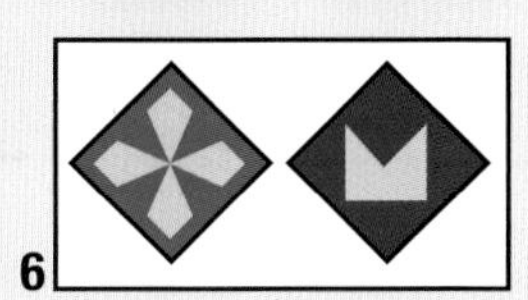

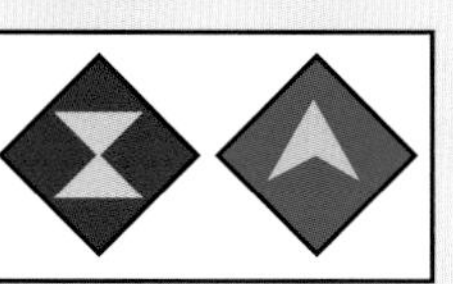

HOMOPHONES — LANGAGE

Trouvez les homophones (mots ayant une prononciation identique mais des sens différents) qui complètent les phrases suivantes en leur donnant un sens. Attention, pour compliquer le jeu, ce sont une locution et un mot qui sont homophones ici.

1. *Je viens à la messe à 19 heures toutes les semaines depuis deux ans. Mais __ ____ _____, c'est la première fois que l'enfant de chœur agite autant son _________. Il m'a presque rendu malade.*

2. *Encore une punition en cours de latin. Cette fois-ci, je devrai faire ___ ________, tout ça pour avoir fait _________ pendant le cours…*

3. *Avec cette mode gothique, ces groupes sataniques, j'ai décidé d'informer mes enfants dès leur plus jeune âge : je veux mettre en garde ___ ____ ___ contre ________.*

4. *L'un des animaux qui transportent le Père Noël m'a méchamment hurlé dans mon rêve que je n'aurais pas de cadeau cette année ! Mais ma mère m'a rassuré en me disant : « Tu peux dormir __________, __ _____ ____. »*

LE COMPTE EST BON — LOGIQUE

Atteignez le 90 sans le dépasser dans toutes les directions imaginables (même les diagonales) avec ces seize chiffres, en plaçant chacun d'eux dans une case identique à celle dans laquelle il est inscrit.

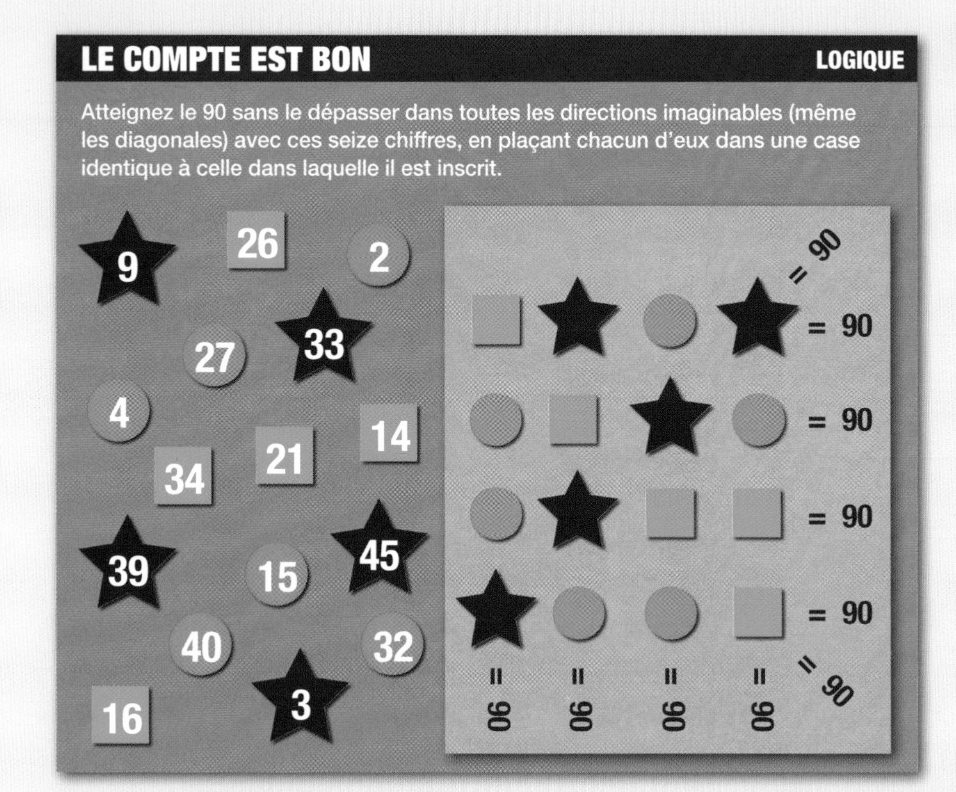

BOUCHE-TROUS — LANGAGE

Trouvez les mots qui respectent les squelettes suivants (pas de conjugaison). Vous devez placer une lettre par point pour transformer ces prénoms en mots usuels.

1. _PA___UL
2. L_U__CY__
3. ___YVA__N_
4. C____LA_I_RE
5. MAR_T___I_N
6. _R__OG_____ER

PUZZLE — ESPACE

Observez cette figure.

Quelles sont les quatre pièces numérotées qu'il faut assembler pour obtenir la figure A ? (Ne pas superposer ni modifier l'orientation des pièces.)

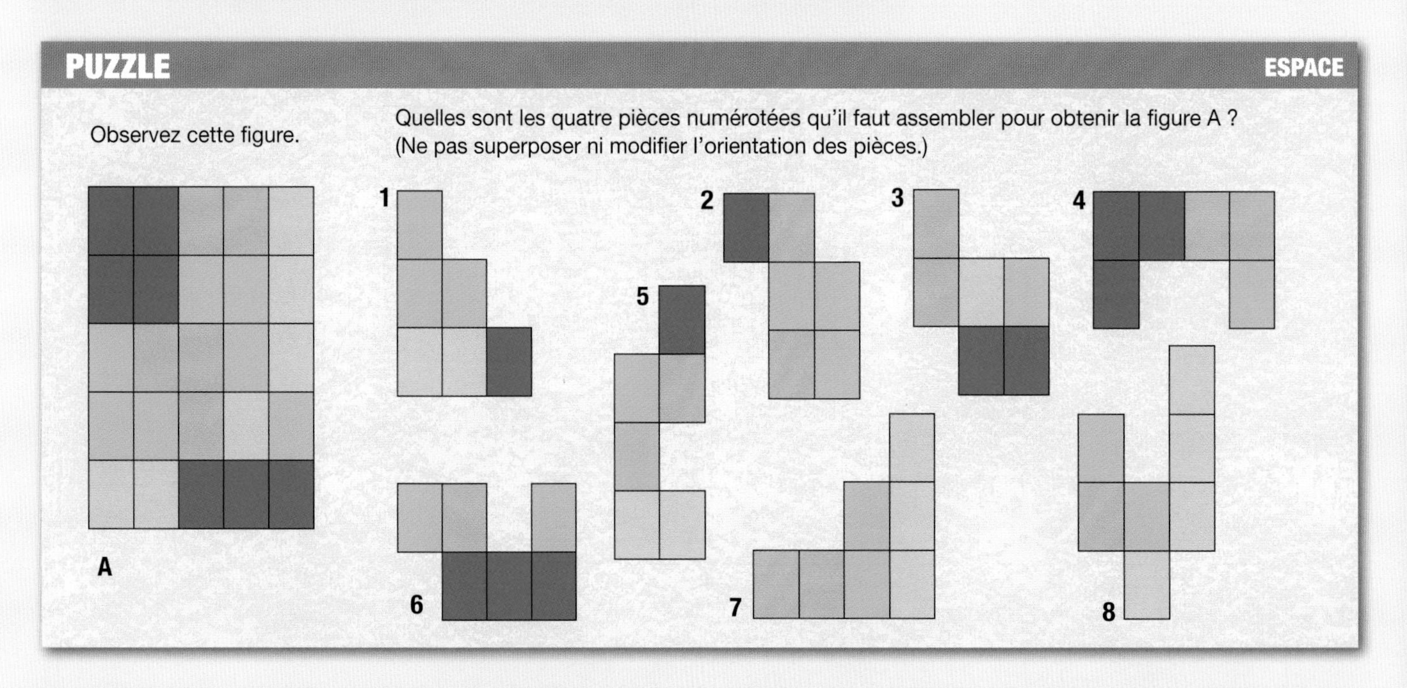

MOT EN TROP — LOGIQUE

Dans chacune des séries suivantes, biffez le mot qui ne présente pas la même particularité que les autres. Observez bien les lettres qui composent chaque mot, les ajouts ou substitutions possibles.

1. **Collecter – Fouilleuse – Mallette – Tollé – Vallées**
2. **Abcès – Indéfini – Afghane – Narghilé – Somnolence – Zemstvo**
3. **Antiatome – Instantes – Martinets – Partiteur – Pénitents – Titrisées**

QUELLE EST LA SUITE ? LOGIQUE

1. Trouvez le nombre qui complète logiquement la série suivante :

36 | 63 | 85 | 654 | 3 496 | 5 564 655 | ?

2. Trouvez les nombres qui complètent la molécule située au centre :

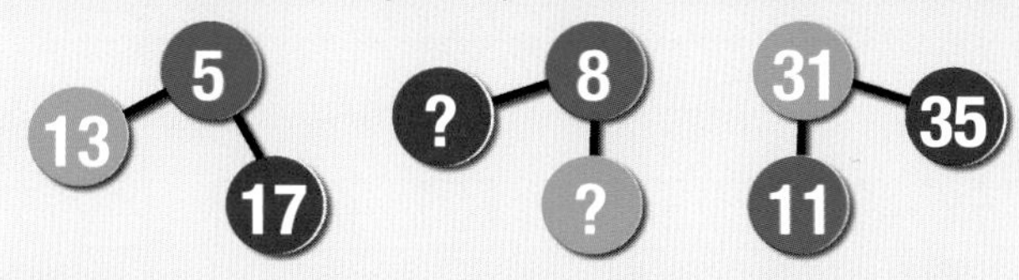

3. Trouvez la ligne qui poursuit logiquement la série suivante :

1
1 1
2 1
1 2 1 1
1 1 1 2 2 1
3 1 2 2 1 1
1 3 1 1 2 2 2 1
1 1 1 3 2 1 3 2 1 1
? ? ? ? ? ? ? ? ? ? ? ? ? ?

4. Trouvez les deux nombres qui complètent logiquement et terminent chacune de ces séries exhaustives :

4 13 15 30 ?

3 12 16 20 ?

Indication : le second est à peu près dix fois supérieur au premier.

ÉCHELLE STRUCTURATION

À l'aide des huit croisillons, reconstruisez l'échelle en formant des mots verticaux évoquant des jours particuliers. Attention, certaines lettres manquent dans les croisillons : à vous de les trouver.

O / B _ A / A

M / R _ N / M

I / O V E / _

_ / I S E / A

T / D _ N / F

I / E R S / E

_ / M O M / M

A / E N _ / _

SANDWICH STRUCTURATION

Yvan Le Louarn, dit Chaval, né en 1915, doit son pseudonyme à son admiration pour le facteur Cheval et à une erreur qu'il jugea drôle de ne pas corriger. Son style dépouillé fit merveille dans divers journaux, dont *Paris Match*. Retrouvez une de ses pensées dans la troisième colonne en complétant les mots horizontaux de cinq lettres. Plusieurs réponses sont envisageables parfois, mais une seule vous mènera à la solution.

C	O		U	E
H	O		E	S
A	P		D	E
V	I		E	S
A	L		R	S
L	I		A	S
L	I		U	X
E	C		L	E
D	I		D	E
E	M		U	S
S	C		R	E
S	I		G	E
I	N		L	E
N	E		L	E
A	V		N	T
T	E		L	A
E	N		R	E
U	L		E	S
R	E		C	S
L	Y		E	E
O	G		A	M
U	V		E	S
F	A		A	S
O	R		E	S
Q	A		U	N
U	N		E	L
E	U		E	S
E	M		L	E
C	A		S	E
R	E		E	L
I	G		O	O
T	I		R	S

GRILLE À THÈME

RECONNAISSANCE/CULTURE

Remplissez cette grille de prix Nobel de littérature à l'aide des indices suivants.

Définitions

1. Italien, *Six Personnages en quête d'auteur*, Nobel 1934.
2. Américain, *Sanctuaire*, Nobel 1949.
3. Britannique, *Sa Majesté des Mouches*, Nobel 1983.
4. Allemand, *Le train était à l'heure*, Nobel 1972.
5. Français, *Thérèse Desqueyroux*, Nobel 1952.
6. Allemand, *le Tambour*, Nobel 1999.
7. Américain, *le Vieil Homme et la mer*, Nobel 1954.
8. Français, *la Nausée*, Nobel refusé en 1964.
9. Irlandais, *le Héros et le Soldat*, Nobel 1925.
10. Polonais naturalisé américain, *la Pensée captive*, Nobel 1980.
11. Allemand, *la Mort à Venise*, Nobel 1929.
12. Français, *l'Évolution créatrice*, Nobel 1927.
13. Russe, *l'Archipel du Goulag*, Nobel 1970.
14. Portugais, *le Dieu manchot*, Nobel 1998.
15. Français, *l'Immoraliste*, Nobel 1947.
16. Chilien, *le Chant général*, Nobel 1971.
17. Français, *les Géorgiques*, Nobel 1985.
18. Mexicain, *le Singe grammairien*, Nobel 1990.
19. Français, *la Peste*, Nobel 1957.
20. Français, *la Rôtisserie de la reine Pédauque*, Nobel 1921.
21. Français, *les Solitudes*, Nobel 1901 (Sully...)
22. Américain prénommé Sinclair, *Babbitt*, Nobel 1930.
23. Britannique d'origine américaine, *Meurtre dans la cathédrale*, Nobel 1948.
24. Irlandais, *Deirdre*, Nobel 1923.
25. Grec, *Soleil, le premier*, Nobel 1979.

RÉCITATION

RECONNAISSANCE/CULTURE

Trouvez les mots qui complètent les vers de ce poème de Rimbaud.

Sensation

Par les soirs bleus d'été, j'irai dans les	**a.** *forêts*	**b.** *sentiers*	**c.** *absinthes*
Picoté par les blés, fouler l'herbe	**a.** *menue :*	**b.** *éphémère :*	**c.** *folache :*
Rêveur, j'en sentirai la fraîcheur	**a.** *à regrets.*	**b.** *à mes pieds.*	**c.** *et les teintes.*
Je laisserai le vent baigner	**a.** *ma tête nue.*	**b.** *mon cœur amer.*	**c.** *ma sueur lâche.*
Je ne parlerai pas, je ne penserai	**a.** *pas :*	**b.** *plus :*	**c.** *rien :*
Mais l'amour inifini me montera	**a.** *aux tempes*	**b.** *dans l'âme*	**c.** *aux pieds*
Et j'irai loin, bien loin, comme	**a.** *l'Indien paria,*	**b.** *un agneau perdu,*	**c.** *un bohémien,*
Par la Nature, – heureux comme	**a.** *sur une estampe.*	**b.** *avec une femme.*	**c.** *un estropié.*

Arthur Rimbaud

LE POINT COMMUN — ASSOCIATION

Trouvez, pour chacune de ces séries, un mot qui se rapporte directement aux trois autres.

1. **fusil – âge – peau** ....
2. **oiseau – fiscal – artificiel** ....
3. **croix – nombre – ponctuation** ....
4. **honneur – tache – pot** ....
5. **bouton – bière – groupe** ....
6. **avion – horloge – plante** ....

DOMINOLETTRES — STRUCTURATION

Trouvez l'ordre dans lequel ranger ces dominos de façon à lire horizontalement deux noms de pays de l'hémisphère Nord, l'un dans le sens traditionnel de la lecture, l'autre de droite à gauche. Attention : deux dominos ont été inversés pour vous compliquer la tâche.

UN DE TROP — ATTENTION

Observez cet aquarium pendant quelques minutes, puis cachez-le.

Quel poisson ne figurait pas précédemment dans l'aquarium ?

LE COMPTE EST BON — LOGIQUE

Atteignez la somme de 49 dans toutes les directions avec seize numéros du Loto que vous aurez cochés et placés chacun dans une case identique à celle dans laquelle il est inscrit.

24 (étoile)	32 (carré)	12 (étoile)	3 (rond)
19 (rond)	1 (rond)	16 (carré)	5 (carré)
22 (étoile)	2 (carré)	9 (rond)	6 (étoile)
10 (carré)	4 (rond)	8 (étoile)	23 (rond)

rond	carré	étoile	carré	= 49
étoile	rond	carré	rond	= 49
rond	carré	étoile	étoile	= 49
carré	étoile	rond	rond	= 49
= 49	= 49	= 49	= 49	= 49

= 49 (diagonales)

QUI SUIS-JE ?

Découvrez un à un les indices permettant d'identifier ces noms géographiques : essayez d'en utiliser le moins possible.

Énigme 1

1. Je suis la terre du Dragon rouge et on me nomme localement Cymru.
2. J'abrite Portmeirion, un village fantaisiste né de l'imagination d'un architecte excentrique, Williams-Ellis.
3. En 1967, j'ai servi de décor au *Prisonnier*, la série télé culte mettant en scène Numéro 6.
4. C'est dans une de mes stations balnéaires, Llandudno, que Lewis Carroll aurait rencontré Alice.
5. Je fais partie de la Grande-Bretagne.
6. Ma capitale est Cardiff.

Énigme 2

1. Mon nom en amérindien signifie « lieu de rencontre ».
2. Je suis une ville cosmopolite du continent américain, et mes habitants me nomment la Métropole vivable.
3. Je suis également appelée la grande cité des Lacs.
4. En 1615, un trappeur français, Étienne Brule, a fondé un comptoir sur mon site pour entreposer ses fourrures avant de les envoyer à Québec par le Saint-Laurent.
5. Mon nom utilise une ou plusieurs fois quatre lettres seulement : N, O, R et T.
6. Je suis une des villes principales du Canada, à 40 km des chutes du Niagara.

Énigme 3

1. Je suis une île grande comme la France et le Benelux réunis.
2. En 1960, je proclame mon indépendance, mettant fin à 75 ans de protectorat français.
3. Je suis sur le tropique du Capricorne.
4. Les Seychelles se sont détachées de moi voici bien longtemps.
5. La N4 et la N7 relient ma capitale Antananarivo au canal du Mozambique.
6. Mes habitants sont les Malgaches.

A. ....

B. ....

C. ....

LES MOTS DE L'IMAGE

LANGAGE

Trouvez au moins vingt mots commençant par les lettres FI et dont l'illustration ou l'idée figure dans le dessin ci-dessous.

RECONNAISSANCE/CULTURE

Énigme 4

1. Je comporte 118 îles…
2. … séparées par 160 canaux…
3. … enjambés par plus de 400 ponts.
4. J'ai imposé ma suprématie sur l'Adriatique puis sur toute la Méditerranée il y a 1 000 ans…
5. … jusqu'à ce que les échanges continentaux prennent le dessus sur les flux maritimes. Je suis d'ailleurs toujours sujette aux inondations.
6. Je demeure la capitale de l'amour en Vénétie.

D. ……………………………………

Énigme 5

1. Lorsqu'il est midi en hiver à Paris, il est 18 heures ici.
2. J'abrite le parc Lumphini, théâtre de combats de boxe acharnés.
3. Dans un de mes quartiers, on peut visiter la maison de Jim Thompson, une merveille entièrement en teck.
4. Je suis la capitale d'un royaume dont les rois se nomment Rama.
5. Les canaux qui me sillonnent, les *khlongs*, font la joie des touristes pour environ 500 bahts.
6. Je suis traversée par la Chao Phraya et suis la capitale d'un pays autrefois appelé Siam.

E. ……………………………………

CASE-CHIFFRES — LOGIQUE

Chaque brique du case-chiffres est la somme des deux briques situées juste en dessous.
Reconstituez la totalité de la pyramide en respectant les nombres déjà placés et les contraintes suivantes :
- tous les nombres de la base sont des entiers positifs.
- **a** est un multiple de 7, **c** est un multiple de 5 et **e** est un multiple de 11.

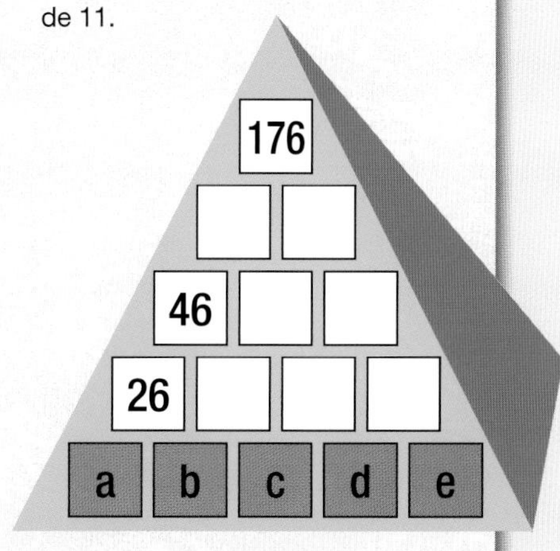

ROSACE — STRUCTURATION

Remplissez la fleur en formant des mots à partir des lettres ci-dessous. Inscrivez toujours vos solutions en partant de l'extérieur de la rosace vers le centre. Attention, certaines séries autorisent plusieurs anagrammes mais une seule permet de compléter la grille en croisant les mots dans les deux sens.

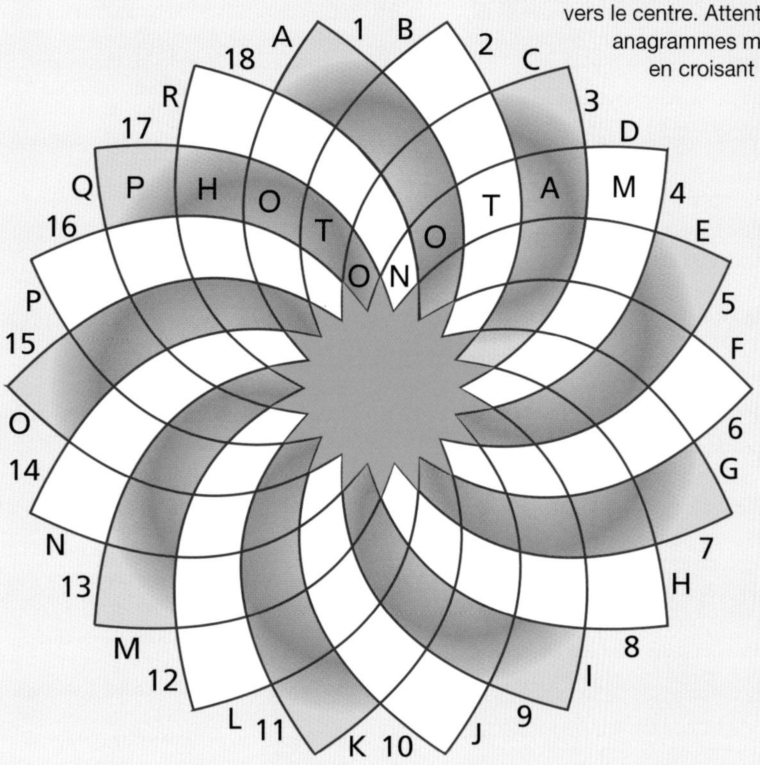

Dans le sens des aiguilles d'une montre

A. ALNOT	**G.** ILORT	**M.** AEELT
B. EMOTT	**H.** ANOPX	**N.** INORT
C. AEFIR	**I.** ACOST	**O.** EPSSU
D. AEIMR	**J.** IISTT	**P.** EEINP
E. ACELP	**K.** AILNP	**Q.** HOOPT
F. EFINS	**L.** DERSU	**R.** ACILN

Dans le sens inverse des aiguilles d'une montre

1. ANOST	**7.** AEIRT	**13.** IPSTU
2. AELMT	**8.** CENOP	**14.** ADIRS
3. FILOO	**9.** AEERT	**15.** ELNOS
4. AMNOT	**10.** AISTX	**16.** EPSTU
5. AEINP	**11.** CILLO	**17.** EEIPP
6. FILRT	**12.** ANORT	**18.** CEHIN

LA CARTE EN QUESTIONS

ESPACE

Retrouvez vingt volcans à l'aide des indices suivants et de leur localisation sur la carte.
Pour vous aider, les lettres qui composent leur nom sont données au début de chaque indice.

1. (BEERSU) Il culmine à 3 794 m sur l'île de Ross, à 1 380 km du pôle Sud. Son activité est quasi permanente. Il possède un lac de lave et recrache de l'or !

2. (ABINOPTU) En 1991, ses lahars (coulées de boue) ont fait 875 morts et 300 000 sans-abri. Le nuage de poussière qu'il a craché en 10 jours a fait le tour de la planète.

3. (AEEEEGLMNNOPT) Lors de son éruption en 1902, une nuée ardente (nuage de gaz à très haute température) a fondu sur la ville de Saint-Pierre à 600 km/h, ne laissant aucun survivant parmi les 28 000 habitants.

4. (EEFIORRSU) Avec ses 1467 m, la Vieille Dame, dont la première crise décrite remonte à 1696, est le point culminant des Petites Antilles.

5. (AAFIJMUY) Ce mont de 3 776 m, situé au centre de l'île de Honshu, est vénéré au pays du Soleil-Levant depuis le début du VIIIe siècle.

6. (ACEELOOPPPTT) La seule éruption importante de ce volcan de 5 465 m d'altitude a eu lieu vers 1530. L'augmentation de son activité provoquerait la fusion du glacier présent au sommet.

7. (AAAKKORT) En 1883, il a détruit les deux tiers de l'île sur laquelle il est situé, créé une dépression de 300 m dans l'océan et causé la mort de plus de 36 000 personnes. L'explosion a été entendue 4 heures plus tard à près de 5 000 km.

8. (AINNORST) Ce volcan est situé dans l'archipel des Cyclades, où une éruption survenue 1 500 ans avant J.-C. a vraisemblablement donné naissance au mythe de l'Atlantide.

9. (AENT) Situé sur la côte orientale de la Sicile, c'est le plus grand volcan d'Europe en activité. Il culmine à 3 350 m.

10. (AABMORT) Le centre de cet énorme stratovolcan de 60 km de diamètre est occupé par une caldeira de 6 km de diamètre et de 600 m de profondeur, formée lors de l'éruption cataclysmale de 1815.

11. (BILMOORST) Décrit par Homère, ce volcan est le phare de la Méditerranée. Il est en activité permanente, mais reste peu dangereux.

12. (EESUVV) Son éruption en 79 après J.-C. a détruit et recouvert de cendres Pompéi et Herculanum. Les lettres de Pline le Jeune à Tacite sont un témoignage historique précieux de cet événement.

13. (AAALMNOU) Ce volcan, qui a émergé il y a 500 000 ans, constitue l'ossature principale de l'île d'Hawaii, avec une superficie de plus de 5 000 km². C'est le plus étendu des volcans du globe.

14. (AAILLM) Situé dans le parc Conguillio, à 3 125 m, ce stratovolcan est très fréquenté car il offre des possibilités de haute randonnée vers les neiges de la sierra Nevada. Ses éruptions sont fréquentes mais peu dangereuses.

15. (ABEIMNNYYZ) Après une période de repos d'environ 1 000 ans, ce volcan russe est redevenu actif en 1955. L'éruption de 1956 a déclenché l'explosion la plus violente du XXe siècle.

16. (AEEHILNNSST) En 1980, après plus d'un siècle de repos, ce volcan s'est réveillé et un petit cratère s'est formé au sommet. Le 18 mai, il est entré en éruption. En quelques secondes, tout le flanc nord du volcan s'est affaissé et a provoqué une avalanche de débris de 2 km³.

17. (ADDEEILNORUVZ) En 1985, l'éruption de ce volcan, pourtant prévue par les vulcanologues, a fait 25 000 morts. Le village d'Armero a été englouti.

18. (AAAMS) En 1783, une nuée ardente et des lahars ont causé la mort de plus de 1 500 personnes et provoqué de graves famines dans le nord du pays. Avec l'éruption d'un autre volcan en Islande, la même année, il serait responsable d'un refroidissement du climat dans l'hémisphère Nord.

19. (CCEHHILNO) En 1982, deux éruptions ont fait des milliers de morts et de disparus, et provoqué la plus grosse émission de cendres depuis 1912.

20. (AADIIJKLMNOR) Aujourd'hui rebaptisé Uhuri (Liberté), il est la plus haute montagne d'Afrique, avec 5 895 m. Situé près de la frontière du Kenya, ce volcan dresse ses neiges éternelles chères à Hemingway à l'est du fossé volcano-tectonique du Grand Rift.

MARIONS-LES
ASSOCIATION

Essayez d'associer les écrivains suivants à l'un des pseudonymes qu'ils ont utilisés au cours de leur carrière littéraire.

Louis Aragon **A**	A.........	**1**	Simon Fer
Voltaire **B**	B.........	**2**	Clara Gazul
Edgar Faure **C**	C.........	**3**	Émile Ajar
André Bercoff **D**	D.........	**4**	Maurice Hervent
Romain Gary **E**	E.........	**5**	Caton
Paul Eluard **F**	F.........	**6**	Jacques Destaing
Jacques Attali **G**	G.........	**7**	Edgar Sanday
Prosper Mérimée **H**	H.........	**8**	Docteur Akakia
Boris Vian **I**	I.........	**9**	Vernon Sullivan
Pierre Loti **J**	J.........	**10**	Julien Viaud

PROVERBE ILLUSTRÉ
LANGAGE

Quel proverbe cette image vous suggère-t-elle ?

SUPERPOSITION
ATTENTION

Quels fragments numérotés peuvent se superposer à la grille A (sans pour autant la reconstituer) ? Les pièces seront prises telles quelles, sans être tournées.

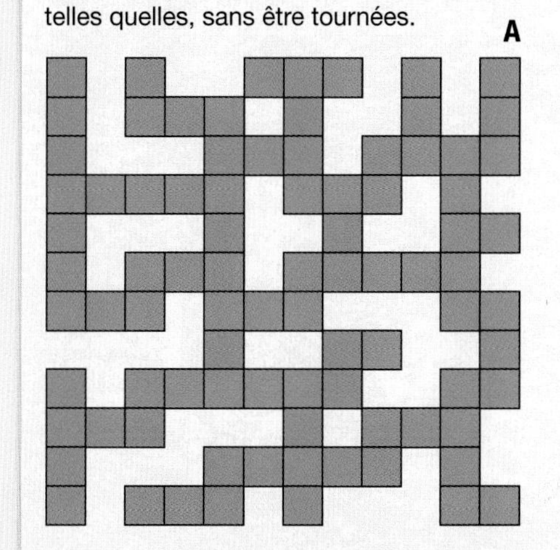

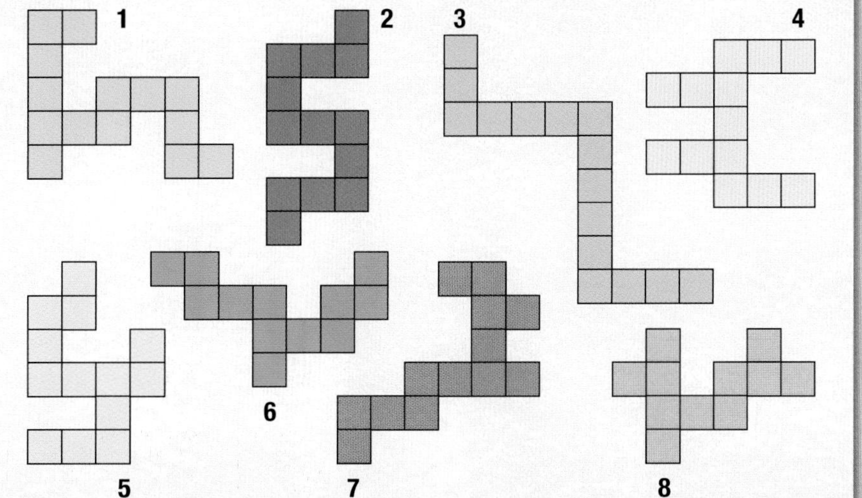

ALLUMETTES
LOGIQUE

En déplaçant trois allumettes de cette jolie maison, faites apparaître huit triangles.

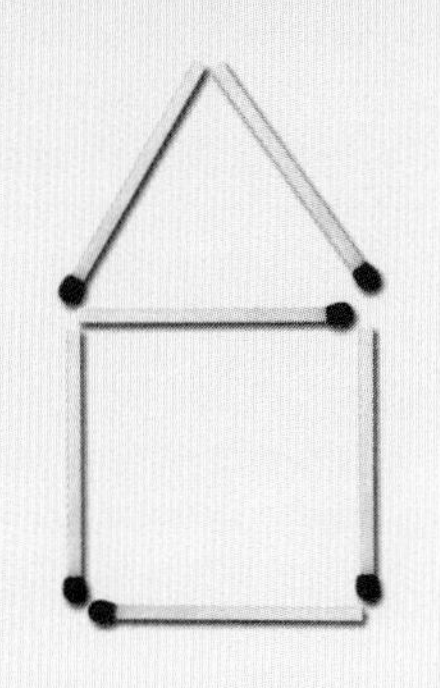

PROBLÈME
LOGIQUE

Monsieur Durant veut changer de voiture. Il sait qu'une Porsche vaut 102 000 euros. Il va voir un vendeur de voitures, qui lui affirme le plus simplement du monde : « Pour le prix de onze Lada et de cinq BMW, vous pouvez avoir deux Porsche, alors qu'une Porsche vaut autant que quatre BMW plus deux Lada. »

Porsche : 102 000 euros

Combien valent une BMW et une Lada ?

BMW : .... euros

Lada : .... euros

PROVERBES MÊLÉS

RECONNAISSANCE/CULTURE

Les mots composant trois proverbes ont été mélangés.
À vous de démêler l'écheveau pour reconstituer les proverbes d'origine.

MAUX POURRA DE DIRE FAIS IL
BONNE CHOISIR PAS MOINDRE QUE
VÉRITÉ TOUTE EST DEUX FAUT À
QUE ADVIENNE N' DOIS LE CE

1. ....
....
....

2. ....
....
....

3. ....
....
....

GRILLE À THÈME

RECONNAISSANCE/CULTURE

Remplissez cette grille construite autour des thèmes de la bande dessinée et du dessin animé à l'aide des indices suivants.

Définitions

1. Journal satirique de BD pour adultes apparu en 1960.
2. Héroïne érotique apparue dans *V magazine* en 1962.
3. Prénom du plus que distrait de Franquin.
4. Un petit poisson qui bat tous les records en 2003.
5. Héroïne de *la Semaine de Suzette* dès 1905.
6. Festival annuel de BD créé en 1974.
7. Un des Pieds Nickelés.
8. Clark Kent au *Daily Planet* dans la vie de tous les jours.
9. Créateur d'Achille Talon.
10. Créé par Brunhoff en 1931, porte un costume vert.
11. Famille française naïve et râleuse de Binet.
12. Homme de la jungle et roi des années 1950.
13. Des initiales pour un pseudo connu de tous les tintinophiles.
14. Dessinateur du Grand Duduche et du Beauf.
15. Petit, mais costaud grâce à une gourde.
16. Dessinateur belge de Boule et Bill.
17. Papa des Pieds Nickelés et de Bibi Fricotin.
18. Hebdo fondé à Bruxelles en 1938, du nom du garçonnet déluré créé par Rob-Vel.
19. Ami renard de Rouky le chien de chasse.
20. Dessinatrice de Cellulite et des Frustrés.
21. Créateur de Corto Maltese.
22. Dessinateur engagé de *Charlie Hebdo*.
23. Super-héros créé en 1939 par Bob Kane.
24. Un amateur de Chat.
25. Dessinateur des Schtroumpfs, apparus dans *Johan et Pirlouit* en 1958.
26. Catalan réfugié républicain qui dessina Pif le chien, puis Placid et Muzo.
27. Avec son quasi-homonyme André Vallet, il publia *l'Espiègle Lili*.
28. Dessinateur italien du *Déclic*, qui fit scandale en 1991.
29. Hebdo créé par Goscinny et Uderzo, notamment, en 1959.

MOTS CROISÉS

RECONNAISSANCE/CULTURE

Remplissez cette grille de mots croisés à l'aide des définitions suivantes.

Horizontalement

I. Écrivain italien exilé par les guelfes « noirs » en 1302.

II. Écrivain italien du XVIe siècle. Fleurissent en fin de semaine dans le sud de la France.

III. Aller contre. Recueil de fables au Moyen Âge. Cobalt.

IV. Repris en chœur. Plante de type céleri.

V. Ce qu'il convient de faire. À l'œil, donc. Passée en touchant.

VI. Représentants de Sa Sainteté. Arracheur de peau.

VII. Tout les oppose. Fins d'histoires.

VIII. Débuts d'histoires. C'est-à-dire à Rome. Élément neutre de la multiplication.

IX. Pas nasale, donc. Télévision par satellite. Chaîne.

X. Source majeure de fausses informations. Affirme dans un sens.

XI. Vit. Ensemble des élèves d'un maître. Interjection.

XII. Couronne un succès. Responsable d'empannage.

XIII. Petit oiseau. Directeur technique. Langage d'informaticien.

XIV. Société. Entre treize et dix-neuf.

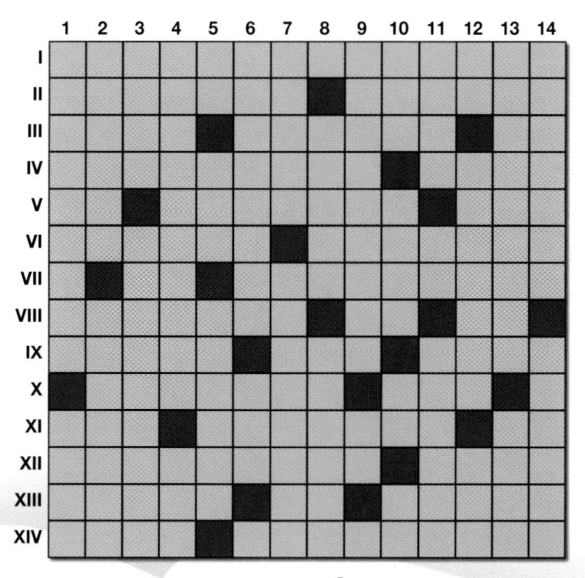

Verticalement

1. Écrivain italien, dandy raffiné. Des dunes et des dunes.

2. Forme vocale proche du récitatif. Plante insectivore.

3. Refus de moujik. Ouvrier de fonderie.

4. Spécialiste de la pression. Tromperie.

5. Forme d'auxiliaire. Division de temps. Barbier et confident de Louis XI, il finit sur le gibet.

6. Écart par rapport au modèle. Compagnie américaine.

7. Mal récompensée. Mollusque du type de l'huître.

8. Agrémenter. Amas de débris non digérés.

9. D'un chef-lieu alpin. Bout de pain.

10. Outil de paveur. Souffleur, mais pas au théâtre. Apparu. Objectif de scout.

11. Lettre grecque généralement utilisée avec une forme négative. Autre forme négative. Tient le choc.

12. Article de journal espagnol. Enceinte d'un monastère. Court le risque.

13. Pour qui n'est pas dans le besoin. Il n'est pas dans le besoin.

14. Petites plantes des lieux très humides. Spécialités de fous.

PUZZLE

ESPACE

Observez cette figure.

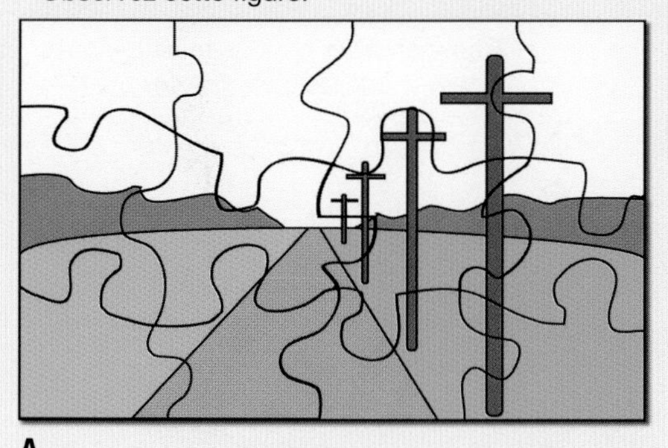

A

On peut reconstituer le dessin A avec 12 des 13 morceaux donnés. Lequel est en trop ? (Les morceaux et le modèle ne sont pas présentés à la même échelle.)

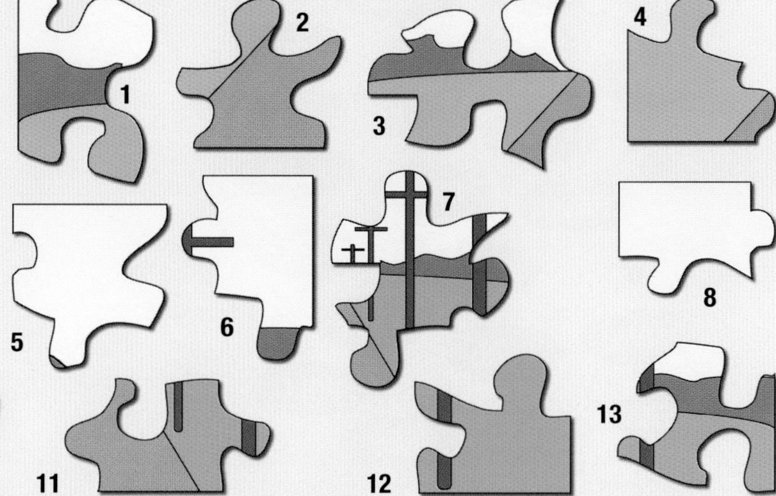

QUI SUIS-JE ?

Découvrez un à un les indices permettant d'identifier chaque personnage mystère : essayez d'en utiliser le moins possible.

Énigme 1

1. J'ai été un publiciste remarqué dans *le Peuple* ou *la Voix du peuple*.
2. Je suis né à Besançon en 1809.
3. J'ai écrit en 1846 *la Philosophie de la misère*, qui m'a valu l'hostilité de Karl Marx.
4. Je suis considéré comme le fondateur de l'anarchisme.
5. On retient de moi cette phrase : « La propriété, c'est le vol ! »
6. Je suis entre Protagoras et Proust dans le dictionnaire.

Énigme 2

1. Je suis un roi de Phrygie du VIIe siècle avant J.-C.
2. Mon royaume a été entièrement détruit par les Cimmériens.
3. Je fus choisi comme juge dans un concours de musique.
4. J'ai préféré la flûte du satyre Marsyas à celle du dieu Apollon.
5. Ce dernier me fit pousser des oreilles d'âne pour me punir.
6. La légende veut que j'aie reçu de Dionysos le don de transformer tout ce que je touchais en or.

Énigme 3

1. Mon nom de famille évoque aussi deux peintres, dont un très célèbre, natif de Laval.
2. Écrivain au prénom composé, j'ai été peint par Quentin de La Tour sur une toile exposée au Louvre.
3. Orphelin de mère, je suis mort à Ermenonville en 1778.
4. J'ai écrit *Essai sur l'origine des langues*.
5. Je pars du principe que l'homme est naturellement bon mais que la société le corrompt.
6. *Rêveries du promeneur solitaire*, *Émile* et *Du contrat social* sont mes principales œuvres.

A. .... **B.** .... **C.** ....

RECOLLE-MOTS — STRUCTURATION

Regroupez trois à trois les mots de quatre lettres suivants (sans tenir compte des accents) pour obtenir douze nouveaux mots de douze lettres.

ILES, REIN, BYTE, MARA, COTE, TIFS, AGES, VIRE, TAUX, SAGE, BOUT, AISE, IONS, ANTE, ENVI, MONT, ABLE, TRUC, EURO, ASTI, PÉRI, MISS, CRIS, ALLO, PRÈS, HALO, RIEN, USES, CONS, VENT, MONO, RÉAL, VOLT, CATA, DOLS, IRES

1. ....
2. ....
3. ....
4. ....
5. ....
6. ....
7. ....
8. ....
9. ....
10. ....
11. ....
12. ....

PROBLÈME — LOGIQUE

« Attention à mon aquarium, a dit Léo avant de partir en week-end. Il faut donner à mon poisson Arthur exactement 6 g de daphnies chaque jour, pas un de plus, pas un de moins. Sers-toi des doseurs ! » a-t-il juste précisé à Pierre. Quand Pierre arrive, il n'y a que deux doseurs à daphnies près de l'aquarium : l'un peut en contenir 5 g, l'autre 7 g. Ils sont vides, mais une grande éprouvette en renferme 12 g.

Comment faire pour ne pas tuer Arthur ? Quelles opérations permettront à Pierre de constituer deux doses d'exactement 6 g pour les 2 jours ?

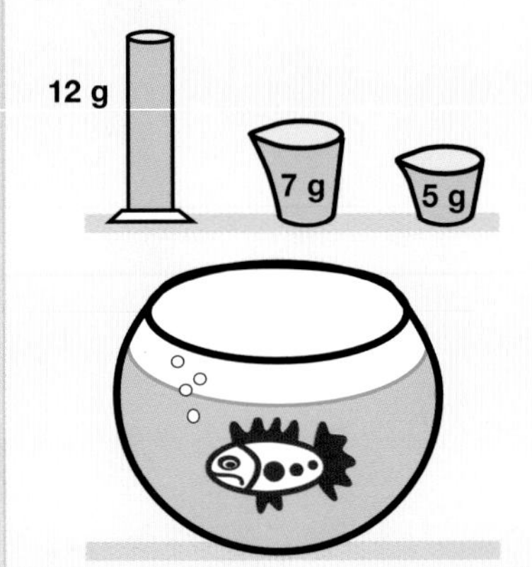

RECONNAISSANCE/CULTURE

Énigme 4

1. Je suis un empereur romain, fondateur de la dynastie des Flaviens.
2. Mon règne ramena le calme après la guerre civile qui suivit la mort de Néron.
3. J'ai commencé l'édification du Colisée et reconstruit le Capitole.
4. Soucieux de justice et de paix, j'ai favorisé l'entrée de provinciaux au Sénat.
5. Mon nom, associé à celui des urinoirs des lieux publics, est resté célèbre.
6. Mon voisin de dictionnaire découvrit le Nouveau Continent, qu'on nomma d'après son prénom, Amerigo.

D. ....

Énigme 5

1. Je suis né vers 570 ou 580 et mort en 632.
2. Mes parents étaient des caravaniers, ma femme Khadidja était une riche veuve.
3. C'est l'ange Gabriel qui m'aurait investi d'une mission divine.
4. Mes prêches m'obligeront à fuir en 622 à Médine, où je mourrai.
5. À ma mort, l'Arabie était acquise à l'islam.
6. Je suis le prophète d'un renouveau spirituel et le fondateur de la religion musulmane.

E. ....

BOUCHE-TROUS

LANGAGE

Trouvez les mots qui respectent les squelettes suivants (pas de conjugaison) pour transformer ces vêtements en autres mots usuels.

1. _ R O _ _ B E
2. J U _ _ _ P _ _ E
3. _ _ S H O _ _ R _ _ T
4. _ V _ _ E S _ _ _ T E
5. S _ _ _ _ L I _ _ P _ _ _ _
6. P _ U _ _ L _ _ _ _ _ L

REPÈRES CHRONOLOGIQUES

TEMPS

Ces seize événements peuvent être associés deux à deux car ils se sont déroulés la même année. Arriverez-vous à reformer les bons couples ?

A Lénine est exilé en Sibérie à l'âge de 27 ans.

B Christophe Colomb découvre l'Amérique.

C Le Congrès américain vote l'abolition de l'esclavage.

D Atahualpa – le dernier des Incas – meurt étranglé sur ordre de Pizarro.

E Ouverture des septièmes jeux Olympiques à Paris.

F Naissance de Van Dyck, peintre de l'école flamande.

G Première observation d'une aurore boréale.

H Naissance du peintre espagnol Vélasquez.

I Bonaparte enlève le pont d'Arcole aux Autrichiens.

J Publication d'*Alice au pays des merveilles*, de Lewis Carroll.

K 800 000 Juifs d'Espagne sont expulsés par le roi Ferdinand II d'Aragon.

L Beethoven et Haydn donnent un concert ensemble à Vienne.

M Parution de *Robinson Crusoé*, de Daniel Defoe.

N Première ruée vers l'or au Klondike.

O L'astrophysicien Hubble proclame l'existence de galaxies analogues à la nôtre.

P Ivan le Terrible, futur tsar, devient grand-prince de Russie.

.... et ....

.... et ....

.... et ....

.... et ....

.... et ....

.... et ....

.... et ....

.... et ....

ROSACE

STRUCTURATION

Remplissez la fleur en formant des mots à partir des lettres ci-dessous. Inscrivez toujours vos solutions en partant de l'extérieur de la rosace vers le centre. Plusieurs mots évoquent le froid. Attention, certaines séries autorisent plusieurs anagrammes, mais une seule permet de compléter la grille en croisant les mots dans les deux sens.

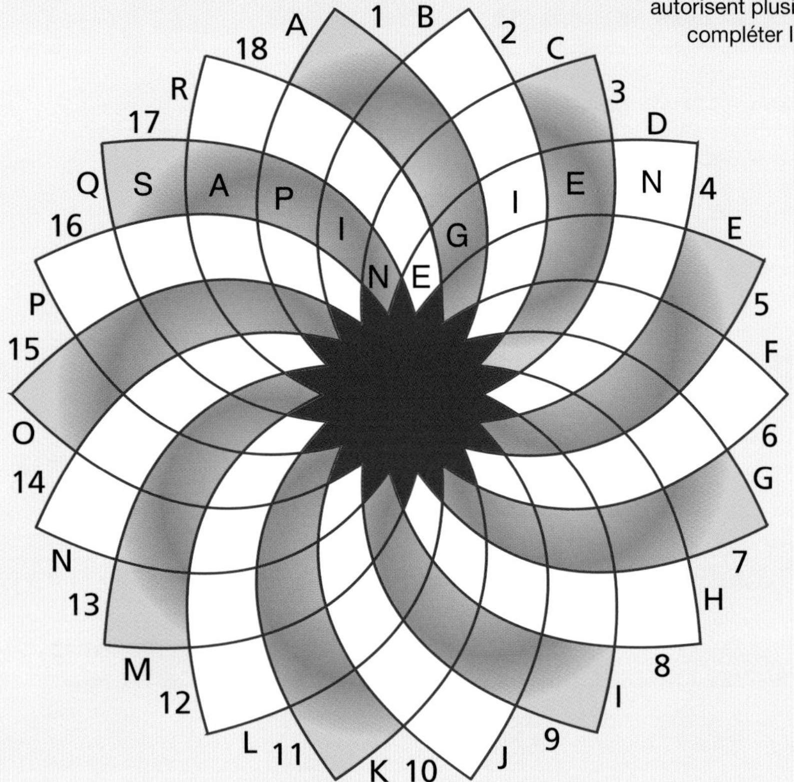

Dans le sens des aiguilles d'une montre

A. AEGLN
B. AEIMS
C. EELLT
D. EENSU
E. CILOS
F. EENSV
G. EGIRV
H. DEGSU
I. DENOS
J. AERTT
K. AFNOS
L. DEINR
M. EERRV
N. AINRV
O. ABILN
P. AHLNO
Q. AINPS
R. ABEIT

Dans le sens inverse des aiguilles d'une montre

1. ALNOP
2. AIMNT
3. AINNT
4. EEGIN
5. CEELU
6. ELNOS
7. EEEGL
8. DIISV
9. EESSV
10. ORSTU
11. AEFGN
12. ADDRS
13. EIORT
14. EENNR
15. ABESV
16. EHIRV
17. AILRS
18. AABLN

PROBLÈME

LOGIQUE

Déterminez ce qu'il y a dans chaque boîte grâce aux indications suivantes :

- La boîte de cavaliers ne touche qu'une boîte, celle qui contient les boulons.
- La boîte de rondelles touche deux boîtes : celle qui contient les écrous et celle qui contient les crochets.
- La boîte de boulons touche trois autres boîtes, dont celle qui contient les écrous.
- La boîte de vis se trouve tout en bas et ne touche pas la boîte qui contient les crochets.
- La boîte de clous et la boîte de boulons se touchent.
- Une boîte est vide.

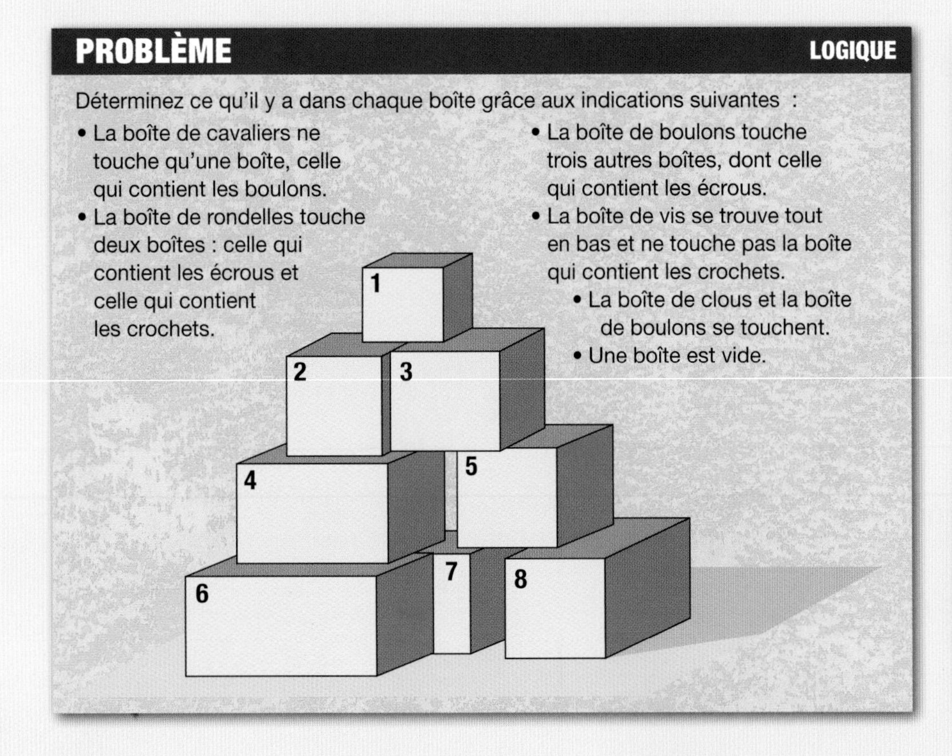

MOTS CASÉS

Replacez dans la grille ces vingt-six noms évoquant le tennis.

AGASSI
AMAYA
CHANG
CONNORS
COURIER
DAVIS
EVERT
FRY
GRAF
HINGIS
KING
KORDA
LACOSTE
LECONTE
NASTASE
NOAH
PIERCE
PIOLINE
RIOS
SABATINI
SAFIN
SAMPRAS
STICH
WADE
WILANDER
WILLIAMS

CASE-CHIFFRES — LOGIQUE

Chaque brique du case-chiffres est la somme des deux briques situées juste en dessous. Reconstituez la totalité de la pyramide en respectant le nombre déjà placé et les contraintes suivantes :

- a, b, c, d et e sont des entiers positifs.
- $a + b = c + d = e$.
- $b + c = d$.

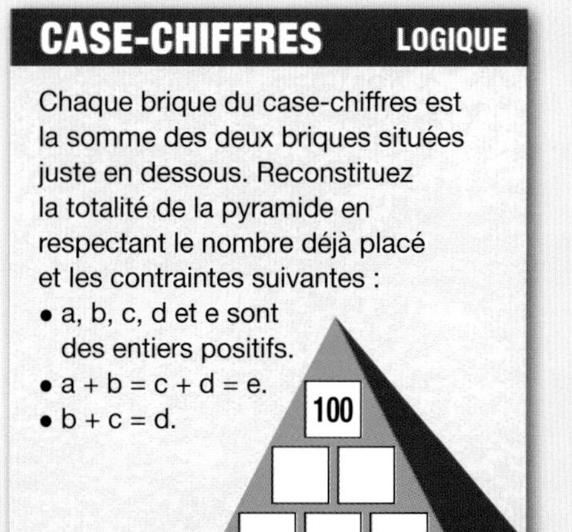

VRAI OU FAUX — RECONNAISSANCE/CULTURE

Essayez de deviner si les affirmations suivantes concernant les dames de la Cour sont vraies ou fausses. Cochez sous les symboles V et F les lettres correspondant à vos réponses et vous lirez le nom du titre donné aux filles du roi de France et du Dauphin à partir du XVIIe siècle.

	Vrai	Faux
1. C'est Mme de Pompadour, favorite de Louis XIV, qui fut impliquée dans l'affaire des poisons.	S	M
2. Mme de Maintenon, veuve Scarron, était une favorite de Louis XV.	I	A
3. Henri II offrit Chenonceaux à Diane de Poitiers.	D	L
4. C'est à la Du Barry que Louis XV offrit Louveciennes.	A	O
5. La Grande Mademoiselle est la Montespan.	D	M
6. Mme du Barry était également appelée la comtesse au foie gras.	Y	E

L'ENQUÊTE — LOGIQUE

Parmi ces six chiens, trois sont de vrais chiens de race primés dans de grands concours et les trois autres ne sont que de gentils bâtards tout aussi aimés de leurs propriétaires.

Retrouvez les chiens de race à l'aide des indications suivantes :

- Deux des chiens de race ont un nœud sur la tête.
- Deux des chiens de race portent un collier.
- Deux des chiens de race ont revêtu un petit manteau rouge.

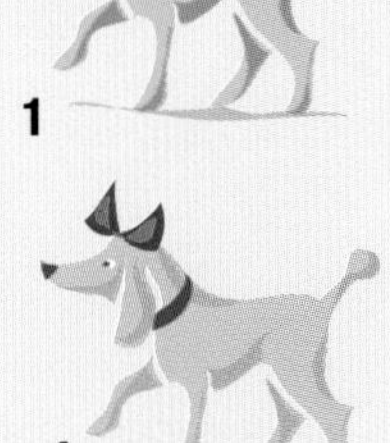
1

2

3

4

5

6

ESPACE

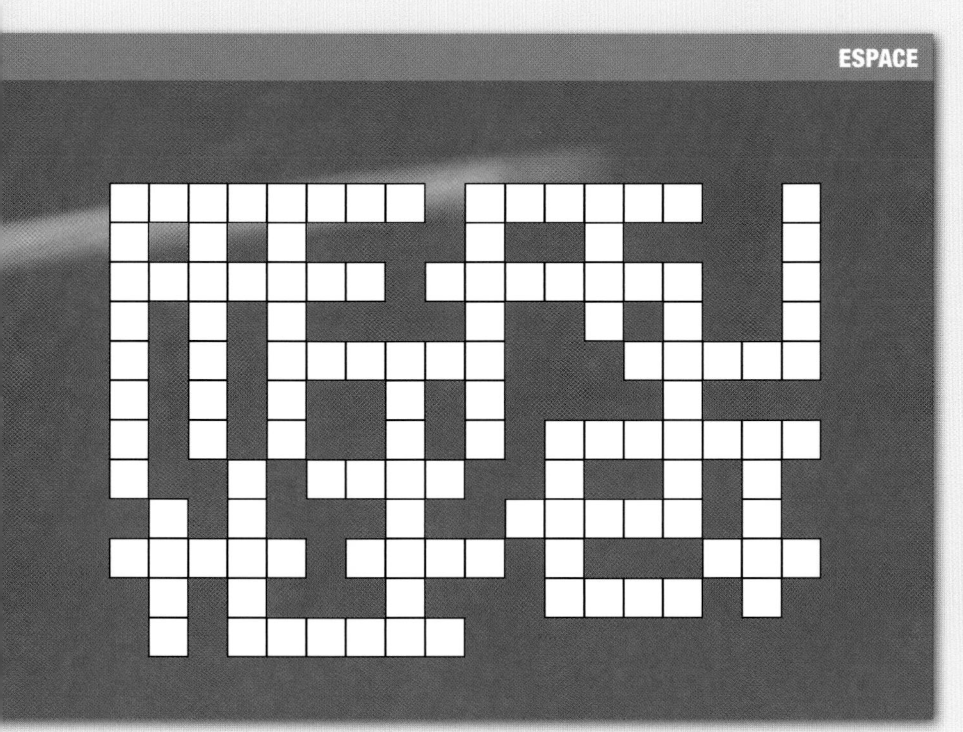

MOTS EMMÊLÉS — STRUCTURATION

Démêlez ces six noms d'écrivains américains qui ont été entremêlés deux à deux.

CAMPAILOTERE
1

STIREVINBINGECK
2

CISALDHERWOWODELL
3

LES MOTS DE L'IMAGE — LANGAGE

Trouvez au moins vingt mots commençant par les lettres CO et dont l'illustration ou l'idée figure dans le dessin ci-dessous.

ITINÉRAIRE — STRUCTURATION

Complétez horizontalement les noms de villes suivants pour relier verticalement, dans la première et la dernière colonne, la capitale d'un pays limitrophe de la France et une ville proche de Paris.

	U	N	S	T	E	
	J	A	C	C	I	
	E	N	I	Z	L	
	I	O	R	G	E	
	Q	U	I	T	O	
	O	M	R	E	M	

LETTRE BONUS — STRUCTURATION

Utilisez les lettres du mot de départ et ajoutez-y la lettre bonus (dans ce jeu, le C) pour former, en mélangeant ces lettres, un nouveau mot correspondant à l'indice.

Mot de départ	+ C	Nouveau mot	Indice
1. REG	+ C	....	Méditerranéen
2. ABUS	+ C	....	Chou
3. BARON	+ C	....	Tollé
4. MOUDRE	+ C	....	Protocole
5. OISELÉS	+ C	....	Pas scalènes
6. BALISIER	+ C	....	Emporté

MOTS EN ZIGZAG

STRUCTURATION

Les personnalités politiques cachées dans cette grille peuvent y figurer en tous sens : horizontalement ou verticalement, de haut en bas ou de bas en haut, de droite à gauche ou l'inverse. Les mots forment des coudes mais ne se croisent jamais, et une même lettre ne peut être utilisée qu'une seule fois (attention aux chemins multiples). Avec les lettres restantes, vous formerez le nom d'un personnage qui a fait descendre du monde dans la rue.

AUBRY
AUROUX
BADINTER
BALLADUR
BARRE
BESANCENOT
BOUCHARDEAU
CHABAN-DELMAS
CHEVÈNEMENT
CHIRAC
DEFFERRE
DELANOÉ
DELORS
DOUSTE-BLAZY
EMMANUELLI
HERNU
HOLLANDE
JOSPIN
KOUCHNER
LAGUILLER
LALONDE
LANG
MARCHAIS
MAUROY
MERMAZ
MITTERRAND
PASQUA
PEYREFITTE
POPEREN
ROCARD
SANTINI
SARKOZY
SAVARY
SÉGUIN
TOUBON
VEIL
VOYNET
WAECHTER

Z	O	D	R	E	N	A	M	M	E	A	N	D	R	R	F	E	R
Y	K	N	E	P	U	E	L	E	R	R	C	B	A	E	F	Y	R
R	R	A	S	O	P	I	L	T	T	I	H	J	O	D	E	R	E
E	D	R	A	M	A	U	R	C	I	R	A	C	S	S	U	B	H
N	H	C	C	E	E	M	O	H	M	A	N	I	P	I	A	V	E
O	T	U	O	R	N	E	Y	E	R	U	U	A	A	A	R	N	R
U	K	O	Z	M	T	N	E	V	O	U	X	E	C	H	E	U	Y
B	O	S	A	E	B	O	L	E	U	C	R	D	R	N	T	A	R
Q	N	E	M	R	A	R	L	D	O	H	A	M	A	I	U	V	A
A	W	G	U	L	L	S	A	D	B	N	O	E	L	D	A	B	S
E	A	N	I	A	D	G	N	E	L	A	A	S	A	L	O	T	S
C	U	A	P	E	U	L	A	G	I	T	N	Y	O	V	N	E	U
H	Q	S	T	T	R	P	I	U	N	I	B	N	E	E	D	B	O
T	E	R	I	R	Y	E	L	L	E	R	E	S	T	Z	A	L	D
E	V	S	F	E	E	N	A	T	O	N	E	A	T	Y	L	A	N
I	L	A	M	L	E	D	B	A	H	C	C	N	H	O	L	E	D

ITINÉRAIRE

STRUCTURATION

Complétez horizontalement les noms de villes ou pays suivants pour relier verticalement, dans la première et la dernière colonne, une ville touristique d'un pays limitrophe de la France et une ville située sur la Loire.

	E	L	L	U	
	L	P	A	S	
	A	N	T	U	
	N	C	H	O	
	O	U	D	A	
	P	H	E	S	

PROVERBE ILLUSTRÉ

LANGAGE

Quel proverbe cette image vous suggère-t-elle ?

CASE-CHIFFRES

LOGIQUE

Chaque brique du case-chiffres est la somme des deux briques situées juste en dessous. Reconstituez la totalité de la pyramide en respectant les nombres déjà placés. Tous les nombres sont des décimaux positifs. Le nombre présentant la forme aa,bb est un nombre où b = a + 1 du type 11,22 ou 22,33 ou 77,88.

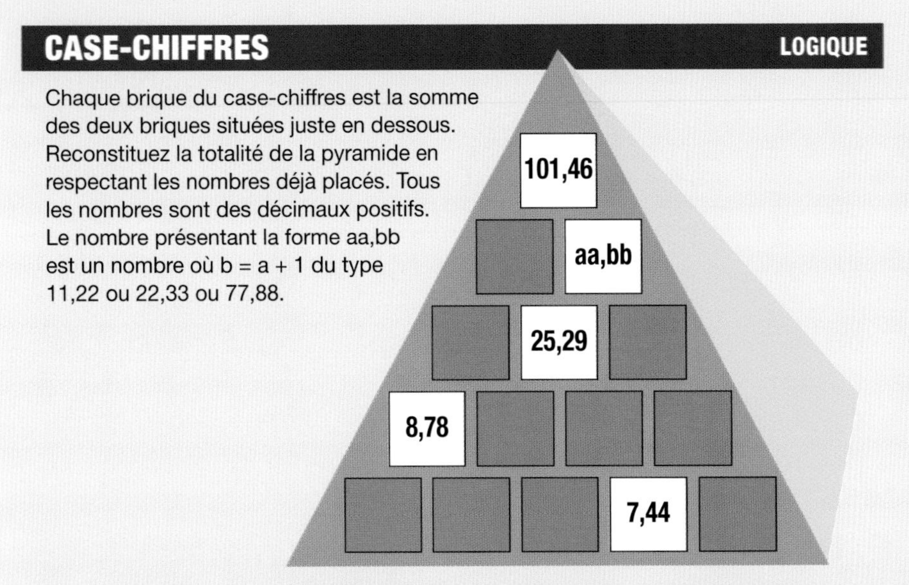

GRILLE À THÈME

Les mots qui composent cette grille contiennent tous au moins une fois la lettre Q. Certaines lettres clefs ont été disposées de façon à vous guider. Parviendrez-vous à identifier et à replacer tous ces mots sans utiliser de conjugaison ?

LOGIGRAMME

LOGIQUE

TOUS EN PISTE

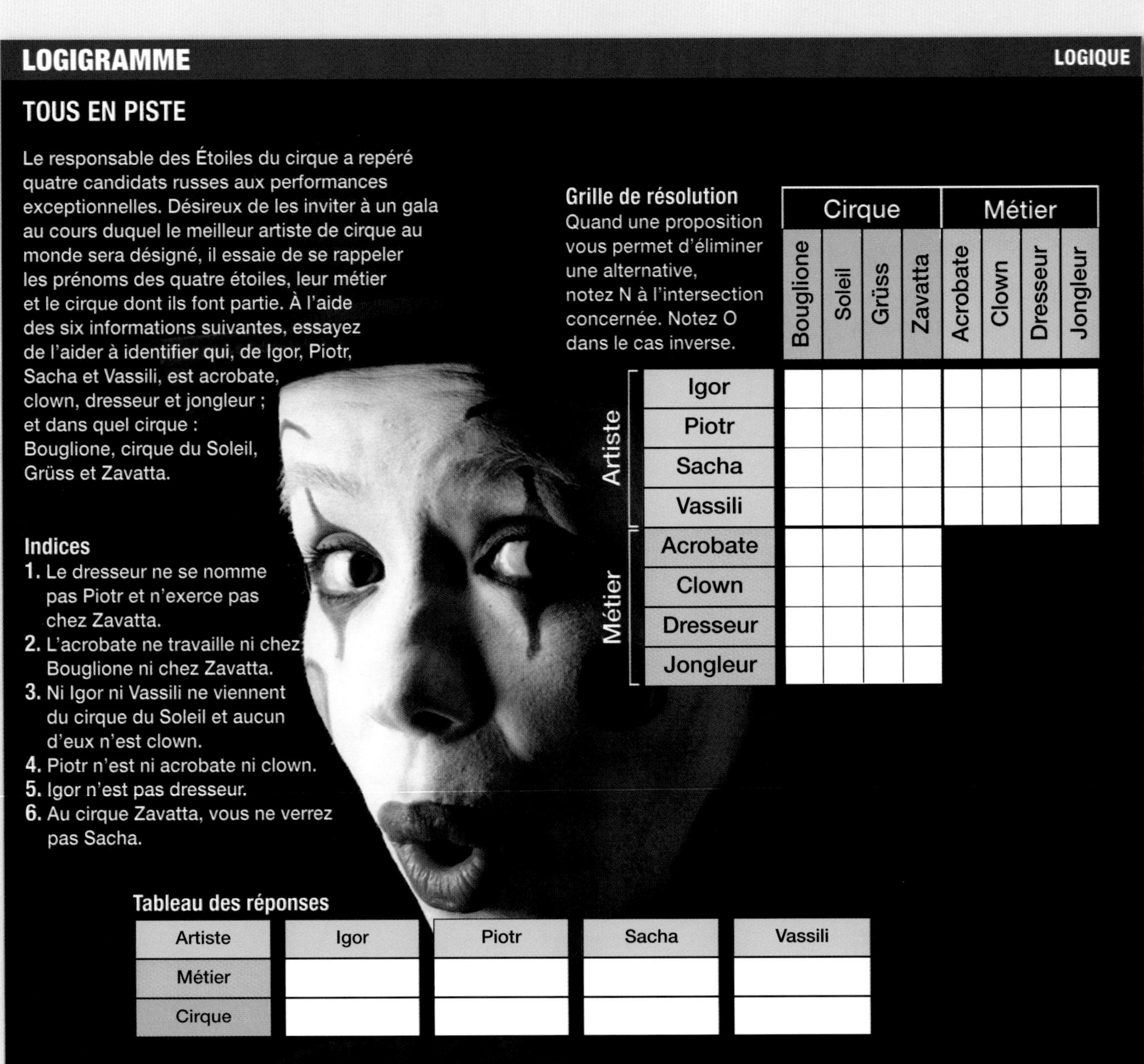

Le responsable des Étoiles du cirque a repéré quatre candidats russes aux performances exceptionnelles. Désireux de les inviter à un gala au cours duquel le meilleur artiste de cirque au monde sera désigné, il essaie de se rappeler les prénoms des quatre étoiles, leur métier et le cirque dont ils font partie. À l'aide des six informations suivantes, essayez de l'aider à identifier qui, de Igor, Piotr, Sacha et Vassili, est acrobate, clown, dresseur et jongleur ; et dans quel cirque : Bouglione, cirque du Soleil, Grüss et Zavatta.

Grille de résolution
Quand une proposition vous permet d'éliminer une alternative, notez N à l'intersection concernée. Notez O dans le cas inverse.

		Cirque				Métier			
		Bouglione	Soleil	Grüss	Zavatta	Acrobate	Clown	Dresseur	Jongleur
Artiste	Igor								
	Piotr								
	Sacha								
	Vassili								
Métier	Acrobate								
	Clown								
	Dresseur								
	Jongleur								

Indices

1. Le dresseur ne se nomme pas Piotr et n'exerce pas chez Zavatta.
2. L'acrobate ne travaille ni chez Bouglione ni chez Zavatta.
3. Ni Igor ni Vassili ne viennent du cirque du Soleil et aucun d'eux n'est clown.
4. Piotr n'est ni acrobate ni clown.
5. Igor n'est pas dresseur.
6. Au cirque Zavatta, vous ne verrez pas Sacha.

Tableau des réponses

Artiste	Igor	Piotr	Sacha	Vassili
Métier				
Cirque				

RECONNAISSANCE/CULTURE

MOTS EMMÊLÉS

STRUCTURATION

PUZZLE

ESPACE

Pour transformer la structure A en un cube de 4 x 4 x 4 petits cubes, il faut lui ajouter un certain nombre de petits cubes. Dans quelle pile numérotée trouverez-vous ce nombre exact de petits cubes ? Y a-t-il plus d'une pile qui convient ?

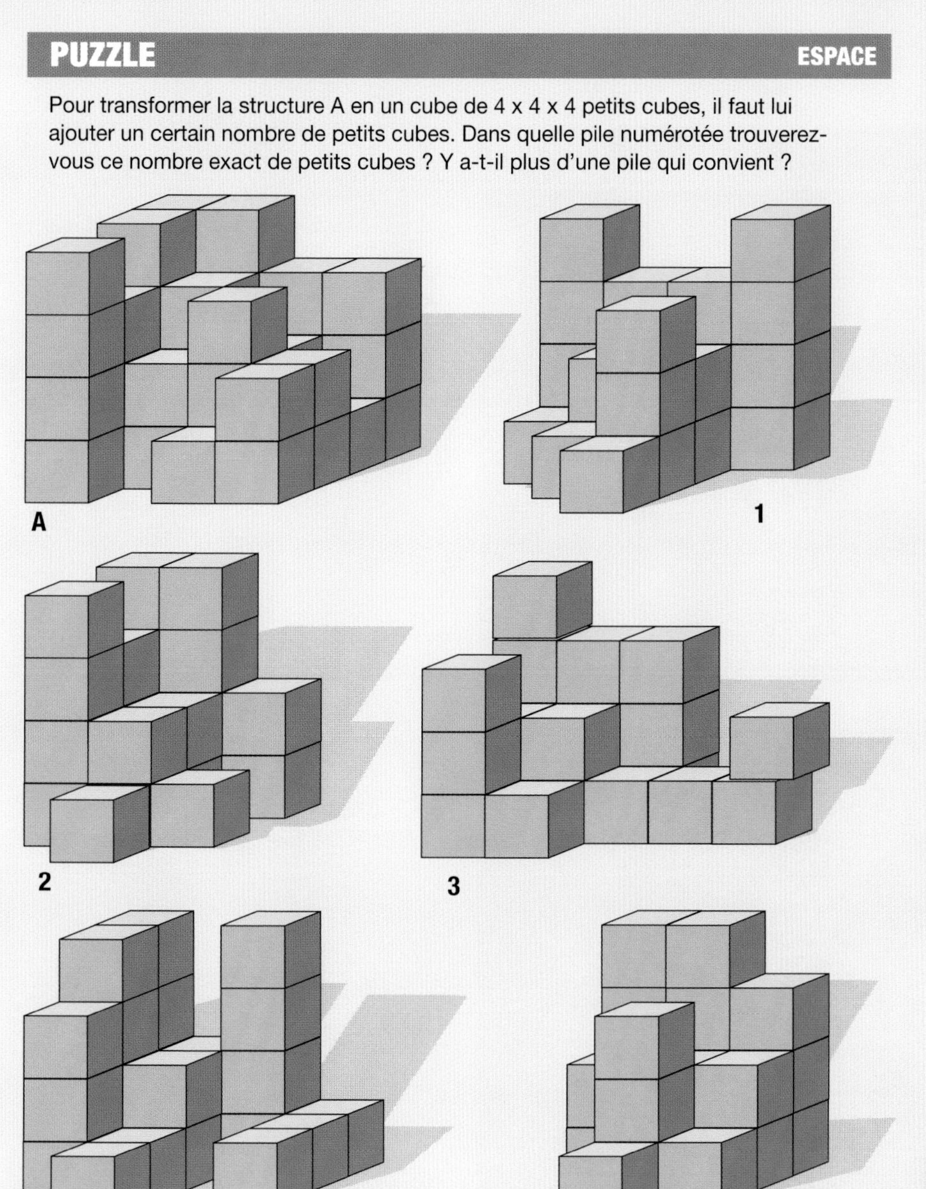

CHENILLE

STRUCTURATION

Passez de CHORISTE à MUSICIEN dans cette chenille en opérant la substitution indiquée et en modifiant l'ordre des lettres, sans utiliser de forme conjuguée.

CHORISTE

- T + S _ _ _ _ _ _ _ _
- H + E _ _ _ _ _ _ _ _
- O + M _ _ _ _ _ _ _ _
- S + P _ _ _ _ _ _ _ _
- R + N _ _ _ _ _ _ _ _
- P + A _ _ _ _ _ _ _ _
- E + I _ _ _ _ _ _ _ _
- A + U MUSICIEN

DOMINOLETTRES

STRUCTURATION

Trouvez l'ordre dans lequel ranger ces dominos de façon à lire horizontalement deux noms évoquant l'air, l'un dans le sens traditionnel de lecture, l'autre de droite à gauche. Attention : deux dominos ont été inversés pour vous compliquer la tâche.

QUI SUIS-JE ?

Découvrez un à un les indices permettant d'identifier ces mots mystère : essayez d'en utiliser le moins possible.

Énigme 1

1. Dans un mot composé où j'interviens deux fois séparé par « à », j'alterne le clair et le foncé.
2. Je suis rouge quand je sers de lien.
3. Blanc, je sers à monter un artifice qui ne trompe personne.
4. Celui du discours ne doit pas être perdu.
5. Me donner à retordre, c'est causer des ennuis.
6. Celui d'Ariane permit à Thésée de se diriger dans le labyrinthe.

A. ....

Énigme 2

1. Je suis un moment libre de la journée.
2. Il faut me faire pour assurer sa réussite sociale.
3. J'ai dans un sens très peu d'habitants.
4. Je suis une somme qui manque dans la caisse.
5. Au milieu du repas, j'active la digestion des Normands.
6. Noir, je suis une région de l'espace dont rien ne s'échappe.

B. ....

Énigme 3

1. Je suis un fiancé, promis au mariage.
2. J'ai donné mon nom à un mouvement littéraire et artistique italien initié par Marinetti.
3. Je peux être antérieur, mais je viens généralement après.
4. J'ai fait l'objet de trois *Retours* pour Robert Zemeckis.
5. Je suis le roi du spectacle à Poitiers.
6. Je suis avenir, à venir…

C. ....

JEU DES 7 ERREURS — ATTENTION

Il existe 7 différences entre ces deux photos. Pouvez-vous les retrouver ?

ÉCHELLE — STRUCTURATION

À l'aide des huit croisillons, reconstruisez l'échelle en formant des mots verticaux évoquant le savoir. Attention, certaines lettres manquent dans les croisillons : à vous de les trouver.

I / S _ R / I

E / _ N O / _

A / O _ T / A

_ / _ E L / M

O / _ P T / E

_ / _ I S / E

_ / O C _ / L

E / A N E / _

RECONNAISSANCE/CULTURE

Énigme 4

1. Je suis un petit meuble circulaire et coloré en héraldique.
2. Fromager, je suis un gâteau à base de chèvre cuit.
3. Je suis aussi un gros pain de forme ronde.
4. J'apparais lorsqu'on presse des grains pour en extraire l'huile.
5. Je suis un dormeur, aussi appelé *Cancer pagurus*.
6. Je suis un crabe à la chair recherchée.

D. ....

Énigme 5

1. Je suis une possibilité d'exprimer une opinion.
2. Je suis également la forme que prend un verbe selon que le sujet subit ou fait l'action.
3. Je peux être un chanteur ou une chanteuse.
4. Quand on me donne, on crie.
5. Je peux être de tête ou de corps.
6. Je suis l'ensemble des sons émis par un être humain.

E. ....

GRILLE À THÈME

RECONNAISSANCE/CULTURE

Les mots qui composent cette grille contiennent tous au moins une fois la lettre Z. Certaines lettres clefs ont été disposées de façon à vous guider. Parviendrez-vous à identifier et à replacer tous ces mots sans utiliser de conjugaison ?

COUPE-LETTRES

STRUCTURATION

Rayez une lettre dans chacun des neuf mots de la grille de façon que celles qui restent continuent à former un mot existant. Reportez la lettre biffée en bout de ligne pour lire verticalement un nom qui passionna Mariette, Jacq ou Flinders.

P	É	R	I	M	A	N	T	
P	I	G	M	E	N	T	É	
M	A	R	T	Y	R	E	S	
R	O	U	P	I	L	L	E	
C	A	N	T	I	N	E	S	
F	O	I	R	E	U	S	E	
A	P	E	U	R	A	N	T	
T	R	A	N	C	H	E	E	

TRIPLETS D'EXPRESSIONS

LANGAGE

Trouvez le terme qui se marie parfaitement avec les trois mots de chaque ligne de façon à former des expressions courantes.

Exemple : mobilière, ajoutée, marchande fera deviner **valeur**.

1. **printemps, bout, compresseur**
   ....
2. **pied, fromage, chapeau**
   ....
3. **lit, ski, police**
   ....
4. **amuser, voiture, souterraine**
   ....
5. **noire, concours, petite**
   ....
6. **billet, numéro, gris**
   ....

PROBLÈME

LOGIQUE

Pour remplir sa tirelire, le petit Nicolas a l'autorisation de récupérer chaque soir dans la boîte à monnaie de la maison toutes les pièces de 50 cents d'euro qui restent. Ayant débuté le 1er janvier, Nicolas parvient chaque mois à en récupérer exactement 11 de plus que le mois précédent. Sachant qu'il est à la tête d'une tirelire de 543 euros, combien Nicolas a-t-il récupéré de pièces au cours du mois de décembre ?

ESCALETTRE

STRUCTURATION

Ajoutez une à une les lettres indiquées afin de former de nouveaux mots. Toute forme conjuguée est interdite, sauf les participes.

T U E

+ A _ _ _ _

+ S _ _ _ _ _

+ F _ _ _ _ _ _

+ I _ _ _ _ _ _ _

+ O _ _ _ _ _ _ _ _

+ R _ _ _ _ _ _ _ _ _

Solutions des jeux

Pages 244-245

Pages 246-247

PROVERBES MÊLÉS

1. À méchant ouvrier, point de bon outil.
2. Bien faire et laisser dire.
3. Morte la bête, mort le venin.

L'ENQUÊTE

1 et 5 : Basile avec Françoise
4 et 6 : Erwan avec Berthe
2 et 3 : Frank avec Édith

CHENILLE

C R O U P I E R
P E R C H O I R
P R O H I B E R
H O R R I B L E
B R I C O L E R
C A B R I O L E
O R B I T A L E
T R I M B A L É
A M E U B L I R
F L A M B E U R

REPÈRES CHRONOLOGIQUES

1. Louis Napoléon Bonaparte (1848-1852)
2. Adolphe Thiers (1871-1873)
3. Jean Casimir-Perier (1894-1895)
4. Félix Faure (1895-1899)
5. Raymond Poincaré (1913-1920)
6. Paul Deschanel (février à septembre 1920)
7. Albert Lebrun (1932-1940)
8. Vincent Auriol (1947-1954)
9. René Coty (1954-1959)
10. Georges Pompidou (1969-1974)

SYNONYMES

1. Vache
2. Chameau
3. Nuisible
4. Malveillant
5. Corrosif
6. Hargneux
7. Fielleux
8. Acariâtre

CARRÉ MAGIQUE

La somme de chaque ligne ou diagonale est 260. Les carrés intérieurs de quatre nombres valent tous 130. Le carré est donc :

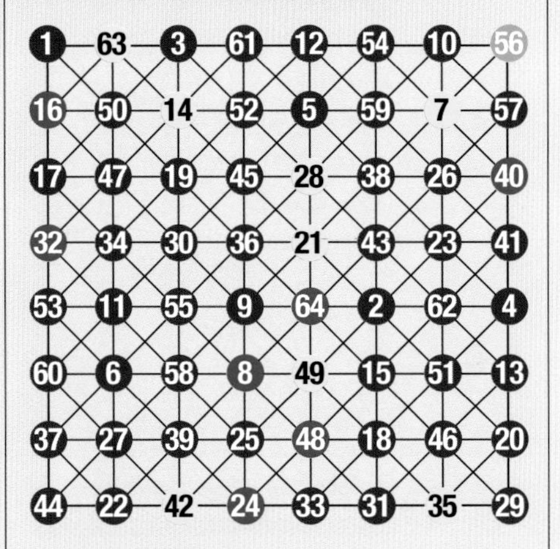

TRIANGLE MAGIQUE

On cherche les combinaisons possibles de quatre entiers de 1 à 9 dont la somme est 20 : (1, 2, 8, 9) (1, 3, 7, 9) (1, 4, 6, 9) (1, 4, 7, 8) (1, 5, 6, 8) (2, 3, 6, 9) (2, 3, 7, 8) (2, 4, 5, 9) (2, 4, 6, 8) et (2, 5, 6, 7). En vérifiant la somme des carrés, on s'aperçoit que seuls (1, 5, 6, 8) (2, 3, 7, 8) et (2, 4, 5, 9) permettent d'atteindre 126 (1 x 1 + 5 x 5 + 6 x 6 + 8 x 8, etc.). Dans ces trois combinaisons, le 2, le 5 et le 8 apparaissent deux fois. On les place donc aux sommets pour obtenir le triangle.

2
7 9
3 4
8 1 6 5

Pages 248-249

MOTS CACHÉS

Le prénom à trouver est Mathilde.

RECOLLE-TITRES

1. *Elle écoute pousser les fleurs.*
2. *Je pense encore à toi.*
3. *Samedi soir sur la Terre.*
4. *Ma place dans le trafic.*

SYLLABES MANQUANTES

Parmesans – Concerti – Réserver – Manitou – Avalanche – Pubertés

REPÈRES CHRONOLOGIQUES

1. Vrai : de 1412 à 1431.
2. Vrai : 1452-1519 pour Vinci, v. 1450-1506 pour Colomb.
3. Faux : sa construction a commencé bien avant, sous Philippe Auguste.
4. Faux : il n'est arrivé place de la Concorde qu'en 1836.
5. Vrai : 1790-1832 pour Champollion, 1769-1821 pour Napoléon.
6. Faux : la victoire d'Iéna date de 1806, la défaite de Waterloo de 1815.

IMAGE ZOOMÉE

Une étoile de mer.

L'ENQUÊTE

Richard : chapeau melon. Victor : bonnet. Mathieu : chapeau de cow-boy. Serge : casquette.
Comme la casquette n'appartient pas à Victor (1), le chapeau melon n'appartient pas à Serge (4). Donc, le bonnet n'appartient ni à Richard ni à Mathieu (5) et le melon n'appartient pas à Mathieu (3). Il ne reste que Richard pour le melon. Richard n'a pas la casquette, et le chapeau de cow-boy revient à Mathieu (2). La casquette n'est ni à Richard ni à Mathieu (ci-dessus), ni à Victor (1). Elle est donc à Serge, ce qui laisse Victor avec le bonnet.

VRAI OU FAUX

1. Vrai (M).
2. Faux : on connaissait le principe 3 000 ans av. J.-C. chez les Égyptiens et les Grecs (O).
3. Vrai ; mais le suif de mouton est de meilleure qualité (T).
4. Vrai (E).
5. Faux : avec trois bougies (U).
6. Vrai : *bugie* = mensonges (R).

On trouve des bougies d'allumage dans le MOTEUR.

QUIZ PROGRESSIF

1. Le cardinal de Richelieu.
2. 40 membres, élus par leurs pairs.
3. Valéry Giscard d'Estaing.
4. Marguerite Yourcenar, en 1980.
5. Maurice Druon.
6. Le jeudi.
7. Oui.
8. « À l'immortalité. »
9. Trois : Hélène Carrère d'Encausse, Jacqueline de Romilly et Florence Delay.
10. Huit, complétés en 1992. Le neuvième est en cours.

Pages 250-251

ANAGRAMMES

1. Sulfate (ou fluates)
2. Nitrate
3. Réaction
4. Cuivre
5. Chromate
6. Bichromate
7. Minérale
8. Acide
9. Réduction
10. Antimoine

QUELLE EST LA SUITE ?

Le 9 de carreau.
Les cartes du 7 à l'as (toutes les valeurs d'un jeu de 32 cartes) sont disposées en rond, sautant par-dessus deux cartes à chaque fois. Les cartes qui sont face à face ont la même couleur.

DÉFI

Si vous avez retrouvé la moitié des mots, voire plus, dans la minute qui suit, votre score est excellent. Si vous en avez retrouvé moins de cinq, exercez-vous avec des listes plus courtes et plus simples. La plupart de ces mots appartiennent à un vocabulaire peu courant, et il vaut mieux se concentrer sur quelques-uns que de vouloir tout mémoriser.

DOMINOLETTRES

En inversant Z-N et I-T, on trouve Pont-Aven et Barbizon, deux écoles de peinture.

P	O	N	T	A	V	E	N
N	O	Z	I	B	R	A	B

ANAPHRASES

1. Soupirent, proustien, puiseront, éruptions
2. Résidante, dentaires, sidérante, entraides
3. Argentées, teenagers, renégates

MARIONS-LES

A5 – B7 – C1 – D10 – E8 – F2 (d'où moutarde !) – G3 – H9 – I6 – J4

PROBLÈME

Dans l'église, il y a 3 hommes, 9 femmes, 81 chats (9 par femme), donc 93 êtres vivants qui viennent d'entrer… plus moi, le narrateur, qui priais. Donc, la solution est 94.

RECOLLE-TITRES

1. *Cent millions ont disparu.*
2. *La Plus Belle Soirée de ma vie.*
3. *Nous nous sommes tant aimés.*
4. *Le Roman d'un jeune homme pauvre.*

Pages 252-253

BACCALAURÉAT

BA Bangui, Balzac, Barre, Basquiat, Bas-relief, Bardane, Badaboum…
RA Rabat, Radiguet, Rameau, Raphaël, Ras-le-bol, Radis, Rataplan…
PR Pretoria, Proust, Progrès (pour *Le Progrès* de Lyon), Prud'hon, Procès-verbal, Primevère, Prout…
DA Dakar, Daninos, Dard, Daumier, Dame-jeanne, Dahlia, Dame…
CO Conakry, Corneille, Condom, Corot, Coupe-papier, Cotonnier, Couic…
BR Brazzaville, Breton, Brune, Bruegel, Bric-à-brac, Brize, Bravo…

CHENILLE

T A U R E A U
T A R A U D É
A U D I T E R
L A I D E U R
R O U L A D E
C O R D E A U
A D O U C I R
C O R R I D A

L'ENQUÊTE

ARMAND	BLAISE	CARLOS	DAMIEN	ÉTIENNE	ARMAND
D	V	V	D	D	V

BLAISE	CARLOS	DAMIEN	ÉTIENNE	ARMAND	CARLOS
V	D	D	V	E	E

BLAISE	DAMIEN	CARLOS	ÉTIENNE
V	D	D	V

ARMAND	DAMIEN	BLAISE	ÉTIENNE
E	E	V	D

Blaise n'a eu que des victoires. Armand, Carlos, Damien et Étienne ont donc été battus par Blaise. Étienne n'a aucune égalité, et Damien n'a jamais gagné, donc Étienne a battu Damien, et ainsi de suite.

PROVERBES MÊLÉS

1. À père avare fils prodigue.
2. C'est le ton qui fait la chanson.
3. Trop de précaution nuit.

ITINÉRAIRE

Le Mans – Nantes

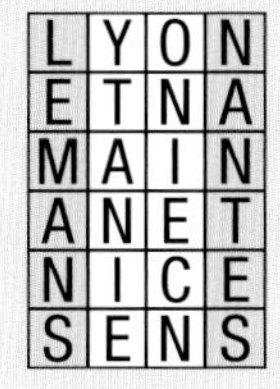

CUBES

Albator – Cosinus – Hercule

LE COMPTE EST BON

CARRÉ MAGIQUE

Chaque ligne, colonne ou diagonale vaut 310.

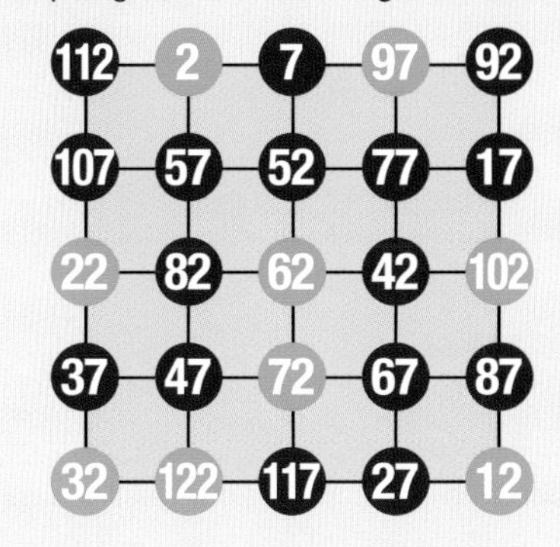

Pages 254-255

MOTS EN ZIGZAG

Cabaret

S D I E R M I N A N E D A L P D E U
N I S A Y R E T T O R D T O M A G S
I D S R A C S A N D S I H O A E R E
S S A I W B U L T I N M E N E A A I
I M R D I C O P A T I L R G C S E R
N A E G C U M I N S E G A B N A A R
E L R L U L D C E A T P R T U D P A
N A C E T A R N I K I I R F O H O C
I S I X A N A C U S E T A L A S C C
H I E L C O R E L H G I H R O B O H
C N O I K E U N A L A D I V M N W I
O I S S A T D L O W N T T A A P O N
D N U H G E I L R E D A A H N R T A
N U N O R E W R N O E N D I V O A M
A R A S T B M A A V C N E S E U N M
M T A B T O C A S A A B Y S L L E E

PROBLÈME

La troisième balance est également en équilibre. Un cube vert = deux roses, un cube mauve = trois roses. Il y a l'équivalent de six cubes roses de chaque côté.

LES DEUX FONT LA PAIRE

1. Cupidon
2. Dindon
3. Maldonne
4. Londonien
5. Randonnée
6. Bandonéon
7. Chardonnay
8. Belladone
9. Hédonisme
10. Myrmidon

ALLUMETTES

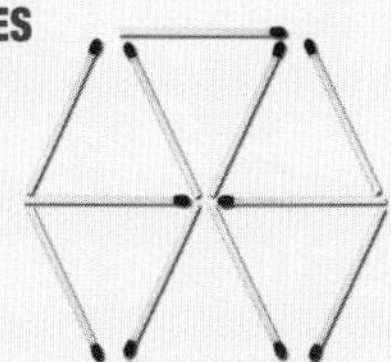

ANAGRAMMES

1. Peintre
2. Galerie
3. Toile
4. Icône
5. Pastel
6. Réalisme
7. Miniature
8. Polymère
9. Romantisme
10. Naturalisme

HOMOGRAPHES

1. Sacrément, sacrement ; **2.** Content
3. Portions ; **4.** Jean

Pages 256-257

LOGIGRAMME

Boa, tout comme Mygale, vend ou refuse (indice 8). Or Mygale ne vend pas (indice 1), donc Mygale refuse et Boa vend. Il en vend quatre d'après l'indice 2. Ce ne sont pas des mygales, hébergées (indice 3), ni des crocodiles, qui vont par huit (indice 7), ni des varans, au nombre de six (indice 6). Donc **Boa vend quatre boas**. Que refuse Mygale ? Pas des crocodiles (indice 4), pas des mygales (indice 3). Donc Mygale refuse des varans. Combien ? Six d'après l'indice 6 : **Mygale refuse six varans**. Crocodile ne figure donc pas dans la même phrase que boas (puisque Boa vend quatre boas), ni varans (puisque Mygale refuse six varans), ni mygales (indice 5). Et Crocodile a quelque chose à voir avec les crocodiles ! Au nombre de huit (indice 7). Par déduction, Varan a un rapport avec les mygales, qu'il héberge (indice 3). On peut donc conclure que **Varan héberge trois mygales** et que **Crocodile nourrit huit crocodiles.**

Tableau des réponses

	Phrase 1	Phrase 2	Phrase 3	Phrase 4
Mot 1	Boa	Crocodile	Mygale	Varan
Mot 2	Vend	Nourrit	Refuse	Héberge
Mot 3	Quatre	Huit	Six	Trois
Mot 4	Boas	Crocodiles	Varans	Mygales

ANAPHRASES

1. Sommellerie, mémorielles
2. Liberticide, crédibilité

LES DEUX FONT LA PAIRE

1. Alligator
2. Frégate
3. Bagatelle
4. Abnégation
5. Purgatoire
6. Nougatine
7. Renégat
8. Rigatoni
9. Vulgate
10. Monogatari

NOMBRE MAGIQUE

Vous pouvez faire la même opération avec tous les nombres, vous obtiendrez toujours 6174 au bout de quelques étapes !
Prenez 8493. 9843 – 3489 = 6354 ;
6543 – 3456 = 3087 ; 8730 – 0378 = 8352 ;
8532 – 2358 = 6174…

MOTS CACHÉS

Le mot à trouver est diapason.

COUPLES DE MOTS

1. Mûrissement – **2.** Conversion – **3.** Verdeur, associé à hiéroglyphe – **4.** Aucun, c'est divertissement qui figure dans la liste – **5.** Non, instigateur est jumelé à un adverbe – **6.** Vedette et vedettariat.

LE POINT COMMUN

1. Pont ; **2.** Train ; **3.** Queue ; **4.** Salon ;
5. Flèche ; **6.** Disque

Pages 258-259

REPÈRES CHRONOLOGIQUES

B (– 1250) ; G (– 1236) ; C (– 814) ; D (– 753) ; H (– 399) ; F (– 218) ; E (– 44) ; A (41)

PROBLÈME

Si Virgile ne rate qu'une fois la cible (il tire à l'extérieur), il touche 11 fois la cible A et 58 fois la cible B pour atteindre 70 tirs. Il est donc à la tête de (58 x 3) + (11 x 1) – (1 x 2) = 183 euros. Un tir supplémentaire raté, et le bonus n'est plus que de (56 x 3) + (12 x 1) – (2 x 2) = 176 euros. Chaque raté coûte donc 7 euros. Vingt ratés de plus donnent un gain de 36 euros (176 – 7 x 20) pour Virgile. Il a donc raté 22 fois la cible, touché 32 fois la cible A et atteint 16 fois (70 – 22 – 32) la cible B.

LE POINT COMMUN

1. Barrière
2. Foyer
3. Soupe
4. Lune
5. Échelle
6. Modèle

SYLLABES MANQUANTES

1. Médiocrité
2. Encenser
3. Saccule
4. Hybrider
5. Aporie
6. Farfelue

CHENILLE

P A R O L E S
P A R A S O L
P A R A N O S
O R A N A I S
O M A N A I S
C A I M A N S
A I S A N C E
C H A I N E S
A N C H O I S
C H A N S O N

QUELLE EST LA SUITE ?

A. Figure 5 : forme qui apparaît le plus souvent, avec la couleur qui apparaît le plus souvent.
B. Figure 3 : forme qui a le plus de côtés, avec la couleur de la forme qui a le moins de côtés.
C. Figure 4 : reproduction de la forme verte, réduite et en marron, autant de fois qu'il y a de formes en tout dans le rectangle.
D. Figure 2 : forme qui manque pour que chaque forme apparaisse trois fois, deux fois d'une même couleur et une fois d'une couleur différente.
E. Figure 1 : forme qui a autant de côtés qu'il y a de figures différentes dans le rectangle, avec la couleur qui apparaît autant de fois qu'elle a de côtés.

SANDWICH

La paresse est l'oreiller du diable.

P	I	L	O	N
R	U	A	D	E
O	R	P	I	N
V	E	A	U	X
E	T	R	E	S
R	U	E	E	S
B	E	S	E	F
E	S	S	O	R
D	U	E	L	S
A	M	E	N	E
N	A	S	E	S
O	P	T	E	S
I	N	L	A	Y
S	T	O	R	E
P	A	R	L	E
O	M	E	G	A
U	S	I	N	E
R	E	L	U	S
T	E	L	L	E
I	D	E	A	L
R	I	R	E	S
E	N	D	O	S
A	L	U	N	E
U	R	D	U	S
F	O	I	E	S
L	I	A	N	E
A	M	B	L	E
N	U	L	L	E
C	H	E	R	S

Pages 260-261

CITATIONS MÊLÉES

1. « Le vice appuyé sur le bras du crime » : Chateaubriand décrit Talleyrand au bras de Fouché dans les *Mémoires d'outre-tombe*.
2. « Voilà le commencement de la fin » : mot de Talleyrand évoquant la retraite de Russie.
3. « De la merde dans un bas de soie » : une définition de Talleyrand de la bouche d'un Napoléon Ier qui ne l'appréciait guère !

QUELLE EST LA SUITE ?

1. Il s'agit de la suite des décimales du nombre pi.
2. Chaque nombre est la somme des carrés des chiffres qui composent le précédent : 2 x 2 + 5 x 5 = 29 ; 2 x 2 + 9 x 9 = 85… donc le dernier nombre sera 2 x 2 + 0 x 0 = 4.
3. Il s'agit de subdivisions du temps… 60 secondes dans une minute, 60 minutes dans une heure, 24 heures dans un jour, il manque donc 7 pour 7 jours dans la semaine, 52 semaines par an, 100 ans par siècle, 10 siècles par millénaire.
4. C'est la suite des numéros des départements français bordés par l'Atlantique. Il ne manque que les Landes, donc le 40.

ITINÉRAIRE
Nagano – Senlis

N	E	M	O	U	R	S
A	U	X	E	R	R	E
G	R	I	G	N	A	N
A	U	T	E	U	I	L
N	A	I	R	O	B	I
O	R	L	E	A	N	S

ESCALETTRE

L E M
+ **U** M U L E
+ **A** U L E M A
+ **N** M A N U E L
+ **B** A L B U M E N
+ **T** M E U B L A N T
+ **A** A M B U L A N T E

TRIPLETS D'EXPRESSIONS

1. Dent
2. Agent
3. Couche
4. Collier
5. Marge
6. Patte

RECOLLE-MOTS

Basaltique – Babillards – Avionnette – Champlever – Candidoses – Damasserie – Figueraies – Forestiers – Guérétoise – Minestrone – Postérieur – Richelieux

CASE-CHIFFRES

Au sommet, S vaut a + 4b + 6c + 4d + e.
En considérant les contraintes, on voit que :
S = a + 4b + 6 (b + 1) + 4 (b – 1) + a
= 2a + 14b + 2
Donc S, somme de nombres pairs, est un nombre pair. D'où S = 90.
2a + 14b + 2 = 90, c'est-à-dire que a + 7b = 44 (ou encore a = 44 – 7b).
On sait aussi que b > a. Donc b > 44 – 7b soit 8b > 44 et donc b > 5,5.
La seule solution, puisque tous ces chiffres sont des entiers positifs, est b = 6 et a = 44 – 7 x 6 = 2.

90
46 44
21 25 19
8 13 12 7
2 6 7 5 2

MOTS CASÉS

BRUEL BOWIE C
A L E F L
R S BREL C E E
BECAUD G SHELLER
A R U E E D C
R O TORR D M B
A I R E I ANKA
S O GOLDMAN S
SIMON I A D H
L C N RENAUD U
L ARENA M N
SHEILA DION G

Pages 262-263

MOTS CROISÉS

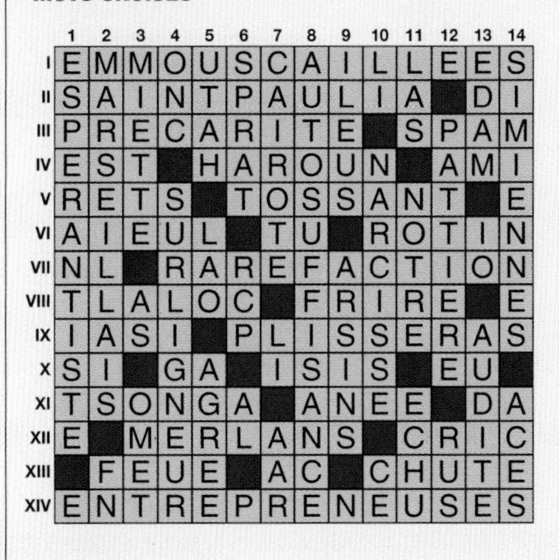

	1	2	3	4	5	6	7	8	9	10	11	12	13	14
I	E	M	M	O	U	S	C	A	I	L	L	E	E	S
II	S	A	I	N	T	P	A	U	L	I	A		D	I
III	P	R	E	C	A	R	I	T	E		S	P	A	M
IV	E	S	T		H	A	R	O	U	N		A	M	I
V	R	E	T	S		T	O	S	S	A	N	T		E
VI	A	I	E	U	L		T	U		R	O	T	I	N
VII	N	L		R	A	R	E	F	A	C	T	I	O	N
VIII	T	L	A	L	O	C		F	R	I	R	E		E
IX	I	A	S	I		P	L	I	S	S	E	R	A	S
X	S	I		G	A		I	S	I	S		E	U	
XI	T	S	O	N	G	A		A	N	E	E		D	A
XII	E		M	E	R	L	A	N	S		C	R	I	C
XIII		F	E	U	E		A	C		C	H	U	T	E
XIV	E	N	T	R	E	P	R	E	N	E	U	S	E	S

À L'IDENTIQUE

B et D

CUBES

Apôtres – Concile – Vatican

PARONYMES

1. la côte est, l'alcootest
2. décoché, découcher
3. sourciers, sorciers
4. antérieur, Intérieur

PROBLÈME

Soit N le nombre d'enfants de la coquette. Chacun a lui-même N – 1 enfants. La descendance s'élève à N enfants + N x (N – 1) petits-enfants, c'est-à-dire $N + N^2 - N = N^2$, qui est l'âge de la dame. Elle a donc 8 x 8 = 64 ans (7 x 7 = 49 < 50 et 9 x 9 = 81 > 80). Elle a 8 enfants, 56 petits-enfants et son prochain gâteau d'anniversaire aura donc… 65 bougies !

ANAGRAMMES

1. Mètre
2. Ampère
3. Farad
4. Tesla
5. Pascal
6. Candela
7. Centimètre
8. Sievert
9. Dioptrie
10. Stéradian

Pages 264-265

LA CARTE EN QUESTIONS

1. Le Hoggar, en Algérie. **2.** La Libye. **3.** Assouan, en Égypte. **4.** Tombouctou, au Mali. **5.** La Gambie. **6.** Monrovia, au Liberia, ainsi nommée en l'honneur de James Monroe. **7.** Le Togo. **8.** Le Ténéré, au Niger. **9.** Le Soudan. **10.** Lagos, au Nigeria. **11.** Le Cameroun (Noah). **12.** L'Oubangui, qui passe à Bangui, en République centrafricaine. **13.** Le Gabon (Libreville). **14.** Le lac Victoria (Kenya, Ouganda, Tanzanie). **15.** Zanzibar, en Tanzanie (Tan pour Tanganyika, Zan pour Zanzibar). **16.** L'Angola et la Zambie. **17.** Les chutes… Victoria à nouveau ! **18.** La Namibie. **19.** Le Swaziland. **20.** Le cap de Bonne-Espérance, en Afrique du Sud.

PROVERBES MÊLÉS

1. À bon vin, point d'enseigne.
2. Mauvaise herbe croît toujours.
3. Charbonnier est maître chez soi.

ESCALETTRE

M I N
+ **I** M I N I
+ **E** I M I N E
+ **T** I N T I M E
+ **A** M I T A I N E
+ **T** A N T I M I T E
+ **P** I M P A T I E N T

MARIONS-LES

A6 – B3 – C5 – D4 – E10 – F9 – G1 – H8 – I2 – J7

MOT EN TROP

1. Chaque mot comporte quatorze lettres, en fait sept lettres répétées deux fois, sauf RÉVOLVÉRISIONS, où seulement six lettres sont répétées. Notez de jolies énigmes à poser sous la forme coltine + coltine = ? (collectionnite), ralenti + ralenti = ? (traînaillèrent), éclairs + éclairs = ? (cléricaliseras).
2. On peut supprimer CH dans chaque mot et en former un nouveau qui existe toujours (aromatique, amarrant, coliques, mouette, romane), sauf dans ALCHIMISTE.
3. Lisez les mots à l'envers : vous découvrirez retracé, élucidé, strasse, engager et tresser. Mais ÉGAILLE ne donne rien, il aurait fallu écrire égailla pour lire alliage de droite à gauche.

Pages 266-267

CITATIONS MÊLÉES

1. Ô liberté ! Que de crimes on commet en ton nom (Mme Roland de La Platière devant l'échafaud).
2. Je vous ai compris (de Gaulle).
3. Soldats, visez au cœur (maréchal Ney).

REPÈRES CHRONOLOGIQUES

1. E et B : J. Balasko et D. Auteuil (1950)
2. J et I : S. Azéma et M. Blanc (1952)
3. D et H : I. Adjani et K. Costner (1955)
4. F et L : J. Binoche et V. Perez (1964)
5. G et K : K. Viard et V. Cassel (1966)
6. A et C : C. Mastroianni et G. Morel (1972)

IMAGE ZOOMÉE
Un moulin à vent

CUBES
Akvavit – Bourbon – Tequila

PROBLÈME
Soit P le montant perdu. On sait que P – 1 est un multiple de 2, 3, 4, 5, 6, 7, 8 et 9. Cherchons ce plus petit multiple commun : il s'agit de 8 x 9 x 7 x 5 = 2 520 dollars. Renaud devait donc 2 521 dollars ou tout multiple de 2 520 augmenté de 1.

L'INTRUS

A. **Figure 2 :** toutes les figures comprennent cinq barres mauves, une grosse barre rouge et deux cercles jaunes, sauf la 2, qui a six barres mauves.
B. **Figure 5 :** dans toutes les figures, le vert recouvre le rouge, sauf dans la 5, où c'est l'inverse.
C. **Figure 1 :** toutes les figures comprennent des formes ayant le même nombre de côtés, sauf la 1, où l'on trouve des formes à quatre, cinq et six côtés.
D. **Figure 6 :** les formes et leur couleur, comme des perles sur un fil, viennent toujours dans le même ordre, sauf dans la figure 6, où le rond mauve et le carré jaune sont intervertis.
E. **Figure 2 :** chaque rectangle contient deux figures, la première ayant plusieurs axes de symétrie, la seconde n'en ayant qu'un seul. Une exception à cette règle, le rectangle 2, où les deux figures ont plus d'un axe de symétrie (bien considérer la figure entière et pas uniquement la forme intérieure).

HOMOPHONES

1. en cent soirs, encensoir
2. dix versions, diversion
3. mes fils tôt, Méphisto
4. sereinement, ce renne ment.

Pages 268-269

LE COMPTE EST BON

BOUCHE-TROUS

1. Épagneul
2. Leucocyte
3. Polyvalent
4. Chocolatière
5. Marathonien
6. Orthographier

PUZZLE
Pièces 4, 5, 6 et 8

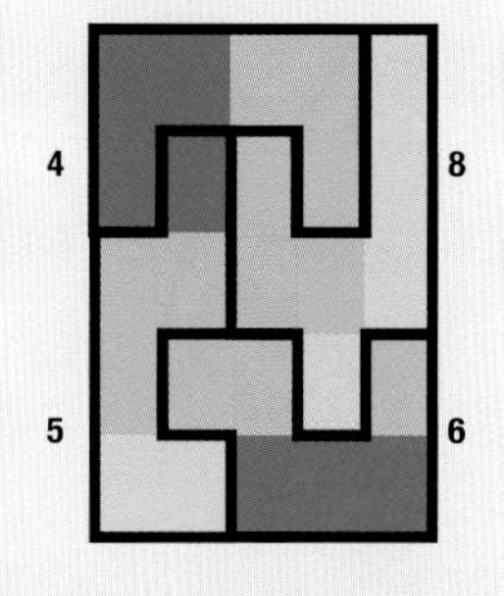

MOT EN TROP

1. On peut substituer deux N aux deux L pour former de nouveaux mots (connecter, mannette, tonné, vannées), mais pas dans FOUILLEUSE, où un seul N suffit à faire apparaître une fouineuse.
2. Dans les cinq premiers mots figurent trois lettres consécutives de l'alphabet (abc, def, fgh, ghi, mno), mais pas dans ZEMSTVO.
3. On peut supprimer les deux T pour faire apparaître de nouveaux mots (insanes, marines, parieur, péniens, irisées), sauf dans ANTIATOME.

QUELLE EST LA SUITE ?

1. Écrivez les nombres en toutes lettres, puis comptez le nombre de lettres qui composent chacun des chiffres que vous venez d'écrire.
Trente-six : 6 lettres pour trente et 3 lettres pour six, donc le chiffre qui suit est 63. Soixante-trois : 8 lettres et 5 lettres, donc 85. Quatre-vingt-cinq donne 654. Six cent cinquante-quatre donne 3496… Le dernier chiffre est cinq millions cinq cent soixante-quatre mille six cent cinquante-cinq : la série se complète donc par 48 448 653 494…
2. Dans chacune des molécules, la somme des atomes rose et vert égale six fois la valeur du bleu, et le rose vaut quatre de plus que le vert. On cherche donc deux nombres dont la somme est 6 x 8 = 48 et la différence 4. Les nombres cherchés sont 22 pour le vert et 26 pour le rose.
3. Chaque ligne décrit ce que l'on lit en observant la ligne du dessus. On écrit donc sur la deuxième ligne 1 1 (un 1 sur la première ligne). Sur la deuxième ligne, il y a deux 1, on écrit donc sur la troisième 2 1. Là, on a donc un 2 et un 1, soit 1 2 1 1. La ligne suivante est un 1, un 2 et deux 1, soit 1 1 1 2 2 1… et ainsi de suite. La dernière ligne décrira donc trois 1, un 3, un 2, un 1, un 3, un 2 et deux 1, soit 3 1 1 3 1 2 1 1 1 3 1 2 2 1
4. 101 et 1 000 (cent un et mille). Tous les nombres de la première ligne s'écrivent en 6 lettres et ceux de la seconde ligne en 5 lettres.

ÉCHELLE

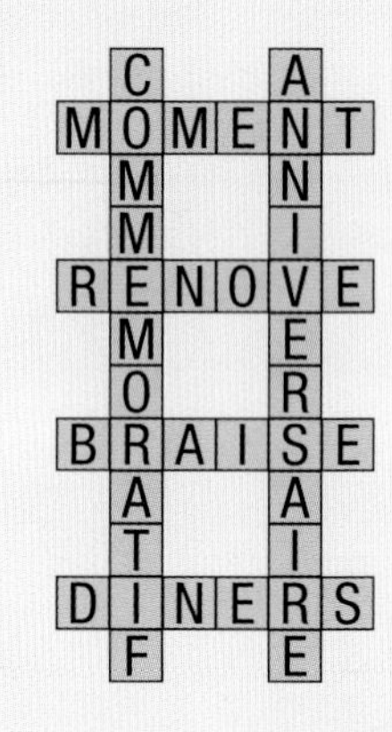

SANDWICH
Qui vole un bœuf est vachement musclé.

C	O	Q	U	E
H	O	U	E	S
A	P	I	D	E
V	I	V	E	S
A	L	O	R	S
L	I	L	A	S
L	I	E	U	X
E	C	U	L	E
D	I	N	D	E
E	M	B	U	S
S	C	O	R	E
S	I	E	G	E
I	N	U	L	E
N	E	F	L	E
A	V	E	N	T
T	E	S	L	A
E	N	T	R	E
U	L	V	E	S
R	E	A	C	S
L	Y	C	E	E
O	G	H	A	M
U	V	E	E	S
F	A	M	A	S
O	R	E	E	S
Q	A	N	U	N
U	N	T	E	L
E	U	M	E	S
E	M	U	L	E
C	A	S	S	E
R	E	C	E	L
I	G	L	O	O
T	I	E	R	S

Pages 270-271

GRILLE À THÈME

RÉCITATION

b. sentiers ; **a.** menue ;
b. à mes pieds ; **a.** ma tête nue ;
c. rien ; **b.** dans l'âme ;
c. un bohémien ; **b.** avec une femme.

LE POINT COMMUN

1. Fleur
2. Paradis
3. Signe
4. Vin
5. Pression
6. Coucou

DOMINOLETTRES

En retournant M-N et L-K, on trouve Pakistan et Mongolie.

UN DE TROP

LE COMPTE EST BON

Pages 272-273

QUI SUIS-JE ?

A. Le pays de Galles
B. Toronto
C. Madagascar
D. Venise
E. Bangkok

CASE-CHIFFRES

Puisque a + b vaut 26, les possibilités sont a = 7 et b = 19 ; a = 14 et b = 12 ; a = 21 et b = 5. On sait aussi que b + c = 46 – 26 = 20. Or c est un multiple de 5. Donc, puisque b + c est aussi un multiple de 5, b est aussi un multiple de 5. Donc a = 21 et b = 5 est la bonne hypothèse, et par conséquent c = 15. Remplissons la pyramide avec à la base 21 ; 5 ; 15 ; d ; e. On atteint au sommet 131 + 4d + e, qui doit être égal à 176. Ceci signifie que 4d + e = 45. Or e est un multiple de 11. On essaie successivement 11 ; 22 ; 33 ; 44. La seule solution qui fonctionne est e = 33. Par conséquent, 4d = 45 – 33, donc 4d = 12 et d = 3.

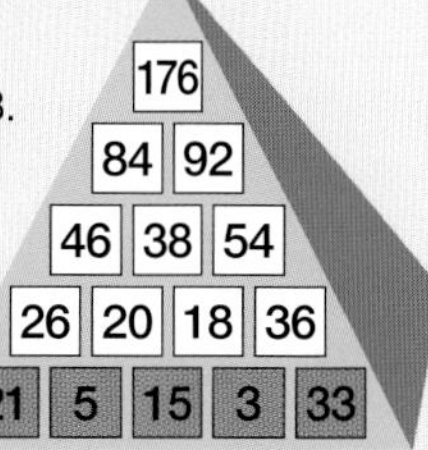

LES MOTS DE L'IMAGE

En voici quelques-uns : filament (l'ampoule), fil (la bobine), fiente (le pigeon), Finlande (le poster), fils et fille ou fillette (la photo de famille), fifre (le tableau à droite), figurine (sur la télévision), film, fin (the end), filante (étoile), finance et *Figaro* (les magazines), figue (le tableau), fiacre (le jouet), fiole, fiches et fichier, filtre (à café), fiancés, fidèle, fisc (impôts)...

ROSACE

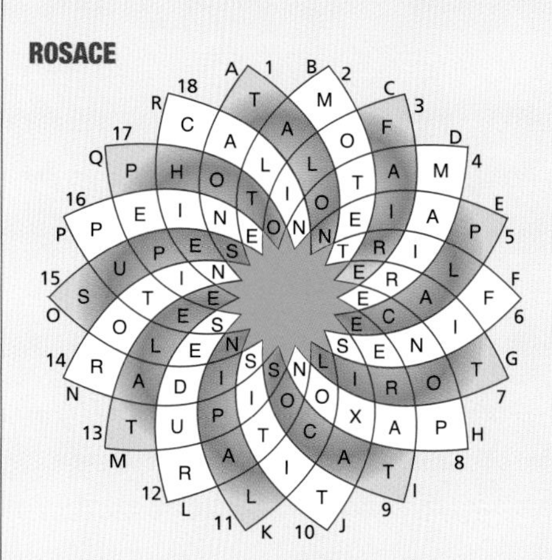

Pages 274-275

LA CARTE EN QUESTIONS

1. L'Erebus, dans l'Antarctique.
2. Le Pinatubo, aux Philippines.
3. La montagne Pelée, en Martinique.
4. La Soufrière, en Guadeloupe.
5. Le Fuji-Yama, au Japon.
6. Le Popocatepetl, au Mexique.
7. Le Krakatoa, en Indonésie.
8. Santorin, en Grèce.
9. L'Etna, en Italie.
10. Le Tambora, en Indonésie.
11. Le Stromboli, en Italie.
12. Le Vésuve, en Italie.
13. Le Mauna Loa, à Hawaii.
14. Le Llaima, au Chili.
15. Le Bezymianny, au Kamtchatka.
16. Le Saint Helens, dans l'État de Washington.
17. Le Nevado del Ruiz, en Colombie.
18. L'Asama, au Japon.
19. El Chichon, au Mexique.
20. Le Kilimandjaro, en Tanzanie.

MARIONS-LES

A6 – B8 – C7 – D5 – E3 – F4 – G1 – H2 – I9 – J10

PROVERBE ILLUSTRÉ

Les grands esprits se rencontrent.

SUPERPOSITION

2, 3, 4, 7 et 8

ALLUMETTES

On garde le toit comme base de construction, puis on fait ainsi apparaître six petits triangles et deux grands.

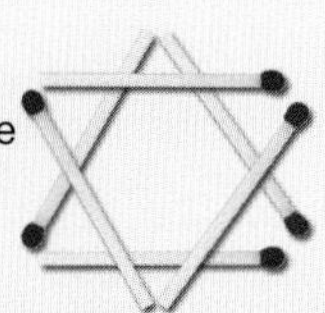

PROBLÈME

Deux Lada et quatre BMW valent ensemble 102 000 euros. Une Lada et deux BMW coûtent par conséquent 51 000 euros. Donc, 11 Lada et 22 BMW valent 561 000 euros (11 x 51 000). Or, 11 Lada et 5 BMW valent ensemble 204 000 euros (2 x 102 000). D'où, 17 BMW (22 – 5) valent 357 000 euros (561 000 – 204 000).
Une BMW vaut donc 21 000 euros et une Lada 9 000 euros.

Pages 276-277

PROVERBES MÊLÉS

1. Toute vérité n'est pas bonne à dire.
2. De deux maux, il faut choisir le moindre.
3. Fais ce que dois, advienne que pourra.

GRILLE À THÈME

PUZZLE

Le morceau n° 3

MOTS CROISÉS

	1	2	3	4	5	6	7	8	9	10	11	12	13	14
I	D	A	N	T	E	A	L	I	G	H	I	E	R	I
II	A	R	I	O	S	T	E	■	A	I	O	L	I	S
III	N	I	E	R	■	Y	S	O	P	E	T	■	C	O
IV	N	O	T	R	E	P	E	R	E	■	A	C	H	E
V	U	S	■	I	R	I	E	N	N	E	■	L	E	T
VI	N	O	N	C	E	S	■	E	C	O	N	O	M	E
VII	Z	■	O	E	■	M	O	R	A	L	I	T	E	S
VIII	I	D	Y	L	L	E	S	■	I	E	■	U	N	■
IX	O	R	A	L	E	■	T	P	S	■	A	R	T	E
X	■	O	U	I	D	I	R	E	■	N	I	E	■	C
XI	E	S	T	■	A	T	E	L	I	E	R	■	E	H
XII	R	E	E	D	I	T	I	O	N	■	B	O	M	E
XIII	G	R	U	O	N	■	D	T	■	B	A	S	I	C
XIV	S	A	R	L	■	T	E	E	N	A	G	E	R	S

Pages 278-279

QUI SUIS-JE ?

A. Pierre Joseph Proudhon
B. Midas
C. Jean-Jacques Rousseau
D. Vespasien
E. Mahomet

RECOLLE-MOTS

Allocataires – Asticoteuses – Halopéridols – Envisageable – Maraboutages – Constructifs – Euromissiles – Montréalaise – Virevoltante – Presbytérien – Monocristaux – Réinventions.

PROBLÈME

A est le contenu de l'éprouvette, B celui du grand doseur et C celui du petit doseur. Au départ, on a (12 g ; 0 g ; 0 g). Voilà comment il faut procéder pour obtenir deux doses de 6 g.

Il faut verser le contenu de l'éprouvette dans le petit doseur (7 ; 0 ; 5), le petit dans le grand (7 ; 5 ; 0), l'éprouvette dans le petit à nouveau (2 ; 5 ; 5), compléter le grand avec le petit (2 ; 7 ; 3), reverser le grand dans l'éprouvette (9 ; 0 ; 3), verser le petit dans le grand (9 ; 3 ; 0), remplir le petit avec l'éprouvette (4 ; 3 ; 5), compléter le grand avec le petit (4 ; 7 ; 1), reverser le grand dans l'éprouvette (11 ; 0 ; 1), verser le petit dans le grand (11 ; 1 ; 0), remplir le petit avec l'éprouvette (6 ; 1 ; 5) et enfin verser le petit dans le grand (6 ; 6 ; 0) pour avoir les doses qui assureront la survie d'Arthur...

BOUCHE-TROUS

1. Prohibé
2. Juxtaposé
3. Déshonorant
4. Évanescente
5. Saperlipopette
6. Plurilatéral

REPÈRES CHRONOLOGIQUES

1. 1492 B/K (Colomb, Juifs d'Espagne)
2. 1533 D/P (Incas, Ivan le Terrible)
3. 1599 F/H (Van Dyck, Vélasquez)
4. 1719 G/M (Aurore, Robinson Crusoé)
5. 1796 I/L (Arcole, Beethoven et Haydn)
6. 1865 C/J (abolition de l'esclavage aux États-Unis, *Alice au pays des merveilles*)
7. 1897 A/N (Lénine, Klondike)
8. 1924 E/O (JO Paris, Hubble)

Pages 280-281

ROSACE

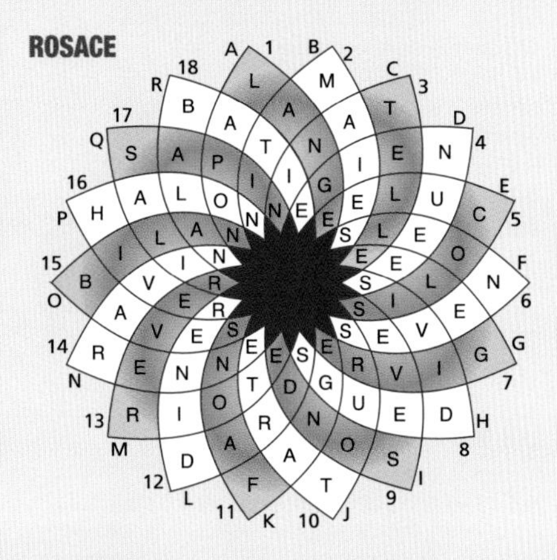

PROBLÈME

1. Rondelles
2. Crochets
3. Écrous
4. Vide
5. Boulons
6. Vis
7. Clous
8. Cavaliers

MOTS CASÉS

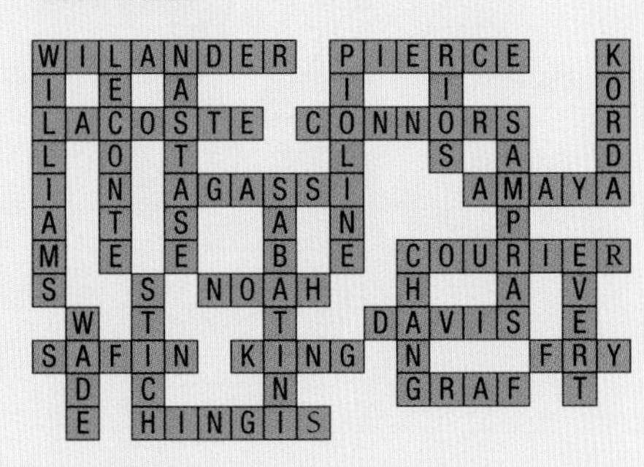

CASE-CHIFFRES

Commencez par remplir chaque étage du case-chiffres.
Deuxième niveau : a + b = e ; b + c = d ; c + d = e ; d + e.
Troisième niveau : d + e ; d + e et d + 2e.
Quatrième niveau : 2d + 2e et 2d + 3e.
Sommet : 4d + 5e = 100.
Puisque 100 est un multiple de 5 et 5e aussi, il faut que 4d soit aussi un multiple de 5 pour pouvoir respecter cette équation. Par conséquent, d peut prendre les valeurs 5, 10, 15 ou 20 ici. Et e vaudra respectivement 16, 12, 8 et 4.
Étudions ces couples :
– Si d = 5 et e = 16 : puisque c + d = e, c vaut 11, mais b + c = d devient impossible car b devrait valoir – 6.
– Si d = 10 et e = 12 : puisque c + d = e, c = 2. Puisque b + c = d, b vaut 8.
Et puisque a + b = c + d = e, a vaut 4.
– Si d = 15 et e = 8, il faudrait que c soit négatif pour que c + d = e.
Le même problème se pose si d = 20 et e = 4.
Donc la seule solution est a = 4 ; b = 8 ; c = 2 ; d = 10 et e = 12.

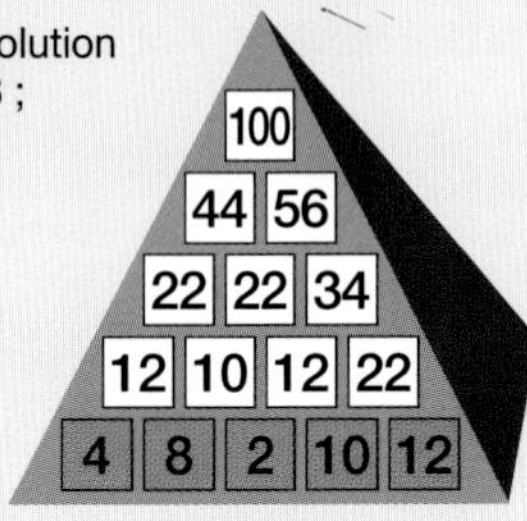

VRAI OU FAUX

1. Faux : c'est la Montespan (M).
2. Faux : de Louis XIV (A).
3. Vrai (D).
4. Vrai (A).
5. Faux : c'est la Montpensier (M).
6. Faux (E).

On les appela désormais MADAME.

L'ENQUÊTE

Il y a deux animaux de race parmi les chiens à nœud sur la tête : 2, 4 et 6 ; deux également parmi les chiens à collier : 1, 3 et 4 ; deux toujours parmi les chiens à petit manteau rouge : 3, 5 et 6.
Les chiens de race sont ceux qui apparaissent deux fois dans ces choix.
Les animaux de race sont donc le chien 3 (pas de nœud sur la tête, collier, petit manteau rouge), le chien 4 (nœud sur la tête, collier, pas de petit manteau rouge) et le chien 6 (nœud sur la tête, pas de collier, petit manteau rouge).

MOTS EMMÊLÉS

1. Capote, Mailer
2. Steinbeck, Irving
3. Caldwell, Isherwood

Pages 282-283

LES MOTS DE L'IMAGE

Voici quelques exemples : colley, cobaye, cochon d'Inde, cobra, colombe (l'affiche), coquille (d'œuf), coquillages, coccinelles, corne, couleuvre, concorde, cocon, coupe-papier, couteau, compas, colimaçon (l'escalier), congélateur, concombre et cornet de glace (les magnets), conserves, confiture, corbeille, corrida (l'affiche), continents (la carte du monde), coq...

ITINÉRAIRE

Madrid – Roissy

M	U	N	S	T	E	R
A	J	A	C	C	I	O
D	E	N	I	Z	L	I
R	I	O	R	G	E	S
I	Q	U	I	T	O	S
D	O	M	R	E	M	Y

LETTRE BONUS

1. Grec
2. Cabus
3. Bronca
4. Décorum
5. Isocèles
6. Irascible

MOTS EN ZIGZAG

Devaquet

ITINÉRAIRE

Venise – Roanne

V	E	L	L	U	R
E	L	P	A	S	O
N	A	N	T	U	A
I	N	C	H	O	N
I	N	C	H	O	N
S	O	U	D	A	N
E	P	H	E	S	E

PROVERBE ILLUSTRÉ

Il y a loin de la coupe aux lèvres.

Pages 284-285

CASE-CHIFFRES

Vu les nombres des deuxième et troisième niveaux, le nombre aa,bb ne peut être que 44,55 ou 55,66. Essayez les deux possibilités. En plaçant 44,55 et en remplissant la pyramide, on obtient un nombre négatif à la base. Donc la bonne solution part de 55,66.

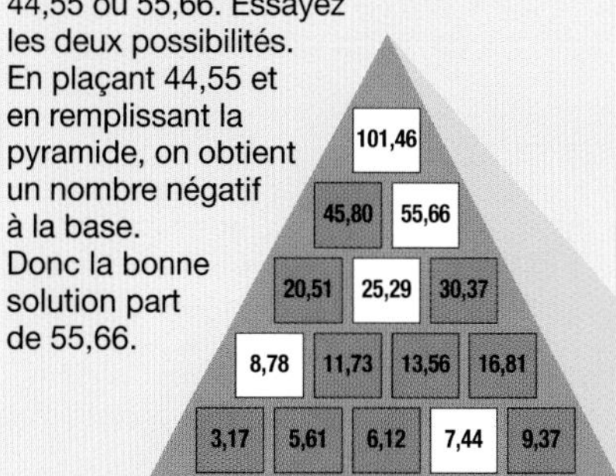

LOGIGRAMME

Grâce aux indices 1 et 4, on sait que Piotr est jongleur. Puisque ni Igor ni Vassili n'est clown (indice 3), c'est donc Sacha qui l'est. Igor n'est pas dresseur (indice 5), il est donc acrobate. Par élimination, Vassili est dresseur. Sacha n'est pas chez Zavatta (indice 6), Vassili (dresseur) non plus d'après l'indice 1, l'acrobate Igor non plus d'après l'indice 2. C'est donc Piotr qui travaille chez Zavatta. D'après l'indice 3, c'est Sacha qui est au cirque du Soleil. Igor l'acrobate est donc forcément chez Grüss d'après l'indice 2, et par conséquent Vassili travaille chez Bouglione.

Tableau des réponses

Artiste	Igor	Piotr	Sacha	Vassili
Métier	Acrobate	Jongleur	Clown	Dresseur
Cirque	Grüss	Zavatta	Soleil	Bouglione

GRILLE À THÈME

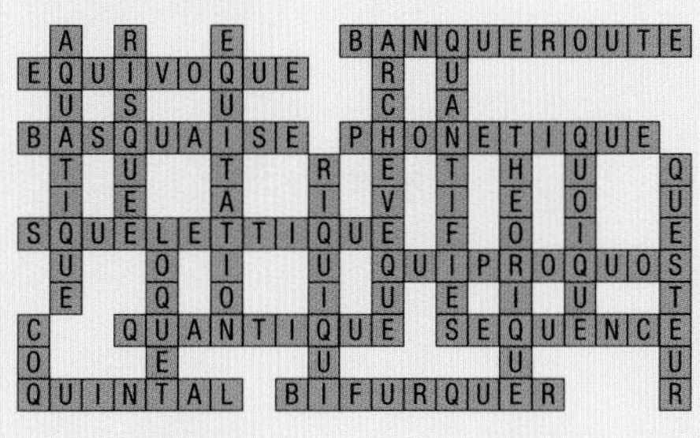

MOTS EMMÊLÉS

1. Edison, Fleming
2. Galois, Pasteur
3. Rutherford, Marconi

PUZZLE

La pile n° 2.

L'assemblage A comprend 41 cubes, il en manque donc 23. La pile n° 2 est la seule à avoir ce nombre. La n° 1 en a 24, la n° 3 en a 22, la n° 4 en a 24 et la n° 5 en a 22.

CHENILLE

C H O R I S T E
S E C H O I R S
C R O I S E E S
E S C R I M E S
P R E M I C E S
S P E C I M E N
M E C A N I S E
A M I N C I E S
M U S I C I E N

DOMINOLETTRES

En retournant D-E et C-P, on trouve Aéroport et Concorde.

Pages 286-287

QUI SUIS-JE ?

A. Le fil
B. Le trou
C. Le futur
D. Le tourteau
E. La voix

JEU DES 7 ERREURS

ÉCHELLE

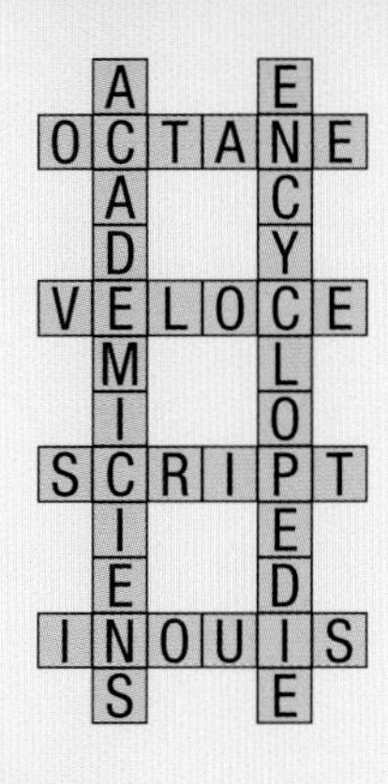

GRILLE À THÈME

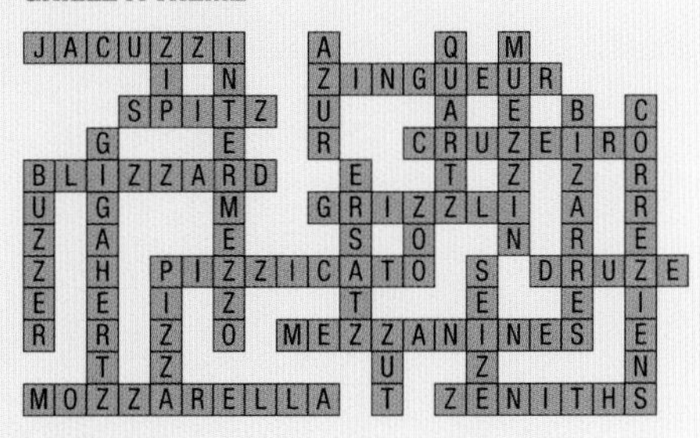

COUPE-LETTRES

On peut enlever :
É (Primant) – G (Pimenté) – Y (Martres) – P (Rouille) – T (Canines) – I (Foreuse) – E (Apurant) – N (Trachée) : ÉGYPTIEN.

TRIPLETS D'EXPRESSIONS

1. Rouleau – **2.** Cloche – **3.** Descente – **4.** Galerie – **5.** Bête – **6.** Vert

PROBLÈME

S'il avait eu 1 pièce en janvier, il en aurait à la fin de l'année 1 + 12 + 23 + 34 + 45 + 56 + 67 + 78 + 89 + 100 + 111 + 122 = 738, soit 369 euros. Or il en a 1 086 (543 euros). Donc il en a récupéré 1 086 – 738 = 348 en plus sur 12 mois. Soit 348 / 12 = 29 par mois (30 en janvier, 41 en février…). En décembre, Nicolas a donc ajouté à sa tirelire 122 + 29 = 151 pièces.

ESCALETTRE

T U E
+ **A** E T A U
+ **S** S A U T E
+ **F** F A U T E S
+ **I** F U T A I E S
+ **O** F O U T A I S E
+ **R** A U T R E F O I S

Ma mémoire et ma vie

Mémoire et hygiène de vie

Une bonne hygiène de vie est indispensable au bon fonctionnement du cerveau, donc de la mémoire. Il est essentiel de privilégier les amis du cerveau (une alimentation équilibrée, un sommeil régulier, un peu d'exercice quotidien) et d'éviter ses ennemis (certains médicaments, les excitants – tabac, alcool, café, etc. –, un excès de stress…).

Une bonne alimentation

Il n'existe pas d'alimentation spécifique pour avoir une bonne mémoire, ni de « régime mémoire ». Cependant, pour bien fonctionner, notre cerveau, comme tout notre organisme, a besoin d'une alimentation équilibrée, diversifiée et adaptée.

Le cerveau est un grand consommateur de glucose, que lui apporte le sang par les vaisseaux sanguins. Il faut donc **veiller à la qualité de notre système circulatoire** et éviter certains abus : suralimentation, excès de sucreries, graisses, boissons alcoolisées, dont les effets sur la circulation sanguine sont néfastes. D'autre part, certaines carences alimentaires – en fibres, vitamines, protéines… – peuvent provoquer des troubles de l'attention et de la mémoire.

Faites trois repas par jour, en respectant un bon **équilibre entre protéines, lipides et glucides** et en assurant un **apport convenable de vitamines, minéraux et fibres**. Si le courage vous manque pour cuisiner, il existe de nombreux services de livraison à domicile (restaurateurs, traiteurs, etc.).

Il est vivement recommandé de manger de la viande, du poisson ou des œufs (pour les protéines et le fer) au moins une fois par jour ; des fruits et des légumes (frais ou surgelés), riches en vitamines, fibres et minéraux, plusieurs fois par jour. Consommez par ailleurs des aliments riches en calcium, tels que les produits laitiers. Et buvez chaque jour **1,5 à 2 litres d'eau** ou d'une autre boisson non alcoolisée. Il est très important de **boire régulièrement**, sans attendre la sensation de soif – qui peut ne pas se manifester, en particulier chez les personnes âgées.

Pensez à vous peser chaque mois. Consultez votre médecin en cas de variation de poids trop importante, et n'entreprenez surtout **pas de régime sans avis médical**.

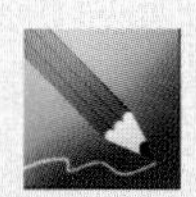

Alimentation et mémoire

Testez vos connaissances concernant les effets de l'alimentation sur la santé du cerveau et le bon fonctionnement mnésique en cachant réponses et commentaires.

	VRAI	FAUX
1. Le fer est utile au cerveau.		
2. C'est essentiellement dans les épinards que l'on trouve le fer.		
3. Le cerveau peut stocker le glucose dont il a besoin.		
4. L'excès de cholestérol nuit au bon fonctionnement du cerveau.		
5. Certaines graisses sont utiles au bon fonctionnement des cellules du cerveau.		
6. On peut ne pas manger de viande.		
7. Une carence en vitamines peut entraîner de graves troubles cérébraux.		
8. L'alcool peut avoir un effet dévastateur sur le cerveau.		
9. Au-delà de 60 ans, la ration alimentaire peut être diminuée.		
10. Certains aliments aident à développer la mémoire.		

1. VRAI.
Le fer permet le transport de l'oxygène dans l'organisme en participant à la synthèse de l'hémoglobine des globules rouges. Une femme sur quatre souffre de carences en fer. Pour permettre une bonne oxygénation du cerveau, il ne faut donc pas négliger la consommation de fer.

2. FAUX.
Le fer se trouve en grande quantité dans le boudin noir, la viande rouge, les œufs, les légumes verts à feuilles et les légumes secs.

3. FAUX.
Le cerveau consomme le glucose au fur et à mesure, et c'est son unique source d'énergie. Un afflux constant de glucose est donc indispensable à son bon fonctionnement. Plus l'activité cérébrale est importante, plus la consommation énergétique s'élève.

4. VRAI.
Un excès de cholestérol dans l'organisme entraîne une sclérose des vaisseaux sanguins tels que les artères : il les obstrue et gêne l'apport d'oxygène et d'éléments nutritifs. L'excès de cholestérol augmente donc le risque d'accident vasculaire et de dysfonctionnement cérébral.

5. VRAI.
Notre organisme ne peut synthétiser certains acides gras (acides gras essentiels) qui ont un rôle important dans le bon fonctionnement des cellules nerveuses et la protection des artères. Il est donc indispensable d'en consommer régulièrement, en privilégiant les huiles végétales (tournesol, colza, olive, soja). Ces huiles contiennent de la vitamine E, qui permet de lutter contre les radicaux libres attaquant la membrane des neurones.

6. VRAI.
Mais la viande contient des protéines essentielles à l'entretien des tissus. Si vous ne mangez pas de viande, il vous faudra compenser ce déficit par des œufs, du poisson, des produits laitiers et certaines céréales. Avec l'âge, la vitesse de renouvellement des protéines est ralentie :

il ne faut donc surtout pas diminuer mais plutôt tendre à augmenter sa consommation de protéines.

7. VRAI.
Les vitamines sont indispensables à la croissance et au bon état des tissus. L'organisme ne les fabriquant pas lui-même, elles doivent être fournies par l'alimentation. Parmi les vitamines utiles au bon fonctionnement du cerveau, retenons la B1 (féculents, fruits, lait), la B12 (foie, rognons, levure de bière…), la B6 (laitages, céréales, légumes verts), la B9 (foie, levure, pomme de terre). On sait qu'une carence en vitamine B9 ou B12 peut entraîner des troubles neurologiques. Mais de telles carences sont rares dans les pays occidentaux.

8. VRAI.
L'alcool excite les cellules nerveuses à faible dose et les endort à forte dose. Une consommation trop importante d'alcool entraîne la destruction irréversible de nombreuses cellules nerveuses et perturbe la mémoire.

9. VRAI.
Si votre activité physique diminue, il n'est plus nécessaire de manger autant. En revanche, si vous vous dépensez toujours autant, ne diminuez pas votre ration alimentaire. Dans les deux cas, gardez une alimentation équilibrée.

10. FAUX.
Pour développer au mieux votre capacité de mémorisation, il faut surtout varier votre alimentation et manger modérément de tout. Il n'existe pas d'aliment miracle : les constituants du cerveau ont besoin d'équilibre sur le long terme pour bien fonctionner.

Les bons petits plats de nos régions

Certes, l'équilibre diététique n'y est pas toujours au rendez-vous, mais quelles saveurs ! Rattachez les spécialités suivantes aux 11 régions ci-dessous (4 spécialités par région).

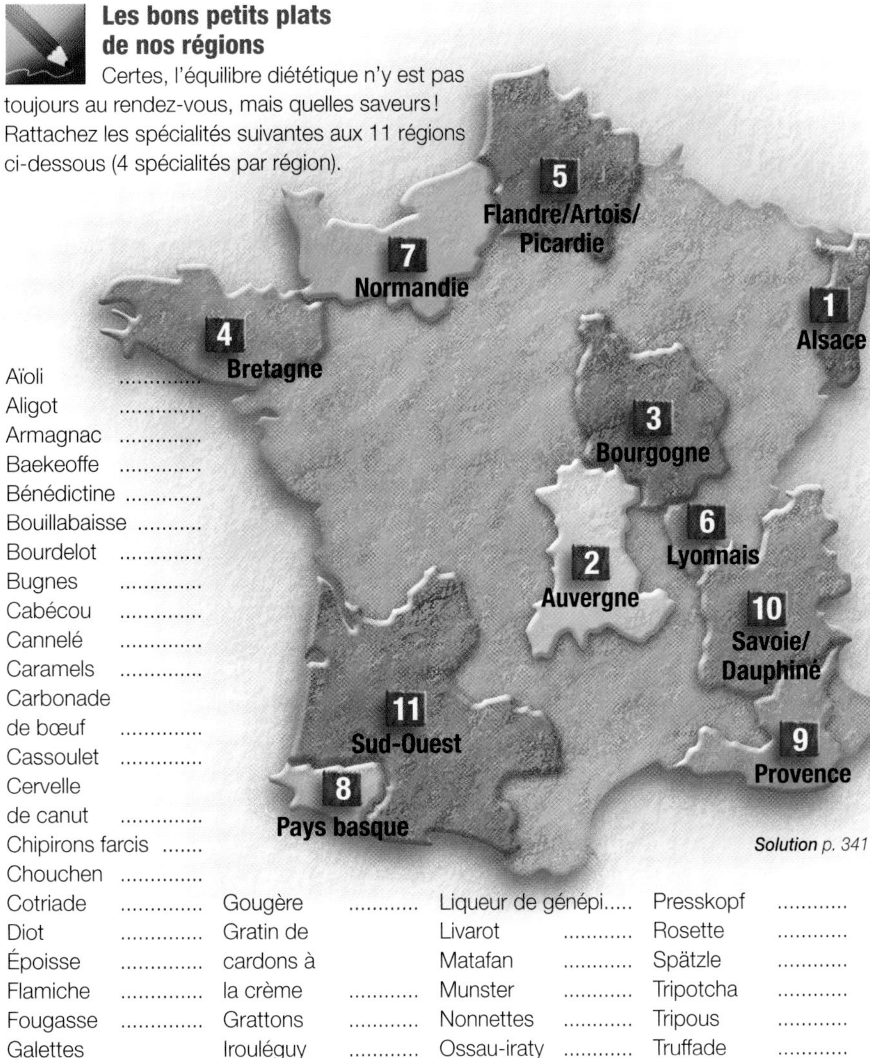

Aïoli ....
Aligot ....
Armagnac ....
Baekeoffe ....
Bénédictine ....
Bouillabaisse ....
Bourdelot ....
Bugnes ....
Cabécou ....
Cannelé ....
Caramels ....
Carbonade de bœuf ....
Cassoulet ....
Cervelle de canut ....
Chipirons farcis ....
Chouchen ....
Cotriade ....
Diot ....
Époisse ....
Flamiche ....
Fougasse ....
Galettes de blé noir ....
Gaperon ....
Gougère ....
Gratin de cardons à la crème ....
Grattons ....
Irouléguy ....
Kir ....
Kouign-amann..........
Liqueur de génépi.....
Livarot ....
Matafan ....
Munster ....
Nonnettes ....
Ossau-iraty ....
Pissaladière ....
Potjevleesch ....
Presskopf ....
Rosette ....
Spätzle ....
Tripotcha ....
Tripous ....
Truffade ....
Waterzooï ....

Solution p. 341

La table des calories

Les calories mesurent la valeur énergétique des aliments.
Tentez de retrouver les bonnes valeurs caloriques pour la même quantité (100 g ou 100 ml) de chacun des aliments suivants. Attention, certains aliments sont parfois trompeurs !

a. 100 g de poire
b. 100 g de pâtes cuites
c. 100 g de cassoulet
d. 100 g de salade verte
e. 100 g de pizza
f. 100 g de hamburger
g. 100 g de sandwich au jambon
h. 100 ml soda
i. 100 g de couscous
j. 100 g de pomme
k. 100 g de steak
l. 100 ml de vin à 12°
m. 100 g d'œuf

...... / 18 kcal
...... / 44 kcal
...... / 52 kcal
...... / 61 kcal
...... / 67 kcal
...... / 90 kcal
...... / 160 kcal
...... / 200 kcal
...... / 200 kcal
...... / 255 kcal
...... / 430 kcal
...... / 575 kcal
...... / 610 kcal

Solution p. 341

Les délices italiens
Complétez cette petite grille de mots croisés avec les noms de quelques spécialités gastronomiques italiennes.

Solution p. 341

Ma mémoire et…
mes petites insomnies

Les petites insomnies peuvent tout à fait être vécues comme une partie importante de l'état de veille. Mettez à profit ce moment de calme pour vous détendre, faire sereinement le point sur vos problèmes ou encore élaborer des projets agréables. Évitez tout exercice de mémoire, de réflexion et toute occupation exigeant un état d'éveil optimal – faire vos comptes, par exemple ! Chassez les angoisses, restez dans un endroit chaud et apaisant, et l'insomnie deviendra un moment positif que vous n'aurez plus à redouter… à condition toutefois qu'elle ne se prolonge pas trop et qu'elle reste occasionnelle. Dès que la fatigue vous gagne à nouveau, c'est que votre organisme souhaite se mettre au repos. N'essayez pas de le contrecarrer…

Un sommeil régulier et de bonne qualité

Une bonne hygiène de vie, c'est aussi un bon sommeil. Le sommeil occupe à peu près le tiers de notre vie, il est **indispensable à la récupération de nos capacités physiques et psychiques.** Les personnes qui manquent de sommeil ou qui dorment mal sont irritables et présentent des troubles de l'attention.

Le sommeil comprend de quatre à six cycles en moyenne, qui durent une heure et demie à deux heures chacun. Au cours d'une nuit, nous traversons donc plusieurs fois les mêmes cycles. Chaque cycle comprend deux grandes phases : une phase de sommeil dit lent et une phase de sommeil dit paradoxal.

Le sommeil lent – ainsi nommé parce que les ondes électriques émises par le cerveau sont alors lentes et tranquilles – se décompose lui-même en quatre mini-phases : sommeil très léger, léger, profond, puis très profond. Le sommeil lent permet la **récupération de la fatigue physique.** C'est durant cette phase que nous « rechargeons nos batteries » et que nos tissus se restaurent.

Durant **le sommeil paradoxal,** les ondes émises par le cerveau sont rapides et nerveuses, le corps est agité de petits mouvements. Le cerveau est comme survolté.Le sommeil paradoxal permet la **récupération de la fatigue psychique.** C'est aussi pendant cette période que nous rêvons. On attribue à cette phase de sommeil une fonction de fixation en mémoire de ce qui a été appris pendant la journée, de consolidation des souvenirs. Mais également de suppression de ce qu'il n'est pas utile de retenir, comme si le cerveau faisait le tri.

Que faire pour améliorer la qualité de son sommeil ? Il faut essayer, à tout âge d'ailleurs, de maintenir une heure régulière de coucher et de réveil ; diminuer le temps de sieste ; faire de l'exercice quotidiennement (mais pas juste avant de se mettre au lit) ; se détendre avant de se coucher et tenter d'évacuer le stress ; limiter la consommation d'alcool, de café ou de thé ; éviter de manger en trop grande quantité, de surchauffer la chambre, et faire en sorte que cette pièce soit calme.

Sommeil : gare aux erreurs !
Voici plusieurs comportements de la vie courante qui peuvent favoriser ou au contraire empêcher l'endormissement, voire nuire à un bon sommeil. Détectez 5 erreurs à ne pas commettre.

1. Écouter de la musique bruyante avant de dormir.
2. Boire un verre de lait.

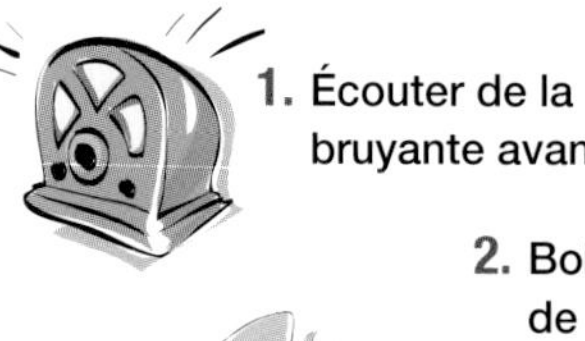

3. Manger des sucreries.
4. Faire sa gymnastique juste avant de se mettre au lit.

5. Respecter une heure de coucher régulière.

Test La qualité de votre sommeil

Quelles difficultés avez-vous rencontrées au cours du dernier mois ? Inscrivez vos réponses en suivant le barème ci-dessous, puis additionnez le nombre de points obtenus.
Jamais : **0 point**
Moins d'une fois par semaine : **1 point**
Une fois par semaine : **2 points**
Plusieurs fois par semaine : **3 points**
Tous les jours : **4 points**

	Jamais	Moins d'une fois par semaine	Une fois par semaine	Plusieurs fois par semaine	Tous les jours
1. Je mets beaucoup de temps à m'endormir.					
2. Quand je suis endormi, un rien me réveille.					
3. Je me réveille au moins une fois au cours de la nuit.					
4. Si je suis réveillé au cours de la nuit, j'ai beaucoup de mal à me rendormir.					
5. Je me réveille très tôt le matin et n'arrive pas à me rendormir.					
6. Je prends des somnifères.					
7. Je me sens fatigué au réveil.					
8. Les soucis m'empêchent de bien dormir.					
9. Je fais de longues siestes.					
10. Je bois du café ou du thé en grandes quantités.					
Total par colonne					

Votre score :

Vous avez moins de 10 points
Vous avez sans aucun doute un sommeil de bonne qualité. Si vous avez des problèmes de mémoire, ils ne sont pas liés à un manque de sommeil. Beaucoup de gens doivent vous envier.

Vous avez de 11 à 20 points
Les difficultés passagères que vous rencontrez sont sans doute liées à vos préoccupations du moment. Cela peut s'accompagner d'un peu d'anxiété et de quelques difficultés d'attention. Une fois la situation réglée, les choses devraient rentrer dans l'ordre. Attention aux excitants de toute sorte, qui ont une incidence sur le sommeil.

Vous avez plus de 20 points
Vous présentez de fréquents troubles du sommeil, soit au moment de l'endormissement, soit au cours de la nuit, soit au petit matin. Il est donc normal que, dans la journée, par moments vous vous sentiez fatigué, voire irrité. Ces troubles du sommeil ont forcément une incidence sur l'attention que vous portez aux événements et aux personnes, et sur vos capacités d'enregistrement et de récupération des informations – donc sur votre mémoire. Peut-être traversez-vous une période difficile. Il est fondamental de préserver votre sommeil ; votre qualité de vie en dépend. Si vous ne pouvez résoudre seul ces troubles, parlez-en à votre médecin.

6. Faire un dîner copieux.

7. Prendre un bain avant de se coucher.

8. Dormir dans un endroit frais (19 °C).

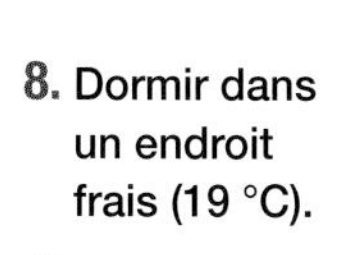

9. Faire le vide dans sa tête.

10. Lire.

11. Boire du café ou du thé après 16 h.

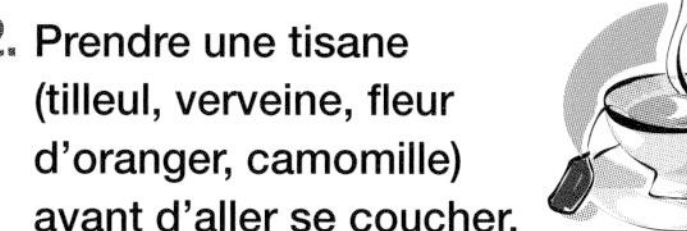

12. Prendre une tisane (tilleul, verveine, fleur d'oranger, camomille) avant d'aller se coucher.

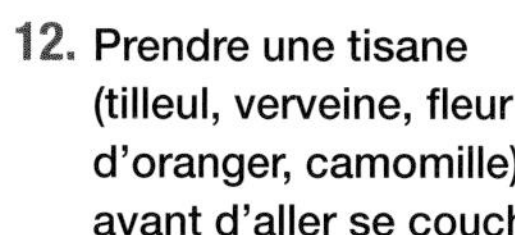

13. Se faire masser ou se masser soi-même les pieds et les mains.

14. Veiller à avoir un bon matelas.

15. Aménager la chambre de façon à en faire un lieu de détente.

16. Consommer beaucoup d'alcool.

Solution p. 341

5 erreurs à ne pas commettre :

....

Aux vrais maux, les bons remèdes

Carences alimentaires ou sommeil de mauvaise qualité ne sont pas les seules causes des troubles de l'attention et de la mémoire. **Le stress et l'anxiété** ont un effet délétère sur l'attention. **Les excitants tels que l'alcool et le tabac, à forte dose,** peuvent altérer le bon fonctionnement cérébral : la nicotine bloque l'action des neuromédiateurs cérébraux ainsi que celle des récepteurs nicotiniques, ce qui entraîne des lésions et des dégénérescences ; l'alcool ralentit les échanges au niveau des synapses.

Lorsque des difficultés d'attention et de concentration s'installent de façon chronique, une prise en charge médicale peut s'avérer nécessaire – médicaments et/ou psychothérapie. **Attention, les somnifères et certains anxiolytiques traditionnels** affectent le bon fonctionnement de la mémoire. Mais il existe maintenant une nouvelle génération d'anxiolytiques sans incidence connue. Parlez-en à votre médecin, respectez toujours la posologie proposée et n'arrêtez jamais le traitement sans en avoir discuté avec lui. Tout médicament ayant un effet sur le fonctionnement cérébral doit être utilisé avec prudence.

La phytothérapie, la relaxation ou le yoga peuvent aussi vous aider. Le ginseng et le ginkgo biloba, qui ont des propriétés antioxydantes, stimuleraient les cellules cérébrales et optimiseraient la circulation et l'oxygénation cérébrales, favorisant ainsi, de façon indirecte, la concentration, donc la mémorisation.

Ma mémoire et...
mon médecin

Parfois, un généraliste aura tendance à relativiser les troubles de mémoire de son patient, qui pense pourtant avoir vraiment lieu de s'inquiéter. Vous pouvez vous trouver dans ce cas et ne pas savoir quel spécialiste rencontrer pour être informé, voire rassuré sur votre état. Des consultations « mémoire » (voir p. 350) existent actuellement dans la plupart des grandes villes françaises, notamment en milieu hospitalier, mais l'attente est souvent longue pour obtenir un rendez-vous. Vous pouvez aussi consulter en ville un neurologue ou un gérontologue. Ces spécialistes connaissent toutes les pathologies de la mémoire et sont à votre écoute. À l'aide de tests rapides, précis, indolores, ils vous informeront et, bien souvent, vous rassureront sur votre état.

Des plantes qui soignent

Voici 15 affections et 15 noms de plantes communes. À vous de les associer et de trouver quelle plante soigne quoi.

Stress, asthénie ....
Règles douloureuses ....
Perte d'appétit ....
Eczéma ....
Perte de mémoire ....
Enrouement ....
Inflammations articulaires ....
Troubles mineurs du sommeil ....
Crevasses ....
Vers intestinaux ....
Digestion difficile ....
Constipation ....
Maux de dents ....
Fatigue ....
Nausées, vomissements ....

Solution p. 341

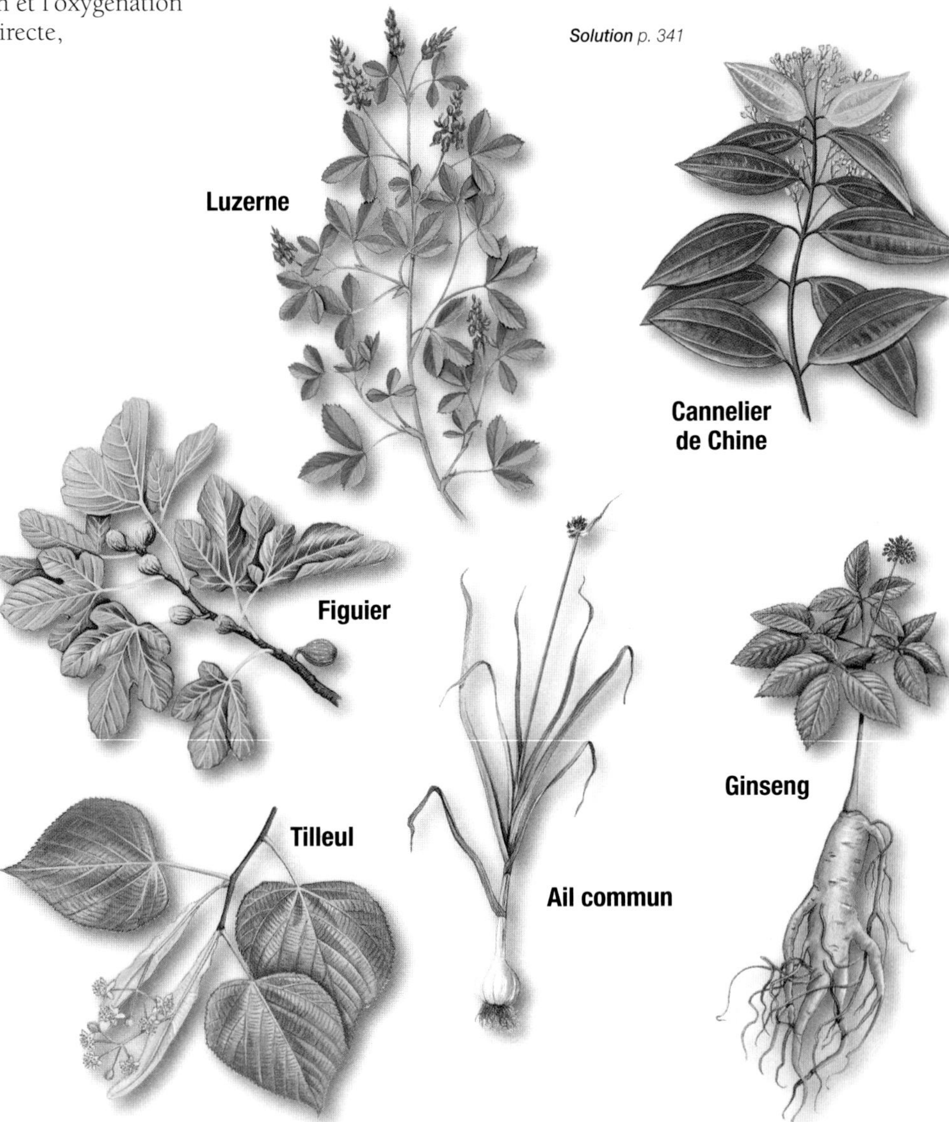

Anesthésie et mémoire

L'anesthésie suscite souvent beaucoup d'appréhensions, et parmi elles la peur d'une altération de la mémoire. Les risques liés à une anesthésie dépendent de l'état général du patient **– l'état physique et psychique étant plus important que l'âge –**, du type d'intervention, de la technique utilisée et du professionnalisme de l'équipe soignante. Le rôle du bilan préopératoire, même s'il peut paraître contraignant, est fondamental dans la réussite de la prise en charge.

Chez les personnes jeunes, on n'a jamais scientifiquement établi de liens certains entre anesthésie générale, fatigue et trous de mémoire. Il faut plutôt voir dans ces derniers une **décompensation liée au stress –** et une opération est bien une situation stressante. Chez les patients plus âgés, un **état confusionnel** peut s'observer dans les heures suivant l'anesthésie ; il s'accompagne d'une baisse des facultés de concentration, de troubles passagers de la mémoire ou du comportement et d'une désorientation temporelle et spatiale. Ces troubles doivent disparaître en quelques jours. **Il suffit d'attendre la fin de l'action des médicaments pour récupérer la faculté de mémorisation.** Chez certaines personnes, cette faculté peut rester perturbée plus longtemps. Si la récupération est vraiment trop longue, il est important de consulter rapidement un neurologue afin d'en déterminer clairement l'origine et de trouver les moyens d'y remédier.

Grande camomille

Lin

Giroflier

Gingembre

Jujubier

Ginkgo

Salsepareille

Verveine odorante

Rhubarbe de Chine

Ma mémoire et… ma convalescence

Vous pouvez toujours entretenir votre mémoire lors d'une convalescence, voire d'un séjour à l'hôpital. Voici quelques conseils utiles.

- Avoir avec soi un petit album de photos – portraits de famille, souvenirs de vacances… – pour garder présents ou retrouver rapidement les repères familiers dont la mémoire a besoin.
- Jouer. Privilégier les jeux de mots – mots croisés, mots fléchés, anagrammes, mots cachés. Ces jeux existent en gros caractères pour les personnes ayant des problèmes de vue. Ils permettent de faire travailler le vocabulaire et d'éviter les défaillances de langage.
- Relire un ouvrage qu'on a aimé, afin de pouvoir suivre l'histoire avec plaisir et sans trop d'efforts; l'attention sera suffisamment stimulée, ce dont elle a besoin.
- Lire un nouvel ouvrage éventuellement, si l'on est en forme et à condition que le sujet suscite un intérêt. Attention cependant à ne pas lire trop longtemps.

Mémoire et étapes de la vie

C'est grâce à une stratégie d'accumulation des connaissances que les jeunes s'adaptent à un environnement toujours nouveau. À l'âge adulte, l'homme continue à engranger des données, mais utilise également ses acquis. À la maturité, la mémoire tente de dégager la cohérence des événements vécus. Puis vient le temps de la répétition, des retours en arrière : les souvenirs du passé refont surface.

Le triangle d'or : le physique, le psychologique, l'environnement

La mémoire, comme l'individu, est complexe et son bon fonctionnement résulte d'une interaction équilibrée entre trois facteurs – le facteur biologique, le facteur psychologique et le facteur environnement. Une perturbation, même mineure, de l'un d'eux retentit immanquablement sur les deux autres et donc sur la mémoire.

Le **facteur biologique**, primordial, conditionne les deux autres. La mémoire ne peut être optimale si les fonctions vitales sont défaillantes. D'où l'intérêt d'une bonne hygiène de vie et la nécessité d'apprendre à se connaître pour trouver l'équilibre que constitue la santé physique. Cette dernière a un impact sur le psychologique – notre façon de voir les choses, notre personnalité, notre affectivité, nos conflits intérieurs, nos problématiques, conscientes ou inconscientes – et le moral à son tour influence la santé physique.

L'influence du **facteur psychologique** sur la mémoire est aujourd'hui bien connue : le manque d'intérêt ou d'attention lié par exemple à une simple déprime est la première cause de perturbations du processus de mémorisation ; l'effort de mémorisation ou d'évocation du souvenir apparaît très dépendant du degré de motivation et de l'humeur du moment. On parle d'ailleurs de « dépendance » et de « congruence » de la mémoire à l'humeur : le cerveau est capable de filtrer les éléments en fonction de la tonalité de l'humeur. Si l'on est triste, les souvenirs négatifs reviennent plus facilement et on mémorise mieux les faits les plus désolants. Inversement, lorsqu'on se sent euphorique, la mémoire engrange ou évoque plus facilement les images positives.

Dans le **facteur environnement** interviennent deux éléments, l'un matériel – un minimum de confort, cette sécurité jouant un rôle sur la perception des événements –, l'autre social, que l'on subit en partie mais auquel on peut aussi contribuer : possibilités de rencontres et d'échanges, participation à la vie communautaire. Quand le bien-être matériel répond aux besoins et se conjugue avec des relations aux autres d'une grande richesse, l'environnement joue un rôle de véritable stimulateur de la mémoire. Dans le cas contraire, il devient un puissant parasite.

La combinaison entre ces trois facteurs peut varier selon les personnes et les étapes de la vie. On a sans doute plus besoin de sécurité affective dans la petite enfance, alors que le besoin d'un confort matériel s'accroît lorsque l'on avance en âge. Mais la mémoire s'inscrit toujours dans une logique d'adaptation à l'environnement.

Les étapes de ma vie

À travers ces quelques questions – qu'il vous faudra parfois adapter à votre cas, bien sûr –, retrouvez et décrivez des épisodes de votre vie. Tentez également, dans la mesure du possible, d'y associer visuellement une ou plusieurs images. Ce questionnaire n'est pas exhaustif, n'hésitez pas à l'enrichir d'autres souvenirs.

Mon enfance (de 3 à 10 ans)

Je me souviens...

- du visage de trois amis en classe primaire ;
- du nom et du visage de deux instituteurs ;
- du nom d'un de mes lieux de vacances ;
- des membres de ma famille que je voyais régulièrement.

Mon adolescence (de 11 à 18 ans)

Je me souviens...

- du nom et du visage de trois amis ;
- du plus grand nombre possible de noms de professeurs ;
- du visage de la première personne que j'ai embrassée sur la bouche ;
- de mon lieu de vacances favori ;
- des noms et prénoms des chanteurs que j'aimais à cette époque ;
- du jour où j'ai fumé ma première cigarette ;
- du jour où, pour la première fois, j'ai bu trop d'alcool ;
- du titre d'un livre qui m'a particulièrement ému.

Depuis mes 18 ans

Je me souviens...

- du nom des collègues de travail qui ont été importants, ou encore d'amis ou de fréquentations qui ont joué un rôle majeur dans ma vie ;
- de ma première rencontre amoureuse ;
- du jour où j'ai visité mon premier appartement puis de celui où j'ai emménagé *(tentez de décrire ce lieu)* ;
- de mon mariage *(quels souvenirs précis en gardez-vous ?)* ;
- des quelques heures qui ont précédé la naissance de mes enfants ;
- des noms ou prénoms des instituteurs de mes enfants, puis des noms des professeurs qui ont marqué leur scolarité.

La jeunesse ou l'adaptation à tout prix

Nous éprouvons parfois de la nostalgie en nous remémorant la facilité avec laquelle nous apprenions par cœur les poésies de notre enfance et tous ces textes de cours, qui s'allongeaient à mesure que se poursuivait notre scolarité. Les enfants sont étonnamment doués pour répéter ce qu'ils n'ont vu ou entendu qu'une seule fois, et ils intègrent rapidement les informations. Pourquoi ? Parce que **retenir est vital pour un enfant.**

Cette activité dite cognitive est en premier lieu particulièrement utile pour intégrer les comportements protégeant son intégrité : lorsqu'un petit en âge de marcher touche par inadvertance la porte brûlante du four, il crée un souvenir de cette scène et, par la suite, fait en sorte d'éviter de s'approcher une nouvelle fois du four chaud.

Dans tous les domaines, son principal objectif va être d'engranger une grande masse d'informations qui lui permettront d'accéder à l'autonomie. Tout ce qu'il expérimente est important pour grandir, pour s'adapter aux exigences de l'environnement et y trouver sa place. Toute nouveauté suscite sa curiosité. Sa motivation pour apprendre est sans cesse stimulée par la diversité des situations qu'il rencontre.

L'accumulation des informations du temps de la jeunesse est par conséquent une **utilisation spécifique de la mémoire répondant à des besoins vitaux d'adaptation** à un monde encore largement inconnu. L'enfant n'a pas le temps de s'installer dans une mémoire routinière – ce que l'adulte a, lui, tendance à faire.

Dessins en miroir

Les facultés psychomotrices fines que l'enfant n'a de cesse de travailler durant sa croissance vont progressivement diminuer au fil des années, faute d'entraînement mais aussi en raison du vieillissement musculaire. Voici 6 dessins à reproduire le plus fidèlement possible, mais en miroir. Alors à votre stylo, et vous reprendrez peut-être goût à l'art pictural. Par ailleurs, travailler cette motricité, c'est conserver une bonne écriture et une sensation fine au bout des doigts.

Solution p. 341

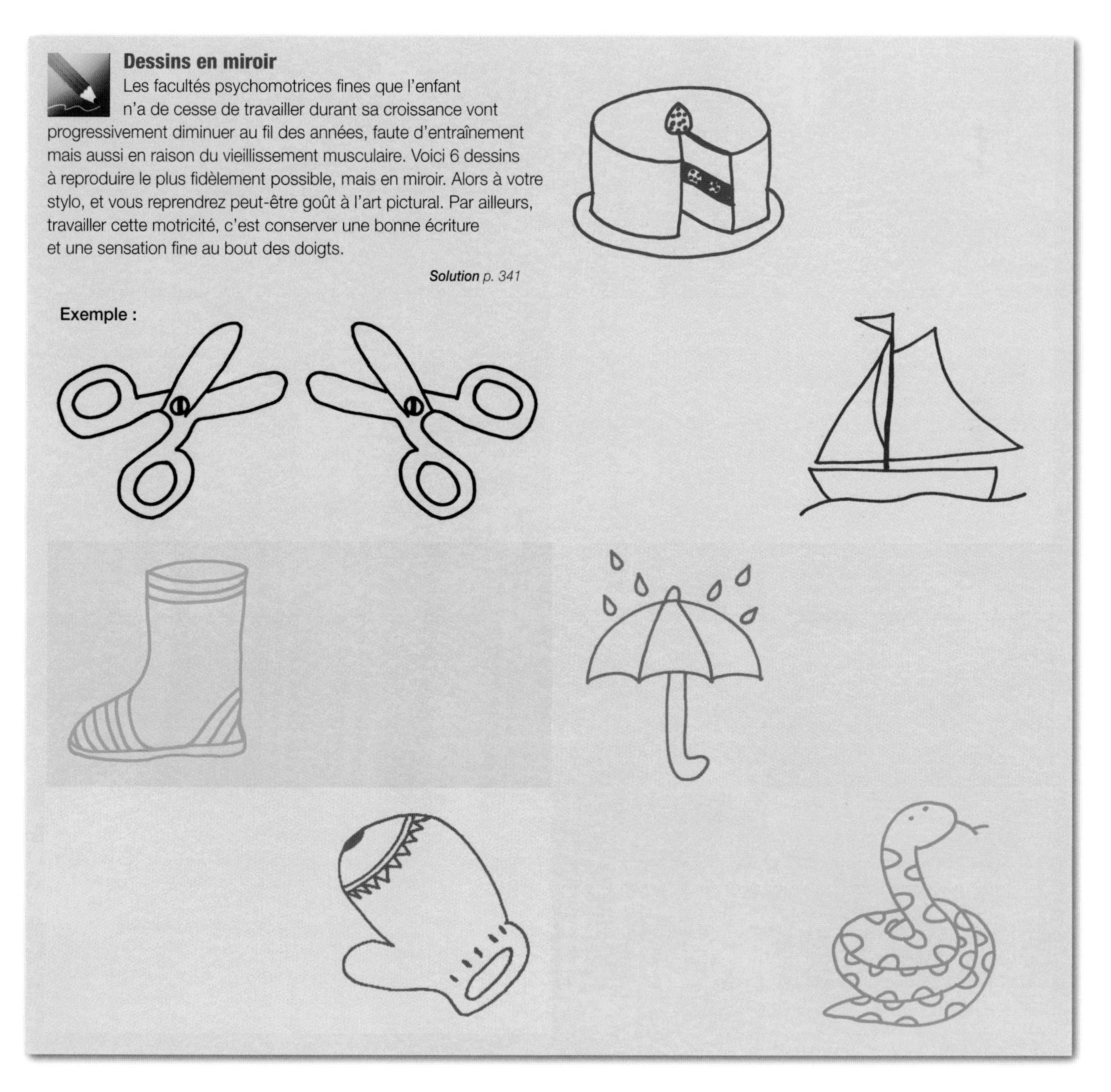

Le Corbeau et le Renard

Maître corbeau, sur un arbre ....,
Tenait en son bec un fromage.
Maître renard, par l'.............. alléché,
Lui .... à peu près ce langage :
« .... ! bonjour, Monsieur du Corbeau.
Que vous êtes .... !
que vous me semblez .... !
Sans ...., si votre ramage
Se .... à votre plumage,
Vous êtes le phénix des .... de ces bois. »
À ces mots, le corbeau ne se .... pas de joie ;
Et pour montrer sa .... voix,
Il ouvre un .... bec, laisse tomber sa proie.
Le renard s'en ...., et dit :
« Mon .... monsieur,
Apprenez que tout ....
Vit aux .... de celui qui l'écoute :
Cette .... vaut bien un ...., sans doute. »
Le corbeau, ... et confus,
.............., mais un peu tard, qu'on ne l'y prendrait ....

Jean de La Fontaine

La fable universelle

Qui, pendant sa jeunesse, n'a pas appris cette courte fable aimée des instituteurs pour sa leçon de morale ? Recherchez les mots manquants. Prenez votre temps, détendez-vous, vous retrouverez probablement sans trop de difficultés les mots effacés.

Solution p. 341

Qui crie quoi ?

Le monde animal est particulièrement présent dans l'univers des enfants. L'un des jeux préférés de nos chérubins est d'ailleurs d'imiter le cri de certains animaux. Faites appel à vos souvenirs, et à vos connaissances, pour retrouver le terme qualifiant le cri des animaux suivants.
Exemple : le pigeon roucoule.

La bécasse ....
La chouette ....
Le poussin ....
La cigogne ....
Le canard ....

La poule ....
Le coq ....
La belette ....
La chauve-souris ....

L'abeille ....
L'éléphant ....
Le serpent ....
Le lion ....
Le tigre ....
Le chameau ....
Le cygne ....
La hyène ....
La souris ....
Le faucon ....
Le cheval ....
L'âne ....
Le mouton ....
Le lapin ....
La vache ....

Solution p. 341

Ma mémoire et…
les mots des jeunes

On voit souvent se creuser un fossé entre le langage des adolescents et celui des parents ou grands-parents, ces derniers ayant parfois du mal à communiquer avec les jeunes. Pour remédier à cela, n'hésitez pas à demander à votre jeune interlocuteur la signification du mot incompris, puis utilisez-le au détour d'une conversation. Vous le ferez sans doute sourire, mais vous travaillerez votre mémoire ! Et ne désespérez pas de la qualité de son langage : en grandissant, il va cesser d'utiliser ces mots pour revenir à un vocabulaire moins codé, plus universel.

L'âge adulte : apprentissage et utilisation des acquis

Plus je fais travailler ma mémoire, mieux je peux m'adapter à mes responsabilités d'adulte.

L'âge adulte (25-50 ans) est encore un **temps d'apprentissage** : on accumule des données pour répondre aux attentes de la société (situation professionnelle, vie familiale…). Mais cette étape fait intervenir une autre utilisation de nos facultés mnésiques, le **recours à nos acquis.** Ainsi peut-on mieux s'adapter aux nouvelles responsabilités qui s'annoncent à cette période de la vie. Comment apprendre à l'âge adulte ? Après 40 ans, on constate une petite baisse des capacités d'attention et apprendre rapidement de nouvelles tâches devient moins facile.

Il faut donc **optimiser sa concentration,** être plus attentif en situation d'apprentissage et **se protéger au maximum des interférences.** Ce qui est important, c'est de privilégier la répétition et la création d'indices et d'images mentales.

Voyage, voyage...

Vous êtes probablement déjà parti en voyage ou en vacances à l'étranger. Choisissez un voyage qui a stimulé vos capacités à engranger rapidement des informations et réfléchissez à la manière dont vous vous êtes adapté à cette situation nouvelle.

Ces quelques questions pourront vous servir de guide.

Où résidiez-vous ?

Avec qui étiez-vous ?

Quel temps faisait-il ?

Quel était le décalage horaire ?

Combien de kilomètres vous séparaient de votre domicile ?

Quelle langue parlait-on ?

Quels plats locaux avez-vous découverts ?

Quels types de vêtements avez-vous observés (tissus, formes, couleurs) ?

Avez-vous remarqué des coutumes particulières ?

Avec qui avez-vous sympathisé ? Retrouvez leurs noms.

Quels lieux avez-vous visités ? Situez-les et nommez-les.

Le tour du monde de la gastronomie

La découverte du monde à l'âge adulte implique toujours un détour par la gastronomie locale. Testez vos connaissances en essayant de rattacher chaque pays à sa spécialité culinaire.

Les pays	Les spécialités culinaires
1. Angleterre	A. Apfelstrudel
2. Autriche	B. Bacalhau a braz
3. Belgique	C. Balkenbrij
4. Bulgarie	D. Bortsch
5. Chine	E. Cocido
6. Écosse	F. Colcannon
7. Espagne	G. Enchiladas
8. Finlande	H. Glögi
9. Grèce	I. Goulasch
10. Hongrie	J. Haggis
11. Irlande	K. Köfte
12. Italie	L. Œufs de cent ans
13. Japon	M. Plum-pudding
14. Mexique	N. Potage froid au concombre
15. Pays-Bas	O. Soupe miso
16. Portugal	P. Souvlakis
17. Russie	Q. Tiramisu
18. Sénégal	R. Witloof à la crème
19. Turquie	S. Yassa

1. ....
2. ....
3. ....
4. ....
5. ....
6. ....
7. ....
8. ....
9. ....
10. ....
11. ....
12. ....
13. ....
14. ....
15. ....
16. ....
17. ....
18. ....
19. ....

Solution p. 341

Vive les mariés !

« Le mariage doit être une fête perpétuelle »... Utopie ou réalité ? Quoi qu'il en soit, il se fête une fois par an. Connaissez-vous les termes consacrés pour célébrer certains anniversaires de mariage ?

Exemple : on fête les noces de coton à 1 an de mariage.

1. 5 ans	**A. argent**
2. 10 ans	**B. bois**
3. 15 ans	**C. chêne**
4. 20 ans	**D. cristal**
5. 25 ans	**E. diamant**
6. 30 ans	**F. émeraude ou rubis**
7. 40 ans	**G. étain**
8. 50 ans	**H. or**
9. 60 ans	**I. perle**
10. 70 ans	**J. platine**
11. 80 ans	**K. porcelaine**

1.	**7.** ....
2.	**8.** ....
3.	**9.** ....
4.	**10.** ....
5.	**11.** ....
6.	

Solution p. 342

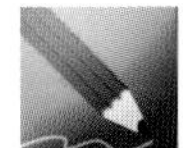

Des expressions imagées

À l'âge adulte, parce que l'on a déjà un peu vécu et que l'on a quelque expérience des façons d'être de ses congénères, on est à même d'utiliser les acquis du langage et d'en comprendre les subtilités.
Vous avez trois minutes pour retrouver 10 expressions françaises qualifiant des comportements et comprenant des noms d'animaux.

Exemple : chasser deux lièvres à la fois.

Vous pouvez également jouer en groupe : donnez alors chacun votre tour une expression jusqu'à ce que vous soyez à court d'inspiration (à titre indicatif, il existe environ 60 expressions de ce type).

Solution p. 342

Le temps de la maturité : revisiter le passé

Mes souvenirs sont uniques, et ils fondent mon identité.

Avec la maturité, qui commence à la cinquantaine, le temps est venu de récapituler et de tirer vraiment les leçons de l'expérience et des acquis. C'est aussi le moment où **l'on revisite son passé pour dégager un parcours pouvant donner un sens à sa vie.** Les événements de l'existence sont en quelque sorte revécus, lorsque l'on y pense et que l'on tente de comprendre ce qui s'est passé, puis lorsque l'on tâche de les inscrire dans un *continuum* où chacun trouvera sa place.

Chez tout être humain, à cette période, des questions reviennent régulièrement : « Qui suis-je ? Comment les événements de ma vie ont-ils pu me façonner tel que je suis aujourd'hui ? Que m'ont-ils apporté ? » Cette quête de l'identité fait de la mémoire un lieu unique où chacun peut avoir la certitude de ce qu'il est réellement.

Le temps de la maturité, c'est encore le moment où l'on s'interroge sur la pertinence de ses choix, car ils deviennent alors moins facilement réversibles. Et si l'on doit en faire d'autres, fonder un nouveau foyer par exemple ou changer de métier, doutes et questions se font plus présents.

Comment apprendre pendant la maturité ? Il ne faut pas perdre confiance en sa mémoire mais savoir que **le temps nécessaire à la mobilisation de la concentration est plus long.** Parallèlement, l'attention devient plus fragile : cela impose d'écarter au maximum les interférences. N'oubliez pas que le cerveau cherche toujours à consommer le moins d'énergie possible et que, de ce fait, la mémoire a une forte tendance à se créer des habitudes routinières. Il est donc nécessaire d'apporter de petits changements comportementaux dans sa vie pour faire face sans trop de difficultés à la variété et à la nouveauté.

Ma mémoire et ... les tatouages

Mode ou signe d'appartenance, le phénomène du tatouage connaît un essor grandissant dans notre société. À certains égards, cet attribut indélébile est proche du souvenir. Le tatouage marque une époque, une pensée, une envie. Et, comme il le ferait avec un souvenir, son propriétaire va, au gré de son humeur et de son évolution psychique, le montrer (se le remémorer), le cacher (le refouler), ou même le faire disparaître par la chirurgie (l'effacer définitivement).

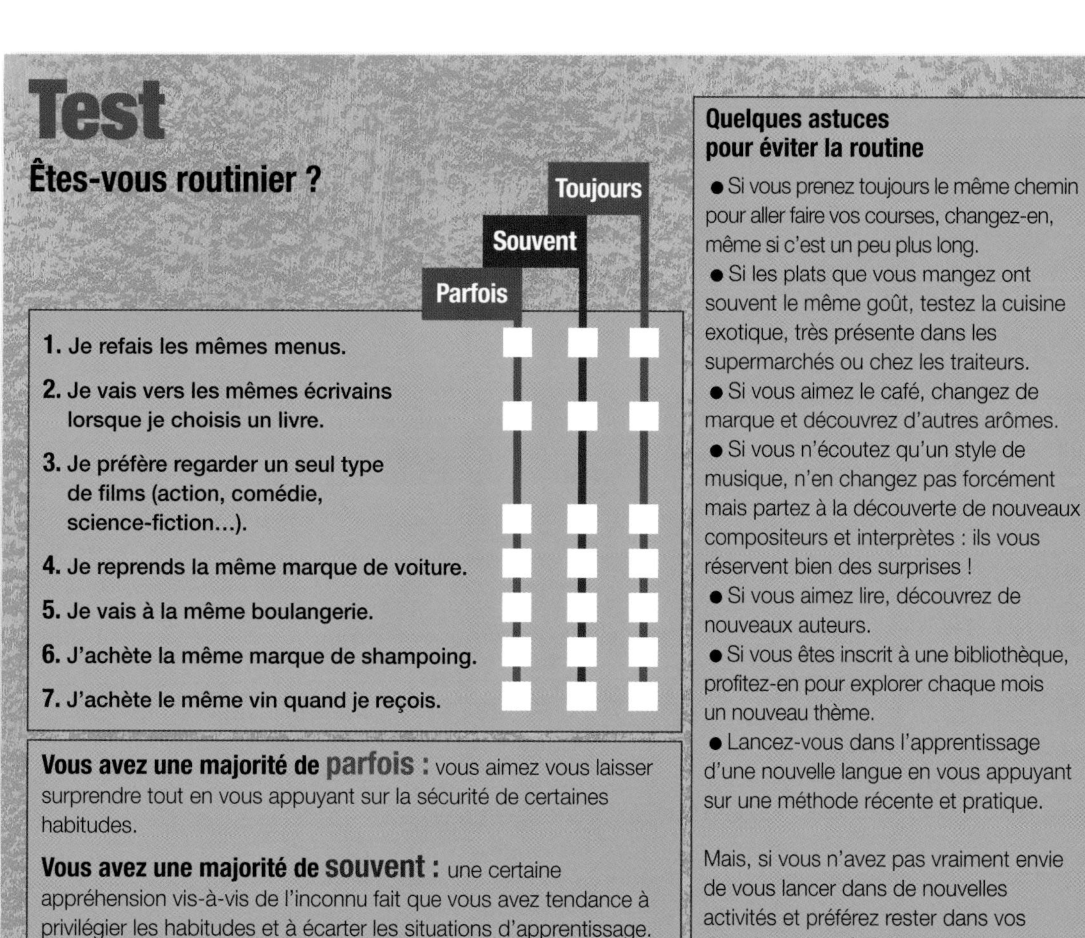

Test

Êtes-vous routinier ?

	Parfois	Souvent	Toujours
1. Je refais les mêmes menus.	☐	☐	☐
2. Je vais vers les mêmes écrivains lorsque je choisis un livre.	☐	☐	☐
3. Je préfère regarder un seul type de films (action, comédie, science-fiction…).	☐	☐	☐
4. Je reprends la même marque de voiture.	☐	☐	☐
5. Je vais à la même boulangerie.	☐	☐	☐
6. J'achète la même marque de shampoing.	☐	☐	☐
7. J'achète le même vin quand je reçois.	☐	☐	☐

Vous avez une majorité de parfois : vous aimez vous laisser surprendre tout en vous appuyant sur la sécurité de certaines habitudes.

Vous avez une majorité de souvent : une certaine appréhension vis-à-vis de l'inconnu fait que vous avez tendance à privilégier les habitudes et à écarter les situations d'apprentissage.

Vous avez une majorité de toujours : vous n'aimez pas être confronté à la nouveauté et à la variété. Attention, cette attitude de vie, si elle est respectable en soi, met votre mémoire en danger : très peu stimulée, elle ne fonctionne alors que rarement.

Quelques astuces pour éviter la routine

- Si vous prenez toujours le même chemin pour aller faire vos courses, changez-en, même si c'est un peu plus long.
- Si les plats que vous mangez ont souvent le même goût, testez la cuisine exotique, très présente dans les supermarchés ou chez les traiteurs.
- Si vous aimez le café, changez de marque et découvrez d'autres arômes.
- Si vous n'écoutez qu'un style de musique, n'en changez pas forcément mais partez à la découverte de nouveaux compositeurs et interprètes : ils vous réservent bien des surprises !
- Si vous aimez lire, découvrez de nouveaux auteurs.
- Si vous êtes inscrit à une bibliothèque, profitez-en pour explorer chaque mois un nouveau thème.
- Lancez-vous dans l'apprentissage d'une nouvelle langue en vous appuyant sur une méthode récente et pratique.

Mais, si vous n'avez pas vraiment envie de vous lancer dans de nouvelles activités et préférez rester dans vos domaines de prédilection, ne culpabilisez pas ! L'essentiel est de garder curiosité et dynamisme pour continuer à découvrir, à explorer… et à alimenter sa mémoire.

Un chemin de vie

Imaginez que la vie est une route jalonnée d'étapes… Sur une feuille de papier, tracez la vôtre, route droite ou chemin sinueux que vous segmenterez à votre gré en figurant les étapes par de gros points légendés. Commencez par les souvenirs qui vous reviennent en premier tout en laissant des espaces pour ce qui va y être associé par la suite, notamment des souvenirs plus enfouis. Le chemin débutera par votre naissance et progressera vers votre situation actuelle… Utilisez un crayon et une gomme, vous allez sûrement recommencer plusieurs fois. Si vous voulez approfondir cet exercice, précisez les lieux où se sont déroulées les étapes, utilisez pour les relier des couleurs différentes selon votre perception de chaque phase (bleu pour les moments heureux et gris pour les périodes difficiles, par exemple), représentez les rencontres importantes sous la forme de petits personnages, les pertes par des croix…

Mots d'enfants et petits bonheurs

Le contact avec les enfants réserve toujours des moments pleins de surprises. Essayez de vous souvenir de leurs mots, de leurs erreurs de prononciation, qui vous ont alors attendri et amusé. En voici quelques-uns :

« pestacles » pour **« spectacles »,**

« pi-plaît » pour **« s'il te plaît »,**

« pipaillon » pour **« papillon »,**

« chou-fleur » pour **« chauffeur »,**

« toggoban » pour **« toboggan »...**

Retrouver des moments heureux sans se laisser envahir par la nostalgie et les regrets de ce qui n'est plus, voilà l'un des aspects positifs d'une immersion dans nos souvenirs. Plus généralement, tout retour sur le passé n'a d'intérêt que s'il est réfléchi et positif. Bien souvent, cette démarche est motivée par la nécessité de ne pas reproduire les erreurs qui nous ont fait souffrir. Il est essentiel d'accepter de ne pas forcément tout comprendre, de ne pas se focaliser sur ce qui est passé et d'être toujours conscient du potentiel qu'offre le présent. Mais, si cette démarche n'entraîne ni mieux-être, ni perspective d'avenir, ni capacité à agir, il est préférable de ne pas s'y appesantir.

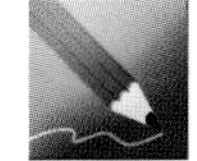

Êtes-vous cinéphile ?

Amateurs de cinéma, à vous de jouer. Voici une liste de films mythiques et les noms de leurs réalisateurs. Rendez son œuvre à chaque metteur en scène.

1. Apocalypse Now
2. Les Tontons flingueurs
3. Le Docteur Jivago
4. Quai des Brumes
5. La Dolce Vita
6. Autant en emporte le vent
7. E.T. l'extraterrestre
8. Fanfan la Tulipe
9. Rio Bravo
10. Citizen Kane
11. Certains l'aiment chaud
12. Le Dernier Métro
13. Les Quatre Cavaliers de l'Apocalypse
14. Moby Dick
15. Le Mépris
16. La Bête humaine
17. Le Voleur de bicyclette
18. Annie Hall
19. La Chevauchée fantastique
20. La Mort aux trousses

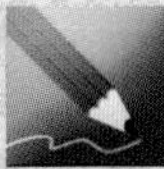

Chefs-d'œuvre perdus

Rendez à chaque peintre son œuvre.

Solution p. 3

1. Botticelli
2. Edgar Degas
3. Eugène Delacroix
4. Paul Gauguin
5. Théodore Géricault
6. Gustav Klimt
7. Georges de La Tour
8. Claude Monet
9. Pierre-Auguste Renoir
10. Henri de Toulouse-Lautrec
11. Léonard de Vinci
12. Jean Antoine Watteau

Ma mémoire et…
mon rythme de vie

Une bonne mémoire s'entretient en grande partie grâce à un rythme de vie régulier : un bon sommeil, trois repas par jour, une sieste si possible (ou un temps de repos quand cela est nécessaire). Ne pas se laisser bousculer dans ses activités par qui que ce soit et prendre le temps de réfléchir avant d'agir seront également bénéfiques. Pour savoir si votre rythme est le bon, vérifiez que vous n'êtes pas fatigué le matin, que votre humeur est à peu près égale et que votre poids ne varie pas trop.

A. Woody Allen
B. Marcel Carné
C. Christian-Jaque
D. Francis Ford Coppola
E. Vittorio De Sica
F. Federico Fellini
G. Victor Fleming
H. John Ford
I. Jean-Luc Godard
J. Howard Hawks
K. Alfred Hitchcock
L. John Huston
M. Georges Lautner
N. David Lean
O. Vincente Minnelli
P. Jean Renoir
Q. Steven Spielberg
R. François Truffaut
S. Orson Welles
T. Billy Wilder

Gilles ....
La Liberté guidant le peuple ....
D'où venons-nous ? Que sommes-nous ? Où allons-nous ? ....
Au Moulin-Rouge, la Goulue ....
Le Tricheur ....
Impression, soleil levant ....
Le Moulin de la Galette ....
L'Adoration des Mages ....
Le Baiser ....
La Naissance de Vénus ....
Le Radeau de la Méduse ....
Danseuses à la barre ....

Solution p. 342

D L'âge de la maturité, c'est aussi celui où l'on dispose enfin d'un peu de temps pour soi. Avec souvent le désir de retrouver une activité culturelle qu'un emploi du temps trop dense nous avait fait négliger, ou encore celui d'acquérir des compétences qui pour les mêmes raisons ne nous étaient pas accessibles. Cette soif de connaissances est caractéristique de cette période de la vie. On en voudra pour preuve l'afflux des personnes d'âge mûr à toutes les manifestations culturelles et dans les universités du troisième âge.

1.	**11.** ....
2.	**12.** ....
3.	**13.** ....
4.	**14.** ....
5.	**15.** ....
6.	**16.** ....
7.	**17.** ....
8.	**18.** ....
9.	**19.** ....
10.	**20.** ....

L'avancée en âge : répéter pour perpétuer

Si les anciens se répètent, c'est qu'ils ne se sentent pas vraiment écoutés.

Souvent, nous nous surprenons à dire à nos aînés, avec un certain agacement : « Tu nous as raconté cela cent fois ! » Mais ce que nous pensons être un repli régressif sur soi ou encore un manque d'ouverture à la vie répond en fait à un besoin fondamental : celui de s'inscrire dans un *continuum* personnel mais aussi collectif. Répéter, c'est s'inscrire dans une logique de partage, vouloir transmettre son expérience et sa vision de l'existence. C'est aussi un cheminement pour répondre à une question essentielle lorsque l'on l'avance en âge : « Quelle image de moi vais-je laisser après ma disparition ? » Par ailleurs, d'autres facteurs expliquent les répétitions fréquentes chez les plus de 70 ans, que l'on a souvent trop vite tendance à qualifier de « radoteurs ».

- **Fatigue ou inattention** conduisent parfois à répéter la même chose à son entourage, ce qui peut arriver à tout le monde.
- Certaines personnes âgées racontent fréquemment un épisode de leur vie qui les a profondément marquées ou choquées. Elles ont **besoin de dire et de redire le vécu de ce choc**, pour tenter d'apaiser leur souffrance.
- Répéter signifie parfois que l'on a le **sentiment de ne pas avoir été entendu.** La personne s'exprime alors jusqu'à ce qu'elle ait acquis la certitude que sa parole est prise en compte. D'autant que certaines familles ont un fonctionnement tel que le discours des individus qui la composent n'a que peu de valeur en soi. Si la parole est entendue, elle n'est pas pour autant reconnue. Il faudra alors répéter fréquemment pour se faire entendre. Ce sentiment se manifeste souvent à des moments de la vie où l'on perd de l'assurance et de la confiance en soi, au cours d'un épisode dépressif par exemple.
- Ce phénomène s'observe aussi au niveau de la société. La parole de l'ancien a perdu sa valeur, la sagesse que lui attribuaient les plus jeunes. Les discours importants sont ceux du jeune découvrant les plaisirs de la vie et de l'adulte socialement performant. **La personne âgée est confrontée à une série d'idées reçues :** « elle perd la mémoire », « elle radote ». Son discours n'ayant que peu de prise sur son entourage, elle aura en effet tendance à se répéter, s'exposant encore plus aux préjugés dont elle est victime. S'installe ainsi un cercle vicieux qui a pour effet de diviser les différentes générations et de les éloigner les unes des autres.

Alors que l'on peut encore apprendre à cette étape de la vie : non seulement les neurones créent de nouvelles connexions entre eux pour pallier la disparition de certains autres, mais on a prouvé récemment que de nouveaux neurones, issus de cellules souches à l'intérieur de l'hippocampe, pouvaient apparaître. Mais il faut pour cela qu'ils soient stimulés. **Le mot d'ordre est donc la stimulation !** Ce qui veut dire se confronter à la nouveauté, à la diversité, rechercher les situations d'apprentissage. Il faut être conscient que **la mémoire aura besoin de plus de concentration et d'attention,** qu'elle sera plus sensible aux interférences et qu'elle fonctionnera moins rapidement. Mais il est par exemple tout à fait possible d'apprendre une langue étrangère à un âge avancé !

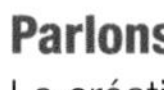

Parlons jeune !

La création de nouveaux mots enrichit notre langue et lui permet de rester vivante. Le langage des jeunes vient ainsi régulièrement s'intégrer à notre patrimoine linguistique. Le dictionnaire est d'ailleurs un indicateur de cette évolution. Mettez votre vocabulaire au goût du jour en devinant le sens des mots ou expressions suivants.

Chelou

Être à l'ouest

Mortel

Une nuit grave

C'est de la balle

Être à oualpé

Kiffer

Splitter

Ça arrache grave, ça tue

C'est un truc de ouf

Solution p. 342

Dites-le avec des fleurs...

La variété croissante des espèces a fait sombrer dans l'oubli le langage traditionnel des fleurs. Saurez-vous le retrouver ? Associez chacune de ces fleurs à ce qu'elle symbolise. Souvent, son apparence même permet de deviner ce qu'elle veut nous dire...

Fleur	Symbole	
1. Camélia	**Jalousie**	....
2. Colchique	**Constance**	....
3. Gentiane	**Épreuve**	....
4. Hortensia	**Amour et beauté**	....
5. Laurier	**Mépris**	....
6. Muguet	**Froideur**	....
7. Perce-neige	**Gloire**	....
8. Pivoine	**Confusion**	....
9. Rose	**Bonheur**	....

Solution p. 342

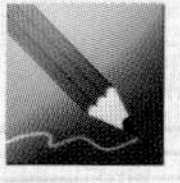

Qui chante quoi ?

La chanson française est riche de nombreux interprètes aux styles variés. Les plus grands titres et parfois même les paroles des chanteurs qui vous touchent restent dans votre mémoire. Rendez son morceau à chaque artiste.

Artiste	Titre	Réponse
1. Salvatore Adamo	**A. Nantes**	1. ....
2. Charles Aznavour	**B. Battling Joe**	2. ....
3. Barbara	**C. La Foule**	3. ....
4. Michel Berger	**D. Armstrong**	4. ....
5. Georges Brassens	**E. L'Opportuniste**	5. ....
6. Jacques Brel	**F. Les trompettes de la renommée**	6. ....
7. Christophe	**G. Le Jardin extraordinaire**	7. ....
8. Julien Clerc	**H. Orly**	8. ....
9. Dalida	**I. Si on chantait**	9. ....
10. Jacques Dutronc	**J. Ma cabane au Canada**	10. ....
11. Serge Gainsbourg	**K. Emmenez-moi**	11. ....
12. Zizi Jeanmaire	**L. Il venait d'avoir 18 ans**	12. ....
13. Yves Montand	**M. La Groupie du pianiste**	13. ....
14. Claude Nougaro	**N. Les loups sont entrés dans Paris**	14. ....
15. Édith Piaf	**O. Mon truc en plumes**	15. ....
16. Serge Reggiani	**P. Élisa**	16. ....
17. Line Renaud	**Q. Les Mots bleus**	17. ....
18. Charles Trenet	**R. Mes mains sur tes hanches**	18. ....

Solution p. 342

Mémoire et événements de vie

La mémoire ne fonctionne pas de manière isolée : c'est une fonction vitale d'échanges. Une relation forte et constante avec l'environnement est la condition clef d'une mémoire active. Lorsque survient une crise, les stimulateurs habituels de la mémoire ne jouent plus leur rôle. S'adapter à la situation, retisser les liens perdus avec ce qui nous entoure devient alors un préalable indispensable à un bon fonctionnement mnésique.

À chacun ses déclencheurs

Tout notre environnement matériel, des objets de la maison aux monuments qui nous entourent, est susceptible de nous rappeler les moments forts qui ont stimulé notre mémoire et généré des souvenirs. Prenez en main, par exemple, votre dernier cadeau d'anniversaire. Ne vous rappelle-t-il pas la personne qui vous l'a remis, ce que vous vous êtes dit, ce que vous avez ressenti… ?

Environnement et déclencheurs

Chaque moment intense de ma vie stimule ma mémoire et construit ma personnalité.

Tout au long de notre vie, nous sommes confrontés à de multiples environnements. Chacun d'entre eux – famille, entourage professionnel, vie locale, réseau d'amis et, plus largement, milieu socio-culturel – est le cadre d'événements importants et de rencontres marquantes, **moments forts de notre relation au monde** qui sont autant de stimulateurs nécessaires au fonctionnement de notre mémoire. Ce sont en quelque sorte les aliments nécessaires à l'élaboration des souvenirs, tout comme le glucose et l'oxygène sont indispensables à l'alimentation du cerveau. Ces **déclencheurs extérieurs** font partie intégrante de notre personnalité : ils ont contribué à nous construire. À cela il faut ajouter les **déclencheurs** dits **intérieurs ou subjectifs** : la curiosité, l'intérêt, le désir, la volonté, les projets, tout ce qui nous pousse à connaître, expérimenter, agir, impose de faire travailler sa mémoire.

Les déclencheurs extérieurs commencent à agir dès la petite enfance. Parler, être propre, se laver tout seul, manger correctement et bien se tenir à table, tous ces apprentissages ont été initiés puis stimulés par les parents et éducateurs afin de favoriser l'adaptation de l'enfant à la vie sociale.

L'école est ensuite un vecteur puissant de déclencheurs. L'environnement affectif, le cercle des connaissances s'élargit brusquement et considérablement, les situations d'apprentissage sont multiples et essentielles à la construction de la personnalité : règles organisant les relations entre enfants, qui influenceront par la suite leurs rapports aux autres ; gestion des premières émotions, voire des premières amours ; relation à l'autorité de l'enseignant, qui constituera souvent un modèle des rapports de l'adulte à l'autorité ; intégration des contraintes et des règles de la collectivité ; enfin, apprentissages scolaires eux-mêmes avec tout leur cortège d'évaluations et de compétitions, qui imprégneront les comportements dans la vie professionnelle.

Le rôle de déclencheur que constitue la **vie de famille**, celle dont on est issu comme celle que l'on fonde ensuite, est particulièrement évident. Tout ce qui a trait aux relations familiales déclenche d'autant plus de processus de mémorisation que les affects y sont très présents. Ce qui explique d'ailleurs que certains événements douloureux, occultés par l'environnement familial, soient à l'origine de non-dits engendrant de véritables trous de mémoire. Ces manques dans le *continuum* de l'histoire familiale peuvent plus tard provoquer chez l'un des membres de la famille une quête ardente de savoir ou s'exprimer sous la forme de symptômes psychosomatiques.

Mes premières photos

- Quel genre de bébé étais-je ?
- Comment se passaient les repas avec mes parents ?
  – Quels rites utilisaient-ils pour me faire manger (une cuillère pour maman, etc.) ?
  – Quelles règles de conduite énonçaient-ils le plus souvent (ne pas jouer avec la nourriture, ôter les coudes de la table…) ?
  Lors du repas, l'enfant est confronté à l'attente plus ou moins forte de ses parents et ce moment est parfois dramatisé. Pour certains, il tourne au bras de fer. Quoi qu'il en soit, ce moment de convivialité voit se jouer les relations familiales et reste gravé en mémoire.
- Comment se passait le coucher ?
  – Qui m'accompagnait pour aller au lit ?
  – Quelles comptines, poésies ou histoires me lisait-on à cette occasion ?
  – Avais-je peur d'un croquemitaine, d'un fantôme ou d'un quelconque personnage fantastique ?

Enfin, le **monde du travail** est un grand pourvoyeur de déclencheurs. La mémoire y utilise son « fonds de connaissances » tout en le mettant à jour par d'autres

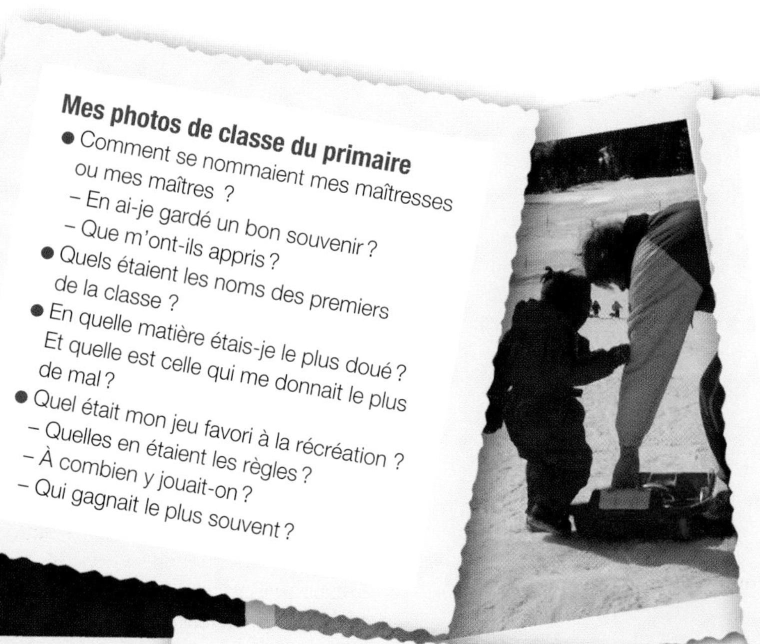

Mes photos de classe du primaire

- Comment se nommaient mes maîtresses ou mes maîtres ?
  - En ai-je gardé un bon souvenir ?
  - Que m'ont-ils appris ?
- Quels étaient les noms des premiers de la classe ?
- En quelle matière étais-je le plus doué ? Et quelle est celle qui me donnait le plus de mal ?
- Quel était mon jeu favori à la récréation ?
  - Quelles en étaient les règles ?
  - À combien y jouait-on ?
  - Qui gagnait le plus souvent ?

Mes photos de famille

- Où me suis-je marié ?
  - Où se trouvait la mairie ?
  - Quel était le nom du maire ?
  - Quel était le nom du prêtre ?
  - Qui étaient mes témoins ?
- Où se déroulait la fête ? Quels souvenirs ai-je gardés de cette journée ?
- Quel fut le premier mot de chacun de mes enfants ?
  - Quand et où l'a-t-il prononcé ?
  - À quelle personne l'ai-je d'abord relaté ?
- Quand ai-je changé de coupe de cheveux ?
  - Combien de fois ?
  - À quelle époque de ma vie ces différentes coiffures sont-elles associées ?

Mes documents importants

- Qui m'a donné ma première fiche de paie ?
  - Quelles étaient mes tâches ?
  - Qui étaient mes collègues ?
  - Quelles relations avais-je avec eux ?
- De quels organismes proviennent mes autres fiches de paie ? Quels souvenirs font-elles remonter ?
- Avec qui ai-je signé mon premier contrat de bail ? Ma première promesse de vente ?

acquisitions – nouvelles personnes, nouvelles techniques, nouveaux processus de travail. Dans cet univers instable, la résistance au changement n'est pas rare : abandonner des habitudes et des savoir-faire ne se fait pas sans une certaine répugnance, que décuple la peur de l'inconnu. Une attitude qui relève de la même paresse mnésique que celle qui nous fait emprunter les mêmes trajets, consommer les mêmes produits… Oublier nos acquis, en quelque sorte, tout en faisant l'effort d'apprendre en affrontant la nouveauté exige une grande énergie. La déstabilisation qui peut s'ensuivre, particulièrement pour ceux qui ne se sont pas méfiés de la routine, risque d'être à l'origine de certains troubles et de problèmes de mémoire.

Les monuments célèbres

En dix minutes, reliez chacune de ces villes à son monument.

Solution p. 342

1. Agra
2. Barcelone
3. Berlin
4. Copenhague
5. Florence
6. Istanbul
7. Lhassa
8. Londres
9. Paris
10. Pékin
11. Philadelphie
12. Saint-Pétersbourg
13. San Francisco
14. Varsovie
15. Venise

a. L'abbaye de Westminster
b. Le palais de l'Ermitage
c. La porte de Brandebourg
d. La Sagrada Familia
e. La colonne de Sigismond
f. Sainte-Sophie
g. La Sainte-Chapelle
h. La Petite Sirène
i. Independence Hall
j. Le Tadj Mahall
k. Le palais d'Été
l. Le Duomo
m. Le pont du Golden Gate
n. Le Potala
o. Le pont du Rialto

1. ....
2. ....
3. ....
4. ....
5. ....
6. ....
7. ....
8. ....
9. ....
10. ....
11. ....
12. ....
13. ....
14. ....
15. ....

La présence d'un monument célèbre, riche visuellement et porteur d'une histoire, joue souvent un rôle dans la mémorisation d'une ville tout entière. À divers moments de la vie, de la même manière, c'est souvent ce qui frappe ou sort de l'ordinaire qui fait entrer en mémoire ce qui est autour.

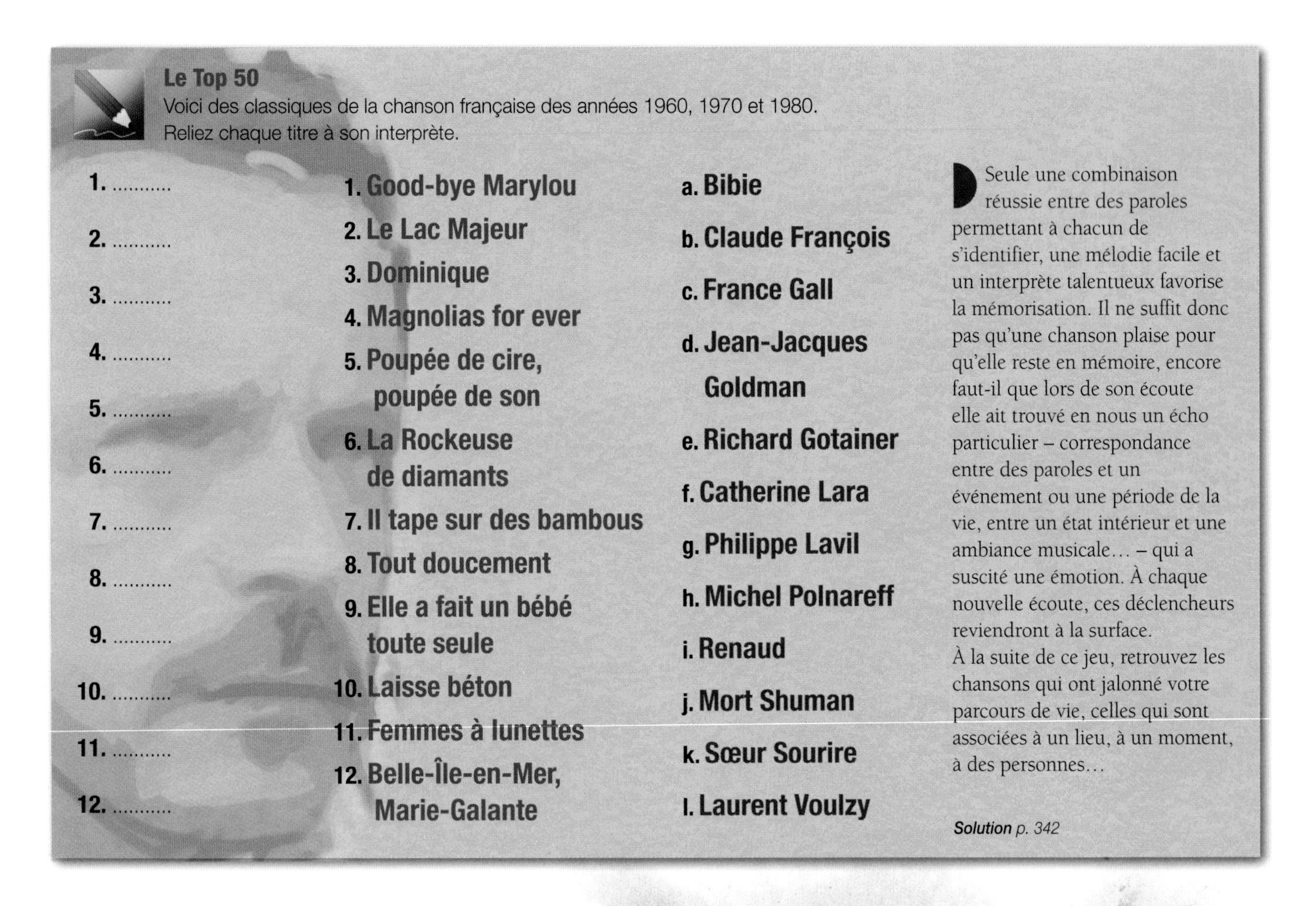

Le Top 50

Voici des classiques de la chanson française des années 1960, 1970 et 1980. Reliez chaque titre à son interprète.

1.	1. Good-bye Marylou	a. Bibie
2.	2. Le Lac Majeur	b. Claude François
3.	3. Dominique	c. France Gall
4.	4. Magnolias for ever	d. Jean-Jacques Goldman
5.	5. Poupée de cire, poupée de son	e. Richard Gotainer
6.	6. La Rockeuse de diamants	f. Catherine Lara
7.	7. Il tape sur des bambous	g. Philippe Lavil
8.	8. Tout doucement	h. Michel Polnareff
9.	9. Elle a fait un bébé toute seule	i. Renaud
10.	10. Laisse béton	j. Mort Shuman
11.	11. Femmes à lunettes	k. Sœur Sourire
12.	12. Belle-Île-en-Mer, Marie-Galante	l. Laurent Voulzy

Seule une combinaison réussie entre des paroles permettant à chacun de s'identifier, une mélodie facile et un interprète talentueux favorise la mémorisation. Il ne suffit donc pas qu'une chanson plaise pour qu'elle reste en mémoire, encore faut-il que lors de son écoute elle ait trouvé en nous un écho particulier – correspondance entre des paroles et un événement ou une période de la vie, entre un état intérieur et une ambiance musicale... – qui a suscité une émotion. À chaque nouvelle écoute, ces déclencheurs reviendront à la surface.
À la suite de ce jeu, retrouvez les chansons qui ont jalonné votre parcours de vie, celles qui sont associées à un lieu, à un moment, à des personnes...

Solution p. 342

Quand les déclencheurs ne jouent plus leur rôle

Lorsque la vie m'impose des changements difficiles à accepter, ma mémoire peut s'en ressentir.

À chaque étape de la vie, un équilibre se rompt pour évoluer vers quelque chose de nouveau, et l'appareil psychique va devoir effectuer un travail important pour trouver un autre équilibre. Qu'il s'agisse d'un nouveau travail, d'un déménagement, d'une naissance, d'un divorce ou encore d'un deuil, tous ces changements imposent de renoncer à un état antérieur pour s'adapter aux circonstances.

Les renoncements supplémentaires que doit accepter toute personne avançant en âge – perte de l'activité professionnelle, départ des enfants, décès des parents ou du conjoint, altération de la santé... – provoquent souvent des crises qui obligent à se resituer par rapport à soi-même et aux autres et affectent la mémoire. **C'est la rupture des équilibres acquis qui a des conséquences sur la mémoire et non l'avancée en âge.** Quand l'environnement change et que les repères sont perdus, la relation avec l'extérieur s'appauvrit et rien ne fait plus office de déclencheur. Les déclencheurs intérieurs sont également perturbés par la crise : fatigue, voire dépression entraînent absence de désir, de curiosité, de projet ; la personne est déconcentrée, dispersée, et sa mémoire sous-utilisée, sous-stimulée.

Ma mémoire et…
les programmes télé

Êtes-vous de ceux qui ne parviennent jamais à se souvenir d'un film ou d'une émission une semaine après l'avoir vu ? C'est probablement parce que vous vous laissez séduire par la variété des programmes et regardez trop la télévision. En France, un adulte consacre en moyenne quatre heures par jour à cette activité, soit la moitié de son temps libre. Le souvenir précis d'une émission est alors noyé dans un flot d'informations. La mémoire sélectionne spontanément les plus marquantes et laisse de côté les autres. Moins regarder la télévision est peut-être la solution pour se souvenir durablement d'un programme !

Le départ à la retraite illustre bien ce processus. Lorsque la mémoire n'est alimentée que par le monde du travail, à l'exclusion d'autres centres d'intérêt ou activités, ce changement de vie peut s'accompagner d'un passage à vide et de problèmes de mémoire. Cette dernière n'est en effet plus suffisamment nourrie, ni stimulée. La vraie difficulté ne sera pas tant de ne plus avoir la capacité de retenir que de savoir quoi retenir afin d'alimenter sa mémoire.

Pour les chômeurs, le problème est plus crucial encore. L'isolement, l'absence de stimulations et de projets, associés à une absence de reconnaissance sociale et une mauvaise image de soi-même, sont des facteurs importants de troubles mnésiques : que retenir ? Pourquoi ? Pour qui ?

Mémoire et vie relationnelle

Si je m'intéresse vraiment aux autres, j'alimente ma mémoire.

La mémoire est en bonne santé lorsqu'elle remplit sa fonction d'échange avec l'environnement, celui-ci venant l'alimenter et la stimuler. Le réseau relationnel est particulièrement important à cet égard.

Réfléchissez au vôtre en vous aidant de ce tableau. Qui vous entoure ? Et dans quel contexte ? Prenez le temps de laisser venir vos idées, quitte à retourner plusieurs fois au tableau.

Pour mieux visualiser l'évolution éventuelle de vos relations, utilisez une couleur pour chaque nom susceptible de se retrouver dans plusieurs rubriques. La personne rencontrée dans un contexte professionnel apparaîtra par exemple aussi dans la rubrique Amis.

Travail
Vie quotidienne (voisins, commerçants…)
Amis
Famille
Monde associatif (culturel, sportif…)
Autres

Vous avez sûrement constaté que votre réseau relationnel était plus étendu que vous ne le pensiez. Mais les relations fondées sur de profondes affinités et entretenues durant de longues années ne sont pas forcément légion et avoir un grand nombre de « connaissances » ne suffit pas toujours à atténuer un sentiment de solitude. Ce ressenti, propre à chacun, est tout à fait respectable. On peut cependant s'interroger sur la différence entre sentiment de solitude et solitude réelle. **Nous ne sommes jamais réellement seuls,** à moins de vivre sur une île déserte. En revanche, **nous ne sommes pas toujours capables de rendre vivantes les relations** encore à l'état d'ébauche ou considérées comme superficielles. Sommes-nous vraiment curieux de l'autre, cherchons-nous vraiment à rencontrer la personne au-delà de ce qu'elle donne à voir d'elle-même ? Dans ce domaine, la curiosité n'est pas un vilain défaut ! C'est elle qui nous pousse à aller vers l'autre, c'est elle qui alimente nos déclencheurs. Car nous avons tous un gisement de relations susceptibles de nous conduire à des rencontres véritables, sources d'un enrichissement personnel et d'acquisitions pour la mémoire.

Maison de famille

Descendez les étages de la maison pour comprendre la composition de cette famille et répondez aux questions qui suivent.

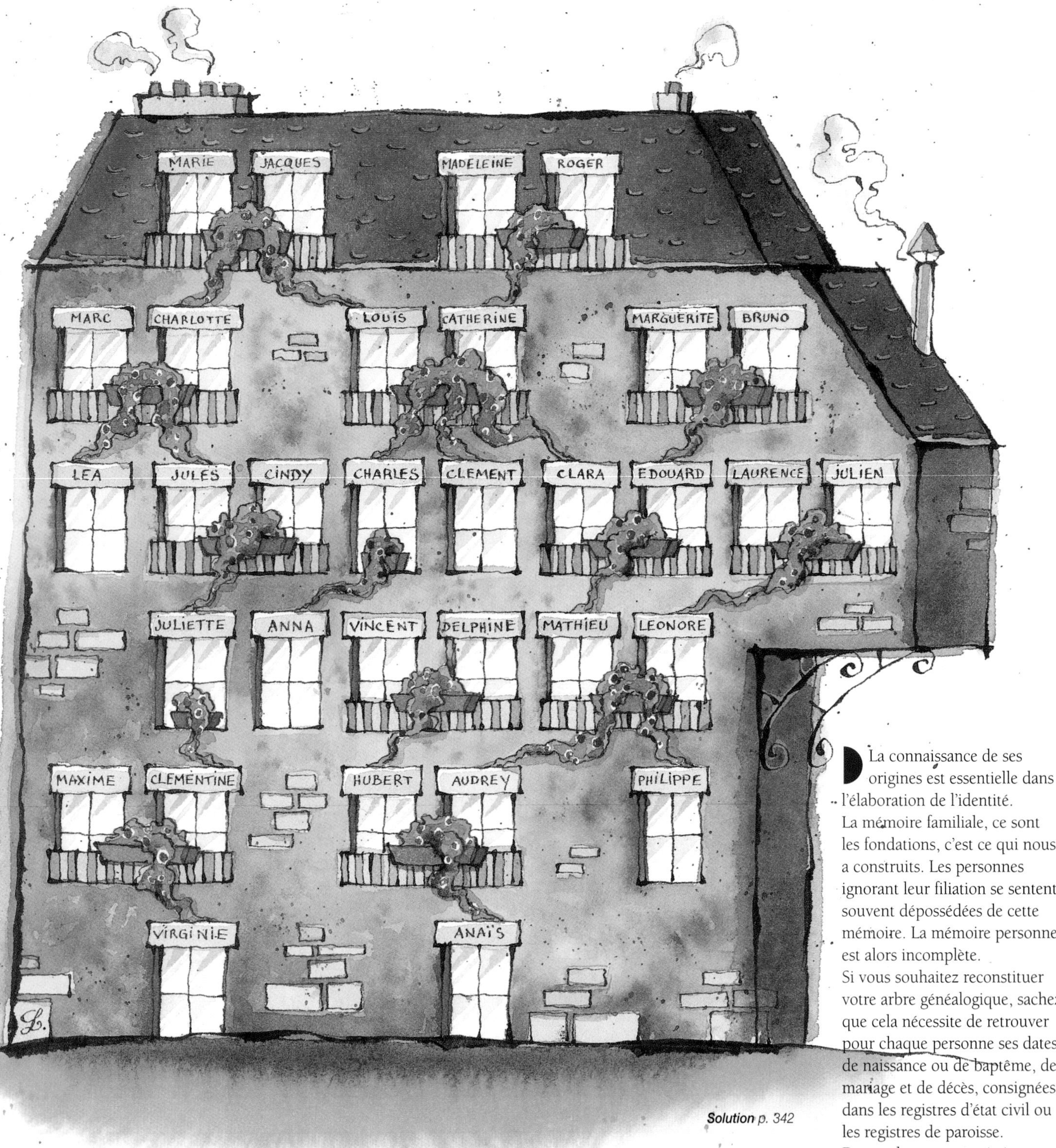

La connaissance de ses origines est essentielle dans l'élaboration de l'identité. La mémoire familiale, ce sont les fondations, c'est ce qui nous a construits. Les personnes ignorant leur filiation se sentent souvent dépossédées de cette mémoire. La mémoire personnelle est alors incomplète. Si vous souhaitez reconstituer votre arbre généalogique, sachez que cela nécessite de retrouver pour chaque personne ses dates de naissance ou de baptême, de mariage et de décès, consignées dans les registres d'état civil ou les registres de paroisse. De nombreuses associations et publications se proposent d'aider dans ces recherches. Naturellement, la présence dans une famille de nationalités différentes complique considérablement la tâche !

Solution p. 342

1. Qui est Clara pour Anaïs ?……………………………………………………
2. Qui a le plus de descendants ?…………………………………………………
3. Quelle est la génération qui a engendré le plus d'enfants ?…………………
4. Tous les membres de cette famille ont un second prénom, celui d'un de leurs grands-pères ou grands-mères. Quels sont les seconds prénoms possibles d'Audrey, Clément et Anaïs ? …………………………
5. Quels sont les arrière-petits-enfants de Louis ?………………………

Les mots de la famille
Connaissez-vous le vocabulaire ayant trait aux liens de parenté ? Pour chacun des ces mots, écrivez votre définition. Si vous jouez à plusieurs, le gagnant sera celui dont la définition se rapproche le plus du sens exact.

Germains

Trézains

Cognat

Polyandrie

Douaire

Affinité

Consanguins

Mariage mixte

Agnat

Utérins

Solution p. 342

Étoffer son réseau social

Le maillage relationnel que l'on tisse autour de soi, parfois sans s'en rendre compte, peut être étoffé, amélioré aussi bien en qualité qu'en quantité. Toute nouvelle activité, quelle qu'elle soit, représente un potentiel de communication et d'échanges susceptible d'atténuer un sentiment de solitude. Le milieu associatif est intéressant à cet égard. C'est un vivier de nouvelles rencontres et autant d'occasions de fournir à votre mémoire l'alimentation extérieure dont elle a besoin.

Ma mémoire et... la retraite

Entre la période de la retraite et la mémoire, le mariage n'est pas toujours heureux. L'adaptation à ce changement de vie, et de rythme, n'est pas toujours facile. Certains s'installent dans une inactivité physique et mnésique et d'autres tombent au contraire dans une étrange hyperactivité. Quelle que soit votre façon de vivre, sachez que la mémoire a besoin d'un rythme de vie régulier et d'une organisation tout aussi claire que celle qu'elle possédait pendant la vie active. Tout excès en ce domaine la déstabilise.

- **Les associations caritatives ou militantes** peuvent ainsi favoriser la création de liens d'une certaine profondeur avec des personnes dont on partage les aspirations ou les idéaux. Il ne faut cependant pas oublier que ces groupes attendent surtout du dévouement de leurs membres bénévoles, qui doivent avant tout faire don de leur temps et de leur énergie pour une cause commune. Ce serait faire fausse route que d'en attendre uniquement échanges et rencontres.
- **Les clubs sportifs et les centres culturels** ont pour objet de fédérer des personnes partageant les mêmes intérêts. Il y sera aisé de trouver des sujets de conversation et, la curiosité aidant, de nouer des liens plus étroits, voire de véritables amitiés.

Vos centres d'intérêt
Inscrivez en bleu vos activités, en rouge celles que vous aimeriez pratiquer sans avoir encore sauté le pas, en vert celles que vous avez abandonnées. Interrogez-vous sur vos désirs profonds – souhaitez-vous vraiment faire partie d'un groupe, par exemple ?

Activités artisanales ou artistiques

Activités sportives

Activités militantes

Activités ludiques

Activités culturelles

Ce tableau vous permet de visualiser à la fois vos centres d'intérêt et votre capacité ou facilité à les mettre en œuvre. Comment faire pour développer votre potentiel d'activité et faire en sorte que les couleurs rouge et verte soient moins présentes ? Tournez-vous d'abord vers la mairie de votre commune, qui vous fournira les coordonnées des différentes activités possibles sur le plan local. Internet est également un outil rapide pour vous informer. Si vous souhaitez pratiquer un sport, par exemple, vous y trouverez les adresses de la plupart des clubs de votre région.

Mémoire, stress et anxiété

La vie de chacun d'entre nous est jalonnée de crises et il faut sans cesse s'adapter à de nouveaux changements, source de stress et d'anxiété, voire de moments dépressifs. Nos capacités de mémorisation s'en trouvent toujours altérées. Il est donc important d'apprendre à gérer son stress et à se relaxer.

Tests Comment gérez-vous le stress ?

Ce questionnaire a pour but de vous permettre de cerner vos comportements dans les situations génératrices de stress. Pour chacune des questions, choisissez la réponse qui vous correspond le mieux.

1. Lorsque vous êtes critiqué sur votre lieu de travail, quelle attitude adoptez-vous généralement ?

a. Vous répondez par la froideur. ☐
b. Vous vous mettez en colère. ☐
c. Vous répondez calmement aux critiques. ☐

2. Vous souhaitez acheter une maison, comment vous organisez-vous ?

a. Vous entamez des démarches lorsqu'une opportunité se présente dans votre emploi du temps. ☐
b. Vous vous précipitez pour faire des visites en vous débrouillant pour les caser dans votre emploi du temps. ☐
c. Vous planifiez vos démarches sur le mois – rendez-vous avec des agences, appel des particuliers, visites – sans surcharger vos journées. ☐

3. Vous vous retrouvez dans une situation difficile sur le plan affectif, comment réagissez-vous ?

a. Vous avez l'impression d'être dans une impasse et vous ne savez comment en sortir. ☐
b. Vous exprimez vos sentiments sans prendre aucune précaution. ☐
c. Vous prenez la situation avec humour et essayez de dédramatiser. ☐

4. Chez vous, le matin, vous préférez...

a. Vous lever très tôt pour ne pas risquer d'être en retard, quitte à être en avance. ☐
b. Attendre le dernier moment pour vous lever et déjeuner rapidement. ☐
c. Vous donner suffisamment de temps pour vous réveiller et prendre votre petit déjeuner tranquillement. ☐

5. Des personnes de votre entourage proposent de vous aider à effectuer une tâche, qu'en pensez-vous ?

a. Vous préférez vous débrouiller seul et ne pas déranger. ☐
b. Vous considérez que, si vous ne le faites pas vous-même, ce sera moins bien fait. ☐
c. Vous acceptez que chacun vous aide à sa manière, même si le résultat est imparfait. ☐

6. Dans votre travail, vous êtes plutôt...

a. Ultraperfectionniste. ☐
b. Insatisfait. ☐
c. Quelqu'un qui tente de faire au mieux avec les moyens du bord. ☐

7. Vous avez un passage à vide...

a. Vous vous repliez sur vous-même. ☐
b. Vous avez tendance à être plus agressif avec votre entourage. ☐
c. Vous en parlez avec des gens de confiance et tenez compte de leur réaction. ☐

Comptez vos a, b et c.

Vous avez un maximum de a

Vous faites partie des gens qui ne veulent pas déranger les autres et préfèrent tout assumer seuls, même au prix d'une fatigue psychologique importante. Vous êtes dans le « toujours plus, toujours mieux », sans même parfois vous en rendre compte. Peut-être pourriez-vous essayer d'être plus indulgent avec vous-même, de faire confiance aux gens qui vous entourent, plutôt que de vouloir tout contrôler.

Vous avez un maximum de b

Vous vivez à cent à l'heure et, face à des situations périlleuses, vous avez tendance à foncer tête baissée. Les résultats sont parfois heureux mais peuvent aussi se révéler catastrophiques. Essayez de vous économiser en vous donnant du temps pour réfléchir. Vous avez beaucoup de cordes à votre arc, profitez-en et détendez-vous !

Vous avez un maximum de c

Vous faites partie des gens qui prennent du recul et s'accordent du temps pour peser le pour et le contre. Vous essayez d'influencer positivement le cours des choses. On aimerait vous avoir pour collaborateur.

Bon et mauvais stress

Stressé ? Un peu, pas de problèmes…
Beaucoup, bonjour les dégats !

Le mot stress a envahi notre vocabulaire et connaît une grande médiatisation, à travers des expressions courantes comme « le stress de la vie moderne » ou encore « le stress au travail ». Mais qu'est-ce réellement que le stress ?

Selon l'acception courante, le stress définit toute agression ressentie comme telle. En réalité, il s'agit de la **réaction d'adaptation de l'organisme à tout changement**, de quelque nature qu'il soit. Changer de travail est un stress, changer de rythme de vie en est un autre, mais aussi changer d'alimentation, d'environnement… Une émotion forte, positive ou négative, est également un stress.

L'état de stress en soi n'est donc pas mauvais – c'est un signal d'alarme envoyé par l'organisme, qui cherche à s'adapter à une situation –, si tant est que nous trouvions rapidement les réponses adaptées. On parle alors de bon stress. C'est une information nécessaire, qu'il faut respecter, un peu comme la douleur qui protège notre intégrité physique. Sur le plan physiologique, cette phase d'alarme se traduit par une libération d'adrénaline et de noradrénaline fournissant l'énergie nécessaire à la recherche d'une solution adéquate. **Le bon stress est un stimulant.**

Lorsque la situation à l'origine du stress se poursuit ou se répète à intervalles réguliers, l'organisme s'adapte par la libération de cortisone – c'est une phase dite de résistance –, mais il arrive aussi qu'il soit submergé et réponde par un ralentissement du métabolisme général. Lors de cette phase, dite d'épuisement, l'organisme devient vulnérable, ce qui se manifeste par une extrême sensibilité et une baisse de l'immunité. **C'est la répétition dans le temps qui est nocive** : on parle alors de mauvais stress.

L'état de stress peut s'exprimer par des symptômes biologiques assez invalidants : perte de qualité du sommeil, tachycardie, difficulté à respirer, maux de ventre… Il peut aussi se traduire par des troubles du comportement tels que l'irritabilité, l'inattention, l'inappétence ou, au contraire, la boulimie, le tabagisme, l'onychophagie (tendance à se ronger les ongles)…

Avez-vous des tendances anxieuses ou dépressives ?

Certains états d'esprit, ou comportements, trahissent des tendances anxieuses ou dépressives, susceptibles de retentir sur vos capacités de mémorisation. Ce questionnaire peut vous aider à les identifier. Mettez une croix dans la colonne correspondant à ce que vous ressentez ou avez pu ressentir ces derniers temps. Répondez aussi spontanément que possible.

	OUI	PARFOIS	NON
1. Je me sens sans énergie.			
2. Il m'arrive souvent de m'ennuyer.			
3. J'ai peur que survienne quelque chose de grave.			
4. Je me sens inutile.			
5. J'ai l'impression que ma mémoire est moins bonne que celle de mes amis.			
6. Je ne suis pas satisfait de la vie que je mène actuellement.			
7. Je me fais du souci pour des petits riens.			
8. J'ai des difficultés à rester détendu.			
9. Je prends peu de plaisir aux sorties et rencontres.			
10. J'ai des sensations de panique inexpliquées.			
11. Je suis souvent d'une humeur maussade.			
12. J'ai peu d'appétit.			
13. Je suis tourmenté par les choses du passé.			
14. J'ai des difficultés à me mettre en route le matin.			
15. Un rien me bouleverse.			
Total des points obtenus :			

Vous avez une majorité de NON
Vous ne faites pas partie des personnes dont on peut dire qu'elles présentent un syndrome anxiodépressif. Vous savez éviter l'isolement et rester dynamique. Lorsque vous êtes en difficulté, vous savez prendre le taureau par les cornes, ce qui est un bon rempart contre la dépression.

Vous avez répondu OUI ou PARFOIS aux questions n° 3-7-8-10-15
Vous êtes anxieux, soit parce que vous traversez un épisode difficile, soit parce que c'est votre nature profonde. Quoi qu'il en soit, il faut apprendre à vous détendre. L'anxiété est génératrice d'inhibition, qui altère la mémoire, voire empêche le bon déroulement de l'encodage et de la récupération des informations. N'hésitez pas à consulter.

Vous avez répondu par une majorité de OUI ou de PARFOIS aux autres questions
Vous êtes peut-être en train de traverser un épisode dépressif, dont l'origine peut être organique et/ou psychologique. Il est important d'en parler avec un médecin : il pourra vous proposer un traitement pharmacologique et vous orienter vers un psychologue, qui vous soutiendra dans cette période difficile. Ne négligez pas ce passage à vide, votre corps et votre psychisme ont besoin d'aide pour récupérer de l'énergie et faire face aux difficultés. Évitez de rester isolé, faites le tri dans vos obligations et éliminez-en certaines sans culpabiliser, choisissez des activités qui vous font plaisir.

À vos allumettes !

Procurez-vous une boîte d'allumettes standard ou, encore mieux, pour cheminée (plus elles sont longues, plus la manipulation et la visualisation sont faciles).

Échauffez-vous : à l'aide de 12 allumettes, composez la figure ci-dessous : 5 carrés – 1 grand et 4 petits.

Première étape
Munissez-vous d'un minuteur. Vous avez cinq minutes pour réussir les deux premières figures.

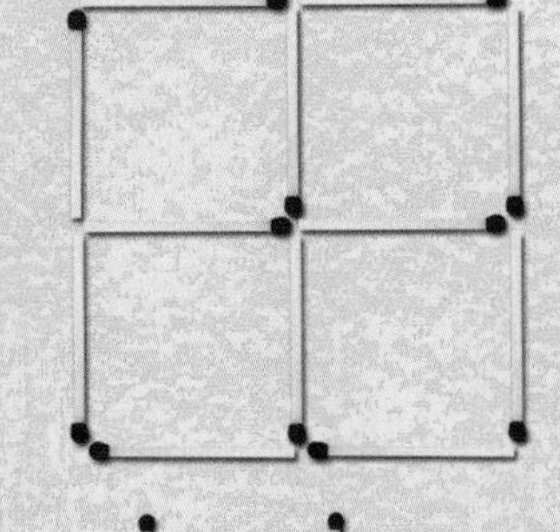

1. Ôtez 2 allumettes afin d'obtenir 2 carrés.
2. Déplacez 4 allumettes pour former 10 carrés (les allumettes peuvent se croiser).

Deuxième étape
Prenez maintenant le temps nécessaire pour réaliser les deux autres figures.

1. Utilisez vos 12 allumettes pour construire la forme de départ ci-contre. Puis déplacez 3 allumettes pour former 3 carrés.
2. Construisez la figure ci-dessous avec 16 allumettes, puis déplacez 2 allumettes pour former 4 carrés.

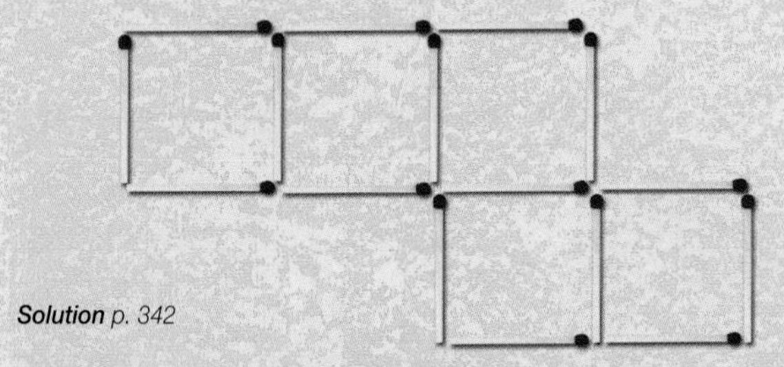

Solution p. 342

Toute activité comportant une contrainte de temps est une source de stress, même un jeu ! La perspective de l'échéance pénalise en effet la capacité d'attention et donc la performance, d'autant qu'elle peut provoquer des sensations physiologiques – sueur, palpitations, etc. – qui se cumulent avec la perturbation de l'attention.
Pour se concentrer efficacement dans un tel contexte, il importe d'abord de ne pas se laisser distraire par le minuteur, puis de ne pas faire de la réussite un enjeu personnel. Jouer pour jouer, dans un état d'esprit positif, permet de prendre son temps sans laisser trop monter le stress, qui remplit alors son rôle de stimulant sans altérer les capacités d'organisation. Le casse-tête classique que constitue le jeu des allumettes est un bon moyen de travailler sa réflexion et sa concentration. N'hésitez pas à repartir du point de départ et à multiplier les essais : c'est la seule méthode payante.

Quand la mémoire est perturbée

Quand je suis pressé par le temps, ému ou anxieux, ma mémoire me lâche.

Les émotions engendrées par l'état de stress pénalisent d'abord les capacités d'attention et de concentration, indispensables dans tout acte de mémoire. Focalisés sur un élément perturbateur, nous nous déconnectons des informations à retenir. Dans 70 à 80 % des cas, les oublis sont dus à un problème de perception ou d'attention. Mais, si les effets du stress sont manifestes lors de la mise en mémoire, ils sont tout aussi gênants dans le processus de restitution : **les émotions jouent le rôle de parasites, l'urgence bloque la mémoire.** Qui n'a pas été sujet au trac lors d'une intervention en public ? Les comédiens connaissent bien cette sensation de ne plus rien savoir avant de monter sur scène. La peur de ne pas se rappeler est un stress suffisamment puissant pour paralyser totalement, mais momentanément, tous les circuits mnésiques. Il suffit alors d'initier le processus, de relancer la machine en commençant à parler pour que le trac disparaisse et que l'appareil mnésique retrouve son fonctionnement normal.

L'anxiété, l'un des corollaires du stress, **perturbe également les circuits de la mémoire :** on ne parvient pas à vivre dans le présent, le cerveau fonctionne par anticipation en imaginant l'avenir de façon négative – « et s'il arrive cela, que va-t-il se passer ? » Penser ainsi au futur déconnecte de l'environnement et empêche d'intégrer de nouvelles informations.

Plus généralement, **toute baisse de moral a un retentissement sur la mémoire.** Tout simplement parce que tout épisode dépressif est d'abord une baisse d'élan vital et que mémoriser – être attentif, concentré, construire des associations, des images mentales, puis encore consolider l'information, la répéter… – exige beaucoup d'énergie. D'où des difficultés d'attention et de concentration, donc de mémorisation. C'est pourquoi il ne faut pas traiter ces moments à la légère, faire fi des « il faut prendre sur soi » et autres conseils moralisateurs et ne pas hésiter à se faire aider afin de retrouver l'énergie nécessaire pour faire face. Des traitements efficaces existent aujourd'hui, basés sur un accompagnement psychologique et/ou des médicaments antidépresseurs.

Le dictionnaire

En huit minutes, trouvez 5 mots commençant par CY, SY, GEN, EQUE et HAR.

Solution p. 343

CY................	SY................	GEN................
CY................	SY................	GEN................
CY................	SY................	GEN................
CY................	SY................	GEN................
CY................	SY................	GEN................

Gérer son stress

- **Identifier ses sources de stress** et se demander quelles sont celles que l'on peut éviter.
- **Apprendre à se préserver** (ne pas tout prendre en charge, accepter de se faire aider ...).
- **Se contraindre à prendre du recul,** à ne pas réagir sans réfléchir, éviter un mode de fonctionnement passionnel. Quelle que soit la tâche à réaliser, c'est la façon dont on aborde les choses qui déclenche l'apparition ou non d'un état de stress.
- **Ne pas garder ses soucis pour soi,** se confier à des tiers dont on connaît l'attitude bienveillante et positive.
- **Apprendre à prendre soin de soi,** à se faire plaisir, à s'offrir des plages de détente (soins de beauté, sorties, etc.).
- **Faire des activités qui déchargent l'agressivité, procurent du plaisir et redynamisent l'organisme :** celles où le corps est en mouvement (danse, tai-chi, sport....) sont le plus appropriées.
- **Apprendre à se relaxer,** autant pour reposer son esprit que son corps (yoga, relaxation, sieste...).

Les jeux de l'esprit ont un effet relaxant s'ils permettent une détente corporelle et une perte de la notion du temps. Ceux où la création manuelle prédomine sont une façon de détourner le stress. Attention, les jeux vidéo sont souvent plus stressants que relaxants !

Quant aux jeux de groupe, ils doivent être une source de bien-être et induire des moments de rire et de partage, sans contrainte de temps, sans challenge ni esprit de compétition. Lorsque le corps y est mis en œuvre, il vaut mieux que les partenaires soient des familiers pour éviter toute gêne. Prenez dans tous les cas des jeux qui peuvent s'interrompre facilement et être repris ultérieurement.

Ma mémoire et... les visages

Pourriez-vous décrire précisément le visage d'un de vos voisins ou collègues pour qu'on en dresse un portrait-robot ? Ce n'est pas si facile. Car nous avons en général des difficultés à porter une attention précise aux caractéristiques physiques. Être physionomiste est une aptitude mnésique qui se travaille. Exercez-vous avec des amis : tournez-vous le dos et décrivez en détail, de mémoire, les visages de chacun à tour de rôle – couleur des yeux, des cheveux, de la peau, forme du nez, de la bouche, taille du front, proportions des différentes parties, etc. Cela vous incitera à prêter un peu plus attention aux visages que vous côtoyez régulièrement.

EQUE.................	HAR.................
EQUE.................	HAR.................
EQUE.................	HAR.................
EQUE.................	HAR.................
EQUE.................	HAR.................

La contrainte de temps, et le stress qui en découle, vous a sans doute empêché de retrouver rapidement les mots demandés.

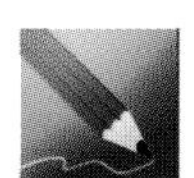

À vos plumes

Dans ces deux dialogues, un seul personnage s'exprime. Faites parler le second à votre convenance de façon à créer deux scènes de théâtre cohérentes.

1. Dispute

Jeanne : Pourquoi as-tu coupé les roses du jardin ?
Jules :...
Jeanne : Mais, bougre d'imbécile, ce n'est pas aujourd'hui !
Jules : ....
Jeanne : Le jour où tu te souviendras de quelque chose, les poules auront des dents !
Jules : ....
Jeanne : Mais non, je n'exagère pas ! Si tu achetais un agenda, tu oublierais moins souvent !
Jules : ....
Jeanne : C'est encore à moi d'offrir ? Mais quel radin ! Vous appelez ça un mari !!!

2. Souvenir

Jules : Sais-tu quel jour nous sommes aujourd'hui ?
Jeanne : ....
Jules : Ça, je sais, mais quoi d'autre ?
Jeanne : ....
Jules : Mais tu ne te souviens déjà plus ? Que t'inspire ce jour ?
Jeanne : ....
Jules : Je suis très déçu.
Jeanne : ....
Jules : Je suis bien le seul à me souvenir, alors ?
Jeanne : ....
Jules : Eh bien, après tout ce que tu m'as dit, je crois que tu devrais toi aussi t'inquiéter !

L'écriture permet de se libérer de ses émotions et d'apaiser ses tensions. Particulièrement lorsque l'on peut se projeter dans un personnage. Bon nombre d'écrivains évacuent ainsi le stress et l'anxiété de leur vécu.

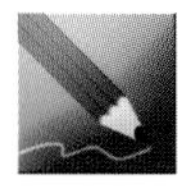

Sur un air d'opéra

Redonnez à chaque compositeur le titre de son œuvre.

1. Mozart	a. Parsifal	1. ....
2. Verdi	b. Carmen	2. ....
3. Rossini	c. Les Noces de Figaro	3. ....
4. Bizet	d. La Tosca	4. ....
5. Puccini	e. Aïda	5. ....
6. Wagner	f. Le Barbier de Séville	6. ....
7. Offenbach	g. Orphée aux Enfers	7. ....
8. Berlioz	h. Fidelio	8. ....
9. Beethoven	i. Don Quichotte	9. ....
10. Massenet	j. La Damnation de Faust	10. ....

Solution p. 343

La musique est un moyen classique de se détendre et de se calmer. La musique classique, le blues, le jazz aident à la relaxation et favorisent l'endormissement. Apprenez à écouter à un volume très bas pour ne pas agresser votre tympan et ne pas stimuler les neurones de cette zone. Réécoutez les airs dont les effets apaisants vous ont été bénéfiques : vous créerez ainsi une sorte de conditionnement musical relaxant particulièrement efficace.

Le calme par les plantes

Retrouvez le nom des 7 plantes antistress dont les lettres ont été mélangées.

1. AEVNREIAL
2. LILELUT
3. LISESEM
4. STILPERMUILE
5. FRIPOSASLE
6. NHOLOBU
7. GLREUR D'OFRANE

1. ....
2. ....
3. ....
4. ....
5. ....
6. ....
7. ....

Nous avons souvent oublié les véritables propriétés des plantes. Herboristes et phytothérapeutes s'emploient à faire connaître leurs vertus, et ce avec d'autant plus de succès que les médicaments allopathiques traditionnellement prescrits pour traiter les états de stress et d'anxiété ne sont pas anodins. Bien que les bienfaits des plantes ne soient plus à démontrer, sachez néanmoins qu'elles ne sont pas toujours la panacée.

Solution p. 343

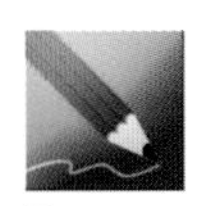

Les mots des états d'âme

Cette petite histoire loufoque cache les mots clefs composant quatre expressions qualifiant des états d'âme. Pouvez-vous les retrouver ?

Léo, un poisson vêtu de chaussettes,
sortit de l'onde par grande tempête.
En butant sur un crâne, il perdit la mémoire.
Son amie l'araignée en fut fort marrie.
Il est heureux que Léo ait gardé le moral :
il a entrepris de repeindre son plafond !

Solution p. 343

Il est parfois difficile d'avouer ses états d'âme ou ses inquiétudes à autrui. Et il est rare d'entendre autre chose que « Bien, merci » en réponse à la traditionnelle salutation « Bonjour, comment ça va ? »... Souvent, l'emploi d'expressions ou de proverbes – dont la langue française est fort riche – qui dévoilent nos « états intérieurs » permet de ne pas trop se livrer.

Ma mémoire et ... mes drogues

L'être humain a de tout temps utilisé des substituts pour se stimuler ou, au contraire, se détendre. Chaque époque a connu « sa drogue », aucun peuple n'a été épargné. Si une consommation raisonnable d'alcool, de tabac, de café... n'a aucun effet sur la mémoire, des troubles peuvent en revanche apparaître en cas d'excès sur une longue période. Troubles de la mémoire, mais aussi troubles neurologiques menacent tout consommateur non modéré.

Les bienfaits de la relaxation

La relaxation est une méthode d'autosuggestion dans laquelle on fixe son attention sur les sensations venant du corps. Cette focalisation particulière, qui permet de calmer le flux incessant des images mentales et d'évacuer les pensées négatives, induit un état de détente. Et surtout, la pratique régulière de la relaxation entraîne l'attention à se maintenir sur l'instant présent : dans la vie quotidienne, cette attitude mentale favorise le calme, la concentration et la disponibilité, ingrédients indispensables d'un bon fonctionnement mnésique.

Relaxation assise

1. Installez-vous confortablement sur une chaise et veillez à porter des vêtements amples. Les jambes sont écartées, les pieds – nus ou vêtus de chaussettes – sont à plat sur le sol, le bassin est légèrement basculé en avant, le dos est redressé et calé contre le dossier, la tête est positionnée dans l'axe du haut de la colonne vertébrale. Les mains reposent sur les cuisses, paumes légèrement tournées vers le haut.

2. Prenez le temps de regarder ce qui vous entoure, puis fermez les yeux.

3. Yeux fermés, visualisez le décor, prêtez attention aux bruits qui vous environnent, s'il y en a, pour les intégrer à ce moment de relaxation.

4. Écoutez les sensations qui viennent de votre corps. Y a-t-il des tensions ? Essayez de les localiser. Puis écoutez le rythme de votre respiration : est-il rapide ? calme ?

5. Portez ensuite votre attention sur les points d'appui de votre corps sur la chaise – cuisses, fesses, dos – et au sol : sentez toute la surface de vos pieds. Autorisez votre corps à se laisser aller, à s'appesantir sur ces points d'appui et de sécurité, comme s'il voulait occuper plus d'espace sur la chaise. Relâchez tous vos muscles en portant successivement votre attention sur les zones suivantes : front, yeux, joues, mâchoire inférieure, cuir chevelu, cou, épaules, bras, mains, bout des doigts. Laissez la détente envahir, comme une vague, dos, torse, ventre, ensemble du bassin, fesses, cuisses, jusqu'aux pieds. Prenez le temps de ressentir et d'accueillir les nouvelles sensations apparues.

6. Portez maintenant votre attention sur votre respiration et commencez à la rendre plus ample et plus lente. À chaque inspiration, laissez l'air entrer profondément et imaginez qu'il descend jusqu'au bas-ventre, puis expirez comme si vous vidiez l'air depuis cette zone. Faites cette respiration 6 ou 7 fois, puis revenez à une respiration plus normale. Prenez le temps de ressentir et d'accueillir les nouvelles sensations apparues.

7. Dans cet état de relaxation, laissez venir à votre esprit une image de calme, de sérénité. Visualisez-en les détails – couleurs, lumières, bruits. Prenez le temps de profiter de cette image et des sensations qui l'accompagnent.

8. Quand vous le déciderez, laissez cette image s'estomper doucement, puis portez à nouveau votre attention sur les sensations qui viennent de votre corps. Visualisez les éléments du décor qui vous entoure. Dynamisez votre respiration, puis commencez à bouger lentement les extrémités des pieds, des mains, la tête et enfin les autres muscles. Étirez-vous comme si vous veniez de vous réveiller. Enfin, ouvrez les yeux.

Ma mémoire et... le rire

Le rire comme médicament du bien-être, c'est ce que prônent les pratiquants de la thérapie du rire, qui pensent aussi que la mémoire serait plus en forme après une bonne séance de rire. Il est en effet incontestable que le rire est un moyen de libérer les tensions, de réguler le souffle, et qu'il favorise une détente psychique et corporelle. Il constitue également un dérivatif à la souffrance mentale et physique et procure un apaisement durable. La mémoire bénéficie certainement de tous ces bienfaits !

Respiration pour oxygéner le cerveau

- Relaxez-vous selon les consignes données plus haut pour la relaxation assise.
- Lorsque vous êtes parvenu au stade de la respiration plus ample et plus lente (6), à chaque inspiration, imaginez que l'air frais entre par votre narine droite, passe par l'hémisphère cérébral droit, se réchauffe en passant dans l'hémisphère gauche, puis ressort plus chaud par la narine gauche.

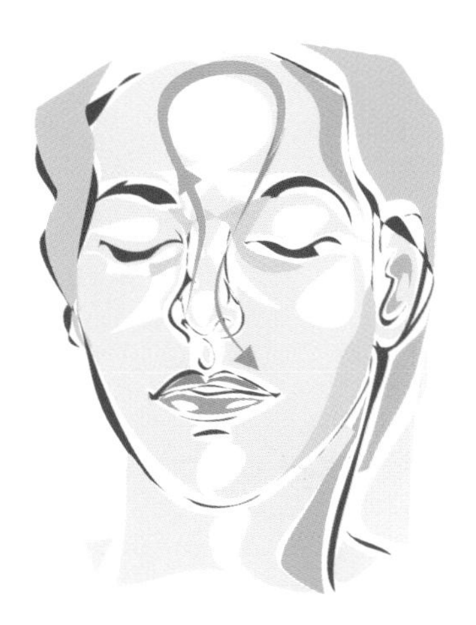

- Effectuez cette respiration 3 ou 4 fois, puis inversez : l'air entre frais par la narine gauche, passe dans l'hémisphère gauche, se réchauffe en passant dans l'hémisphère droit, et sort plus chaud de la narine droite. Respirez ainsi 3 ou 4 fois puis revenez à une respiration normale.
- Prenez le temps de ressentir et d'accueillir les nouvelles sensations apparues, en particulier au niveau de la tête.

Massage du pied : à faire soi-même

Prenez un bain de pieds au préalable, à l'eau fraîche si vous avez des problèmes de circulation veineuse.

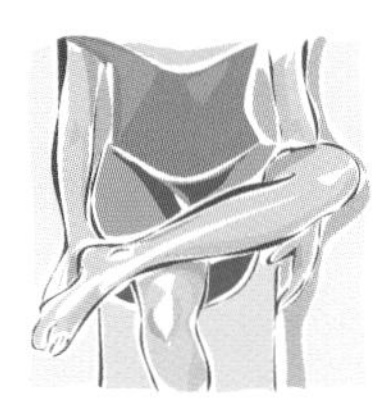

1. Posez le pied sur le genou opposé de façon à pouvoir le manipuler facilement ; trouvez une position confortable qui ne sollicite pas trop le dos, bien calé dans un fauteuil par exemple. Munissez-vous d'une huile de massage.

2. Effectuez des mouvements enveloppants et énergiques. Les deux mains doivent entourer le pied en même temps, de toute la surface des paumes, avec des mouvements continus, sans rupture.

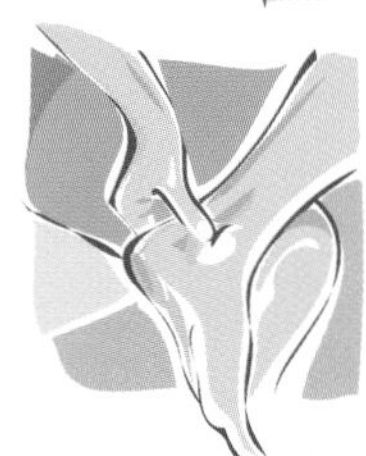

3. Attrapez le talon d'Achille avec la main opposée, le pouce d'un côté du tendon, les autres doigts de l'autre, et effectuez des mouvements circulaires sur la zone située entre le talon et l'os de la cheville, puis des mouvements de haut en bas, comme si vous vouliez allonger le tendon d'Achille, l'étirer.

4. Reprenez le massage enveloppant de tout le pied (2). La main opposée peut s'arrêter un moment pour masser du bas de la paume la voûte plantaire par des mouvements circulaires et appuyés, sans que l'autre main ne quitte le contact.

5. Massez le haut de la voûte plantaire par des mouvements enveloppants des deux mains puis, avec le bas de la paume, attardez-vous sur les coussinets du pied, la jointure des orteils et les orteils eux-mêmes.

6. Faites glisser les mains de chaque côté du pied, les orteils entre les paumes, puis faites la même chose entre chaque orteil.

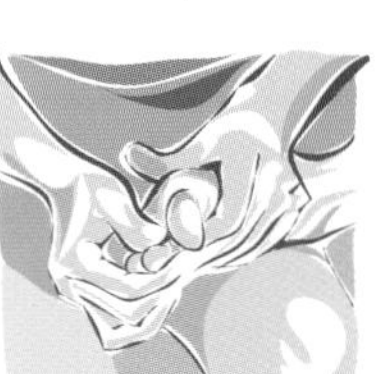

7. Massez chaque orteil par des mouvements de « tire-bouchon », aller-retour. Puis reprenez le massage enveloppant de tout le pied. Insérez ensuite les doigts entre chaque orteil.

8. Effectuez des mouvements de rotation pour assouplir l'articulation de la cheville en gardant les doigts entre les orteils.

9. Terminez par un massage enveloppant, puis, tout en gardant le pied dans une main, massez toute la voûte plantaire du talon aux orteils avec l'autre main, en accentuant la pression sur les orteils et en les cambrant légèrement vers la jambe. Procédez de même avec l'autre pied.

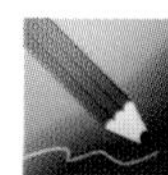

Massage du visage : à faire à quelqu'un

La personne est allongée, sa tête calée par un coussin. Vous êtes assis derrière sa tête, à une distance confortable pour votre dos. Effleurez son front avec le revers de la main.

1. Quand la personne se sent prête, posez vos deux pouces entre ses sourcils, vos autres doigts enveloppant son front et ses tempes. C'est la position de départ fondamentale de ce massage, à la fois contenante et enveloppante. Trouvez la pression juste, ferme mais douce, et maintenez-la quelques instants.

2. Faites glisser vos pouces et vos doigts vers les tempes, en descendant jusque derrière les oreilles, que vous massez énergiquement en les faisant rouler entre vos doigts. Là encore, les mouvements doivent être continus, sans rupture. Recommencez plusieurs fois en reprenant la position de départ.

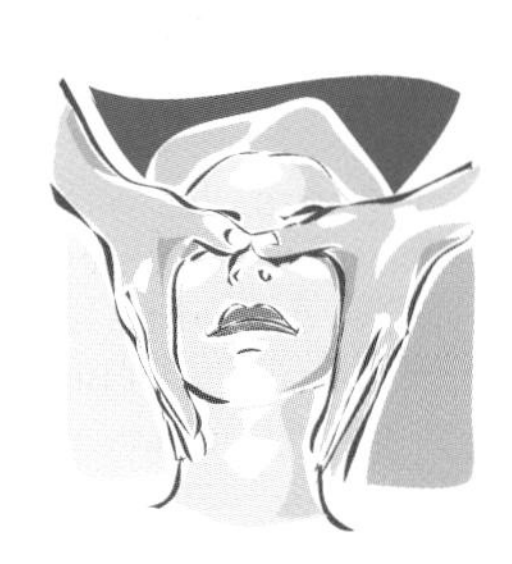

3. Toujours en revenant à la position de départ, faites glisser vos pouces sur l'arête du nez, les autres doigts glissant le long des joues. Les pouces dessinent la forme des narines, le haut de la lèvre supérieure. Les mains enveloppant les mâchoires, massez le bas des joues par une sorte de pétrissage doux. Recommencez ces mouvements plusieurs fois.

4. Avec le bout des doigts, tapotez très légèrement toute la surface des joues, puis revenez à la position de départ.

5. Depuis la position de départ, massez les tempes vers le bas avec des mouvements circulaires des doigts, puis l'arrière des oreilles, de la nuque, enfin le haut des épaules.

6. Stimulez tout le cuir chevelu par une sorte « d'effleurage-grattage » du bout des doigts. Revenez à la position de départ.

7. Entourez les mâchoires de vos mains, écartez les mains en pressant doucement pour détendre les mâchoires et revenez par les côtés du visage jusqu'au front. Repassez par la position de départ mais en la prolongeant jusqu'aux cheveux, plusieurs fois, pour signifier la fin du massage.

La mémoire collective

La mémoire de chacun s'inscrit dans une mémoire collective, une sorte de mémoire mère : à la fois réservoir d'informations et savoir partagé, elle permet à des personnes qui ne se connaissent pas de se reconnaître. Elle cimente les groupes, les communautés, les nations…

Se construire avec et dans le groupe

J'existe aussi parce que je me reconnais dans l'autre.

Vous avez sans doute gardé en mémoire la journée de l'explosion des tours du World Trade Center, en 2001, ou celle du match France-Brésil pour la finale de la coupe du monde de football 1998. Ces événements ont suscité une telle émotion que nombreux sont ceux qui se souviennent très précisément de ce qu'ils faisaient à ce moment-là. C'est ainsi que les faits tragiques ou heureux de notre actualité, autour desquels s'établissent des échanges, participent à la construction de notre passé commun, de notre mémoire collective.

Quand on a le sentiment de partager des idées communes, des vécus semblables, de connaître les mêmes odeurs et les mêmes saveurs, lorsqu'on se reconnaît dans l'accent de l'autre…, on se dit qu'on appartient un peu à la même famille. Généralement, on emploie le mot culture pour exprimer cette ressemblance décelée chez un tiers. **La culture est majoritairement constituée par la mémoire collective.** C'est parce que nous avons appris des choses identiques à l'école, parlé avec le même accent, ou été nourris de mêmes mets que nous avons des souvenirs si proches : nous possédons **un héritage commun.** Les identités individuelles se définissent dans la grande marmite de cette mémoire collective. On pourrait d'ailleurs presque dire : « C'est parce que je suis de tel pays que je ressens les choses ainsi. »

La mémoire du groupe, de la communauté ou, plus largement, de la nation ne s'apprend pas dans les livres. **Elle se transmet à notre insu, par le langage corporel, les non-dits, les comportements**. Un Méditerranéen se sentira à l'aise avec des gens expressifs, privilégiant le toucher dans les relations humaines, mais pourra déranger des personnes dont le mode de relation est traditionnellement plus réservé.

Si cette mémoire était autrefois principalement orale, aujourd'hui, elle se transmet également beaucoup par les différents médias, telle la télévision. Nous nous en faisons l'écho bien souvent sans le savoir – dans notre façon de nous habiller, de parler… Ainsi, tout en nous construisant grâce à cette mémoire collective, nous contribuons à la faire évoluer au jour le jour. Ce phénomène découle d'un besoin fondamental de l'être humain : l'appartenance. C'est un peu comme si, pour savoir qui on est, on devait se reconnaître chez les autres. La mémoire collective permet ainsi d'affronter certains événements de la vie avec un moindre sentiment de solitude.

La cote des prénoms

Reclassez ces 40 prénoms (20 par sexe) selon les années où ils étaient fréquemment donnés : 10 prénoms pour les années 1930, 10 pour les années 1950, 10 pour les années 1970 et 10 pour les années 2000, avec à chaque fois 5 prénoms de filles et 5 de garçons. *Solution p. 343*

Alain, André, Bernard, Christian, Christophe, David, Gérard, Hugo, Jean, Laurent, Lucas, Maxime, Michel, Olivier, Pascal, Pierre, Roger, Stéphane, Théo, Thomas

Camille, Catherine, Chloé, Denise, Emma, Françoise, Isabelle, Jacqueline, Jeanne, Jeanine, Léa, Manon, Marie, Martine, Monique, Nathalie, Nicole, Sandrine, Sylvie, Valérie

G	1930	F
………………		………………
………………		………………
………………		………………
………………		………………
………………		………………

G	1950	F
………………		………………
………………		………………
………………		………………
………………		………………
………………		………………

G	1970	F
………………		………………
………………		………………
………………		………………
………………		………………
………………		………………

G	2000	F
………………		………………
………………		………………
………………		………………
………………		………………
………………		………………

Toujours investi d'une symbolique, le prénom est aussi l'indice d'une mémoire collective. Son choix est parfois difficile. On souhaite qu'il respecte certaines conventions sociales, qu'il soit dans l'air du temps, qu'il évoque une personnalité aimée, qu'il soit lié à la tradition familiale ou, plus simplement, qu'il soit celui du saint du jour. Bref, il marquera toujours la vie de celui qui le porte.

Religions du monde
Reclassez les 10 grandes religions qui suivent selon le nombre de leurs croyants, dans l'ordre décroissant.

Solution p. 343

a. L'animisme
b. Le bahaïsme
c. Le bouddhisme
d. Le christianisme
e. Le confucianisme
f. L'hindouisme
g. L'islam
h. Le judaïsme
i. Le shintoïsme
j. Le sikhisme

1. ....
2. ....
3. ....
4. ....
5. ....
6. ....
7. ....
8. ....
9. ....
10. ....

Le nombre des croyants à travers le monde est plus important que celui des agnostiques et des athées. Les religions font partie de la mémoire collective : lorsqu'une croyance se développe, c'est grâce à la mémoire de plusieurs hommes qu'elle se répand.

Faire travailler sa mémoire collective

Ma mémoire et...
les spots publicitaires

Les publicitaires le savent bien, pour vendre, il faut que l'attention du consommateur soit maintenue d'un bout à l'autre du spot publicitaire. Pourquoi la mémoire retient-elle mieux une publicité qu'une autre ? Voici quelques ingrédients qui, associés, garantissent souvent le succès du produit vanté : des images accrocheuses, une musique rythmée, une histoire courte et simple – quelques phrases –, une diffusion répétée, et enfin une possibilité d'identification pour le consommateur. Si votre mémoire a retenu une publicité, c'est que celle-ci a suscité en vous un besoin et que vous vous êtes reconnu en elle.

Combien d'activités et d'échanges – dont les jeux – font référence à des connaissances communes ou à un savoir partagé ! Cet ensemble d'informations et de ressentis nous structure, puisqu'il est en grande partie composé de notre culture personnelle. Mais il est également frappant de constater à quel point il nous rapproche de l'autre : faire travailler sa mémoire collective, c'est communiquer avec autrui sur un même sujet, se souvenir en groupe de connaissances communes ou d'un passé partagé, entreprendre ensemble... Voici quelques activités propices en ce domaine :

- les jeux de culture générale (type Trivial Pursuit), qui ravivent la mémoire tout en divertissant ;
- l'adhésion à une association de quartier ou de conservation du patrimoine ;
- la collection d'objets anciens ;
- les visites culturelles et les voyages – rien de tel pour partager ses connaissances avec d'autres et les approfondir ;
- les rencontres avec les anciens pour partager un passé commun, se réapproprier le leur, comprendre leur vision du présent ;
- les échanges réguliers avec autrui sur l'actualité, qui permettent d'en conserver un souvenir durable.

Inoubliables répliques
Retrouvez le titre des films dont ces phrases sont issues.

« T'as de beaux yeux, tu sais... » ....

« C'est cela, oui... » ....

« Mais tu ne comprends pas : je suis un homme ! — Et alors ? Personne n'est parfait. » ....

« Okaaaaaay ! » ....

« Est-ce que j'ai une gueule d'atmosphère ! » ....

« Si on mettait les cons en orbite, t'aurais pas fini de tourner. » ....

« Je suis à deux doigts de conclure. » ....

« Téléphone maison. » ....

« Il est l'or Monseignor ! » ....

« Y a pas que d'la pomme... » ....

Solution p. 343

La notoriété d'un long-métrage est souvent liée au talent de son metteur en scène, à celui des acteurs mais aussi à la qualité des dialogues. Certains fanatiques sont ainsi capables de vous réciter les parties dialoguées de scènes entières. Leur mémoire est sollicitée par la passion du mot et de ses tournures.

Une histoire de modernisme

Pouvez-vous dire à quelle date ces différents objets ont rejoint le quotidien des Français ?

carte de crédit
....

trombone
....

réfrigérateur
....

couche-culotte jetable
....

poupée Barbie
....

stylo à bille
....

Scotch
....

bouteille en plastique
....

poste de radio
....

ordinateur
....

chariot de supermarché
....

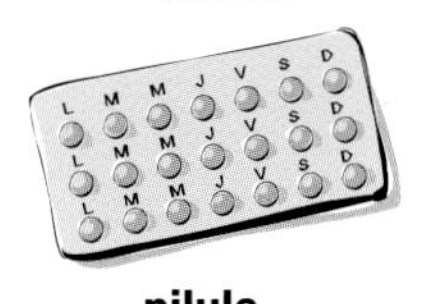

pilule
....

télévision
....

moulin à légumes
....

téléphone portable
....

gants ménagers
....

Solution p. 343

La mémoire collective s'est aussi structurée autour du progrès. L'amélioration de notre vie quotidienne est bien souvent liée à de petites inventions. Grâce à la photographie, on peut réaliser combien l'évolution technologique des deux derniers siècles a été époustouflante : tous ces témoignages visuels viennent enrichir notre propre mémoire collective.

À chaque pays sa monnaie

L'argent est autant collectif qu'individuel : collectif car partagé puisque utilisé par tous, individuel quand il nous appartient en propre. Lorsque l'on visite un pays, on se souvient bien souvent de sa monnaie : découvrez-vous des talents de numismate en retrouvant le pays de chacune de celles qui sont citées.

Baht	**Lev**	**Shekel** ....
Dirham	**Rand**	**Sol** ....
Dông	**Real**	**Yuan** ....
Forint	**Rouble**	**Zloty** ....
Guarani	**Rupiah**	

Solution p. 343

Ma mémoire et…
les recettes de cuisine

Je suis incapable de me souvenir d'une recette ? Qu'il s'agisse de nouvelle cuisine ou d'une recette de grand-mère, les quantités sont ce qu'il y a de plus difficile à retenir. Rien de plus normal, car la vision n'intervient pas : l'image mentale de la quantité requise pour chaque ingrédient n'existe pas. Pour y remédier, prenez votre recette, lisez-la plusieurs fois, regardez les poids et mesures de chaque aliment et tentez de trouver une stratégie mnémotechnique.

Livret pratique

Solutions des jeux

Page 16

Les mots du cerveau sens dessus dessous

TEDERNID : **dendrite** - GIMENNE : **méninge** - OXOTRENCE : **néocortex** - YSSAPEN : **synapse** - MADLYGEA : **amygdale** - PAPEMOCIPH : **hippocampe** - CALICOTIP : **occipital** - EROUNNE : **neurone** - IMEBULIQ : **limbique** - OBEL : **lobe** - SHERHEPEMI : **hémisphère** - EPTARILA : **pariétal.**

Rébus

Le cerveau carbure au glucose.

Page 17

Les médecins célèbres

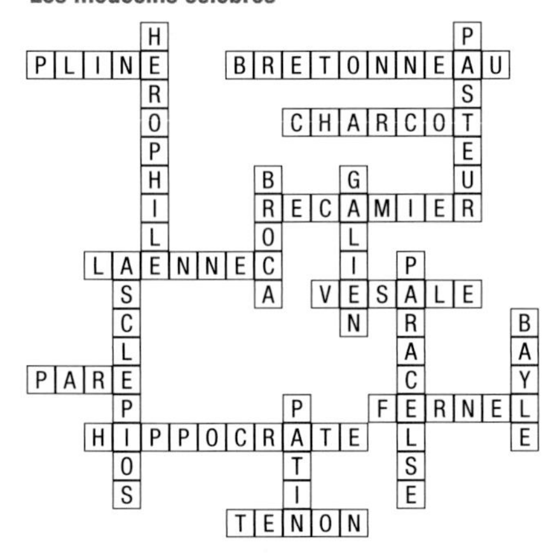

Le nom ne figurant pas sur la grille est Averroès.

Page 18

Rébus

Les neurones s'activent pendant qu'on dort.

Page 19

Dans les méandres du cerveau

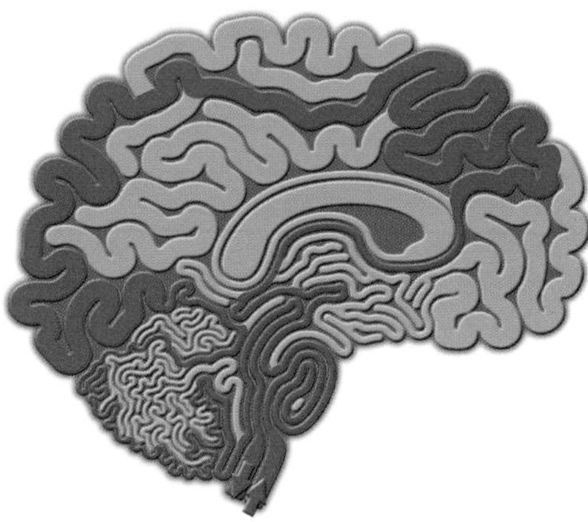

Page 22

Ces sons qui nous entourent

1. Le chant des oiseaux - **2.** Une sonnette de vélo - **3.** Un bris de verre - **4.** Le bruit d'un moulin à café - **5.** La sonnerie d'un portable - **6.** Un claquement de porte - **7.** Le vrombissement d'une mobylette - **8.** Le décollage d'un avion.

Jeu des 7 erreurs

Page 23

Sensations et toucher

Doux : cachemire, peau de bébé, pétale de rose, poudre de riz, duvet... - **Granuleux :** orange, coquille Saint-Jacques, béton brut, peau de l'avocat, roche... - **Râpeux :** Velcro, langue de chat, crépi, papier de verre, sisal... - **Visqueux :** poulpe, bave d'escargot, produit vaisselle, huile, grenouille... - **Lisse :** verre, satin, meuble laqué, boule de billard, papier glacé...

Le monde des saveurs

Cannelle : pain d'épice - **Safran :** paella - **Basilic :** soupe au pistou - **Ail :** tomates à la provençale - **Noix muscade :** sauce Béchamel - **Cumin :** bretzel - **Ciboulette :** sauce chien - **Genièvre :** choucroute - **Paprika :** goulasch- **Estragon :** sauce béarnaise - **Origan :** pizza.

Page 24

Touché, c'est gagné !

Avoir quelqu'un dans la peau- Entrer dans la peau du personnage - Trouer la peau - Vendre chèrement sa peau - Se réduire comme une peau de chagrin - Valoir la peau des fesses - Y laisser la peau - Risquer sa peau - Avoir les nerfs à fleur de peau - Faire une touche - Toucher sa bille - Toucher deux mots - Toucher du doigt - Toucher à sa fin.

Page 27

Chanson à trous

Le Fiacre

Un fiacre allait, **trottinant,**
Cahin, caha,
Hu, dia, hop là !
Un fiacre allait, **trottinant,**
Jaune, avec un cocher **blanc.**

Derrièr' les stores **baissés,**
Cahin, caha,
Hu, dia, hop là !
On entendait des **baisers.**

Puis un' voix disant : « **Léon** ! »
Cahin, caha,
Hu, dia, hop là !
Puis un' voix disant : « **Léon** !
Pour... causer, ôt' ton **lorgnon** ! »

Un vieux monsieur qui **passait,**
Cahin, caha,
Hu, dia, hop là !
Un vieux monsieur qui **passait,**
S'écri' : « Mais on dirait qu'c'est

Ma **femme** avec un quidam !
Cahin, caha,
Hu, dia, hop là !
Ma **femme** avec un quidam ! »
I' s' lanc' sur le **macadam.**

Mais i' gliss' su' l' sol **mouillé,**
Cahin, caha,
Hu, dia, hop là !
Mais i' gliss' su' l' sol **mouillé,**
Crac ! il est **escrabouillé.**

Du fiacre un' **dam'** sort et dit :
Cahin, caha,
Hu, dia, hop là !
Du fiacre un' **dam'** sort et dit :
« Chouett', Léon ! C'est mon **mari** !

Y a plus besoin d'nous **cacher,**
Cahin, caha,
Hu, dia, hop là !
Y a plus besoin d'nous **cacher,**
Donn' donc cent **sous** au cocher ! »

La grille des goûts

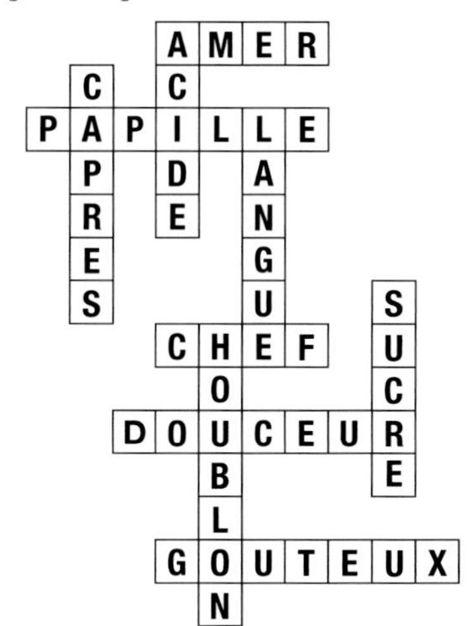

Page 29

Monuments en miroir

Pages 30

Poids des mots, choc des photos...

Vahiné, c'est gonflé (aides à la pâtisserie) - L'ami du petit déjeuner, l'ami **Ricoré** (boisson instantanée) - Parce que je le vaux bien ! (tm) [**L'Oréal,** produits de beauté] - **Kiri,** Kiri, Kiri, le fromage des gastronomes en culottes courtes (spécialité fromagère) - C'est frais, c'est aux fruits, c'est **Banga** (jus de fruits) - Bravo **Yoplait,** bravo la p'tite fleur (laitages) - Regardez-moi dans les yeux ! (**Wonderbras,** lingerie féminine) - **Jexfour,** c'est jextraordinaire (produit ménager) - **Contrex,** mon contrat minceur (eau minérale) - **Petit Écolier,** ce n'est que pour les enfants (biscuits) - Y'a bon, **Banania** (boisson instantanée)- **Nestlé,** c'est fort en chocolat (chocolat).

Page 31

Ils restent dans nos mémoires

1. Bicorne : **Napoléon** - 2. Lunettes-nez-moustache : **Groucho Marx** - 3. Harley Davidson : **Johnny Hallyday** - 4. Guitare électrique : **Jimi Hendrix** - 5. Canne et chapeau melon : **Charlie Chaplin** - 6. Petit livre rouge : **Mao Zedong** - 7. Cigare : **Winston Churchill, Fidel Castro** - 8. Petite culotte : **Madonna** - 9. Gants noirs : **Rita Hayworth** *(Gilda)* - 10. Éléphant : **Hannibal.**

Page 32

Chasse-lettre

Poste : piste - **Essayer :** essuyer - **Fixe :** rixe - **Filleul :** tilleul - **Gros :** gris - **Loyer :** foyer - **Pure :** dure - **Main :** pain - **Poire :** noire - **Fruit :** bruit - **Grand :** gland - **Lave :** bave - **Soute :** sorte - **Matin :** patin - **Tuile :** toile - **Veste :** reste - **Suite :** fuite - **Latin :** satin - **Onze :** onde - **Cru :** dru - **Sapin :** lapin - **Bouton :** mouton - **Crème :** crime - **Ramer :** rimer - **Niche :** biche - **Pelote :** belote - **Dalle :** salle - **Libre :** fibre - **Porte :** perte - **Peinture :** ceinture - **Natte :** latte - **Attitude :** aptitude - **Pose :** rose - **Allocation :** allocation - **Mouche :** bouche - **Affleurer :** effleurer - **Peste :** veste - **Collusion :** collision - **Fouiller :** touiller - **Écharde :** écharpe - **Maison :** raison - **Provision :** prévision - **Pomme :** somme - **Infecter :** infester - **Induire :** enduire - **Casse :** basse - **Friction :** fraction - **Bout :** tout - **Accès :** abcès - **Goûter :** douter - **Prôner :** trôner - **Anguille :** aiguille - **Canal :** banal - **Cotation :** citation - **Compagne :** campagne - **Meringue :** seringue - **Feuler :** fouler - **Rêve :** rive - **Courte :** tourte - **Bâche :** bûche - **Souris :** sourds - **Placer :** planer - **Mâcher :** hacher - **Lire :** rire - **Haine :** gaine - **Verger :** berger.

Page 33

Baccalauréat

Prénom
Alexandra
Alban
Amélie
Aristide
Anne
Émilie
Éliane
Élie
Estelle
Étienne
Margot
Marie
Marion
Myriam
Mathilde
Patrice
Pascal
Patrick
Pablo
Paul

Plante
Aster
Arum
Abricotier
Acacia
Anémone
Edelweiss
Églantine
Eucalyptus
Épicéa
Érable
Marguerite
Muguet
Magnolia
Mauve
Marjolaine
Pétunia
Pin
Prunus
Primevère
Pêcher

Animal
Ablette
Addax
Agneau
Aigrette
Aigle
Écureuil
Écrevisse
Élan
Éléphant
Épervier
Macaque
Manchot
Marmotte
Mandrill
Marsouin
Pinson
Pieuvre
Passereau
Phoque
Pingouin

Pays
Autriche
Allemagne
Argentine
Arabie saoudite
Angola
Espagne
États-Unis
Éthiopie
Érythrée
Estonie
Mozambique
Maroc
Mauritanie
Mexique
Madagascar
Pérou
Pays-Bas
Pakistan
Paraguay
Papouasie-Nouvelle-Guinée

Ville
Addis-Abeba
Athènes
Avignon
Adélaïde
Ankara
Erfurt
Évian
Édimbourg
Eindhoven
Edmonton
Marseille
Madrid
Malmö
Macao
Manchester
Paris
Prague
Pise
Pampelune
Pittsburgh

Célébrité
Attila
Allende (Salvador)
Archimède
Amundsen (Roald)
Armstrong (Neil)
Érasme
Eisenhower (Dwight)
Élisabeth II
Engels (Friedrich)
Einstein (Albert)
Magellan
Mitterrand (François)
Machiavel
Mandela (Nelson)
Mao Zedong
Périclès
Poincaré (Raymond)
Patton (George)
Pasteur (Louis)
Polo (Marco)

Recolle-mots

Balbuzard - corneille - sansonnet - étourneau - moucherolle - pluvier - roitelet - troglodyte - bernache - sarcelle - tournepierre - alouette - verdier - jacana - perruche.

Les quatre opérations de base

1 536 + 541 = 2 077
18 659 + 3 874 = 22 533
59 246 + 66 666 + 8 756 = 134 668
589 – 821 = – 232
5 896 – 4 172 = 1 724
698 324 – 8 753 = 689 571
147 x 654 = 96 138
5 891 x 258 = 1 519 878
47 985 x 4 658 = 223 514 130
583 : 52 = 11,211
4 627 : 111 = 41,684
31 772 : 32,5 = 977,6

Page 39

Pile ou face

1 centime, 2 centimes et 5 centimes : portrait de Marianne
10 centimes, 20 centimes et 50 centimes : la Semeuse
1 euro et 2 euros : un arbre

Les chiffres trompeurs

Le chiffre 6.

Les lettres absentes

Le carré 4.

Page 40

Méli-mélo

1. 20 triangles - 5 carrés - 14 rectangles.
2. 0 - 3 - 7 - 8.
3. 26 carrés.

Jeu des 7 erreurs

Page 42

La lettre E

La lettre E compte 202 occurrences.

Énigme policière

Le troisième homme ment. S'il était vraiment là depuis vingt minutes, sa bière n'aurait quasiment plus de mousse et il n'en aurait donc pas sur les lèvres. Le patron vient de la lui donner. Il y a ainsi à peine cinq minutes qu'il est dans le bar.

Page 43

Attention aux lettres !

1. R, A, C, T, T : tract
2. O, B, E, L, U : boule

Page 49

À la pêche aux petits mots

44 virgules - 11 conjonctions de coordination - 3 pronoms.

Attention aux formes

20 barrées - 15 soulignées - 12 entourées.

Page 50

L'appel du vide

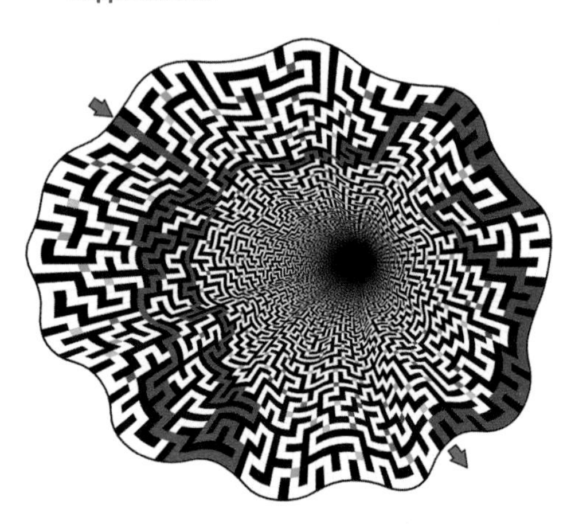

Page 51

L'intrus

Les cerises sont les seuls fruits à noyau.

Dîner entre amis

Vincent : asperges - **Laura :** poulet - **Paul :** soufflé - **Sophie :** chèvres chauds - **Matthieu :** gâteau au chocolat - **Charlotte :** mignardises.

Page 52

Chasse-lettre

CAPE	PAPE	BASSET	BASKET
DURE	CURE	BOUÉES	BOULES
FIACRE	DIACRE	KARITÉ	KARATÉ
KOINE	MOINE	SURE	SURF
SICAIRE	VICAIRE	VOIRE	VOILE

Problème de famille

Première génération : **6** - Deuxième génération : **13** - Troisième génération : **18** - Quatrième génération : **36.**

Image zoomée

Des gouttelettes d'eau sur une toile d'araignée.

La chenille

	TRINITÉ
-T + M	INTIMER
- I + E	TERMINÉ
- N + B	TIMBRÉE
- I + E	EMBÊTER
- B + O	MÉTÉORE
- E + I	TIMORÉE
- O + A	MATIÈRE
- I + Y	MÉTAYER
- A + S	**MYSTÈRE**

Page 116

Sur un air de rock'n'roll

Beach Boys : *Good Vibrations* - **Beatles :** *Help !* - **Chuck Berry :** *Roll Over Bethoveen* - **Bee Gees :** *Massachusetts* - **Louis Prima :** *I'm Just a Gigolo* - **Rolling Stones :** *Satisfaction* - **Fats Domino :** *Blueberry Hill* - **Doors :** *Light My Fire* - **Elvis Presley :** *Love Me Tender* - **Police :** *Roxanne* - **Pink Floyd :** *Another Brick In The Wall* - **Bob Dylan :** *Blowing In The Wind* - **Simon and Garfunkel :** *Mrs Robinson* - **Bill Haley :** *Rock Around The Clock.*

La bonne définition

A 1 – **B** 2 – **C** 2 – **D** 2 – **E** 2 – **F** 3.

Page 117

Change-mot

Ria : air - **Crâne :** écran ou nacre - **Tiers :** serti - **Rive :** vire - **Part :** rapt - **Dire :** ride - **Rage :** gare - **Rien :** nier - **Cause :** sauce - **Claire :** éclair - **Dort :** tord.

Scène de rue

Poche ; poitrine ; police ; pomme ; poire ; pompier ; pont ; portable ; porte ; portefeuille ; poste ; pot ; potache ; potiche ; poteau ; potence ; poulet ; poupée ; pois ; potiron ; poussière…

Page 119

Dans l'espace du labyrinthe

1. La médaille

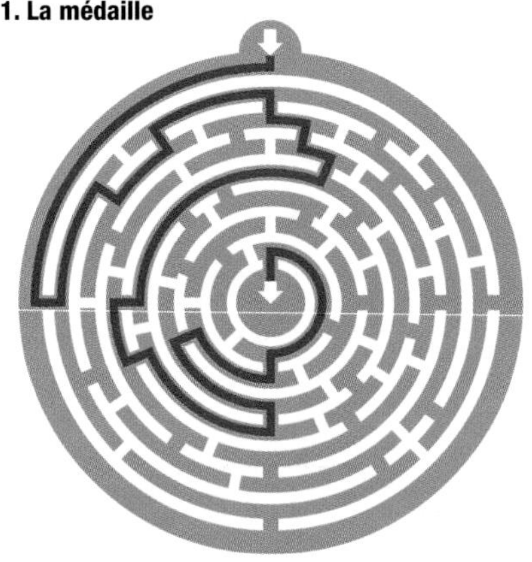

2. La coccinelle

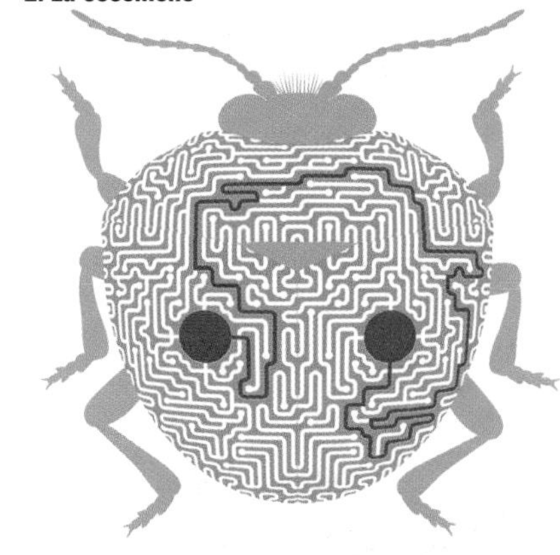

3. L'entrelacement

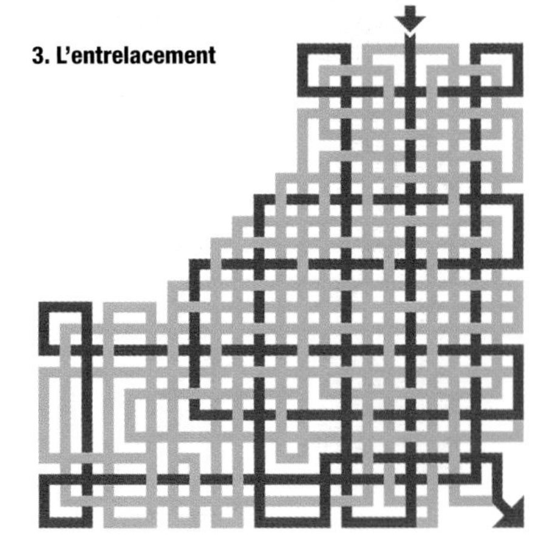

Page 120

Un trait suffit

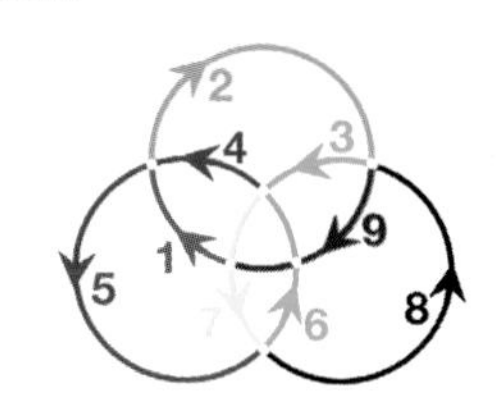

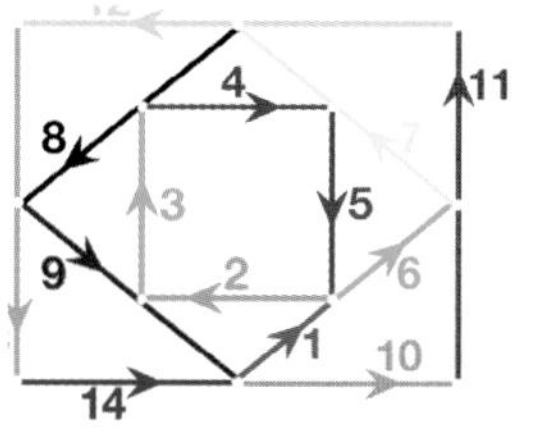

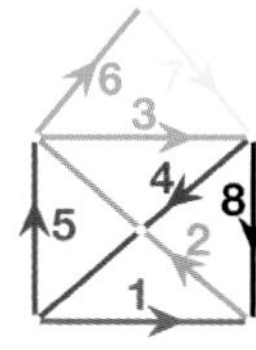

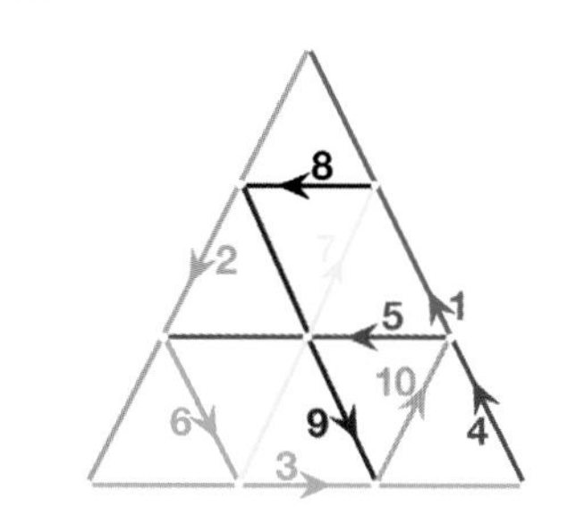

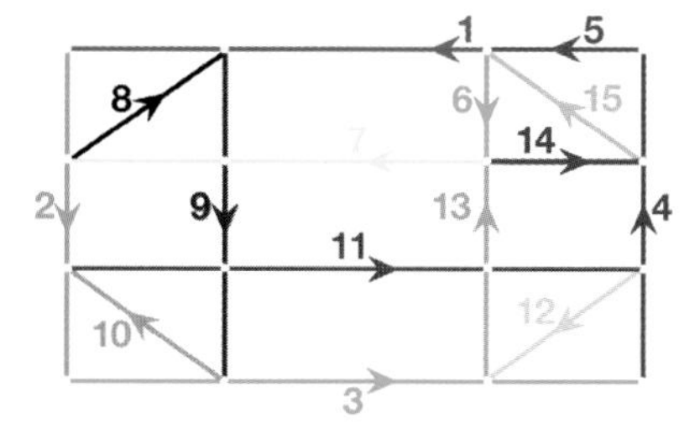

Le bon reflet

Le bon reflet est la silhouette n° 1.

Page 121

Le casse-tête chinois

Le carré

L'œuf

Page 122

Le grand quiz

Histoire et géographie

1. b) L'usage du français dans les actes officiels - **2. c)** Pompéi - **3. c)** 1884 - **4. b)** Des impôts - **5. d)** Aristote - **6. c)** La Croix-Rouge - **7. a)** Rien - **8. c)** Sainte-Hélène - **9. a)** *Enola Gay* - **10. b)** Michel Debré - **11. c)** Istanbul - **12. a)** Haute-Volta - **13. d)** En République tchèque - **14. b)** Le Var - **15. a)** Au Mexique.

Art et littérature

16. d) Henri Cartier-Bresson - **17. b)** Alfred Hitchcock - **18. c)** Catherine Deneuve - **19. a)** Bourvil - **20. d)** Serge Reggiani - **21. b)** La Joconde - **22. b)** Monet - **23. c)** Honoré Daumier - **24. b)** Michel-Ange - **25. b)** *Le Bordel philosophique* - **26. b)** La symphonie « Héroïque » - **27. a)** *Salut les copains* - **28. b)** Les Beatles - **29. d)** Le docteur Knock - **30. c)** Victor Hugo - **31. a)** Hamlet - **32. c)** *La Mystérieurse Affaire de Styles* - **33. d)** Françoise Sagan - **34. a)** Marguerite Yourcenar - **35. b)** Margaret Mitchell - **36. a)** *À la recherche du temps perdu* - **37. c)** *La Cantatrice chauve.*

Sciences et techniques

38. a) Nicéphore Niépce - **39. d)** L'IRM - **40. a)** Archimède - **41. a)** Nicolas Copernic - **42. c)** Rudolph Diesel - **43. a)** 1933 - **44. c)** Robert Koch - **45. b)** Isaac Newton - **46. a)** 2 - **47. b)** De la bauxite - **48. d)** 9 - **49. b)** Le protoxyde d'azote - **50. b)** Christiaan Barnard.

Page 125

Poly- ? Avant- ? Demi- ? Petit- ?

Poly-

Polyarthrite - Polychlorure - Polychrome - Polyclinique - Polycopié - Polyculture - Polygone - Polymorphisme - Polynôme - Polyphonie - Polyuréthane - Polyvalent...

Avant-

Avant-bras - Avant-centre - Avant-coureur - Avant-dernier - Avant-garde - Avant-goût - Avant-guerre - Avant-hier - Avant-poste - Avant-veille - Avant-première...

Demi-

Demi-dieu - Demi-finale - Demi-fond - Demi-frère - Demi-gros - Demi-portion - Demi-mal - Demi-mesure - Demi-mot - Demi-saison - Demi-sel - Demi-sommeil...

Petit

Petit-fils - Petit-lait - Petit-suisse - Petit-beurre - Petit-bourgeois - Petit-gris - Petit à petit - Le petit doigt - Du petit bois - Un petit ami...

Page 126

Grandes villes de France

1. CAEN - **2.** CHERBOURG - **3.** BREST - **4.** NANTES - **5.** BORDEAUX - **6.** NIORT - **7.** MULHOUSE - **8.** DUNKERQUE - **9.** ROUEN - **10.** LYON - **11.** TOULOUSE - **12.** LIMOGES - **13.** ORLÉANS - **14.** PERPIGNAN - **15.** BESANÇON - **16.** CHÂTEAUROUX.

Les synonymes

Bonté

Altruisme, bienveillance, dévouement, générosité, gentillesse, mansuétude...

Apogée

Apothéose, comble, faîte, culmination, zénith...

Convulsion

Contraction, saccade, secousse, soubresaut, spasme...

Enthousiasme

Ardeur, engouement, exaltation, dithyrambe, émerveillement...

Partisan

Adepte, adhérent, affidé, allié, fidèle, suppôt...

Devinettes

A. L'allumette	**E.** L'ombre
B. Le grain	**F.** Le réveil
C. La carte téléphonique	**G.** Le secret
D. Un oscar	**H.** La clef

Page 127

Les drapeaux d'Europe

1. Islande - **2.** Yougoslavie - **3.** Suisse - **4.** Russie - **5.** Roumanie - **6.** Pologne - **7.** Grèce - **8.** Hongrie - **9.** Luxembourg - **10.** Irlande - **11.** Portugal - **12.** Danemark - **13.** Norvège - **14.** Autriche - **15.** Estonie - **16.** Pays-Bas - **17.** Italie - **18.** Espagne - **19.** Finlande - **20.** Turquie - **21.** République tchèque - **22.** Bulgarie - **23.** Belgique - **24.** Suède - **25.** Ukraine.

Histoire et chronologie

10 - 9 - 1 - 5 - 3 - 4 - 7 - 8 - 6 - 2.

Premier Tour de France cycliste (1903).
Première traction avant (1935).
Semaine de 40 heures (1936).
Vote des femmes (1945).
Carte nationale d'identité (1956).
École obligatoire jusqu'à 16 ans (1959).
Entrée en vigueur du nouveau franc (1960).
Premier vol du Concorde (1969).
Majorité à 18 ans (1974).
Abolition de la peine de mort (1981).

Page 129

Célèbres émissions du petit écran

4. *La Séquence du spectateur* (1953) - **18.** *Les Cinq Dernières Minutes* (1958) - **1.** *Cinq Colonnes à la une* (1959) - **6.** *Intervilles* (1962) - **11.** *Janique Aimée* (1963) - **2.** *Le Manège enchanté* (1964) - **8.** *Zorro* (1965) - **5.** *Les Dossiers de l'écran* (1967) - **17.** *Les Shadoks* (1968) - **10.** *Le Grand Échiquier* (1972) - **7.** *L'Île aux enfants* (1974) - **9.** *Apostrophes* (1975) - **14.** *Le Muppet Show* (1977) - **16.** *Temps X* (1979) - **15.** *Droit de réponse* (1981) - **12.** *Les Enfants du rock* (1982) - **3.** *Nulle Part ailleurs* (1987) - **13.** *Bouillon de culture* (1991).

Deux comiques et leurs films

Louis de Funès

1. *Le Gendarme de Saint-Tropez* (1964) - **2.** *La Folie des grandeurs* (1971) - **6.** *La Zizanie* (1978) - **8.** *L'Aile ou la cuisse* (1976) - **10.** *Le Grand Restaurant* (1966).

Bourvil

3. *Le Mur de l'Atlantique* (1970) - **4.** *La Grande Lessive* (1968) - **5.** *Seul dans Paris* (1952) - **7.** *La Jument verte* (1959) - **9.** *Le Jour le plus long* (1962).

Page 130

L'habit ne fait pas le moine

1. b. Les lunettes (1280, Salvino degli Armati) -
2. c. La cravate (vers 1650, apparue en France avec les cavaliers croates du régiment du Royal-Cravate) -
3. l. L'imperméable (1748, François Fresneau) -
4. f. La botte en caoutchouc (1853, Abraham Hutchinson) -
5. h. Le tailleur (vers 1880, John Redfern) -
6. k. La fermeture éclair (1890, Elias Howe) -
7. e. La montre-bracelet (1904, Louis Cartier pour Cartier et Hans Wilsdorf pour Rolex) -
8. j. Le jean (Oscar Levi-Strauss, 1908) -
9. m. La petite culotte (1918, Étienne Valton pour Petit Bateau) -
10. i. Le vernis à ongles (1932, Charles et Joseph Revson, Charles Lachman pour Revlon) -
11. n. Le bas Nylon (1938, Wallace H. Carothers pour DuPont de Nemours) -
12. o. Le bikini (1946, Louis Réard) -
13. d. Le talon aiguille (Roger Vivier, 1954) -
14. a. La minijupe (1965, Mary Quant et Courrèges).
15. g. Le rasoir jetable (1975, Bic).

À vos postes

France Inter - Europe 1 - RTL - RMC - BFM - Fun Radio - Nostalgie - NRJ - Radio Classique - RFM - Skyrock - Rire et chansons - Radio Latina - Radio Nova - Chérie FM - Oui FM - Le Mouv' - Voltage - France Musique - France Culture - FIP - France Info...

Pages 132

Les détails qui clochent

1. Étagère manquante - **2.** Chaussures dans la bibliothèque - **3.** Poignée de porte au mur - **4.** Fleur au plafond - **5.** Ordinateur au mur - **6.** Tableau à l'envers - **7.** Poissons rouges dans le foyer - **8.** Tiroirs encastrés dans le mur - **9.** Date du calendrier (31 février) - **10.** Embrasse inversée - **11.** Parapluies dans un vase - **12.** Livre en guise de dossier - **13.** Rouleau à pâtisserie en guise de pied - **14.** Robinet dans la table - **15.** Verres remplis de vin à l'envers - **16.** Table sans pieds.

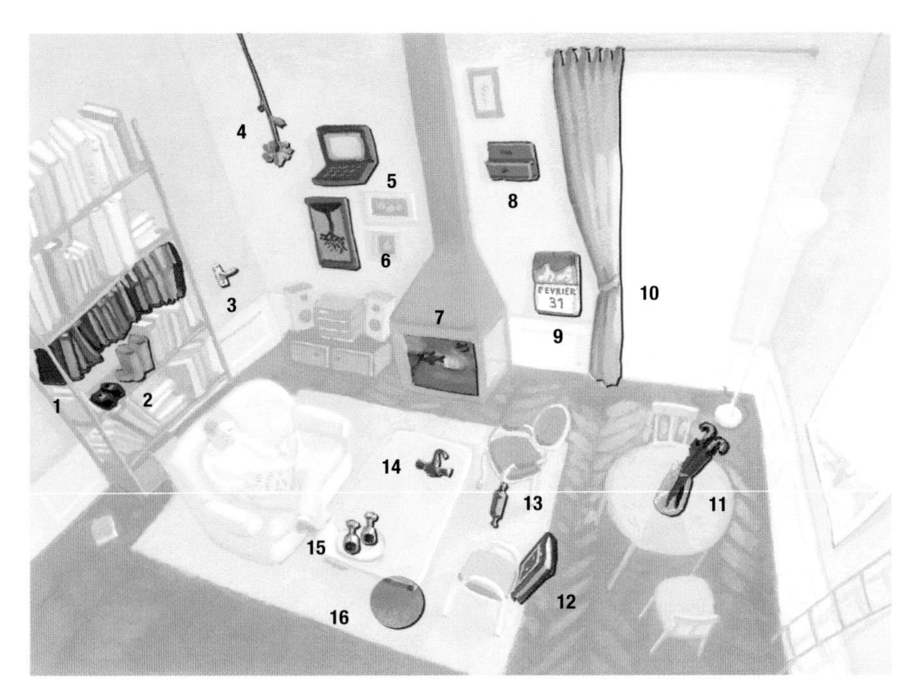

Page 133

Cryptogramme

Premier proverbe :

Un tiens vaut mieux que deux tu l'auras.

Second proverbe :

Il faut faire contre mauvaise fortune bon cœur.

Page 134

Calcul mental

769 + 586 = **1 355**
698 + 524 = **1 222**
587 + 269 + 874 = **1 730**
356 + 587 + 214 = **1 157**
1 005 + 33 + 646 = **1 684**
994 + 136 + 428 = **1 558**
650 + 123 + 541 = **1 314**
421 + 789 + 666 = **1 876**

Page 135

Sous le pont Mirabeau...

Sous le pont Mirabeau coule **la Seine**
Et nos amours
Faut-il qu'il m'en **souvienne**
La **joie** venait toujours après la peine

Vienne la nuit sonne l'heure
Les jours s'en vont je demeure

Les mains dans les mains restons **face à face**
Tandis que sous
Le pont de nos **bras** passe
Des éternels **regards** l'onde si lasse

Vienne la nuit sonne l'heure
Les jours s'en vont je demeure

L'amour s'en va comme cette eau **courante**
L'amour s'en va
Comme **la vie** est lente
Et comme l'Espérance est **violente**

Vienne la nuit sonne l'heure
Les jours s'en vont je demeure

Passent **les jours** et passent les semaines
Ni temps passé
Ni les amours **reviennent**
Sous le pont Mirabeau coule **la Seine**

Vienne la nuit sonne l'heure
Les jours s'en vont je demeure

Pages 136

Des chansons et des mots

Paris : *Un gamin de Paris* - *Il est cinq heures, Paris s'éveille* - *Sous les ponts de Paris* - « Paris est une blonde » *(Ça c'est Paris)* - *À Paris...*

Le soleil : *le Soleil a rendez-vous avec la Lune* - « Tu es le soleil de ma vie » *(le Soleil de ma vie)* - « Il y a le ciel, le soleil et la mer » *(le Ciel, le soleil et la mer)* - *Hello ! le soleil brille !* - *Il est mort le soleil...*
L'amour : *L'amour est un bouquet de violettes* - *J'ai deux amours* - *Que reste-t-il de nos amours ?* - *Parlez-moi d'amour* - *Maladie d'amour* - *Quand on n'a que l'amour...*
Les couleurs : « Bleu, bleu le ciel de Provence » *(Bleu, blanc, blond)* - Armstrong je ne suis pas noir *(Armstrong)* - *les Roses blanches* - *la Vie en rose* - *Couleur café* - *Noir, c'est noir* - *En rouge et noir...*
Noms de villes : *Que c'est triste Venise* - *Alexandrie, Alexandra* - *Si tu vas à Rio* - *la Belle de Cadix* - « Un jour j'irai à New York avec toi » *(New York avec toi)* - *Mexico* - *Amsterdam* - *San Francisco* - *Toulouse...*

Poule, hippocampe, catastrophe et nectarine

Pou : Poubelle - Poudrier - Pouf - Poulain - Poulbot - Poutre...
Hippo : Hippocratique - Hippodrome - Hippogriffe - Hippomobile - Hippophaé - Hippopotame...
Cata : Cataclysme - Catacombe - Catalepsie - Catalogue - Catalyse - Catamaran ...
Nec : Nécessité - Neck - Nécropole - Nécrose - Nectar - Necton...

Une histoire de cheveux

Cheveux blonds : Marylin Monroe, Grace Kelly, Brigitte Bardot, Catherine Deneuve, Robert Redford, Boucle d'or...
Cheveux roux : Frédéric Barberousse, Rita Hayworth, Nicole Kidman, Stéphane Audran, Marlène Jobert, Axel Red, Poil de carotte, Spirou...
Cheveux noirs : Cléopâtre, Louise Brooks, Charlie Chaplin, Clark Gable, Barbara, Zorro, Blanche-Neige...

La danse des pieds

Coup de pied, croche-pied, piédestal, trépied, pied à coulisse, pied bot, pied-d'alouette, pied-de-biche, pied-de-mouton, pied-de-poule, avoir bon pied bon œil, avoir les deux pieds dans le même sabot, avoir un pied dans la tombe, être aux pieds de quelqu'un, faire le pied de grue, faire un pied de nez, lever le pied, mettre les pieds dans le plat, mettre pied à terre, ne pas mettre un pied devant l'autre, retomber sur ses pieds, se remettre sur pied...

Page 137

Les monnaies d'Europe

Allemagne : le Deutsche Mark - **Autriche :** le schilling - **Belgique :** le franc belge - **Danemark :** la couronne danoise - **Espagne :** la peseta - **Finlande :** le mark finlandais - **France :** le franc français - **Grande-Bretagne :** la livre sterling - **Grèce :** la drachme - **Irlande :** la livre irlandaise - **Italie :** la lire - **Luxembourg :** le franc luxembourgeois - **Pays-Bas :** le florin - **Portugal :** l'escudo - **Suède :** la couronne suédoise.
La Grande-Bretagne, le Danemark et la Suède n'ont pour l'instant pas adopté l'euro.

Les grands fleuves du monde

1. c. Amazone (7 000 km) - **2. f.** Nil (6 700 km) - **3. b.** Mississippi-Missouri (6 210 km) - **4. g.** Yangzi Jiang -(5 980 km) - **5. e.** Amour (4 440 km) - **6. d.** Ob (4 345 km) - **7. a.** Gange (3 090 km) - **8. h.** Saint-Laurent (1 140 km).

Page 138

Mots en -otte, mots en -ière

Mots en -otte : botte, bouillotte, boulotte, carotte, charlotte, culotte, gibelotte, motte, pâlotte, sotte...
Mots en -ière : buissonnière, cavalière, cimetière, fourmilière, gibecière, lisière, lumière, termitière, théière, sablière...

Page 139

Qui suis-je ?

Figaro : Wolfgang Amadeus Mozart - **Aéronef :** Léonard de Vinci - **Guernesey :** Victor Hugo - **Calais :** Auguste Rodin - **Polonium :** Marie Curie - **Perpignan :** Salvador Dalí - **Rêveries :** Jean-Jacques Rousseau - **Dr Gachet :** Vincent Van Gogh - **Mazurka :** Frédéric Chopin.

Page 140

La béquille du calendrier

Jour de l'an : 1er janvier - **Épiphanie :** 6 janvier - **Fête des vignerons :** 22 janvier - **Chandeleur :** 2 février - **Saint-Valentin :** 14 février - **Fête du travail :** 1er mai - **Armistice de 1945 :** 8 mai - **Débarquement :** 2 juin - **Fête de la musique :** 21 juin - **Saint-Jean :** 24 juin - **Prise de la Bastille :** 14 juillet - **Assomption :** 15 août - **Toussaint :** 1er novembre - **Fête des morts :** 2 novembre - **Armistice de 1918 :** 11 novembre - **Sainte-Catherine :** 25 novembre - **Saint-Nicolas :** 6 décembre - **Noël :** 25 décembre - **Saint-Sylvestre :** 31 décembre.

Page 142

Les régions de France

1. Nord-Pas-de-Calais - **2.** Haute-Normandie - **3.** Picardie - **4.** Basse-Normandie - **5.** Île-de-France - **6.** Champagne-Ardenne - **7.** Lorraine - **8.** Alsace - **9.** Bretagne - **10.** Pays de la Loire - **11.** Centre - **12.** Bourgogne - **13.** Franche-Comté - **14.** Poitou-Charentes -**15.** Limousin - **16.** Auvergne - **17.** Rhône-Alpes - **18.** Aquitaine - **19.** Midi-Pyrénées - **20.** Languedoc-Roussillon - **21.** Provence-Alpes-Côte d'Azur - **22.** Corse.

Page 143

Objets cachés

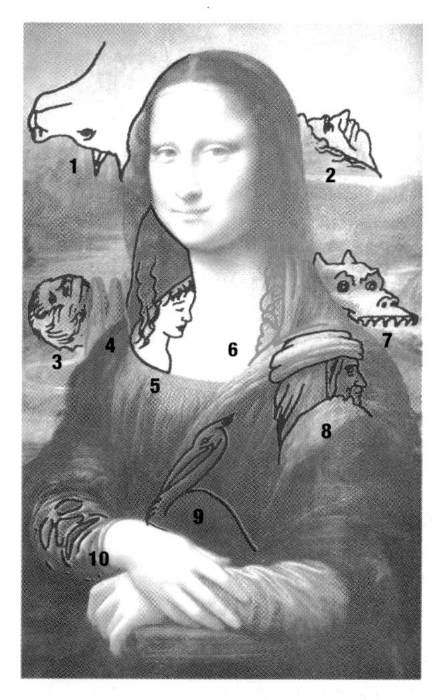

1. Tête de chien - **2.** Profil d'homme - **3.** Tête de lion - **4.** Tête de crocodile - **5.** Profil de femme - **6.** Profil de vieillard - **7.** Tête de dragon - **8.** Profil d'homme - **9.** Tête de héron - **10.** Masque.

Page 147

Une histoire de mots

Dynamite - Argile - Dancing - Synthèse - Architecte - Orfèvre - Biceps - Rallye - Oxygène - Chimpanzé - Apostrophe - Ivoire.

Page 206

Le point commun

1. Chaussure-chaise = **pied** - moulin-bateau = **vent** - zèbre-Dalton = **rayure** - écriture-oiseau = **plume** - toilettes-astronomie = **lunettes** - cheveu-arbre = **racine** - théâtre-appartement = **pièce** - bateau-mariée = **voile.**
2. Désinfectant-apéritif = **alcool** - journaliste-mare = **canard** - crabe-épilation = **pince** - vélo-viscère = **boyau** - coq-montagne = **crête** - nœud-chenille = **papillon** - chaussure-steak = **semelle** - cuisine-multiplication = **table.**
3. Informatique-cerveau = **mémoire** - vélo-supermarché = **rayon** - palmier-calendrier = **date, datte** - papillon-char d'assaut = **chenille** - montagne-horloge = **aiguille** - oreille-menuisier = **marteau** - vêtement-service = **valet.**

Page 207

Méli-mélo de lettres

Rouge : CABAN - **Vert :** NAVIRE - **Rose :** ANCRE - **Jaune :** PONT - **Bleu :** POMPON.

Les couleurs en images

Blanc : la robe de mariée, le lait, les dents, le sel, le lis, la colombe, l'écume ; blanc comme neige, blanc comme un linge, être connu comme le loup blanc.
Rouge : le sang, le rubis, le nez de clown, la voiture des pompiers, la fraise, la tomate, la muleta (cape du matador) ; rouge de honte, rouge comme une tomate, voir rouge.
Jaune : l'or, le tournesol, le soleil, le citron, le canari, le beurre, le poussin ; être maillot jaune, rire jaune, un syndicat jaune.
Vert : l'émeraude, l'herbe, le concombre, l'olive, la rainette, le billet de 1 dollar, le tapis de jeu ; vert de rage, avoir la main verte, se mettre au vert.
Noir : la nuit, le charbon, le drapeau des pirates, l'habit de deuil, les cachous, le jais, la lumière ; boire un petit noir, broyer du noir, être dans le noir.
Bleu : le ciel, la turquoise, le myosotis, le bleu de travail, le jean, la mer, une voiture de gendarmerie ; un cordon-bleu, une peur bleue, un bas-bleu.

Page 210

Le loft

1. Objets déplacés
La coupe : de la bibliothèque au buffet bleu- La tasse : du bar à la table - Le ballon : de la salle à manger à la pièce du fond - Le tapis rond : de l'entrée au coin télé - Le verre à cocktail : de la table basse au bar.
2. Objets ajoutés
Un presse-agrumes sur le bar - Une plante verte derrière le fauteuil bleu - Un vase sur la télévision - Un tableau sur le mur de droite - Un livre sur le canapé.
3. Objets retirés
La sculpture sur le buffet bleu - La salière sur le bar - Le pot de fleurs sur la table - Le doseur sous le bar - Le guéridon à droite du canapé.

Page 212

La bonne figure

Figure 3.

Page 213

Les disques

2 - 3 - 5.

Page 214

La farandole des cubes

Figure 1 : 14 cubes - **Figure 2 :** 8 cubes - **Figure 3 :** 13 cubes - **Figure 4 :** 12 cubes - **Figure 5 :** 9 cubes - **Figure 6 :** 11 cubes.

La danse des lettres

1. Chambéry - Bordeaux - Toulouse.
2. Pomme/Banane - Abricot/Cerise - Poire/Pêche - Fraise/Clémentine.

Le monde des animaux

Éric : le loup - **Léa :** l'éléphant - **Marc :** le lion - **Lucie :** la girafe - **Charles :** l'ours blanc - **Justine :** l'otarie.

Page 215

Suites logiques

1. L'étoile et le rectangle sont toujours placés en diagonale.
2. La somme des deux premiers nombres donne le troisième.
La somme des trois premiers nombres donne le quatrième.
La somme des quatre premiers nombres donne le cinquième.
La somme des cinq premiers nombres donne le dernier.
Le sixième nombre n'a aucun rapport avec la suite logique.
3.
1. C (ajouter 3 lettres, retrancher 2 lettres, etc.).
2. S (ajouter 1 lettre, ajouter 2 lettres, etc.).
3. S (retrancher 1 lettre à chaque fois).
4. I (ajouter 4 lettres à chaque fois).
5. D (ajouter 4 lettres, retrancher 3 lettres, etc.).
6. O (ajouter 4 lettres, retrancher 2 lettres, ajouter 3 lettres, etc.).

Page 216

Des mots à la phrase

Indifférent aux vents, qui ici ne faiblissent guère, le vieux village fortifié se blottit à l'abri du château, d'où s'élance une gigantesque et sans doute fort ancienne tour de guet, du haut de laquelle on pouvait surveiller tout l'horizon.

Page 217

Puzzle

La pièce n° 7 n'appartient pas au puzzle.

Page 218

Suites de chiffres

1. Un écart de 6 sépare les deux premiers nombres. Les écarts suivants sont successivement de 8 (6+2), 10 (8+2), 12 (10+2), 14 (12+2), 16 (14+2). On ajoute donc 16 au sixième nombre pour trouver le septième, qui est 77.
2. Le nombre 215. Il faut à chaque fois multiplier le nombre par 3 et ajouter 2.
3. Nombre A = 33 - Nombre B = 35.
Il faut ajouter 6 à chaque nombre quand on se déplace vers la droite et retrancher 6 quand on se déplace vers la gauche. Il faut ajouter 2 pour chaque déplacement vers le bas et retrancher 2 pour chaque déplacement vers le haut.
4. Le chiffre 5. Ce carré doit être divisé en quatre autres carrés de quatre cases chacun. Dans chacun de ces carrés, le nombre le plus grand est la somme des trois autres (ici, 9 + 2 + 5 = 16)

Suites de figures

1.

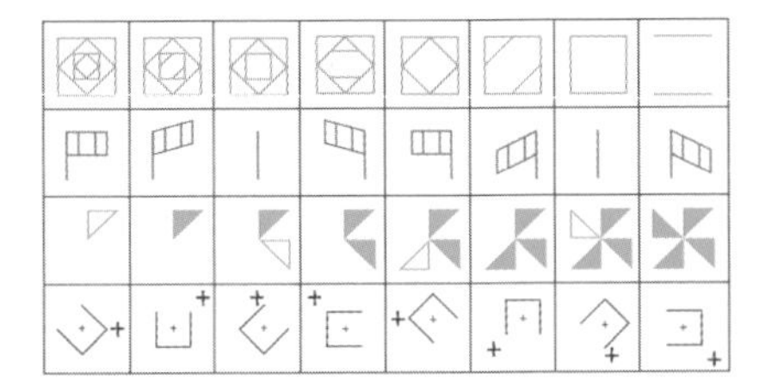

2. La carte n° 2.

Palindromes

Noms communs : été - kayak - radar - rotor...
Verbes : rêver - réer...
Prénoms : Anna - Ava...
Villes : Noyon - Sées...
Phrases : C'est sec - Karine alla en Irak - Eh, ça va, la vache ? - Et la marine va venir à Malte...
Dates : 10.01.1001 - 13.11.1131...

Page 219

La séquence du spectateur

La Guerre des étoiles (George Lucas, États-Unis, 1977) - *Elephant Man* (David Lynch, États-Unis, 1980) - *Out of Africa* (Sydney Pollack, États-Unis, 1986) - *Love Story* (Arthur Hiller, États-Unis, 1970) - *Autant en emporte le vent* (Victor Fleming, États-Unis, 1939) - *Les Sept Mercenaires* (John Sturges, États-Unis, 1960) - *Ginger et Fred* (Federico Fellini, Italie, 1985) - *Quand Harry rencontre Sally* (Rob Reiner, États-Unis, 1989) - ***Trop belle pour toi* (Bertrand Blier, France, 1989)** - *La Dolce Vita* (Federico Fellini, Italie, 1960).

Quand la musique est bonne...

1er groupe : les Jacobs comptent 7 musiciens.
2e groupe : les Funny comptent 5 musiciens.
3e groupe : les Cats comptent 4 musiciens.
4e groupe : les Rockers comptent 6 musiciens.

Page 220

Quelle histoire !

M. X réserve par téléphone une place d'avion pour Fort-de-France (4). Il prépare sa valise (6). À l'aéroport, après avoir discuté avec une hôtesse fort séduisante (12), il décolle de Paris (1). À l'atterrissage, M. X s'aperçoit qu'il s'est embarqué sur un avion à destination du Groenland (9). Il grelotte de froid à l'ouverture de l'appareil (2). Mais sa valise, elle, l'attend à Fort-de-France (8). M. X remue ciel et terre pour reprendre un avion le jour même (10), l'hotesse fait de son mieux (11), sans succès. M. X se voit contraint de passer une nuit à l'hôtel (3) dans l'attente du prochain avion en partance pour la Martinique. Il décolle enfin (13) et atterrit à bon port (7). M. X apparait à la porte de l'appareil vêtu de l'anorak qu'il a dû se procurer en raison du froid (5).

Page 221

Animaux en pagaille

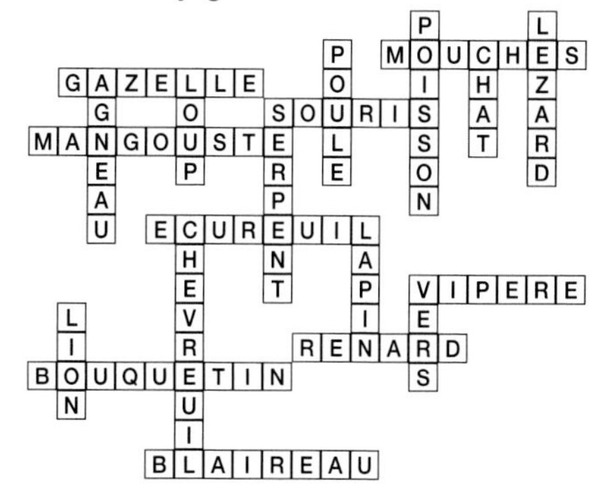

Page 222

En voiture

– le moteur : starter, cardan, bougie, huile, essence, batterie, culasse, joint de culasse, bielle, filtre à air, filtre à huile, filtre à essence, boîte de vitesses… ;
– la carrosserie : amortisseur, frein, plaquettes de frein, liquide de frein, aile avant, aile arrière, portière, toit, toit ouvrant, capot, coffre, pare-chocs, vitre, pare-brise, phare, clignotant, feu de détresse, feu de stop, feu de route, feu antibrouillard, rétroviseurs droit et gauche, roue, jante, enjoliveur, pneu, serrure… ;
– l'habitacle : siège, rétroviseur intérieur, housse, repose-tête, volant, pédale, levier de vitesses, boîte à gants, tableau de bord, allume-cigare, Klaxon, volant, tapis… ;
– les sécurités : air-bag, ceinture, appuie-tête, renfort latéral… ;
– les accessoires : siège-auto, désodorisant d'intérieur, accoudoirs, pare-soleil, auto-radio, enceintes, air conditionné…

Pages 223

Les intrus

Les 7 groupes de 4 éléments ayant un thème commun.

Thème cuisine : louche - gâteau - batteur électrique - toque de cuisinier.
Thème religion : chandelier à 7 branches - chapelet - gong - crosse d'évêque.
Thème loisirs : chaise-longue - tente - maillot de bain - appareil photo.
Thème arts : guitare - palette - film - buste.
Thème technologie : souris d'ordinateur - antenne parabolique - transistor - téléphone portable.
Thème odeurs : putois - éther - vaporisateur - fromage.
Thème couleur rouge : rouge à lèvres - coccinelle - cerise - coquelicot.

Pages 225

Phrases à initiales

Quelques propositions :

1. Les Parisiens Vont Souvent Manifester
Lutter Pour Vaincre Sa Malchance
Léo Passe Voir Sa Marraine
2. Mardi, Caroline Épluchera Des Radis
Mentir, Cela Est Donc Rentable ?
Marie Charme Et Dorlote Rémy
3. La Toge Est Rouge Sang
Lassés, Tous Enragent, Râlent, S'enfuient
Lucien Tempête Et Ronchonne Souvent
4. La Maîtresse Dort Nue : Charmant !
Lundi Matin, Dominique Nagera Calmement
Louise Manigance Des Niches Coquines

Marabout-bout de ficelle

Propositions :

POU-MON/**MON**-TER
AI-LE/**LE**-VAIN
CRI-ME/**ME**-NACE
EN-VOL/**VOL**-TIGE
NI-CHE/**CHE**-MIN
PA-PAL/**PAL**-MIER
FRE-LON/**LON**-GER
BÉ-BÉ/**BÊ**-TISE
BO-A/**A**-VATAR
YÉ-TI/**TI**-RELIRE
ME-NU/**NU**-MÉRO
PLA-QUE/**QUE**-RELLE
MEN-THE/**THÉ**-IÈRE
POUS-SOIR/**SOI**-RÉE
CHAN-SON/**SON**-NERIE
PLA-CARD/**CAR**-DI-GAN
PRO-JET/**JE**-TON
VEN-TRU/**TRU**-QUER

Page 226

Tour du monde *(voir en bas de page)*

Page 228

Les bonnes distances

En France

1. Paris-Lille : 207 km
2. Paris-Nantes : 343 km
3. Paris-Lyon : 391 km
4. Paris-Strasbourg : 400 km
5. Paris-Bordeaux : 500 km
6. Paris-Marseille : 662 km
7. Paris-Nice : 687 km
8. Paris-Toulon : 694 km
9. Paris-Ajaccio : 921 km

En Europe

1. Paris-Bruxelles : 265 km
2. Paris-Londres : 343 km
3. Paris-Zurich : 491 km
4. Paris-Dublin : 780 km
5. Paris-Berlin : 881 km
6. Paris-Prague : 885 km
7. Paris-Copenhague : 1 028 km

Page 226

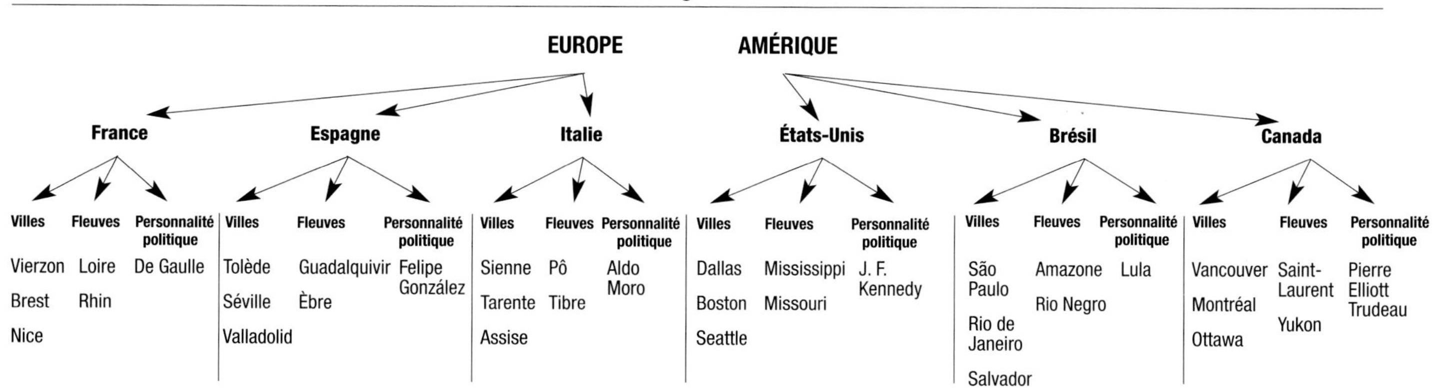

8. Paris-Madrid : 1 050 km
9. Paris-Rome : 1 117 km
10. Paris-Stockholm : 1 549 km
11. Paris-Helsinki : 1 911 km
12. Paris-Athènes : 2 093 km

Dans le monde

1. Paris-Alger : 1 373 km
2. Paris-Marrakech : 2 081 km
3. Paris-Istanbul : 2 263 km
4. Paris-Moscou : 2 494 km
5. Paris-Le Caire : 3 222 km
6. Paris-Bagdad : 3 875 km
7. Paris-Dakar : 4 224 km
8. Paris-Washington : 6 177 km
9. Paris-Rio de Janeiro : 9 146 km
10. Paris-Le Cap : 9 293 km
11. Paris-Saigon : 10 147 km
12. Paris-Sydney : 16 966 km

Page 229

Recolle-mots

CHANT-PIGNON : **champignon** - CHAT-THON : **chaton** - BOUCHE-RIZ : **boucherie** - CAR-TON : **carton** - EAU-BENNE : **aubaine** - POIDS-SON : **poisson** - CHAS-POT : **chapeau** - BOURG-JOIE : **bourgeois** - BARREAU-MÈTRE : **baromètre** - BAL-LAIT : **balai** - ART-RHUM : **arum** - HACHE-RAME : **ashram** - TRONC-BONNE : **trombone** - TROT-FÉE : **trophée** - THÉ-HIER : **théière** - RAT-BAIN : **rabbin.**

Page 230

Les deux font la paire

Docteur : médecin - **Tendresse :** câlin - **Amitié :** copain - **Boulanger :** pain, pétrin - **Tissu :** lin, satin - **Enfant :** gamin, bambin - **Poison :** venin - **Chanson :** refrain - **Arbre :** pin, sapin - **Pluie :** crachin - **Fromage :** saint-marcellin, Boursin - **Bourgade :** patelin - **Haute couture :** mannequin - **Bijou :** écrin - **Daudet :** Tartarin, moulin, écrivain - **Élan :** tremplin - **Paratonnerre :** Benjamin Franklin - **Papier :** parchemin - **Montgolfière :** zeppelin - **Siège :** strapontin - **Tsar :** Kremlin - **Arthur :** Merlin.

Deux images pour un mot

1. Champignon-pied : **mycose**
2. Route de montagne-chaussure : **lacets**
3. Roi-dent : **couronne**
4. Soleil-danseuse : **étoile**
5. Italie-rapace : **Milan**
6. Festival de Cannes-plongeur : **palme**
7. Fusil-hiéroglyphes : **cartouche**
8. Cheveux-cravate : **nœud**
9. Cathédrale-arc : **flèche**
10. Fée-pain : **baguette**
11. Noix de coco-vache : **lait**
12. Chignon-chausson : **danseuse**

Page 231

À chacun ses références

Taxi

- Transport, compteur, station, course, avion (avion-taxi)...
- Les taxis de la Marne, *Un taxi pour Tobrouk* (film de Denys de La Patellière), Vanessa Paradis (chanson *Joe le taxi)...*

Nez

- Odeur, flair, rhume, mouchoir...
- Pied (pied de nez), moutarde (la moutarde lui monte au nez), Cléopâtre, Sphinx, *Ma sorcière bien-aimée,* Grasse (capitale du parfum), *Cyrano de Bergerac* (livre d'Edmond Rostand)...

Bicyclette

- Roue, tandem, Tour de France...
- *Le Voleur de bicyclette* (film de Vittorio de Sica), *la Bicyclette bleue* (livre de Régine Desforges), Yves Montand (chanson *la **Bicyclette***)...

Fantôme

- Blanc, drap, château hanté, train (train fantôme), membre (membre fantôme)...
- Écosse, *le Fantôme de l'Opéra,* Wagner *(le Vaisseau fantôme), Fantômas* (roman-feuilleton et film)...

Soleil

- Lune, vacances, parasol, lunettes, bronzer, solstice...
- Récréation (un, deux, trois... soleil), Louis XIV, les Incas (fils du Soleil), *Soleil vert* (film de Richard Fleischer), *Sous le soleil de Satan* (livre de Georges Bernanos)...

Or

- Argent, étalon, pépite, livre (livre d'or)...
- Âge (âge d'or), siècle (le Siècle d'or), nombre (nombre d'or), silence (le silence est d'or), *la Ruée vers l'or* (film de Charlie Chaplin)...

Souris

- Rat, chat, fromage, ordinateur, gigot, nana...
- *Une souris verte* (chanson enfantine), *Des souris et des hommes* (livre de John Steinbeck), Walt Disney (Mickey Mouse), *Maus* (bande dessinée d'Art Spiegelman)...

Nuit

- Noir, étoile, noces, chemise, papillon, boîte...
- Cristal (Nuit de cristal), *la Nuit américaine* (film de François Truffaut)...

Avion

- Vol, aéroport, supersonique, hôtesse, hélice...
- Kamikaze, *Y a-t-il un pilote dans l'avion ?* (film), Lindbergh, *Spirit of Saint Louis...*

Page 232

Mémoriser la bonne définition

Acquêt : n. m. Bien acquis par les époux, ensemble ou séparément, durant le mariage et qui entre dans la masse commune, sous le régime de la communauté légale.
Alidade : n. f. Règle graduée munie d'un instrument de visée permettant de mesurer les angles verticaux et utilisée pour tracer les directions sur une carte.
Champart : n. m. Mélange de blé, d'orge et de seigle semés ensemble.
Flipot : n. m. Morceau de bois employé pour dissimuler une fente dans un ouvrage de menuiserie.
Jaseran : n. m. Chaîne faite de mailles en or ou en argent.
Marli : n. m. Bord intérieur d'une assiette ou d'un plat.
Peilles : n. f. pl. Chiffons employés dans la fabrication du papier.
Rhinanthe : n. m. Plante de prairie à fleurs jaunes qui parasite les autres végétaux par ses racines. Nom usuel : crête-de-coq.
Syllepse : n. f. Accord des mots dans la phrase selon le sens et non selon les règles grammaticales.
Zain : adj. m. Se dit d'un cheval ou d'un chien qui n'a aucun poil blanc.

Jouons à saute-mouton

En 2 étapes

Thé bouilloire vapeur **locomotive**
Automobile roue manège **fête foraine**
Téléphone fil couture **chirurgie**
Café grain sable **plage**

En 3 étapes

Télescope lunette verre flûte **champagne**
Coiffeuse coupe ciseaux outil **jardinage**
Toilette douche savon Marseille **bouillabaisse**
Ordinateur imprimante papier arbre **cerisier**

En 4 étapes

Savane Afrique désert oasis ombre **silhouette**
Poignet bracelet montre heure temps **climat**
Oiseau plume stylo encre pieuvre **mer**
Actualité magazine articles mots parole **promesse**

En 5 étapes

Ballon basket chaussure pied oignon soupe **cuisine**
Porte clef musique chambre lit duvet **plume**
Cercle anneau mariage liens corde nœud **marin**
Animal végétal nature paysage tableau peintre **autoportrait**

Page 239

Allô !

1. 115 - **2.** 12 - **3.** 17 - **4.** 18 - **5.** 15 - **6.** Apprenez-le si vous ne le connaissez pas -
7. Paris : 01 40 05 48 48 ; Angers : 02 41 48 21 21 ; Bordeaux : 05 56 96 40 80 ; Lille : 08 25 81 28 22 ; Lyon : 04 72 11 69 11 ; Marseille : 04 91 75 25 25 ; Nancy : 03 83 32 36 36 ; Rennes : 02 99 59 22 22 ; Strasbourg : 03 88 37 37 37 ; Toulouse : 05 61 77 74 47.

Les causes de la guerre de Zion

1. Qui ? Orus, prince d'Olys.
2. Quoi ? Enlève la belle Perséphone.
3. Où ? À Zion.
4. Quand ? En 9600.
5. Comment ? Par ruse, en l'absence du roi Taramac.
6. Pour quoi ? Pour en faire la reine d'Olys.
7. Pourquoi ? Parce qu'elle lui a été promise par la déesse Amoria.

Page 242

Paroles, paroles, paroles...

1. BAVARDER - **2.** JACASSER - **3.** DÉBITER - **4.** PARLEMENTER - **5.** MURMURER - **6.** SOLILOQUER - **7.** PALABRER - **8.** COMMUNIQUER - **9.** TRANSFÉRER - **10.** PROPAGER - **11.** DÉLÉGUER.

Page 243

Les petits papiers

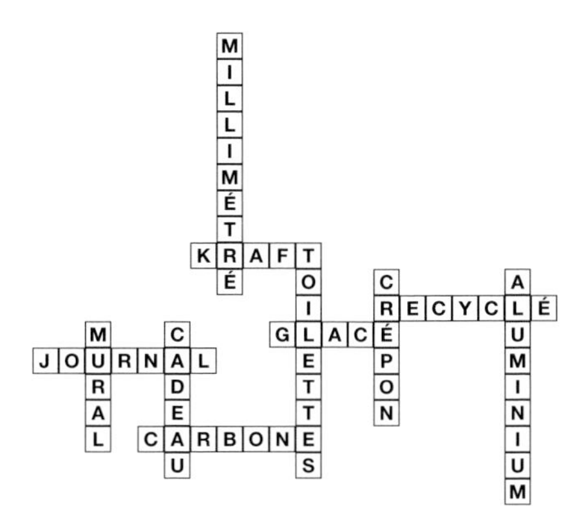

Page 299

Les bons petits plats de nos régions

Alsace : presskopf, baekeoffe, spätzle, munster.
Auvergne : gaperon, tripous, aligot, truffade.
Bourgogne : kir, nonnettes, gougère, époisse.
Bretagne : galettes de blé noir, chouchen, kouign-amann, cotriade.
Flandre/Artois/Picardie : flamiche, carbonade de bœuf, potjevleesch, waterzooï.
Lyonnais : rosette, grattons, cervelle de canut, bugnes.
Normandie : Livarot, caramels (d'Isigny), Bénédictine, bourdelot.
Pays basque : ossau-iraty, chipirons farcis, tripotcha, irouléguy.
Provence : pissaladière, aïoli, bouillabaisse, fougasse.
Savoie/Dauphiné : diot, matafan, gratin de cardons à la crème, liqueur de génépi.
Sud-Ouest : cannelé, cassoulet, cabécou, armagnac.

La table des calories

d. 100 g de **salade verte :** 18 kcal.
h. 100 ml **soda :** 44 kcal.
j. 100 g de **pomme :** 52 kcal.
a. 100 g de **poire :** 61 kcal.
l. 100 ml de **vin à 12° :** 67 kcal.
b. 100 g de **pâtes cuites :** 90 kcal.
m. 100 g d'**œuf :** 160 kcal.
k. 100 g de **steak :** 200 kcal.
e. 100 g de **pizza :** 200 kcal.
f. 100 g de **hamburger :** 255 kcal.
g. 100 g de **sandwich au jambon :** 430 kcal.
i. 100 g de **couscous :** 575 kcal.
c. 100 g de **cassoulet :** 610 kcal.

Page 300

Les délices italiens

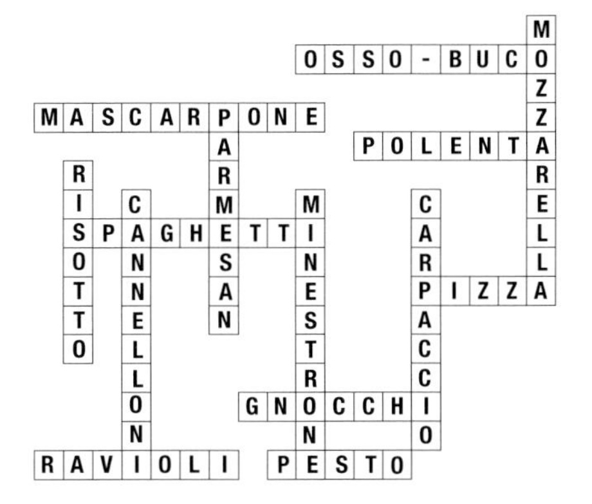

Sommeil : gare aux erreurs !

5 erreurs à ne pas commettre.

1. Il est préférable de s'endormir en étant calme et détendu.

4. Il vaut mieux laisser son corps au repos pendant deux heures avant de se coucher.

6. Au contraire, un repas léger favorise un bon sommeil.

11. Si vous êtes sensible à la caféine, il vaut mieux arrêter d'en boire après 16 h.

16. Croire qu'une grande consommation d'alcool aide à dormir est un leurre. L'alcool endort les sens pour un court moment, mais c'est avant tout un excitant. De plus, il peut provoquer des cauchemars.

Page 302

Des plantes qui soignent

Ail commun : vers intestinaux - **Grande camomille :** règles douloureuses - **Cannelier de Chine :** perte d'appétit - **Figuier :** digestion difficile - **Gingembre :** nausées, vomissements - **Ginkgo :** perte de mémoire - **Ginseng :** stress, asthénie - **Giroflier :** maux de dents - **Jujubier :** enrouement - **Lin :** inflammations articulaires - **Luzerne :** fatigue - **Rhubarbe de Chine :** constipation - **Salsepareille :** eczéma - **Souci officinal :** crevasses - **Tilleul :** troubles mineurs du sommeil.

Page 305

Dessins en miroir

Page 306

La fable universelle

Le Corbeau et le Renard

Maître corbeau, sur un arbre **perché,**
Tenait en son bec un fromage.
Maître renard, par l'**odeur** alléché,
Lui **tint** à peu près ce langage :
« **Hé !** bonjour, Monsieur du Corbeau.
Que vous êtes **joli** ! que vous me semblez **beau** !
Sans **mentir,** si votre ramage
Se **rapporte** à votre plumage,
Vous êtes le phénix des **hôtes** de ces bois. »
À ces mots, le corbeau ne se **sent** pas de joie ;
Et pour montrer sa **belle** voix,
Il ouvre un **large** bec, laisse tomber sa proie.
Le renard s'en **saisit,** et dit :
« Mon **bon** monsieur,
Apprenez que tout **flatteur**
Vit aux **dépens** de celui qui l'écoute :
Cette **leçon** vaut bien un **fromage,** sans doute. »
Le corbeau, **honteux** et confus,
Jura, mais un peu tard, qu'on ne l'y prendrait **plus.**

Qui crie quoi ?

La bécasse **croule** - La chouette **hulule** - Le poussin **piaille** - La cigogne **claquette** - Le canard **cancane** - La poule **caquette** - Le coq **chante** - La belette **belote** - La chauve-souris **grince** - L'abeille **bourdonne** - L'éléphant **barrit** - Le serpent **siffle** - Le lion **rugit** - Le tigre **feule** - Le chameau **blatère** - Le cygne **drense** ou **trompette** - La hyène **ricane** - La souris **chicote** - Le faucon **réclame** - Le cheval **hennit** - L'âne **brait** - Le mouton **bêle** - Le lapin **clapit** - La vache **beugle.**

Page 307

Le tour du monde de la gastronomie

Angleterre : plum-pudding (entremets) - **Autriche :** apfelstrudel (gâteau aux pommes) - **Belgique :** witloof à la crème (endives à la crème) - **Bulgarie :** potage froid au concombre - **Chine :** œufs de cent ans (œufs de cane conservés environ trois mois dans l'argile et la chaux) - **Écosse :** haggis (panse de brebis farcie) - **Espagne :** cocido (pot-au-feu aux pois chiches) - **Finlande :** glögi (vin chaud épicé) - **Grèce :** souvlakis (brochettes de mouton) - **Hongrie :** goulasch (ragoût au paprika) - **Irlande :** colcannon (purée de pommes de terre) - **Italie :** tiramisu (entremets au café et au mascarpone) - **Japon :** soupe miso - **Mexique :** enchiladas (tortillas de maïs roulées et farcies) - **Pays-Bas :** balkenbrij (gâteau de tête de porc) - **Portugal :** bacalhau a braz (morue aux pommes de terre) - **Russie :** bortsch (soupe à la betterave) - **Sénégal :** yassa (viande ou poisson marinés) - **Turquie :** köfte (boulettes de viande).

Page 308

Vive les mariés !

5 ans : bois - **10 ans :** étain - **15 ans :** porcelaine - **20 ans :** cristal - **25 ans :** argent - **30 ans :** perle - **40 ans :** émeraude ou rubis - **50 ans :** or - **60 ans :** diamant - **70 ans :** platine - **80 ans :** chêne.

Des expressions imagées

Être malin comme un **singe** - Être une **poule** mouillée - Fier comme un **coq** - Fier comme un **pou** - Avancer comme un **escargot** - Être comme un **coq** en pâte - Quand le **chat** n'est pas là, les **souris** dansent - Avoir une cervelle d'**oiseau** - Un **canard** boiteux - Mettre la charrue avant les **bœufs** - Donner sa langue au **chat** - Être un chaud **lapin** - Monter sur ses grands **chevaux** - Ménager la **chèvre** et le chou - Sauter du **coq** à l'**âne** - Avaler des **couleuvres** - Peigner la **girafe** - Laisser pisser le **mérinos** - Prendre la **mouche** - Une fine **mouche** - Avoir la **puce** à l'oreille - Un coup de pied en **vache**...

Page 310

Êtes-vous cinéphile ?

Apocalypse Now : **Francis Ford Coppola** - *Les Tontons flingueurs :* **Georges Lautner** - *Docteur Jivago :* **David Lean** - *Quai des Brumes :* **Marcel Carné** - *La Dolce Vita :* **Federico Fellini** - *Autant en emporte le vent :* **Victor Fleming** - *E.T. l'extraterrestre :* **Steven Spielberg** - *Fanfan la Tulipe :* **Christian-Jaque** - *Rio Bravo :* **Howard Hawks** - *Citizen Kane :* **Orson Welles** - *Certains l'aiment chaud :* **Billy Wilder** - *Le Dernier Métro :* **François Truffaut** - *Les Quatre Cavaliers de l'Apocalypse :* **Vincente Minnelli** -*Moby Dick :* **John Huston** - *Le Mépris :* **Jean-Luc Godard** - *La Bête humaine :* **Jean Renoir** - *Le Voleur de bicyclette :* **Vittorio De Sica** - *Annie Hall :* **Woody Allen** - *La Chevauchée fantastique :* **John Ford** - *La Mort aux trousses :* **Alfred Hitchcock.**

Chef-d'œuvres perdus

Botticelli : *la Naissance de Vénus* - **Edgar Degas :** *Danseuses à la barre* - **Eugène Delacroix :** *la Liberté guidant le peuple* - **Paul Gauguin :** *D'où venons-nous ? Que sommes-nous ? Où allons-nous ?* - **Théodore Géricault :** *le Radeau de la Méduse* - **Gustav Klimt :** *le Baiser* - **Georges de La Tour :** *le Tricheur* - **Claude Monet :** *Impression, soleil levant* - **Pierre-Auguste Renoir :** *le Moulin de la Galette* - **Henri de Toulouse-Lautrec :** *Au Moulin-Rouge, la Goulue* - **Léonard de Vinci :** *l'Adoration des Mages* - **Jean Antoine Watteau :** *Gilles.*

Page 312

Parlons jeune !

Splitter : se séparer - **Kiffer :** aimer - **Une nuit grave :** une cigarette - **Être à oualpé :** être nu - **C'est de la balle :** c'est super - **Chelou :** bizarre - **Être à l'ouest :** être hors du coup, dans les vapes ou trop vieux - **Ça arrache grave, ça tue :** c'est quelque chose de très bien - **Mortel :** bien, beau, dont on peut se réjouir - **C'est un truc de ouf :** ça dépasse l'entendement, c'est dingue.

Page 313

Dites-le avec des fleurs...

Camélia : constance - **Colchique :** jalousie - **Gentiane :** mépris - **Hortensia :** froideur - **Laurier :** gloire - **Muguet :** bonheur - **Perce-neige :** épreuve - **Pivoine :** confusion - **Rose :** amour et beauté.

Qui chante quoi ?

Salvatore Adamo : *Mes mains sur tes hanches* - **Charles Aznavour :** *Emmenez-moi* - **Barbara :** *Nantes* - **Michel Berger :** *la Groupie du pianiste* - **Georges Brassens :** *les Trompettes de la renommée* - **Jacques Brel :** *Orly* - **Christophe :** *les Mots bleus* - **Julien Clerc :** *Si on chantait* - **Dalida :** *Il venait d'avoir 18 ans* - **Jacques Dutronc :** *l'Opportuniste* - **Serge Gainsbourg :** *Élisa* - **Zizi Jeanmaire :** *Mon truc en plumes* - **Yves Montand :** *Battling Joe* - **Claude Nougaro :** *Armstrong* - **Édith Piaf :** *la Foule* - **Serge Reggiani :** *Les loups sont entrés dans Paris* - **Line Renaud :** *Ma cabane au Canada* - **Charles Trenet :** *le Jardin extraordinaire.*

Page 315

Les monuments célèbres

Agra (Inde) : le Tadj Mahall - **Barcelone :** la Sagrada Familia - **Berlin :** la porte de Brandebourg - **Copenhague :** la Petite Sirène - **Florence :** le Duomo - **Istanbul :** Sainte-Sophie - **Lhassa** (Tibet) : le Potala (palais du dalaï-lama) - **Londres :** l'abbaye de Westminster - **Paris :** la Sainte-Chapelle - **Pékin :** le palais d'Été - **Philadelphie :** Independence Hall - **Saint-Pétersbourg :** le palais de l'Ermitage - **San Francisco :** le pont du Golden Gate - **Varsovie :** la colonne de Sigismond - **Venise :** le pont du Rialto.

Page 316

Le Top 50

Good-bye Marylou : Michel Polnareff- *Le Lac Majeur :* Mort Shuman - *Dominique :* Sœur Sourire - *Magnolias for ever :* Claude François - *Poupée de cire, poupée de son :* France Gall - *La Rockeuse de diamants :* Catherine Lara - *Il tape sur des bambous :* Philippe Lavil - *Tout doucement :* Bibie - *Elle a fait un bébé toute seule :* Jean-Jacques Goldman - *Laisse béton :* Renaud - *Femmes à lunettes :* Richard Gotainer - *Belle-Île-en-Mer, Marie-Galante :* Laurent Voulzy.

Page 318

Maison de famille

1. Son arrière-grand-mère.

2. C'est Marie et Jacques qui ont le plus de descendants (15).

3. La deuxième génération.

4. Audrey : Clara ou Laurence - Clément : Jacques ou Roger - Anaïs : Delphine ou Léonore.

5. Audrey et Philippe.

Page 319

Les mots de la famille

Affinité : parenté par alliance ; degré de proximité que le mariage fait acquérir avec la famille du conjoint.

Douaire : bien (généralement immobilier ou financier) donné par le mari à son épouse au lendemain du mariage, afin qu'elle en ait l'usufruit si elle devenait veuve.

Mariage mixte : mariage entre personnes de religions, races ou nationalités différentes.

Cognat : parent par les femmes.

Agnat : parent par les hommes.

Polyandrie : fait pour une femme d'être mariée à plusieurs hommes à la fois.

Utérins (frères) : se dit de deux enfants qui ont la même mère mais pas le même père.

Germains (frères) : se dit de deux enfants qui ont le même père et la même mère.

Consanguins (frères) : se dit de deux enfants qui ont le même père mais pas la même mère.

Trézains : les 13 pièces ou médailles (en souvenir des 12 apôtres et du Christ) données par le mari à son épouse et qu'elle conserve. Elles sont bénies lors de la messe et garantissent la prospérité au couple.

Page 322

À vos allumettes

Première étape

1.

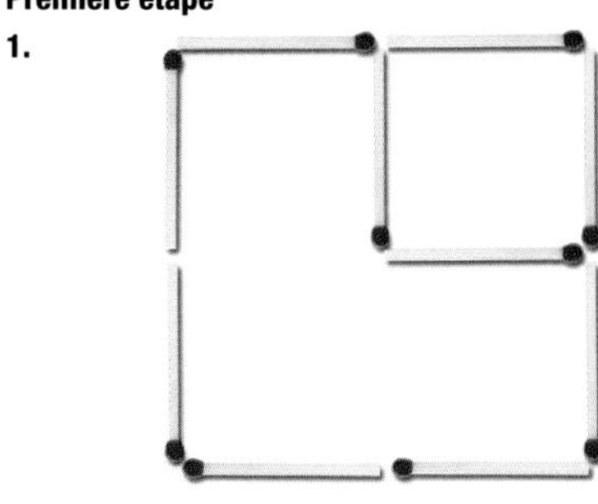

2.

Deuxième étape

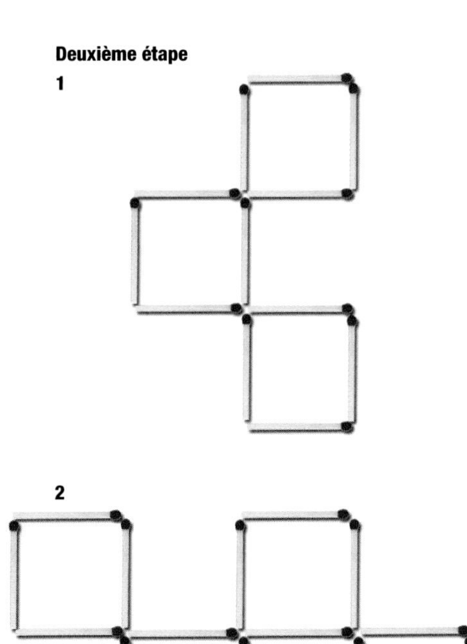

Le dictionnaire

CY : cyclomoteur, cygne, cyclone, cyanure, cylindre...
SY : syllabe, sympathie, synagogue, système, syrien...
GEN : genou, gentil, genre, genèse, gens...
EQU : équation, équerre, équilibre, équinoxe, équitable...
HAR : harnais, hardiesse, harpon, haricot, harmonie...

Page 324

Sur un air d'opéra

1. Les Noces de Figaro - **2.** Aïda - **3.** Le Barbier de Séville - **4.** Carmen - **5.** La Tosca - **6.** Parsifal - **7.** Orphée aux Enfers - **8.** La Damnation de Faust - **9.** Fidelio - **10.** Don Quichotte.

Les mots des états d'âme

Avoir une araignée au plafond.
Être heureux comme un poisson dans l'eau.
Avoir le moral dans les chaussettes.
Tempête sous un crâne.

Le calme par les plantes

1. Valériane - **2.** Tilleul - **3.** Mélisse - **4.** Millepertuis - **5.** Passiflore - **6.** Houblon - **7.** Fleur d'oranger.

Page 327

La cote des prénoms

Années 1930 :
Jean - André - Pierre - Michel - Roger - Marie - Jacqueline - Jeanine - Jeanne - Denise.
Années 1950 :
Pascal - Christian - Alain - Gérard - Bernard - Catherine - Martine - Françoise - Monique - Nicole.
Années 1970 :
Stéphane - Christophe - Laurent - David - Olivier -Nathalie - Valérie - Sandrine - Isabelle - Sylvie.
Années 2000 :
Thomas - Lucas - Théo - Hugo - Maxime - Léa - Manon - Chloé - Camille - Emma.

Page 328

Religions du monde

1. Le christianisme - **2.** L'islam - **3.** L'hindouisme - **4.** Le bouddhisme - **5.** L'animisme - **6.** Le sikhisme - **7.** Le judaïsme - **8.** Le bahaïsme - **9.** Le confucianisme - **10.** Le shintoïsme.

Inoubliables répliques

1. *Quai des Brumes* - **2.** *Le Père Noël est une ordure* - **3.** *Certains l'aiment chaud* - **4.** *Les Visiteurs* - **5.** *Hôtel du Nord* - **6.** *Le Pacha* - **7.** *Les Bronzés* - **8.** *E.T. l'extraterrestre* - **9.** *La Folie des grandeurs* - **10.** *Les Tontons flingueurs.*

Page 329

Une histoire de modernisme

Trombone : 1900 - **Poste de radio :** 1910 - **Réfrigérateur :** 1913 - **Télévision :** 1923 - **Scotch :** 1925 - **Moulin à légumes :** 1932 - **Chariot de supermarché :** 1934 - **Stylo à bille :** 1943 - **Gants ménagers :** 1948 - **Ordinateur :** 1948 - **Carte de crédit :** 1950 - **Pilule :** 1954 - **Couche-culotte jetable :** 1956 - **Poupée Barbie :** 1959 - **Bouteille en plastique :** 1963 - **Téléphone portable :** 1979.

À chaque pays sa monnaie

Baht : Thaïlande - **Dirham :** Maroc - **Dông :** Viêt Nam - **Forint :** Hongrie - **Guarani :** Paraguay - **Lev :** Bulgarie - **Rand :** Afrique du Sud - **Real :** Brésil - **Rouble :** Russie - **Rupiah :** Indonésie - **Shekel :** Israël - **Sol :** Pérou - **Yuan :** Chine - **Zloty :** Pologne.

Listes des jeux et exercices

Par catégories

Structuration

Temps

Par types

Par thèmes ou titres

Tests

Questionnaires et expériences personnels

Exercices de relaxation

Liste des encadrés « Ma mémoire et… »

Les chiffres en gras (**234**) renvoient aux sujets développés ; les intitulés et chiffres en italique *(310)*, aux jeux, tests et exercices associés aux notions au-dessous desquelles ils se trouvent ; les astérisques (209*), aux petits textes encadrés sur fond orange.

A

B-C

D

E

Livret pratique

Livret pratique

Adresses utiles

France

Pour entraîner sa mémoire

De nombreuses structures existent en France, qui offrent la possibilité d'entraîner sa mémoire. Des CRAM (caisses régionales d'assurance maladie), des centres hospitaliers, des maisons de retraite, des offices de retraités, des maisons des aînés, des relais de personnes âgées et de nombreuses associations proposent ainsi des ateliers mémoire, ateliers de stimulation de la mémoire ou ateliers de stimulation cognitive.

Pour se procurer une adresse, on peut se renseigner auprès de sa mutuelle, de sa caisse de retraite, d'un CODERPA (comité départemental des retraités et personnes âgées), ou encore auprès du CCAS (centre communal d'action sociale) de sa mairie ou de celle d'une municipalité située à proximité – il existe plus de 7 500 CCAS en France.

UNCCAS (Union nationale des centres communaux d'action sociale)
6, rue Faidherbe
BP 568
59208 Tourcoing
Tél. : 03 20 28 07 50,
contact@unccas.org

Association Mémoire et vie
30, rue Fortuny
BP 701
75827 Paris
Tél. : 01 47 66 18 24
http://memoireetvie.com
info@memoireetvie.com

Maladies de la mémoire

Si vous ou l'un de vos proches rencontrez des problèmes de mémoire importants, il est préférable de consulter d'abord un médecin généraliste, qui vous adressera à un spécialiste – neurologue ou gériatre –, ou de vous rendre à une consultation mémoire. Les consultations mémoire, recensées par les ARH (agences régionales de l'hospitalisation), se déroulent dans un établissement de soins de court séjour. Elles assurent un diagnostic fiable, mettent en place un projet de soins personnalisé ainsi qu'un plan d'aide et participent au suivi des personnes malades en partenariat avec les autres professionnels médico-sociaux. Elles disposent en outre d'une équipe médicale pluridisplinaire et de moyens paracliniques pour une prise en charge de proximité.

Fondation Médéric Alzheimer
30, rue de Prony
75017 Paris
Tél. : 01 56 79 17 91
http://www.fondation-mederic-alzheimer.org

France Alzheimer
21, boulevard Montmartre
75002 Paris
Tél. : 01 42 97 52 41
http://www.francealzheimer.org

Belgique

Pour entraîner sa mémoire

www.qiqcm.com
Ce site vous propose un test gratuit de mémoire tiré des tests SEVIV.

Maladies de la mémoire

L'Alzheimer Clearing House
Bâtiment Esplanade, bureau 303
Boulevard Pachéco, 19, boîte 5
1010 Bruxelles
Tél. : 02/210 47 24
E-mail : each@health.fgov.be

Le téléphone Alzheimer
(même adresse que ci-dessus)
Tél. : 078/15 29 10. E-mail :
telephone.alzheimer@health.fgov.be

La Ligue Alzheimer
Clinique Le Perî
Rue Montagne-Sainte-Walburge, 4B
4000 Liège
Tél. : 04/225 87 11

Alzheimer Belgique
Avenue Josse-Goffin, 199
1080 Bruxelles
Tél. : 02/428 28 19

Ligue bruxelloise francophone pour la santé mentale
Rue du Président, 53
1050 Bruxelles
Tél. : 02/511 55 43

Ligue wallone de santé mentale
Boulevard du Nord, 7
5000 Namur
Tél. : 081/22 21 26

Suisse

Pour entraîner sa mémoire

Pro Senectute Suisse -
Secrétariat romand
Rue du Simplon, 23
1800 Vevey
Tél. : 021 925 70 10
www.pro-senectute.ch

Maladies de la mémoire

Association Alzheimer Suisse
Rue des Pêcheurs, 8
1400 Yverdon-les-Bains
PC 30-349799-4
Tél. : 024 426 20 00
www. Alz.ch

Canada

Pour entraîner sa mémoire

Impro-Aînés FADOQ –
Mouvement des aînés du Québec
7378, rue Lajeunesse, bureau 215
Montréal (Québec) H2R 2H8
Tél. : (514) 271-1411
www.carrefour50ans.com
admin@fadoqmtl.org

Réseau d'information des aînés du Québec
655, rue Sauriol
Montréal (Québec) H2C 1T9
Tél. : (514) 270-8464
www.grandsparentsvirtuels.ca
gpvriaq@hotmail.com

Maladies de la mémoire

Clinique de la mémoire de Montréal
Centre de consultation et de formation en psychogériatrie
910, rue Bélanger Est, bureau 200
Montréal (Québec) H2S 3P4
Tél. : (514) 273-2266
www.ccfp-quebec.ca
services@ccfp-quebec.ca

Société Alzheimer du Canada
20, avenue Eglinton Ouest, bureau 1200
Toronto (Ontario) M4R 1K8
Tél. : 1 800 616-8816
Fax : (416) 488-3778
www.alzheimer.ca
info@alzheimer.ca

Fédération québécoise des sociétés Alzheimer
5165, rue Sherbrooke Ouest, bureau 211
Montréal (Québec) H4A 1T6
Tél. : (514) 369-7891 et
1 888 636-6473
info-fqsa@alzheimerquebec.ca
www.alzheimerquebec.ca

Crédits

PHOTOS

AKG IMAGES PARIS : 240, 241, 243g. **COLL. CHRISTOPHE L** : affiche film *Beau-Père,* réal. Bertrand Blier, 1981 (Films A2, Sara Films) : 187bmg ; affiche film *Belle de jour/*René Ferraci © ADAGP, Paris 2004, réal. Luis Buñuel, 1967 (Five Films, Paris Films) : 187bg ; affiche film *Germinal,* réal. Claude Berri, 1993 (Renn Productions, France 2 Cinéma, DD Productions) : 187hm ; affiche film *I comme Icare/*René Ferraci © ADAGP, Paris 2004, réal. Henri Verneuil, 1979 (AMLF, Vfilms, A2 Films) : 187hgm ; affiche film *la Jument verte/*Clément Hurel et Guy Gérard Noël, réal. Claude Autant-Lara, 1959 (SNEG Gaumont, Raimbourg, Zebra Films) : 187bd ; affiche film *les Sous-Doués en vacances/*René Ferraci © ADAGP, Paris 2004, réal. Claude Zidi, 1981 (Films 7) : 187bd ; affiche film *les Tontons flingueurs/*Jean-Étienne Siry, réal. Georges Lautner, 1963 (SNEG Gaumont) : 187hmd ; affiche film *Max et Jérémie,* réal. Claire Devers, 1992 (Alain Sarde, Films TF1 Productions) : 187bm ; affiche film *Nelly et M. Arnaud/*David Koskas, réal. Claude Sautet, 1995 (les films Alain Sarde, TF1 Films) : 187hg ; affiche film *Un singe en hiver/*Jouinneau et Bourduge, réal. Henri Verneuil, 1962 (Cipra Films, Cité Films) : 187hd ; affiche film *le Dernier Métro/* René Ferracci, ADAGP, Paris 2004, réal. François Truffaut, 1980 : 311. **COLLECTION PARTICULIÈRE/X, D.R.** : 134d. **CONSEIL DE L'EUROPE** : 8, 137. **CORBIS ROYALTY-FREE** : 9, 65, 85b, 93md, 93hg, 93mhd, 98h, 104mg, 155, 214d, 217, 280, 307, 338. **COSMOS/SPL** : 18h, 19b. **DAGLI ORTI** : 310. **© DIGITAL VISION** : 52h, 188, 219, 261, 334h. **GETTY IMAGES/PHOTODISC** : 17h, 22, 28/29b, 29hg, 29hd, 29mg, 29md, 29b, 40/41, 58/59, 59bg, 63, 64, 66, 70, 77bg, 81, 82, 93hdm, 93mg, 93gm, 99, 104hm, 104mhg, 104bg, 104mb et bd, 104bm, 105bg, 111mg, 151, 152b, 154mhg et bmd, 154mhd et bg, 154bm, 156, 157bd, 158, 163b, 167, 168, 180, 181bg, 183, 191, 194, 196m, 199mg, 199mb et bd, 249h, 250, 252b, 255, 256, 257, 263, 266, 270b, 283, 284, 286, 288h, 292, 295, 313b, 328, 329b, 332, 333hg, 333hd, 333mg, 333md, 333b, 334. **GOODSHOOT.COM** : 33, 83, 85h, 91, 93mhg, 93m, 104mhd et m, 154hg et md,154hm et bd, 154hd et mg, 178, 198, 221, 225. **© ICONOTEC/Atamu Rahi :** 93hgm, 104hg et hd. **READER'S DIGEST Assoc. Inc./GID/c, g, h, 2003/NIGTG** : 313h. **RMN/G. Blot/**Georges de La Tour, *le Tricheur à l'as de carreau :* 78 ; **RMN/H. Lewandowski/**Camille Alfred Pabst, *la Rançon du marié ou Noce alsacienne/*musée d'Orsay : 86. **Isabelle ROZENBAUM et Frédéric CIROU/PhotoAlto** : 23, 27, 51h, 51h, 51b, 98b, 110bd, 154hmd et bd, 298, 299hg, 299mhg, 299md, 299bd, 300. **Isabelle ROZENBAUM/PhotoAlto** : 51hd, 93m, 93dm, 104mhm, 104db et bg, 163h. **Marcel STIVE** : 88. **SRD/A. Grégoire** : 315mg ; **SRD/A. Nouri** : 39, 93bg, 153h, 190/191h, 192, 252h ; **SRD/D. Pavois** : 154hm, 243d, 249, 249b, 315hg, 315bg, 315b ; **SRD/J.-P. Delagarde** : 71, 72, 270h, 277 ; **SRD/J.-P. Germain/**musée Jean de La Fontaine, Château-Thierry : 152h, 306h.

DESSINS

Laurent AUDOUIN : 6mh, 6b, 7mh, 60/61, 148/149, 171, 172, 176, 244/245, 272, 282. **Emmanuel BATISSE** : 16b, 18b, 50h, 63b, 64, 69, 76b, 178, 209, 210, 275h. **Philippe BUCAMP** : 94/95. **Jacqueline CAULET** : 22, 25, 26/27, 31hg, 36/37, 42, 53, 56/57, 57hd, 82,83,91,100md, 130, 138g, 154, 157, 175, 179, 189, 223/224, 230/231, 239, 242/243, 276b, 281, 300, 301, 309b, 325, 326, 329. **Marc DONON** : 15b, 16h, 21. **Philippe FASSIER** : 19h, 50b, 79, 96, 107, 110, 119, 167g, 182, 196bd, 199mh, 332, 334. **William FRASCHINI** : 73, 101h, 103, 162b, 187b, 188, 302/303, 324h. **Sylvie GUERRAZ** : 43, 45, 55, 67b, 68, 76h, 80, 95b, 124, 126, 129bg, 130bd, 142/143, 166, 174, 207, 219, 222d, 227md, 235, 242hg, 254h, 264, 274, 299. **Sylvie GUERRAZ- Jacqueline CAULET** : 216/217. **Nicolas JARREAU** : 133. **Jean-Pierre LAMERAND** : 67, 81, 99hg, 120, 143, 153, 162md, 196bg, 206, 220/221, 337. **Patrick LESTIENNE** : 14h, 17b, 24, 26b, 28, 31bd, 35h, 47, 52b, 54, 114, 131, 136bd, 138bd, 142, 147, 227hg, 238, 308/309, 316b, 318, 321, 323, 324b. **Coll. D. PAVOIS** : 115. **D. PAVOIS** : 222hg, 271, 293. **Claude QUIEC** : 35b, 57bd, 77hg, 100mg, 117md, 129d, 139, 140/141, 159, 162h, 232/233, 316h. **Carine SANSON** : couverture, 3, 6hg, 6mb, 7hd, 7mb, 7b, 12/13, 84, 112/113, 117b, 132, 136g, 202/203, 228, 296/297, 336, 342/343.

TEXTES

Avec l'aimable autorisation de la **RATP** : 236/237. Avec l'aimable autorisation des **Fromageries BEL,** de la société **NUTRIAL**, de la société **RECKITT BENCKISER France**, « Parce que je le vaux bien » est un slogan déposé, propriété de **l'Oréal** : 30/31b. « Malgré moi », poème de Jacques Prévert in *Choses et autres* **© Éditions GALLIMARD** : 35. « Le Pont Mirabeau », poème de Guillaume Apollinaire in *Alcools* **© Éditions GALLIMARD** : 135. « Le Fiacre », de Léon Xanrof **© 1890 Éditions FORTIN-Paris** : 27. « Félicie aussi », paroles : Albert Willemetz, Ch.L. Pothier, musique : C. Oberfeld **© 1939, Éditions Durand** : 57.

Le Grand Livre de la Mémoire
est publié par Sélection du Reader's Digest

PREMIÈRE ÉDITION
Impression et reliure : Partenaires, Malesherbes
Achevé d'imprimer : avril 2005
Dépôt légal en France : août 2004
Dépôt légal en Belgique : D 2004-0621-102

Imprimé en France
Printed in France